Gli struzzi   366

ISBN 88-06-11582-0

Anton Čechov
Vita attraverso le lettere

Profilo biografico e scelta a cura di Natalia Ginzburg
Traduzione di Gigliola Venturi e di Clara Coïsson

Einaudi

Indice

Le citazioni tratte dai racconti, nel *Profilo biografico*, sono nella traduzione di Alfredo Polledro, dell'edizione Rizzoli.

I puntini di sospensione fra parentesi quadre, nelle lettere, indicano i tagli che furono operati dalla censura.

Profilo biografico

Anton Čechov nacque a Taganrog il 17 gennaio del 1860. Taganrog era una piccola città della Russia del Sud, sul Mar d'Azov. Era stata, fino alla metà del secolo, un centro commerciale animato e florido; ma poi, per diverse cause – l'insabbiamento del porto, la concorrenza di Rostov – sul Don – perse l'antico prestigio. Quando vi nacque Čechov, era già da tempo iniziato il suo declino. Čechov la ricorderà come un borgo sonnolento, abitato da gente torpida: notti buie e deserte, vicoli fangosi, nell'estate polvere e mosche; l'acqua era poca e infetta, e il pane era pessimo.

Quando egli nacque, il fratello maggiore, Aleksandr, aveva cinque anni; il fratello Nikolaj ne aveva due. Dopo di lui venne al mondo Ivan, nel 1861; poi la sorella Marija, nel 1863; e infine Michail, nel 1865. I nonni paterni e materni erano stati servi della gleba. Il nonno paterno si era liberato nel 1841. Il padre, Pavel Jegorovič, fu per anni contabile, poi a forza di sacrifici riuscí a metter su un negozietto. Vi si vendeva zucchero, granaglie, farina e spezie, e annessa c'era anche una piccola mescita. Il negozietto era nel centro di Taganrog. La casa dove nacque Čechov era situata lí accanto.

Per causa del declino di Taganrog, e certo anche per causa dell'inettitudine del padre, il negozietto andava molto male. Era un luogo sudicio, pieno di topi e d'inverno vi si gelava dal freddo. Anton doveva far lí i compiti di scuola, e intanto sorvegliare i due commessi, servire la vodka ai clienti e contare i soldi. Forse per tutte queste pesanti incombenze, nell'infanzia fu un cattivo scolaro. Se faceva qualche sbaglio nei conti di cassa, il padre lo frustava con una cinghia.

Il padre era un uomo dispotico, di umore stizzoso e mutevole e di un'avarizia sordida. L'avarizia nasceva in lui sia dalle difficoltà economiche, sia da un attaccamento malato a quei pochi soldi che gli rendeva il commercio. Era un uomo di chiesa. Il denaro e le pratiche religiose dominavano i suoi pensieri e le sue giornate. La madre era una donna sottomessa, rassegnata e spenta, sfibrata dalle molte maternità cosí vicine l'una all'altra e logorata dalle preoccupazioni. Non faceva che contare nella propria testa i pochi soldi di cui disponeva per mandare avanti la famiglia, non già con la morbosa intensità del padre ma con lo sgomento d'una lepre inseguita. Padre e madre compaiono spesso nei racconti di Čechov: l'umore dispotico e collerico dell'uno, la spenta rassegnazione dell'altra; le stanze in cui regnava la paura. Dalle collere e dalle cinghiate paterne, la madre cercava di difendere i figli, ma la sua protezione era debole, sgomenta e rassegnata al peggio. Questo il quadro famigliare in cui Čechov trascorse l'infanzia e l'adolescenza; ed egli ne trasse e conservò per tutta la vita sia una forte avversione per ogni osservanza religiosa, sia il pensiero del denaro non già nella forma d'una passione avara e avida com'era nel padre, ma nella forma d'una necessità incalzante e assillante com'era nella madre. Al tempo stesso, essendo l'indole umana contraddittoria e piena di strani contrasti, accanto a quella costante preoccupazione c'era una profonda e totale indifferenza al denaro nella sua natura, e l'istinto di regalarlo a tutti non appena ne aveva.

Della sua famiglia d'origine egli non si liberò mai; di sei figli che erano, fu il solo ad assumerne la responsabilità e la guida, quando era ancora un ragazzo; e fino all'ultimo quel carico egli se lo portò sulle spalle.

Il padre aveva un certo amore per l'arte, strano in un'indole bigotta e rapace qual era la sua; suonava il violino, aveva imparato a suonarlo da sé; e dipingeva immagini sacre. Čechov disse piú tardi che loro fratelli avevano preso dal padre il talento artistico, dalla madre l'anima.

Fra i parenti era soprattutto amato in famiglia uno zio per parte paterna, lo zio Mitrofan. Viveva a Taganrog; i ragazzi Čechov frequentavano spesso casa sua.

Deluso del commercio che andava male, il padre volle che i figli studiassero. Ma sovente accadeva che non potessero andare a scuola, non avendo pagato la retta, o non avendo abiti o scarpe decenti. Aleksandr sembrava avere attitudine alla matematica; Nikolaj amava dipingere. Anton a un certo punto decise che voleva studiare medicina. A quindici anni aveva rischiato di morire per una peritonite, e lo avevano salvato la pazienza e la devozione d'un medico; e forse l'idea di fare il medico gli era venuta allora. Ma occorrevano lunghi anni di studio e pesanti spese. Tuttavia egli non abbandonò quel disegno. Da piccolo, era svogliato e distratto; nelle scuole superiori, s'impegnò allo studio seriamente.

Quella peritonite gli lasciò dei disturbi intestinali e delle emorroidi, che l'avrebbero tormentato per sempre.

In un terreno che aveva ereditato, il padre costruí una casa e la famiglia vi si trasferí. Era una casa grande, e ne venne affittata un'ala a un certo Selivanov, funzionario del tribunale. Ma nella costruzione della casa se n'erano andati tutti i risparmi. I debiti resero il padre ancora piú collerico. I due figli maggiori lasciarono Taganrog, insofferenti dell'atmosfera famigliare. Si stabilirono a Mosca.

Aleksandr trovò un posto di precettore in una famiglia. Inoltre lavorava come scrivano. Manteneva il fratello Nikolaj, che sperava di potersi iscrivere a una scuola di arte.

Il padre alla loro partenza s'era infuriato. Ma poco tempo dopo li dovette raggiungere a Mosca e chieder loro asilo. Era stato decretato il fallimento del negozio ed egli temeva di esser messo in carcere. Se ne venne via da Taganrog all'alba, a piedi, e prese il treno alla stazione successiva perché non lo vedesse nessuno. A Mosca, per qualche tempo fece l'operaio in un cantiere, poi lo scrivano in un deposito. La madre mise in vendita la casa, che fu comprata dall'affittuario Selivanov. Partí anche lei per Mosca con Marija e Michail e la ospitarono dei parenti. Ivan rimase a Taganrog da una zia, e anche Anton vi rimase. Selivanov gli aveva offerto un angoletto per dormire e un piatto a tavola, se in cambio dava ripetizioni a un suo nipote.

Cosí egli ora abitava come sottoposto nella casa che era stata della sua famiglia.

Aveva avuto dalla madre il compito di vendere i pochi oggetti salvati dal naufragio: masserizie, qualche seggiola rotta, casseruole. Girava in cerca d'acquirenti e in cerca di altre ripetizioni, per mandare un po' di soldi alla madre. Aveva sedici anni. Disse piú tardi che la povertà in quegli anni era per lui come un dente malato, che gli dava un dolore persistente e sordo, di cui non si liberava mai.

Tre anni dopo, prese la licenza ginnasiale e ottenne una borsa di studio: venticinque rubli al mese. Partí per Mosca. Là famiglia si era riunita e viveva accampata in uno scantinato. Poi se ne andò via il padre, avendo trovato un letto nel deposito dove lavorava; prendeva trenta rubli al mese; soldi alla famiglia ne dava pochi, perché s'era messo a bere; e tuttavia il

XVI NATALIA GINZBURG

fatto che abitasse altrove era un sollievo per tutti; compariva solo la domenica. Se ne andò via Aleksandr. Erano sempre tanti, in quello scantinato senz'aria, ma Anton indusse la madre a prendere a pensione tre studenti: la madre lo ascoltò.

Sfumato nelle bettole il dispotismo paterno, la madre abituata a ubbidire e priva di energia era inetta a gestire quella comunità famigliare disordinata e disorientata. Aleksandr, il figlio maggiore, si teneva lontano dalla famiglia come il padre, e pensava solo a se stesso; era d'ingegno vivace ma di idee confuse; era mitomane e velleitario; usava mandare ai giornali qualche scritto che a volte gli stampavano; sognava grandi successi, e intanto beveva; ubriaco, diventava antipatico e violento; presto si uní a una donna che per lui aveva lasciato il marito: nacquero bambini. E anche il secondogenito, Nikolaj, s'era messo a bere, come il fratello e come il padre; era d'animo gentile, ma era pigro e di carattere debole; la vocazione che aveva per la pittura si disperdeva nella vodka e nel sonno; s'alzava a mezzogiorno, dipingeva poco, raramente riusciva a dar via per poche copeche qualche piccolo schizzo. Quanto agli altri, Ivan studiava da maestro, con impegno ma con scarsa fiducia nel futuro; Marija aiutava la madre nelle faccende domestiche e lavorava ai ferri degli scialli che vendeva; e Michail era ancora un bambino. Anton stabilí che Marija e Michail dovevano continuare gli studi. Stabilí che era necessario trasferirsi in un alloggio un poco migliore; fu cosí lasciato quello scantinato angusto e umido e fu trovato, nella stessa strada povera e malfamata, un appartamento un po' piú grande, al secondo piano.

Sui diciannove anni, Anton divenne il capofamiglia; fra tutti, era il solo che avesse le idee chiare; e il padre s'incupiva, nelle sue visite settimanali, sentendo che il dominio della casa gli era sfuggito; voleva ancora imporre disciplina, pratiche religiose, orari che nessuno seguiva: ma era sempre ubriaco e quasi sempre assente.

Nel 1881, a Pietroburgo, moriva Dostoevskij. Turgenev sarebbe morto due anni dopo.

Nel 1881, lo zar Alessandro II fu ucciso dalla bomba di un terrorista. Gli successe il figlio, Alessandro III. Il suo governo fu ben piú oppressivo del governo precedente. Crebbe la sorveglianza della polizia. Si moltiplicarono le perquisizioni e gli arresti. La censura divenne piú rigida. Frequentando l'università, Čechov prendeva parte alle assemblee studentesche, dove si dibattevano idee rivoluzionarie. Vi prendeva parte però soltanto come spettatore. Credeva nel progresso della scienza, e riteneva che esso avesse il potere di far scomparire dal mondo la miseria e l'ingiustizia sociale.

Egli voleva allora diventare un medico, e non aveva altri disegni. Quando cominciò a mandare piccoli racconti ai giornali umoristici, come già faceva il fratello Aleksandr, gli stava a cuore unicamente guadagnare qualche copeca. Per un pezzo i suoi raccontini venivano rifiutati; ma infine un giorno, sulla «Cicala», lesse questo commento a un suo raccontino, fra le osservazioni destinate agli scrittori esordienti, nella rubrica «La cassetta della posta»: «Niente male. Pubblicheremo quello che ci avete mandato. La nostra benedizione per il vostro lavoro futuro». Il racconto uscí due mesi dopo; egli l'aveva firmato «V.». Era il 1880; gli stamparono nove raccontini, quell'anno; tredici l'anno seguente. Lo pagavano cinque copeche a riga. Doveva, scrivendo, avere bene impresse nella mente due cose: la necessità d'esser breve, non superare mai il numero di righe comandato: e le imposizioni della censura. Prese vari pseudonimi: il piú frequente era «Antoša Čechonte». A volte tardavano a pagarlo: oppure lo pagavano con biglietti di teatro.

I fratelli Čechov amavano appassionatamente il teatro. A Taganrog, ragazzini, recitavano dinanzi a un pubblico d'amici e parenti le commedie che scriveva Anton. Recitava anche lui e suscitava applausi e risate. Sui tredici anni, a Taganrog, aveva visto *La bella Elena* di Offenbach, e ne era rimasto incantato. In seguito aveva visto con rapimento *Amleto* e *Il revisore* di Gogol'.

A Mosca, nel 1880, scrisse una commedia senza titolo, in quattro atti. Era affollata di personaggi e molto confusa. Si svolgeva in una villa in campagna, dove un gruppo di oziosi sognavano, sbadigliando, una vita migliore. Un parassita squattrinato e cinico, di nome Platonov, si giovava del proprio fascino sulle donne per sfruttarle. Infine aveva un attimo di rimorso e ad alta voce e davanti a tutti diceva quanto disprezzo aveva di sé. Luogo e personaggi torneranno nel teatro di Čechov. Egli fece copiare la commedia dal fratello Michail. Fu poi lo stesso Michail a portarla al teatro Malyi, perché venisse consegnata alla famosa attrice Marija Jermolova. La commedia fu rifiutata. Anton, mortificato, la distrusse. Tuttavia ne venne ritrovata, molti anni piú tardi e lui morto, una prima stesura. Le fu dato il titolo *Platonov*. Venne anche rappresentata, a Parigi, con tagli. Senza tagli, sarebbe durata piú di sette ore.

Stracciata la commedia, Čechov tornò ai suoi raccontini comici. Ruppe i rapporti con «La cicala». Mandava i racconti ad altri giornali, alla «Sveglia» e allo «Spettatore», che lo pagavano un poco meglio: sei copeche a riga. Un giorno, nell'autunno del 1882, passeggiava con il fratello Nikolaj per una strada di Mosca, quando davanti a loro si fermò una carrozza. Ne scese il poeta Pal'min, che Čechov conosceva, e con lui un signore grasso dalla folta barba nera: era Lejkin, direttore di «Schegge», periodico umoristico di Pietroburgo. Pal'min aveva detto a Lejkin: «Ecco là due fratelli di molto ingegno, uno dipinge e uno scrive». Lejkin cercava collaboratori per il suo periodico. Tutti e quattro entrarono in una birreria: Lejkin offerse salsicce e birra. Propose ad Anton di mandare racconti e a Nikolaj di illustrarli. I racconti dovevano essere brevi, leggeri e comici; tener conto della censura: evitare ogni accenno alla durezza dei tempi. Stabilí il compenso: otto copeche a riga. Anton promise di mandare a Pietroburgo un pacchetto di manoscritti, con le illustrazioni di Nikolaj.

Scriveva nei ritagli di tempo. Nella casa c'era rumore: arrivava il fratello Aleksandr, ubriaco, e insultava la sorella e la madre; arrivava ubriaco anche Nikolaj, dopo giorni di assenza, nei quali nessuno sapeva dove fosse finito; e arrivavano parenti con bambini piccoli. Egli non aveva un angolo tranquillo per sé.

Alcuni dei suoi racconti piú noti uscirono in questi suoi primi anni di collaborazione ai giornali: *La morte dell'impiegato*; *Il grasso e il magro*; *Un cognome cavallino*. *La morte dell'impiegato*: uno starnuto a teatro sulla collottola del caposervizio, e l'usciere che a forza di chiedere scusa viene mandato al diavolo, e ne muore; *Il grasso e il magro*: l'incontro alla stazione fra due antichi compagni di scuola, l'euforia loquace e appiccicosa dell'uno, la pesantezza sfuggente e diffidente dell'altro; *Un cognome cavallino*: il generale travagliato dal mal di denti e i famigliari e i servi perduti nell'affannosa ricerca d'un cognome, un cognome d'un guaritore, qualcosa che ricorda i cavalli. Čechov aveva già allora un modo straordinario di introdursi in una storia, un modo brusco e leggero, fulmineo e imperioso, come chi di colpo spalanchi una finestra o una porta: offrire cosí al lettore i tratti d'una figura umana, o di un gruppo di figure umane, farne udire il suono delle voci, darne a intuire i vari stati d'animo, il servilismo o il sussiego, la pazienza o la prepotenza, e poi di colpo richiudere quella porta o quella finestra dinanzi al lettore assorto, divertito e stupefatto. Già allora, dietro a quell'usciere straziato o dietro a quel generale intento a medicarsi il dente «con gruma di tabacco, e cognac, e petrolio», si vedeva muoversi e brulicare una folla di gente, padroni e servi con il loro carico di soperchierie e di miserie, e nel disegno comico s'insinuava un lieve brivido freddo.

A Lejkin, Čechov chiese due cose. Poter scrivere dei racconti un poco piú lunghi, e gli fu consentito. Poter scrivere a volte dei racconti che non fossero unicamente comici, e anche questo gli fu consentito. Lejkin tuttavia espresse qualche perplessità. Ma i lettori amavano quei racconti e li accoglievano con gioia, comunque fossero. Cosí Čechov finalmente fu libero di intrecciare alla comicità, qualche volta, la malinconia, e ai tratti che destavano il riso unire la commozione, la pietà e il dolore. Cosí finalmente fu libero di abbandonare quella che era stata, quando aveva cominciato a scrivere, la sola fonte a cui gli fosse richiesto di attingere, l'umor comico, e una visione limitata e bozzettistica dell'esistenza. Ma se, nei racconti comici, il riso nasceva insieme a un brivido freddo, anche nei racconti non piú comici la commozione e il dolore nascevano in un'aria aspra, fredda al respiro come un'aria di neve. E se il lettore versava qualche lagrima, lo scrittore restava però sempre a ciglio asciutto. Inoltre i personaggi dei suoi racconti esprimevano a non finire commenti, giudizi, osservazioni, opinioni. Lo scrittore non esprimeva commenti. Non dava torto né ragione ad alcuno. Cosí era Čechov nei suoi primi racconti e cosí fu negli ultimi. Uno scrittore che non commentava mai.

Un suo racconto bellissimo, *La corista*, è del 1886. È un racconto di cinque pagine. Paša, giovane corista, riceve un giorno la visita della moglie di uno fra i suoi «adoratori», o amanti, una distinta signora sottile, alta e pallida. La signora le fa una scenata di gelosia e vuole indietro tutti i preziosi che il marito ha regalato a Paša, perché si trovano in gravi difficoltà economiche, lei e i bambini. «Paša sentí che su quella signora vestita di nero, dalle mani fini e bianche, essa produceva l'impressione di qualcosa di laido, di sconcio, ed ebbe vergogna delle proprie guance paffute, rosse, del proprio naso butterato e del ciuffo sulla fronte, che in nessun modo si lasciava pettinare all'insú». In preda alla vergogna e alla collera consegna alla signora tutto ciò che possiede; dal marito della signora non aveva avuto che due oggettini da quattro soldi, il resto l'aveva avuto «da altri visitatori», come grida alla signora, singhiozzando e buttandole in grembo tutto. Uscita la signora, il marito di lei che s'era nascosto nella stanza accanto viene fuori e si dispera, perché sua moglie s'era umiliata davanti a Paša, e «schifiltosamente» se ne va. Rimasta sola, «Paša si coricò e prese a piangere forte. Rimpiangeva ormai le cose sue, che aveva consegnato di primo impeto, e si sentí offesa. Rammentò come tre anni prima senza un perché al mondo l'avesse picchiata un mercante, e pianse anche piú forte». Sempre del 1886 è il racconto *Un uomo di conoscenza*: una ragazza che si trova «senza asilo e senza un soldo», senza un abito né un cappello decente, ricorda d'aver conosciuto un dentista, al quale forse potrebbe chiedere un prestito. Nello studio del dentista però non osa chiedergli nulla, e timidamente dice d'avere un dente malato. Il dentista le strappa quel dente e vuole che lei lo paghi. La ragazza gli dà il solo rublo che ha in tasca, avuto portando un anello al Monte dei Pegni. Esce fuori sputando sangue. «Camminava per la via, sputava sangue e ciascuno di quegli sputi rossi le parlava della sua vita brutta, penosa, delle offese che aveva patito e che ancora avrebbe patito domani... – Oh com'è terribile! – mormorava. – Com'è orribile, Dio mio!» Tuttavia il giorno dopo, balla in un locale elegante. «Portava un enorme cappello rosso, una camicetta nuova alla moda e babbucce color bronzo. E le offriva la cena un giovane mercante, venuto da Kazan». Comicità e pietà s'intrecciano strettamente, cosí strettamente da essere una cosa sola.

A volte, la comicità è svanita e resta soltanto il disegno doloroso dell'esistenza. È del 1886 anche il racconto *Angoscia*, la storia del vetturino di piazza che ha perduto il giovane figlio. Vorrebbe confidare ai clienti la propria sventura, mentre li trasporta in carrozza, ma nessuno intende dargli ascolto, e non gli resta infine che sfogarsi con il suo cavallo. «Cosí è, sorella cavallina... – Non c'è piú Kuzmà Jonič... Da un momento all'altro è morto per nulla...» La città è neve e fango, la notte è gelida, nella rimessa l'aria è soffocante e gli altri vetturini vanno e vengono indifferenti. Il cavallo respira sulle mani del suo padrone, mangia avena, ascolta. Il vetturino gli racconta ogni cosa.

Aleksandr ebbe un impiego alle dogane e si trasferí a Taganrog. Ivan, il quartogenito, prese il diploma di maestro. Ebbe un posto nella scuola parrocchiale del villaggio di Voskresenks. Gli fu data una casa abbastanza grande e la famiglia vi trascorse l'estate. C'erano là intorno laghi dove pescare e boschi pieni di funghi. Fu per tutti un'estate serena.

Nel 1884, Čechov pubblicò a sue spese una piccola raccolta dei racconti che riteneva migliori, con il titolo *Racconti di Melpomene* e con lo pseudonimo «Čechonte». Aleksandr, perduto l'impiego, era di nuovo a Mosca, e si assunse l'incarico della distribuzione del libro. Per un equivoco, il volume finí negli scaffali dei libri per ragazzi. Fu comunque un insuccesso totale. «La Russia sentirà parlare di te, Antoša, – scriveva Aleksandr al fratello, che non era a Mosca in quel periodo. – Muori presto, che ti piangeranno anche di là dal mare. La tua gloria crescerà. Ma intanto, la gente il tuo libro lo compera molto malvolentieri».

Arrivavano indietro i pacchi delle copie invendute. Čechov se ne consolò in fretta. Aveva finito l'università. Era medico. Mise una targa sulla porta di casa: «A. Čechov, dottore in medicina».

Fu, per qualche tempo, medico condotto in un ospedale nei pressi di Voskresenks, poi in un altro ospedale a Zvenigorod. Qui gli accadde di dover fare un'operazione a un bambino. Era una piccola operazione ma era la prima della sua vita. Il bambino si agitava e urlava. Egli ebbe paura e chiamò a soccorso un altro medico.

Quell'inverno del 1884, egli ebbe uno sbocco di sangue. Non vi fece caso. A se stesso e agli altri, disse che gli si era rotta una venuzza in gola.

A poco a poco diventò un buon medico. Aveva molti malati. I poveri, li curava gratuitamente.

La situazione famigliare parve un poco migliore. Furono comperati dei mobili e anche un pianoforte. Ivan aveva avuto un posto in una scuola a Mosca e aveva lasciato Voskresenks. Per la villeggiatura, fu affittata una villa a Babkino. Era una bella villa circondata di piante. Tutti i Čechov attribuivano grande importanza alle villeggiature e tutti amavano la campagna, avendo detestato in passato il fango e la polvere di Taganrog.

Vicino a Babkino, abitava il pittore Isaac Levitan. Era allora un giovane sui vent'anni. Aveva un lungo naso, occhi neri e una folta chioma nera. Era malato di nervi e pensava al suicidio. Čechov divenne molto amico suo, quell'estate, e lo portava spesso a casa con sé. Levitan s'innamorò della sorella Marija; e del resto s'innamorava sempre di tutte le donne. Chiese a Marija di sposarlo. Marija pianse a lungo, per pietà e per indecisione. Anton la dissuase. Sarebbe stata infelice. Marija disse di no a Levitan. Non si sposò mai.

La villa di Babkino era costata cara. Čechov era pieno di

debiti, alla fine di quell'estate. Nemmeno sapeva come pagare il ritorno della famiglia in città. Dovette chiedere denaro ai giornali. Finalmente poterono lasciare Babkino.

A Mosca, cambiarono appartamento. Erano ora in un quartiere sulla Moscova, un quartiere, scriveva Čechov a Lejkin, «a buon mercato, pulito, stupido e tranquillo».

Lejkin invitò Čechov a passare due settimane a Pietroburgo, a spese sue. Egli accettò. Era il dicembre del 1885. A Pietroburgo, conobbe Aleksej Suvorin.

Suvorin era il direttore d'un grande quotidiano: «Tempo Nuovo». Non aveva una buona fama. Lo dicevano astuto, cinico, opportunista e privo di scrupoli. Il suo giornale era reazionario. Ma a Čechov, Suvorin ispirò simpatia. Suvorin era stato molto povero, da giovane, e proveniva da una famiglia di servi della gleba. Sua moglie, come spesso amava ripetere, in passato andava a piedi scalzi. Erano ora favolosamente ricchi. Čechov lo trovava comico, perché si dava grandi arie, vantando la propria ricchezza. Tuttavia ne ammirava l'intelligenza, l'ironia e la cultura. Suvorin gli chiese di collaborare a «Tempo Nuovo». Gli offerse dodici copeche a riga. Strinsero amicizia: e fu un'amicizia che durò molti anni.

Tornato a Mosca, egli mandò a Suvorin un racconto, *Requiem*, e Suvorin subito lo pubblicò.

Si apprestava a pubblicare una nuova scelta di racconti, con il titolo *Racconti variopinti*. Suvorin e altri lo sollecitavano a farlo uscire con il suo nome. Lui non voleva. Era in verità un medico, usava dire, e presto avrebbe smesso di scrivere. La medicina era la sua moglie legittima, l'arte dello scrivere era la sua amante. Quella amante, diceva, presto l'avrebbe lasciata.

Ma ricevette, nel febbraio del 1886, una lettera di Grigorovič. Fu per lui una grande emozione. Grigorovič era uno scrittore sessantacinquenne, molto noto: Čechov l'aveva incontrato a Pietroburgo, ma si erano parlati appena. Nella lettera, Grigorovič gli esprimeva una immensa ammirazione. Quarant'anni prima, Grigorovič aveva festeggiato la rivelazione d'un grande scrittore: Dostoevskij. Con rapimento, scriveva ora Grigorovič a Čechov, egli leggeva tutto quello che di «Čechonte» usciva sui vari giornali. «Avete un talento vero, un talento che vi pone al disopra di tutti gli scrittori della giovane generazione». Gli dava qualche consiglio: non scrivere troppo né troppo in fretta; non usare particolari troppo crudi: unghie irregolari, piedi sporchi. Firmare con il vero nome. Čechov questi consigli non li ascoltò.

Tuttavia la lettera di Grigorovič l'aveva reso cosí felice, che non si stancava di rileggerla e mostrarla a parenti e amici. Uscirono i *Racconti variopinti* ed ebbero un'accoglienza malevola da parte dei critici. «Il delirio d'un demente» scrisse qualcuno. E qualcuno scrisse che egli era «come un limone spremuto che marcisce ai piedi d'un muro». Sapendosi ora ammirato da Grigorovič e da Suvorin, a queste frasi egli si sentiva ferito, umiliato dinanzi al loro sguardo.

Volle di nuovo cambiare casa. Affittò, questa volta, non un appartamento ma un'intiera casa a due piani, nel centro di Mosca. Il suo studio medico era al pianterreno. L'affitto era alto ed egli dovette portare il suo orologio al Monte dei Pegni. Dovette anche chiedere un prestito a Lejkin.

La casa era sempre piena di gente. Veniva in visita il padre, sempre perentorio, vanitoso e ciarliero. Venivano ragazze amiche di Marija, e il poeta Pal'min e lo scrittore Korolenko, e pittori, amici di Levitan e di Nikolaj. Nikolaj però dipingeva sempre meno, e a volte la notte bisognava andare a prenderlo, ubriaco e addormentato nelle osterie.

Aleksandr era ora a Pietroburgo: Suvorin l'aveva assunto nella redazione del suo quotidiano. Nella primavera del 1887, a Pietroburgo scoppiò un'epidemia di tifo: Aleksandr scrisse ad Anton che si era ammalato di tifo e lo pregò di venire subito. Anton partí. In verità Aleksandr non aveva nulla: si era sentito depresso e si era immaginato una malattia. Il tifo l'aveva invece la donna che viveva con lui. Anton la curò finché fu guarita. Vide Suvorin e conversarono lungamente. Suvorin gli offerse di stampare una sua nuova scelta di racconti ed egli accettò. Suvorin gli diede un anticipo di trecento rubli.

Di ritorno a casa, egli aveva in testa il tifo, ricordando Pietroburgo colpita dall'epidemia e triste, con la gente che piangeva e pregava nelle chiese, abiti da lutto e funerali in ogni strada. Scrisse il racconto *Tifo*, e lo incluse nella raccolta che avrebbe mandato a Suvorin.

Si sentiva ricco, avendo avuto quell'anticipo da Suvorin, e volle andare a rivedere Taganrog. La sua città natale gli parve orribile. E orribile gli parve la casa di Selivanov, ora disabitata e malandata: la casa che un tempo era stata loro e dove egli aveva trascorso in adolescenza giorni umilianti. Poi volle visitare la steppa. Un'idea d'un racconto gli fluttuava in testa, un racconto lungo, quasi un romanzo, ma senza vicende: un viaggio nella steppa. Lo scrisse un anno dopo.

Con il titolo *Nel crepuscolo*, nell'autunno del 1887 uscirono

i sedici racconti. Il libro non ebbe un gran successo di vendita. La critica era favorevole, questa volta, ma Čechov trovava quei commenti o banali o ambigui. In genere lo elogiavano,
ma deploravano la desolazione della sua anima.

Scrisse un dramma: *Ivanov*. Al teatro pensava sempre: aveva scritto un breve monologo comico, *Il tabacco fa male*, l'anno prima. Lo teneva nel cassetto. *Ivanov* era un dramma in
quattro atti. Il protagonista è un proprietario terriero. Sogna
un avvenire migliore per l'umanità, ma è inetto a occuparsi
delle sue terre, e arido nei rapporti con chi gli sta vicino. Si
uccide per disprezzo di se stesso. La giovane Saša, innamorata
di lui, e il medico L'vov, onesto ma di idee limitate, sono personaggi che torneranno spesso nel teatro di Čechov, in varie
forme e in varie trasformazioni; cosí come vi torneranno i luoghi, la casa di campagna, il giardino, e le conversazioni che
fluttuano fra annoiate futilità e confessioni impetuose. Nel
protagonista, Ivanov, Čechov aveva forse ritratto le figure dei
suoi due fratelli, Aleksandr e Nikolaj, inetti a vivere, appas-
sionati e cinici al tempo stesso, sognatori e oziosi, senza fiducia e senza volontà.

Ivanov fu rappresentato a Mosca, al teatro Korš, nel novembre del 1887. Sul manifesto c'era il vero nome di Čechov.
Gli attori recitavano male, uno di loro recitava ubriaco. Čechov certo allora sentí quanto fosse difficile il teatro, e dovette essere ben penoso per lui il confronto fra quelle voci e quei
corpi e le creature della sua immaginazione. Alla fine vi furono applausi e fischi, e un gran tumulto nella platea. Alcuni fra
gli spettatori si presero a pugni. Arrivò la polizia. La sorella
Marija quasi svenne. Čechov rimase tranquillo.

Nei giorni che seguirono, egli aveva ripreso a scrivere i suoi
racconti, con il nome di Čechonte.

Del 1887 è *Kaštanka*, la storia d'una cagna. Čechov ritrasse, nel corso degli anni, varie figure di animali: la cagna Kaštanka, il lupo Bellafronte. In *Kaštanka*, in *Bellafronte*, il mondo è guardato con gli occhi di una cagna o con gli occhi d'un
lupo: sono occhi giovani, sprovveduti, curiosi, profondamente stupiti, profondamente assorti a scoprire e a spiare, del
mondo, i mille aspetti strani, le sue mille bizzarrie e strava-
ganze, le mille forme imprevedibili e multicolori che può offrire il caso, e le costumanze degli altri animali e quelle degli
uomini. Questa è la grandezza di Čechov: sapere impersonar-
si negli esseri piú diversi, siano cani, o lupi, o uomini, o donne: e il mondo ai loro occhi può mostrarsi amico o nemico, af-

fettuoso o spaventoso, ma è comunque cosí strano che lo sguardo che si avventura è soprattutto meravigliato. Čechov ritrasse inoltre, nel corso degli anni, figure indimenticabili di bambini: il bambino Griša, condotto a spasso nelle stranezze della città, o il ragazzino della *Steppa*, o la piccola serva nella *Voglia di dormire*, o il ragazzino Vagnka, servo nella casa del calzolaio.

Nel 1888, Čechov scrisse *La steppa*, il racconto piú lungo che avesse mai scritto. È un racconto memorabile: la steppa nello sguardo d'un ragazzo. È un racconto dove regnano la luce e l'aria. Senza alcuna luce e senz'aria è invece un racconto breve di quel medesimo anno, *La voglia di dormire*: qui di nuovo il mondo è visto da occhi infantili, ma si tratta di un mondo livido e disperato, le mura umide e sudice d'un alloggio dove una servetta, allucinata dalla fatica e dal sonno, uccide il bambino dei padroni. *La voglia di dormire* ricorda un racconto di qualche anno prima, *Vagnka*: la lettera sconsolata d'un ragazzetto che il nonno, per miseria, ha messo a servire da un calzolaio, e che mai ritroverà il nonno, né il villaggio dove è nato e dove qualcuno un poco gli voleva bene.

Di quel medesimo anno 1888 è *L'onomastico*: una donna gelosa del marito, una festa all'aperto con molti ospiti e vini e cibi, un violento diverbio fra il marito e la moglie e un bambino che nasce morto. Nei racconti di Čechov, la felicità nei matrimoni e l'armonia famigliare non s'incontrano mai.

Nell'estate del 1888, egli passò qualche settimana in Crimea, a Feodosija, nella villa dei Suvorin: una splendida villa in riva al mare. La moglie di Suvorin, all'inizio egli la trovava stupida e chiacchierona: «parla con voce di basso oppure abbaia come un cane», aveva scritto di lei al fratello Michail. Tuttavia nel frequentarla gli diventò simpatica: e scoperse che invece quelle sue chiacchiere erano come «il canto d'un canarino», che si poteva udire anche a lungo senza prestarvi grande ascolto. Essa disprezzava, in genere, gli scrittori contemporanei, Korolenko e Čechov; però idolatrava Tolstoj. I bagni di mare e gli agi di quella villa, a Čechov piacevano immensamente.

Nell'autunno, seppe che l'Accademia delle Scienze di Pietroburgo gli aveva assegnato il premio Puškin, per il suo volume di racconti *Nel crepuscolo*. Erano cinquecento rubli. Sognò di poter comprare forse un giorno una casa in campagna, con un podere.

A Pietroburgo, nel gennaio del 1889, venne rappresentato di nuovo *Ivanov*, e questa volta ebbe un gran successo.

Nel giugno di quell'anno, morí il fratello Nikolaj. Era alcolizzato e tubercoloso. Prese il tifo, e Čechov lo portò con sé a Luka, in campagna, dove aveva affittato una casa per villeggiare, e qui tentava di curarlo. Venne anche Aleksandr. Egli prese allora qualche giorno di riposo, andò a Poltava, dagli amici Smagin. Nikolaj morí in quei giorni che lui non c'era. Aveva sempre dato preoccupazioni, per la sua vita disordinata e randagia. Ma era di indole mite e gentile. La famiglia lo amava teneramente, e non sapevano consolarsi per averlo perduto.

Čechov lasciò Luka, nel luglio, perché non sopportava piú quel luogo che aveva visto soffrire e morire il fratello. Non sapeva dove andare, ma voleva star lontano per un poco dai suoi. Infine se ne andò a Yalta, solo. Vedeva Yalta per la prima volta. «Città di tartari e di parrucchieri» scriveva all'amico Pleščeev. Qui scrisse *Una storia noiosa*, racconto in prima persona, dominato dall'idea della morte.

Nell'autunno, di ritorno a Mosca, scrisse un nuovo dramma, *Lo spirito dei boschi*. Alcuni vollero scorgere, nel vecchio professor Serebriakov, una caricatura di Suvorin. Čechov supplicò Suvorin di non credere a quelle fandonie. Altre voci malevole dicevano che Čechov s'era venduto a Suvorin, e che anzi presto ne avrebbe sposato la figlia. In verità la figlia di Suvorin era allora una bambinella di pochi anni.

Lo spirito dei boschi fu rappresentato a Mosca, al teatro Abramov, nel dicembre. La critica ne disse un gran male. Non era teatro. Non significava niente.

Anni dopo, Čechov avrebbe ripreso in mano quel copione. Ripensato e riscritto, trasformato completamente, *Lo spirito dei boschi* sarebbe diventato *Zio Vanja*.

Gli accadde di leggere, alla fine di quell'anno, certi appunti del fratello Michail, che studiava diritto penale. Gli parve che la gente s'interessasse ai criminali fino al giorno della sentenza, ma nessuno in realtà sapesse come si viveva nelle carceri o nei lavori forzati. Cosí gli venne l'idea di andare in Siberia. Conoscere la vita dei forzati nell'isola di Sachalin, sul Pacifico. Decise di partire per Sachalin, benché tutti in famiglia lo scongiurassero di rinunciare a quel viaggio, temendone per lui la fatica e i disagi. Anche Suvorin cercava di convincerlo a non partire. Ma era inutile.

Qualcuno pensava che partisse per una delusione d'amore.

Ne era soprattutto persuasa una signora di nome Lidija Avilova, che egli aveva conosciuto a Pietroburgo. La Avilova si
sentiva sicura che egli era innamorato di lei e che partiva per
disperazione. Lei aveva marito e un bambino. Era allora,
quando egli la conobbe, una donna molto bionda e giovane.
Scriveva romanzi e li mandava a Čechov, il quale li leggeva
pazientemente e gentilmente le rispondeva. Spesso però,
quando era a Pietroburgo, egli si dimenticava di cercarla. Provava per lei un'indifferenza assoluta e non mancava di farglie-
lo capire in ogni modo possibile. Essa pubblicò, morto lui, un
libro: *Čechov nella mia vita*. Vi esprime l'ostinata sicurezza
che Čechov la amasse di una segreta passione.

Lo attraevano altre donne. Lo aveva attratto per un certo
tempo un'amica della sorella, una ebrea, Dunia Efros. Le aveva anche chiesto di sposarlo. Subito però se ne era pentito,
perché gli era sembrata brusca e ruvida. Lei d'altronde subito
gli aveva detto di no. Lo attraeva un'altra giovane amica della
sorella, Lika Mizinova. Ma egli in realtà rifuggiva da ogni legame sentimentale. I suoi rapporti con Lika Mizinova erano
teneri ma sempre ironici, e qualche volta crudeli. Essa era innamorata di lui ed egli lo sapeva. «Meravigliosa Lika», dicevano le sue lettere a lei. Ma sempre egli insinuava fra le sue
frasi una freddezza canzonatoria, cosí da tenerla lontana.

Partí per Sachalin nell'aprile del 1890. Tutta la famiglia e
alcuni amici lo accompagnarono alla stazione. La madre e la
sorella piangevano. Lika Mizinova aveva le lagrime agli occhi.
All'ultimo istante il fratello Ivan, Levitan e Ol'ga Kundesova,
una studiosa di astronomia che anch'essa era innamorata di
lui, decisero di salire sul treno e lo accompagnarono per un
tratto.

Fu un viaggio lungo, interminabile. Dopo il treno il battello, poi di nuovo il treno, e il *tarantas*, e il battello ancora.
Sbarcò nel porto di Aleksandrov il 12 luglio. Aleksandrov era
la capitale dell'isola. Una città grigia, pulita, silenziosa. Si udi-
va soltanto, nelle strade, il tintinnio delle catene dei forzati.
Nell'isola c'erano cinque penitenziari. Lo accolsero le autorità
principali, il generale Kononovič e il barone Korf. Spiegò che
non era venuto per curiosità di turista, ma per studio. Furono
entrambi molto cortesi, ma egli ebbe subito il sospetto che gli
raccontassero fandonie. La condizione dei forzati, dissero,
non era affatto cosí triste come la pensava la gente. Lo auto-
rizzarono a circolare per tutto il territorio.

Čechov rimase a Sachalin fino all'ottobre. Si alzava ogni

mattina all'alba e perlustrava minuziosamente ogni zona. Parlò a lungo con i forzati e con le loro famiglie. Chiese di assistere a una fustigazione. Partendo, aveva conosciuto a fondo tutti gli abitanti. Sachalin era ai suoi occhi un luogo infernale. Vi
imperava l'arbitrio e la crudeltà. Nulla era vero di quanto gli
avevano detto Korf e Kononovič.

Il viaggio di ritorno lo fece per mare, fino a Odessa, e durò
due mesi. La nave attraversò il Mar del Giappone, l'Oceano
Indiano, il Canale di Suez. Nel viaggio morirono due marinai
e i loro corpi furono gettati in mare. Con quel ricordo, egli
scrisse poco tempo dopo un racconto, *Gušev*: su una nave un
soldato semplice in congedo, Gušev, s'ammala, riflette, sogna, vaneggia e ragiona: muore, e lo buttano in mare: «Lo cu-
ciono in una tela da vele e perché sia piú pesante, mettono insieme con lui due graticole di stufa. Cucito entro la tela, diventa simile a una carota o a una rapa... – E disopra frattanto, dalla parte dove tramonta il sole, s'ammucchiano le nuvole: una nuvola somiglia a un arco di trionfo, un'altra a un
leone, una terza a un paio di forbici». Non c'è piú Gušev, egli
è ormai un corpo inanimato, un fagotto legato stretto, simile
a una carota o a una rapa, e intorno a quel fagotto s'avvici-
nano i pescecani: e tuttavia è come se il suo sguardo, il suo
sguardo curioso, stupito, ingenuo, continuasse ad avventurar-
si intorno e a scoprire gli orrori e le meraviglie del mondo. Nel
racconto *Gušev*, si sente sia l'idea della morte, a cui Čechov
pensava in un modo nuovo e piú spesso da quando gli era
morto il fratello, sia l'indifferenza della gente in presenza della malattia e della miseria, indifferenza che è pressoché senza
colpa quando anche gli altri sono dei poveri; e nella figura del
soldato Gušev è possibile si riflettesse l'immagine di qualche
sventurato che aveva conosciuto a Sachalin.

Tornato a Mosca, trovò che la sua famiglia nella sua assenza aveva di nuovo cambiato casa. L'avevano ritenuto opportuno, per ragioni di economia. La nuova casa era piú piccola e
piú modesta. Ora Ivan, Marija e Michail guadagnavano; ma
Aleksandr non faceva che chiedere aiuti. Quella sua prima
compagna era morta e si era unito a un'altra: gli era nato un
altro bambino. Inoltre il padre aveva lasciato l'impiego ed era
rientrato in famiglia. Čechov, al suo ritorno, fu ripreso dalle
consuete preoccupazioni. Si era ripromesso di scrivere subito
la relazione su Sachalin: iniziò a scriverla, ma nello stesso
tempo iniziò anche un racconto lungo, *Il duello*. Scrivere racconti gli era facile e gli procurava subito dei denari.

Gli arrivavano echi di voci malevole, riguardo al suo viaggio a Sachalin: dicevano che era andato là per cercare nuovi temi, non avendo piú nulla da mettere nei suoi scritti, e che era andato là per assomigliare a Dostoevskij. E anche sulla sua amicizia con Suvorin dicevano cattiverie: egli era una donna, dicevano, che Suvorin si pregiava di mantenere.

Suvorin gli propose di fare un viaggio in Europa: accettò. I viaggi lo attraevano sempre. Nella primavera del 1891, partiva con Suvorin e col figlio di lui Aleksej. Fu un viaggio ben diverso dal suo precedente: treni comodi, questa volta, e ristoranti di lusso. Visitarono l'Austria, l'Italia, la Francia. Tornarono in Russia dopo due mesi.

In quel viaggio, si era indebitato con Suvorin, e adesso quei denari li doveva al piú presto restituire; e come sempre la famiglia e lui stesso desideravano andare in villeggiatura: affittarono una casa a Bogimovo, per i mesi d'estate. Occorreva rapidamente mettere insieme dei soldi.

A Bogimovo, decise che avrebbe scritto la relazione su Sachalin per tre giorni alla settimana, e gli altri tre giorni *Il duello*: la domenica, qualche novelletta breve. Ma scrivere la relazione su Sachalin lo annoiava a morte; e in ogni giorno della settimana il pensiero di quella relazione gli pesava come piombo sulla coscienza: gli sembrava fosse un suo stretto dovere, nei confronti dei forzati, descrivere le loro condizioni e l'inferno che là aveva visto.

A Bogimovo, vennero il pittore Levitan, Lika Mizinova, altri amici. Egli si alzava alle quattro di mattina, per poter lavorare nel silenzio.

Scriveva la relazione su Sachalin con immensa noia, e *Il duello* con immenso piacere.

Finito *Il duello*, lo mandò a Suvorin. Gli era venuto a noia Bogimovo, e anche gli intellettuali che qui lo circondavano: gli sembravano tutti immersi in chiacchiere oziose. Lo infastidiva anche Tolstoj, che pure aveva sempre tanto ammirato, e di cui amava le opere con passione: ma ora gli sembrava che prendesse attitudini da profeta, e rovesciasse fiumi di parole superflue. Nel settembre, tornò a Mosca, in quella casa che trovava piccola e non gli piaceva.

C'era stata una grande siccità, quell'anno, e ne seguirono la fame e la carestia. Il governo si fece piú repressivo e la censura ancora piú rigida: temevano rivolte nelle campagne. Per questo, piú che mai a Čechov il mondo degli intellettuali, e i loro lunghi e fumosi vaniloqui, apparivano inadeguati e inuti-

li. Con un amico di nome Jegorov, membro dello *zemstvo* di
Nižnij-Novgorod, si diede a raccogliere fondi di soccorso.
Nell'inverno, mentre si recava a Nižnij-Novgorod, in viaggio
fu colto da una bufera di neve, sul *tarantas* che lo portava là, e
persero la strada; prese freddo; e dopo che lui e Jegorov ebbero visitato nella neve alta i villaggi che piú soffrivano, s'ammalò d'una bronchite e dovette ritornare a casa. Come fu guarito, partí per Voronetz, questa volta con Suvorin; a Voronetz
si potevano avere piú denari che non a Nižnij-Novgorod; ma
la presenza illustre di Suvorin, direttore d'un grande quotidiano, dava a quel viaggio un carattere ufficiale: intorno a Suvorin si radunavano tutte le autorità locali, offrendo ricevi-
menti e pranzi. Čechov trovava Suvorin ridicolo in quella veste di soccorritore, e lo trovava incompetente e confusionario:
e quei pranzi con dovizia di vini e di cibi, mentre la gente nei
villaggi moriva di fame, gli sembravano insopportabili.

Infine, egli confrontò se stesso a Tolstoj; l'aveva accusato
di darsi arie, di fare il superuomo e il profeta; ma ora dovette
ammettere che la raccolta dei fondi, Tolstoj l'aveva organiz-
zata meglio e con piú successo di lui.

Continuava a pensare all'acquisto d'una casa in campagna,
dove stabilirsi per sempre. L'aria buona l'avrebbe rimesso in
salute; la vita in campagna sarebbe stata meno costosa; nessuno l'avrebbe disturbato quando scriveva. Avendo letto feb-
brilmente, per mesi, gli annunci sui giornali, lo colpí l'annuncio d'una casa con un vasto podere, nei pressi d'un paesetto
chiamato Melichovo; da Mosca, ci volevano due ore e mezzo
di treno.

Per primi andarono a vederla Marija e Michail. Era carina,
dissero. Era una casa abbastanza nuova, però malandata; il
tetto andava aggiustato, e non c'erano cessi. Molto bello era
il podere, e grande. Ne chiedevano tredicimila rubli. Čechov
non li aveva. Gli venne in aiuto Suvorin: gli fece dare un prestito dal giornale. Quanto restava poteva essere pagato a rate.
Con la casa e con il podere, ebbero anche tre cavalli, una vacca, quattro anitre, due cani e un pianoforte.

Nel marzo del 1892, Čechov si trasferí a Melichovo, con
una parte della famiglia. Fecero aggiustare il tetto, e fecero
costruire un cesso molto bello, all'inglese.

La casa aveva dieci stanze. Nella stanza sua, Marija a capo
del letto appese un grande ritratto di Anton. La madre nella
sua sistemò i cesti del bucato da accomodare e la macchina da
cucire. Il padre riempí scaffali e pareti di libri sacri e di imma-

gini sacre. Il padre piú invecchiava e piú diventava maniaco nelle sue pratiche religiose: pregava a voce alta, cantava i salmi, e la domenica girava nel corridoio con un turibolo d'incenso. A volte gli tornava la voglia di essere autoritario e prepotente: dava ordini, gridava e perorava; sapeva bene che il capofamiglia era Anton, e a questo s'era rassegnato, ma con rammarico; e nella sua persona vecchia e vana riapparivano a tratti le maniere colleriche e perentorie di un tempo.

Nell'estate del 1892, venne a Melichovo un amico di Anton, Aleksandr Smagin. Si innamorò di Marija, e la chiese in matrimonio. Era bello, e aveva modi gentili. Marija disse ad Anton: «Credo che mi sposo». Anton rimase muto e s'incupí. Nei giorni che seguirono, Anton continuò a tacere con lei sulla cosa, come se nulla fosse stato detto. Allora Marija credette di capire che l'idea che lei si sposasse, che andasse via di casa, lo rendeva troppo triste; e pianse a lungo, ma rinunciò a Smagin, cosí come aveva rinunciato a Isaac Levitan, anni prima; questa volta con piú dolore, perché anche lei si era innamorata di Smagin, e perché adesso era meno giovane. Con dolore disse di no a Smagin, e Smagin anche lui ne sofferse.

Anton mostrò meraviglia per quel rifiuto; e usava dire e ripetere che Marija era avversa al matrimonio, chissà perché.

A Melichovo, venivano da lui i contadini a farsi curare, e il cortile era sempre affollato di malati in attesa. Venivano anche da lontani villaggi. Lui non si faceva pagare, perché erano tutti poveri.

Scoppiò nelle vicinanze un'epidemia di colera. Egli fu chiamato dal Consiglio della Regione, e ricevette l'incarico di organizzare le difese necessarie.

Fece costruire dei baraccamenti in tutti i villaggi della zona. Correva da un villaggio all'altro in un *tarantas* sgangherato. Si sentiva l'ultimo dei medici, senza denari, senza un mezzo di trasporto solido, senza salute, sempre molto stanco. Fra le autorità locali, aveva trovato gente seria, coraggiosa, operosa. In qualche momento, mandava al diavolo i contadini e il colera, che gli impedivano di starsene seduto a scrivere nella sua stanza. Ma era contento d'aver collaborato con quelle persone del luogo, trovandole tanto migliori della gente che usava frequentare in città.

Nessuno si ammalò di colera nel territorio, grazie alle sue misure preventive. Non sembrò che egli traesse, da questo, nessuna sorta di fierezza o compiacimento.

La casa di Melichovo, che nei primi giorni gli era parsa

splendida, presto aveva rivelato i suoi molti difetti. Scricchiolava in ogni parte. C'erano dappertutto scarafaggi e topi.

Aveva deciso di non mandare piú racconti a «Tempo Nuovo», e li mandava invece al «Pensiero russo» che era di tendenze piú liberali. Suvorin ci restò male, ma lo perdonò, e rimasero amici ugualmente.

Sul «Pensiero russo» uscí, nel novembre del 1892, *Il reparto n. 6*. È un lungo racconto, che si svolge in un ospedale di provincia. Un medico subisce il fascino di un pazzo, sembrandogli quel pazzo il solo essere che sia dotato d'intelligenza e meriti ascolto. Prende allora a rifiutare la frequentazione dei sani. Da anni il medico accettava tutto, passava indifferente in mezzo alla sporcizia dell'ospedale, fra i malati nell'abbandono e gli infermieri brutali, e non cercava altro piacere che il sonno, la vodka e i cetrioli salati. D'improvviso in compagnia del pazzo scopre l'ansia della conoscenza. La sua anima si sveglia e chiede un mondo migliore. Cosí egli finisce a sua volta nel padiglione dei pazzi.

L'inverno, a Melichovo, mise a Čechov una tremenda malinconia. Non c'era che neve, campi deserti, qualche contadino infagottato. Se ne andò per un poco a Pietroburgo, da Suvorin.

Tuttavia sentiva rimorso a lasciare a Melichovo la famiglia sola. Vi tornò. Terminò finalmente di scrivere la relazione su Sachalin, e la mandò al «Pensiero russo», dove sarebbe uscita a puntate.

Aleksandr, venuto in visita per qualche giorno, gli scrisse poi consigliandolo di fuggire da Melichovo. Non c'era mica solo Melichovo al mondo. Era un luogo tristissimo. E il padre, con le sue chiacchiere e i suoi sermoni, «gli divorava l'anima, come i topi divorano una candela».

La relazione su Sachalin, che usciva con il titolo *L'isola di Sachalin*, deluse i lettori. La trovarono una testimonianza grigia, monotona. S'aspettavano qualcosa di piú drammatico. *Il reparto n. 6* ebbe invece un consenso enorme.

Sul «Pensiero russo», nel febbraio del 1893, usciva *Il racconto d'uno sconosciuto*. Čechov l'aveva scritto da tempo, senza mai pubblicarlo per timore della censura. La censura invece lo lasciò passare. È un racconto in prima persona: la storia d'un terrorista che si fa assumere come cameriere da un funzionario del quale vuole uccidere il padre, eminente uomo di stato. Non attua il suo proposito. Si innamora della donna che vive con il funzionario, vittima patetica e gentile del cinismo che regna nella società dei potenti; lei morta, ne prende con sé la bambina. Il racconto ai critici liberali dispiacque, giudicando assai negativamente quell'idealista di sinistra che falliva nel suo disegno.

Melichovo, nella stagione calda, parve di nuovo a Čechov un luogo dove era molto bello abitare. Passeggiava nei boschi con i due cani, che aveva chiamato Bromuro e Chinino. Vennero degli ospiti. Venne lo scrittore Potapenko e venne Lika Mizinova. Era stato Čechov a invitare Lika, pregandola di non mancare. «Meravigliosa Lika!» Lei era accorsa piena di speranza; si struggeva d'amore per lui e pensava che ora, finalmente, lui le avrebbe detto che la amava e le avrebbe chiesto di sposarlo. Invece non accadde nulla. Egli continuava a essere, con lei, canzonatorio, ironico, tenero e paterno. Un attimo sembrava desiderarla e un attimo dopo la respingeva. Mostrava qualche interesse per un'attrice, Lidija Jakovskaja; Lika gli domandò se si era innamorato di quella attrice; lui non le disse né di sí né di no. Lika, a Melichovo, prese a civettare con Potapenko, perché lui si ingelosisse: ma lo vide rimanere impassibile; e quando Lika cantava e Potapenko la accompagnava al pianoforte, lui stava a contemplarli con un buon sorriso. Di nuovo, per il capodanno, egli li invitò insieme. In seguito, Lika diventò l'amante di Potapenko, il quale aveva moglie; se ne andarono insieme all'estero, in Svizzera e poi a Parigi; Lika rimase incinta e Potapenko la lasciò. Marija e Čechov ne rimasero sdegnati; giudicarono Potapenko un uomo spregevole e vile; però poi lo riaccolsero in casa, Čechov non gli disse nulla, e tutto fu come prima. Lika da Parigi tornò in Russia; le morí il bambino. Era sfiorita. In lei poco restava dell'antica, radiosa giovinezza. Se Čechov si sia accorto di essere stato crudele con lei, e di essersi trastullato con lei come il gatto col topo, è probabile: tuttavia non lo sa nessuno. Ma la figura di Lika appare nel *Gabbiano*: certo ricorda Lika la misera attrice fallita che fa ritorno alla villa, disfatta, senza futuro, con la memoria del bambino morto: simile al gabbiano a cui è stato sparato un colpo di fucile, «cosí, tanto per passare il tempo», mentre volava «libero e felice» sulle acque del lago.

Il monaco nero è la storia di Kovrin, uno studioso; sentendosi nervoso e stanco, va a riposarsi dal suo tutore, Pessoski, vecchio floricultore, proprietario di un grande frutteto. Pessoski è un uomo semplice, buono, ingenuo, pieno di passione per le sue piante. Ha una figlia, Tanja, innamorata di Kovrin fin dall'infanzia. Qui, passeggiando nei campi da solo, Kovrin

vede un giorno un monaco «in nera veste, con la barba bianca
e le sopracciglia nere», venire a volo verso di lui e sorridergli
con tenerezza e poi sparire lontano. Sa bene che si tratta di
un'allucinazione, ma quel sorriso l'ha reso felice. Il monaco
torna a visitarlo altre volte, gli siede al fianco, discorrono insieme lungamente: della vita eterna, della felicità, della gloria.
Kovrin ha sposato Tanja, con grande gioia del tutore; ma non
riesce ad appagarsi dei beni che la vita gli ha dato, perché ogni
volta che è solo compare il monaco, riversando in tutto il suo
essere una febbricitante superbia. Lui, Kovrin, gli dice il monaco affettuosamente, avrà un destino radioso; lui è dotato di
una mente che lo pone al disopra degli altri comuni mortali.
Kovrin a poco a poco tradisce e distrugge tutto quello che era
stato caro al suo cuore; si separa dalla moglie e il vecchio Pas-
soski ne muore dal dispiacere; il bel giardino e il frutteto vanno in rovina; Kovrin si unisce senza amore a un'altra donna.
È diventato tisico, e ancora quando è in punto di morte e giace nel suo sangue, sopraggiunge il monaco a sussurrargli che è
un genio e sta morendo soltanto perché «il suo debole corpo
umano aveva ormai perduto l'equilibrio e non poteva piú servire di involucro al genio».

Il monaco nero è del gennaio 1894. Fu riferito a Čechov
che Tolstoj, sempre cauto nei commenti lusinghieri, quando
lo ebbe letto gridò: «Com'è bello! Ah, com'è bello!»

Nel 1894, la salute di Čechov peggiorò. Tossiva tanto che
poi restava a lungo estenuato. Un giorno al fratello Michail,
che l'aveva visto sputare sangue, aveva detto che si trattava di
una cosa da nulla, ma l'aveva pregato di non parlarne a Marija
e alla madre.

Partí per Yalta e vi trascorse gli ultimi mesi invernali. Tornò a Melichovo nell'aprile.

Si fece costruire, nel giardino, un casotto di legno. Qui veniva a scrivere quando in casa c'era troppa gente e troppo rumore. Qui scrisse un dramma: *Il gabbiano*.

Trascorse qualche giorno a Feodosija, nella villa dei Suvorin, che una volta gli piaceva tanto. Ma ci faceva freddo e non
c'erano stufe. Tirava vento. Il mare era tempestoso. Partí per
Yalta.

Lo avvertirono che era morto a Taganrog un fratello del padre, lo zio Mitrofan. Lui gli aveva voluto molto bene. Era un
uomo generoso e mite, ben diverso dal proprio fratello. Pur
essendo povero lui stesso, aveva aiutato la famiglia loro come
poteva, nei tempi piú amari, quando era fallito il negozio.

Partí per l'Italia. Si fermò a Trieste, a Venezia, a Milano, a Genova. Poi tornò a casa.

Viaggiare gli era piaciuto sempre; ma col passare degli anni, non gli riusciva piú di stare a lungo fermo nel medesimo luogo.

Nel 1895, finí di scrivere un racconto lungo: *Tre anni*. Lo mandò al «Pensiero russo», ma la censura tagliò varie frasi che si riferivano alla religione. «Cosí uno perde ogni desiderio di esprimersi liberamente, – egli confidava a Suvorin. – Cosí uno mentre scrive ha il senso d'avere sempre un osso conficcato nella gola».

Tre anni è la storia della decadenza d'una famiglia di commercianti, ma non è solo questo. In verità sono tre anni di matrimonio trascorsi fra sentimenti che si sfiorano e si disgiungono, e uomo e donna procedono insieme senza mai un pensiero comune, e infine non resta niente nell'uomo di quella strana e grande felicità che aveva provato un giorno, mentre apriva l'ombrellino di lei.

Nell'estate del 1895, Čechov andò a trovare Tolstoj a Jasnaja Poljana. Si erano già incontrati alcune altre volte.

Di Tolstoj, Čechov usava dire che quando parlava con lui, cadeva totalmente in suo potere. Usava dire che era un essere straordinario, un essere «quasi perfetto». Di Čechov, Tolstoj diceva a quel tempo: «È un uomo di grande talento, è buono di cuore, ma finora non mi sembra che abbia un punto di vista ben definito sulla vita».

Nell'ottobre di quell'anno, Čechov aveva finito di scrivere *Il gabbiano*. Lo lesse agli amici. Tutti vi riconobbero Lika e Potapenko. Dissero che era impossibile non riconoscerli. Čechov, preoccupato, scriveva a Suvorin: «Se è vero che ho fatto un ritratto di Potapenko, allora certo questa commedia non posso né farla rappresentare né pubblicarla».

Di Lika non parlava. Lika, dopo l'abbandono di Potapenko e il tempo passato all'estero e la morte del suo bambino, viveva ora a Mosca e Marija la vedeva sempre. Essa, come prima, frequentava la loro casa.

Čechov corresse la commedia e la fece leggere a Potapenko. Anni addietro, nel 1892, il suo amico Isaac Levitan aveva creduto di riconoscersi nel pittore di un suo racconto, *La cicala*, e di riconoscervi la propria amante. Leggendo di quei due personaggi, l'uno freddo e fatuo e l'altra vana e stolta, Levitan si era infuriato. Čechov negava che quel pittore del racconto fosse Levitan, e in quanto alla donna, nella realtà l'amante di Levitan era una signora matura e pesante, e invece il racconto dava l'immagine d'una creatura giovane, bambinesca e lieve. Ma Levitan si era infuriato e lui e Čechov avevano rotto i rapporti. Non si erano rivisti piú. Fecero la pace soltanto dopo molto tempo.

In quanto a Potapenko, lesse *Il gabbiano* e non diede segno di ravvisare qualche tratto di se stesso nel personaggio dello scrittore Trigorin, né qualche tratto di Lika nel personaggio di Nina, giovane gabbiano colpito in cielo da una fucilata, né di ravvisarvi la vicenda di Lika e sua. Potapenko lesse *Il gabbiano* e non parve trovarvi nulla che lo riguardava. Lika certo invece si riconobbe, ma non risulta ne abbia detto parola.

Il gabbiano venne rappresentato a Pietroburgo il 17 di ottobre del 1896. Fu un disastro. La gente rideva nei momenti piú drammatici. Ogni frase era accolta con fischi e con urla assordanti. Gli attori recitavano atterriti, ciascuno dimenticava le proprie battute, ciascuno era immemore della propria parte. Alla fine del secondo atto, Čechov se ne andò. Mangiò qualcosa in un ristorante, solo. Poi si mise a camminare per le strade piene di neve.

Marija intanto lo aspettava con Lika nell'albergo, dove egli aveva detto che le avrebbe raggiunte dopo lo spettacolo. Angosciata, non vedendolo arrivare, Marija andò da Suvorin, ma nemmeno Suvorin sapeva dove egli fosse.

Alle due di notte, Čechov rientrò in casa di Suvorin, dov'era ospite. Suvorin gli disse che c'era Marija in un'altra stanza, ma lui non la volle vedere.

L'indomani, Čechov prese il treno per Mosca. A Marija aveva lasciato un biglietto: «Gli avvenimenti di ieri non mi hanno stupito, né rattristato... non mi sento troppo male». A Suvorin, aveva detto che non avrebbe dato in un teatro mai piú nessuna commedia, mai piú.

Tre giorni dopo, vi fu una seconda rappresentazione, e andò bene. Gli telegrafò Potapenko: «Successo colossale». Tutti, gli attori, Suvorin, lo sollecitavano a tornare, per vedere come ora la gente amava la sua commedia. Non tornò. Quella sera, con le urla e le risate e i fischi, non l'aveva cancellata dalla memoria.

Atti unici, comici, ne aveva scritti diversi nel corso degli anni, fra il 1886 e il 1890: *Una domanda di matrimonio, Il tabacco fa male, L'orso*. Non vi attribuiva importanza; li mandava ai giornali, e la gente li accoglieva con vivo piacere. Dopo quel 17 ottobre del 1895, in cui era caduto *Il gabbiano*, si disse che quei piccoli scherzi comici sarebbero stati d'ora innanzi la sola forma teatrale che non intendeva abbandonare. Tuttavia a Suvorin scriveva dopo qualche giorno che era pronto a pensare subito a una nuova commedia. Certo voleva nascondergli quanto fosse sconvolto. Ad altri disse che gli era sembrato che l'avessero preso a schiaffi.

Progettò di far costruire una scuola, in un villaggio nei pressi di Novoselskij. Dovette raccogliere i fondi; un poco di denaro lo diede lui stesso. Volle anche sorvegliare i lavori. La scuola fu costruita.

Nel marzo del 1897, mentre cenava con Suvorin in un ristorante a Mosca, ebbe un forte sbocco di sangue. Cosí forte non l'aveva mai avuto. Suvorin lo portò in albergo, chiamò un medico; lo ricoverarono in una clinica.

Venivano gli amici al suo letto, ma dovevano trattenersi poco, perché lui era senza forze e si affaticava a discorrere.

Venne a trovarlo Tolstoj. Gli parlò dell'immortalità dell'anima. Disse che tutti, uomini e animali, dopo morti si uniscono insieme in un'essenza unica, fatta di ragione e d'amore. Čechov raccontò poi che aveva immaginato quella essenza come una gran massa gelatinosa. Con la voce debole che aveva in quei giorni, disse a Tolstoj che non aveva voglia di sopravvivere in quella forma. Tolstoj si oscurò.

Di essere tubercoloso, Čechov lo sapeva da un pezzo, ma ora i medici gli avevano diagnosticato una tubercolosi grave, situata in tutta la zona alta dei polmoni. Doveva cambiar vita. Doveva nutrirsi bene, stare in riposo e smettere di fare il medico. Egli chiese alla sorella e ai fratelli di tacere ai genitori la gravità della sua malattia.

Nell'aprile, tornò a Melichovo, accompagnato dal fratello Ivan. Marija avvertí i contadini che lui non avrebbe piú potuto curarli.

Prima d'ammalarsi aveva cominciato un racconto: *I contadini*. Lo portò a termine e lo mandò al «Pensiero russo».

Ebbe, su questo racconto, commenti di vivo consenso e di vivo sdegno. Alcuni lo rimproverarono duramente per aver dato del mondo dei contadini un'immagine impietosa. Altri dicevano che si trattava d'un capolavoro.

Nei *Contadini*, una donna di Mosca, senza mezzi, con una bambina, accompagna il marito gravemente malato al villaggio nativo di lui. Il marito è di famiglia contadina, ma faceva, prima d'ammalarsi, il cameriere in un albergo di Mosca. La donna viene a conoscere i cognati e i suoceri, la vita dei con-

tadini e quel loro mondo tetro, miserevole e brutale. Nessuno
tra quei parenti la aiuterà. Morto il marito, lei torna a Mosca,
chiedendo l'elemosina per le strade.

Nell'agosto, Čechov lasciò Melichovo. I medici gli avevano
consigliato di non passare a Melichovo la stagione invernale.
Contò il denaro che aveva. *Il gabbiano*, continuavano a recitarlo, e «Il pensiero russo», per *I contadini*, l'aveva pagato bene. Poteva rimanere all'estero per qualche mese.

Partí solo. Raggiunse Suvorin a Parigi. Poi prese il treno
per Biarritz, dove lo aspettava l'amico Soboleskij, direttore
del quotidiano «Notizie russe». Vi rimase quindici giorni.
Poiché il tempo s'era guastato, se ne andò a Nizza.

Leggeva attentamente, sui giornali, le notizie sull'Affare
Dreyfus. Nel gennaio del 1898, sull'«Aurore», fu pubblicata
la lettera aperta di Zola, *J'accuse*. «Zola è un'anima nobile»
egli scrisse a Suvorin. «Tempo Nuovo», il quotidiano di Suvorin, era violentemente ostile a Zola e a Dreyfus. Stampava
articoli che Čechov trovava odiosi. Tuttavia cercava qualche
attenuante all'amico Suvorin: debolezza di carattere; incapa-
cità di resistere ai politici che lo istigavano e lo guastavano.
Ma il comportamento di Suvorin in quella circostanza lo ama-
reggiava. Non voleva rompere l'amicizia con lui; seguitava a
scrivergli e ad esporgli le sue idee e il suo sdegno. Però a un
tratto lo vedeva com'era; e non lo stimava piú.

Venne a Nizza Potapenko. Era un giocatore sfrenato e indusse Čechov a seguirlo al *casino* di Montecarlo. Si comapraro-
no anche una piccola *roulette* per fare esercizio all'albergo.
Andavano a Montecarlo quasi ogni giorno. Persero denari e
Potapenko, per tornare in Russia, dovette chiedergli un prestito. Egli scrisse a Marija: «Mi annoio senza Potapenko».

Gli venne una grande nostalgia di Melichovo. Marija però
scriveva che ancora ci faceva freddo. Andò a Parigi nell'attesa
che in Russia venissero giornate piú calde. Vi incontrò Suvorin. Fu un incontro cordiale ma fra loro qualcosa s'era sciupa-
to. Nei loro colloqui mancava quella libera confidenza di un
tempo. Čechov, a Parigi, cercava documentazioni e testimo-
nianze sull'Affare Dreyfus.

Arrivato a Melichovo, ricevette una lettera di Nemirovič
Dančenko, suo vecchio amico, professore d'arte drammatica.
Aveva fondato, con il regista e attore Stanislavskij, un teatro,
chiamato «Teatro d'arte popolare»; poco dopo si chiamò in-
vece «Teatro d'Arte di Mosca». Intendeva mettere in scena
Il gabbiano. Čechov rifiutò. Ricordava la prima del *Gabbiano*,

con le risate e i fischi: e quel ricordo ancora lo lacerava. Ma Nemirovič-Dančenko insisteva tanto, che egli alla fine consentí.

Si sentiva meglio, e nonostante i consigli dei medici, riprese la vita di una volta. Riprese a curare i contadini. Scriveva racconti. Progettava di far costruire un'altra scuola, proprio a Melichovo.

Nel settembre, andò a Mosca. Vide qui le prove d'un dramma di Aleksej Kostantinovič Tolstoj, *Lo zar Fëdor Joannovič*.

C'era un'attrice che gli sembrò straordinaria. Si chiamava Ol'ga Leonardovna Knipper. Era una ragazza di ventotto anni, con una folta capigliatura bruna. Era Irina, nel dramma.

Egli aveva ricominciato a sputare sangue. Partí per la Crimea. Da Yalta, scrisse a Suvorin: «Secondo me, Irina era meravigliosa. La voce, la nobiltà, la sincerità – tutto era cosí bello che ne avevo la gola stretta... – Se fossi rimasto a Mosca, mi sarei innamorato di quella Irina».

A Yalta, nell'ottobre, gli arrivò la notizia che era morto suo padre.

Essendo egli costretto a passare gli inverni in Crimea, si disse che era forse ragionevole vendere la casa e il podere di Melichovo e comperare invece una casa a Yalta, dove avrebbero potuto stabilirsi anche la sorella e la madre.

Ne parlò con Sinani, libraio e tabaccaio di Yalta. Sinani lo condusse a vedere una villetta di quattro camere, su un'altura, nei pressi d'un villaggio tartaro chiamato Kučukoi. Gli sembrò molto bella. Vide però poi anche un terreno a Autka, a venti minuti da Yalta: un vigneto che scendeva a picco sul mare; qui avrebbe potuto far costruire una casa, con il numero di stanze che gli servivano. Gli sembrò molto bello; e lo comprò. Aveva chiesto a Suvorin un anticipo di cinquemila rubli sui suoi diritti d'autore; ed ebbe un prestito da una banca locale.

I lavori per la costruzione della casa iniziarono subito. Marija fu chiamata a vedere il terreno. Ne fu delusa. Era un terreno incolto e invaso d'erbe selvatiche. Si vedeva lí a pochi metri un cimitero tartaro, e la madre quella vicinanza non l'avrebbe gradita. Molto scomodo era il sentiero che scendeva al mare.

Ripartita Marija, venne a Čechov l'idea di comprare anche la villetta di Kučukoi. Costava solo duemila rubli. Senza esitazioni, firmò il contratto. Quando ne scrisse a Marija, lei fu presa dallo sgomento. Le sembrava che il fratello avesse perso la testa. S'era messo a buttare i soldi dalla finestra.

Il 17 gennaio del 1898, fu rappresentato *Il gabbiano* al Teatro d'Arte. Quando il sipario si chiuse sul primo atto, la sala rimase immersa in un silenzio profondo. Era un silenzio attonito e commosso; ma gli attori credettero che quel primo atto fosse miseramente crollato. D'improvviso scrosciarono gli applausi. «Applaudivano gli amici e i nemici» scriverà Nemirovič-Dančenko nei suoi ricordi.

L'ultimo atto fu un trionfo. Gli attori si abbracciavano e piangevano di gioia.

Čechov rimpianse di non essere a Mosca, e di trovarsi invece esiliato a Yalta, senza potersi muovere, perché il suo medico di Yalta, il dottor Al'tšuller, non lo permetteva.

Gli scrivevano che tutte le sere, davanti al Teatro d'Arte, c'era una fila interminabile di persone, le quali sfidavano il gelo per vedere *Il gabbiano*.

In quell'epoca, mentre era a Yalta, Čechov divenne amico di Gor'kij, per lettera.

Maksim Gor'kij aveva allora trent'anni. Il suo vero nome era Peškov. Era nato a Nižnij-Novgorod, da una famiglia povera. Era rimasto orfano da ragazzo, e aveva fatto tutti i mestieri. Era autodidatta. Lui e Čechov non si erano mai incontrati, ma Gor'kij aveva scritto a Čechov dicendogli la sua ammirazione, e gli aveva mandato i suoi racconti. Čechov gli aveva risposto e si scrivevano spesso. Čechov ne stimava l'ingegno. Gli dava consigli.

Suvorin aveva detto a Čechov che intendeva stampare le sue opere complete. Aveva cominciato, ma andava avanti adagio, e di questa lentezza e trascuratezza Čechov era dispiaciuto. Ebbe una lettera dall'editore Marks. Era un grande editore. Gli proponeva di stampare lui tutte le sue opere. Čechov accettò.

Nel gennaio del 1899, firmò il contratto. L'editore Marks gli dava subito molti soldi: settantacinquemila rubli. Čechov gli cedeva tutte le sue opere, presenti e future, salvo le commedie. Quel contratto non era in verità per nulla vantaggioso, ma Čechov ne fu contento e si sentí ricchissimo. Scrisse agli amici: «Sono diventato marxista».

Avuti i primi denari dall'editore Marks, diede subito cinquecento rubli per la costruzione di una scuola, nelle vicinanze di Yalta. Diede mille rubli al fratello Aleksandr, che voleva farsi anche lui una villetta in campagna, vicino a Pietroburgo.

A uno che era stato commesso nel negozio del padre, a Taganrog, scrisse che avrebbe mantenuto agli studi una sua bambina.

Provava qualche rimorso, nei confronti di Suvorin. Aveva rotto un rapporto editoriale che durava da molti anni. Le sue trattative con Marks non gliele aveva tenute nascoste, ma quando ebbe firmato il contratto gli scrisse ancora per dargli dei chiarimenti.

«Ho l'impressione spiacevole d'aver sposato una donna ricca, – scrisse a Suvorin. – Ci separiamo, voi ed io, pacificamente, e siamo vissuti senza contrasti... – Insieme abbiamo fatto grandi cose».

Suvorin, su «Tempo Nuovo», pubblicò un articolo che condannava gli scioperi degli studenti. Allora gli si misero contro tutti gli intellettuali. Dicevano che si era fatto pagare dal governo. L'Associazione degli Scrittori lo sollecitò a presentarsi davanti a un giurí d'onore.

Suvorin scrisse a Čechov chiedendogli dei consigli. La tiratura di «Tempo Nuovo» era scesa e molti fra i redattori si erano dimessi.

Čechov gli rispose che i suoi articoli, egli li giudicava duramente. Riguardo al giurí d'onore, non approvava questa istituzione: gli scrittori dovevano essere liberi di esprimere le proprie opinioni, senza renderne conto ai propri simili. Lui non credeva che Suvorin fosse stato pagato dal governo; però il suo giornale faceva di tutto perché sembrasse cosí. Suvorin aveva fama di uomo potente presso il governo, e spietato: e il suo giornale, questa fama la confermava.

La moglie di Suvorin scrisse a Čechov piena di rabbia. Gli rimproverava di non avere aiutato il marito in una circostanza tanto difficile. Čechov le scrisse che non vedeva come avrebbe potuto aiutarlo. D'altronde quanto succedeva adesso a Suvorin, era qualcosa che maturava da molti anni: da molti anni gli venivano mosse quelle accuse: ma loro due, Suvorin e la moglie, avevano voluto ignorarlo, e si erano tenuti lontani dalla verità, come i re.

Suvorin rifiutò di presentarsi al giurí d'onore. La bufera che aveva investito «Tempo Nuovo» lentamente s'acquetò. Suvorin ridivenne come era stato sempre, forte e sicuro di se stesso. Ma l'amicizia fra Suvorin e Čechov si era spenta. Prima l'Affare Dreyfus, poi lo sciopero degli studenti, poi ancora l'editore Marks: tutto questo aveva aperto fra loro fenditure che non si potevano rimarginare. Čechov non volle distaccarsi completamente dall'altro, conservandogli affetto e restando fedele a tanti vecchi ricordi: e continuò a scrivergli, sollecitandolo a venire a trovarlo. Ma Suvorin non venne.

Cosí dunque ebbe fine una lunga amicizia, che era nata fra due persone profondamente diverse. Senza dubbio Suvorin era un cinico e un filibustiere, ma aveva capito Čechov e l'aveva amato sinceramente. Aveva amato in lui la nobiltà dell'animo e la grandezza. Gli esseri umani hanno a volte fisionomie molteplici, discordanti fra loro e insospettate. Čechov, in Suvorin, aveva fortemente amato l'energia vitale.

Venne Gor'kij. Passarono insieme, Gor'kij e Čechov, lunghi giorni a discorrere. Venne anche il fratello Ivan. Quanto alla sorella e alla madre, esse avevano preso in affitto un piccolo appartamento a Mosca, ed evitarono di venire a Yalta, in quell'inverno.

La costruzione della casa di Autka andava avanti, e Čechov ne sorvegliava i lavori, con molte perplessità. Non era sicuro che gli piacesse. Piantò alberi nel giardino: mandorli e ciliegi.

Decise di partire per Mosca, nella primavera. Non chiese il parere del medico. Avrebbe abitato con la sorella e la madre, nel piccolo appartamento, poi tutti insieme sarebbero andati a Melichovo.

A Mosca, rivide Lidija Avilova. Era il maggio del 1899: non si vedevano da molti anni. Lei aveva adesso tre figli. S'incontrarono alla stazione: lei piú tardi descrisse quell'incontro nel suo libro di ricordi, avviluppandolo, com'era il suo solito, d'una luce romantica, quasi fosse stato un incontro d'amore. Egli salí nello scompartimento per salutarla, fra valigie e bambini: lei era diretta a una sua villa in campagna. Lo pregò di venire a raggiungerla nella villa. «No, non verrò, nemmeno se sarete ammalata, – lui le disse; – io sono un bravo medico, ma sono caro: mi farei pagare molto, non ce la fareste a pagarmi. Perciò non ci rivedremo piú». Egli discese dal treno; «dal finestrino, guardai la figura di Anton Pavlovič scivolare via; lui non si voltò indietro. Io non sapevo allora e non potevo immaginare che lo guardavo per l'ultima volta».

Rivide Tolstoj. C'erano però attori, in quel piccolo appartamento dei Čechov, e facevano un gran chiasso.

Rivide Ol'ga Knipper. Lei e Marija avevano stretto amicizia. Egli le regalò una fotografia del casotto di legno nel giardino di Melichovo, dove aveva scritto Il gabbiano.

Ol'ga Knipper era di origine tedesca. Era figlia d'un ingegnere. Morto il padre, la famiglia s'era trovata in difficoltà.

Abitavano a Mosca in un appartamento di tre stanze, lei, la madre, e due zii che erano sempre ubriachi. La madre dava lezioni di canto.

Čechov lasciò Mosca e andò a Melichovo con la famiglia. Invitò Ol'ga Knipper a venire a trovarli. Lei venne e si fermò per tre giorni. Poi partí per il Caucaso, dove aveva un fratello.

In fondo a una lettera di Marija a Ol'ga, Čechov scrisse: «Buongiorno, ultima pagina della mia vita, grande attrice della terra russa».

La casa di Melichovo e il podere, li avevano messi in vendita. Ne chiedevano venticinquemila rubli. Avevano messo un annuncio, ma non aveva risposto nessuno.

Erano disposti a calare di molto il prezzo, pur di vendere tutto, podere e casa. Intanto facevano imballare i libri, e alcuni mobili, per spedirli a Yalta.

Sulla fine di giugno, Ol'ga gli scrisse per proporgli un incontro, nel luglio, a Novorosisk. Di là, insieme, sarebbero partiti per Yalta.

A Yalta, Čechov andò all'albergo, e Ol'ga da certi suoi conoscenti. Nell'agosto, ritornarono a Mosca, perché Ol'ga aveva impegni di lavoro.

Nel frattempo Marija era riuscita a vendere Melichovo. Lo comprava un mercante di legna, pagando a rate.

Venne freddo, e Čechov stava male. Tornò a Yalta. La madre e la sorella lo raggiunsero un mese dopo.

Si installarono nella casa di Autka, che però era ancora sottosopra, e ancora umida. Marija poi ritornò a Mosca. La madre rimase.

Egli scrisse, quell'autunno, un lungo racconto, *La signora col cagnolino*. È la storia d'un adulterio, e d'un amore senza speranza. Vi regna una luce chiara, la luce di Yalta. E si avverte, nel protagonista, Gurov, una sensazione che negli altri personaggi di Čechov non c'era forse mai stata: la sensazione che l'amore vero poteva sopraggiungere dopo tutta un'esistenza di incontri labili, che si scioglievano e si dissolvevano subito senza lasciare nulla. «E solo ora, quando i suoi capelli cominciavano a diventare grigi, egli amava davvero, per la prima volta nella sua vita».

A Mosca, nel suo ultimo soggiorno, aveva assistito alle prove di un suo dramma, *Zio Vanja*. Era un rifacimento dello *Spirito dei boschi*. Čechov, *Lo spirito dei boschi*, l'aveva definito «il balbettio d'un infante». E tuttavia a un certo momento aveva voluto ripensarlo e riscriverlo. Il dramma, totalmente ripensato e riscritto, fu pubblicato in una raccolta delle sue opere teatrali, nel 1897, e fu rappresentato in provincia. Lui non ne era per nulla contento, neanche ora, ma in provincia il pubblico lo amava. «Non si sa mai quando si guadagna e quando si perde» egli scriveva al fratello Michail. *Zio Vanja* gli fu richiesto dal Teatro d'Arte.

La prima rappresentazione di *Zio Vanja* al Teatro d'Arte ebbe luogo il 26 ottobre 1899.

Čechov, a Yalta, aspettava ansiosamente qualche notizia. Gli arrivarono telegrammi. Era stato un grande successo.

Quando aveva assistito alle prove, a Mosca, molte cose nella regia gli erano sembrate assurde e ne aveva riso. Stanislavskij usava far sentire rintocchi d'orologi, campanelli, sonagliere, e perfino canti di grilli. Voleva che si sentissero abbaiare dei cani veri, perché dessero una sensazione di realtà. Čechov tutti quei rumori li trovava assurdi. Soprattutto trovava assurdo quell'abbaiare di cani veri. Aveva detto: «È come se, sulla faccia d'una persona dipinta in un quadro, applicaste un vero naso».

Quell'anno, egli si mise a raccogliere fondi per la costruzione d'un tubercolosario, a Yalta, destinato ai turbercolosi poveri. Gli ci vollero due anni per mettere insieme quarantamila rubli. Lo addolorava l'avarizia della gente, che negava aiuti dichiarando che si trattava d'una iniziativa troppo ambiziosa. Venne costruita infine una piccola casa, che poteva ospitare circa trenta malati. Lui non ne era contento. Erano tanti i tubercolosi poveri, a Yalta.

Nel gennaio del 1900, seppe di essere stato eletto membro dell'Accademia delle Scienze, nella sezione di letteratura, con Korolenko e con Tolstoj.

Seppe che Tolstoj aveva visto *Zio Vanja* e si era arrabbiato. Gli sembrava un dramma fiacco, molle, amorale. Non gli piaceva affatto. Nell'apprendere questo giudizio, Čechov sorrise, senza mostrare un'ombra di risentimento. In genere, il teatro di Čechov sempre Tolstoj lo trovò detestabile. E i suoi racconti invece li amava. Li amava quanto amava i racconti di Maupassant. Ma quel suo teatro lo faceva arrabbiare. Disse una volta a Čechov: «Sapete, io detesto Shakespeare, ma le vostre commedie, le trovo ancora peggio delle sue».

Nel gennaio del 1900, Tolstoj s'ammalò gravemente, e Čechov, a Yalta, temeva per lui. «Se dovesse morire, – scriveva all'amico Men'šikov, – nella mia vita rimarrebbe un gran vuoto. – ... Non ho mai amato nessuno quanto lui... – E io non sono un credente, ma di ogni fede, la sua fede la considero come la piú vicina a me, la piú adatta a me. E inoltre, finché nella letteratura esiste un Tolstoj, essere uno scrittore è semplice e bello... – Senza di lui, gli scrittori sarebbero un gregge senza pastore, o un'orrenda poltiglia dove sarebbe difficile orientarsi».

Tolstoj fu presto ristabilito. Čechov, a Yalta, si sentiva esiliato, e sempre in attesa di qualche lettera, che gli dicesse cosa succedeva nel mondo.

Venne a trovarlo Ol'ga con Marija, nell'aprile. *Zio Vanja* fu rappresentato a Sebastopoli, poi a Yalta. Come Ol'ga e gli altri attori se ne furono andati, Čechov di nuovo si sentí annoiato e solo. Aveva avuto sbocchi di sangue, ma nel maggio partí ugualmente per Mosca. Rivide Levitan, che era malato e stava per morire.

Poi tornò a Yalta e decise di fare, con Gor'kij, un viaggio nel Caucaso. In treno, per caso incontrarono Ol'ga, che passava nel Caucaso le sue vacanze.

Essa venne a Yalta nel luglio. Abitava da lui, nella casa di Autka. C'erano anche Marija e la madre. Egli aveva l'aria cosí felice, che Marija ne aveva piacere. Già allora forse lei era un poco gelosa di Ol'ga, ma si diceva che sarebbe stato un legame passeggero.

Ol'ga in verità lo amava e desiderava sposarlo. Čechov però non sembrava pensarci. L'idea del matrimonio lo spaventava. Ne aveva sempre avuto spavento. E adesso forse anche si diceva che il tempo che gli restava da vivere era cosí poco! Sposarsi, che senso aveva?

Riaccompagnò Ol'ga a Sebastopoli, e al treno per Mosca. Poi fece ritorno a Yalta. Ma lei gli mancava terribilmente. Le scriveva: «Mia cara, gentile e magnifica attrice, sono vivo, penso a te, ti vedo in sogno, e m'annoio perché non ci sei... – Stai bene e sii felice, mia meravigliosa piccola tedesca».

A Suvorin scrisse: «Vi hanno riferito che sto per sposarmi. Non è vero».

In quell'anno, scrisse *Le tre sorelle*. Ci pensava fin dall'anno prima. L'azione si svolgeva in una cittadina di provincia, «una specie di Perm'», egli scriveva a Gor'kij; l'ambiente era un ambiente di militari d'artiglieria. Le tre protagoniste, tre sorelle, erano orfane d'un generale. Il dramma era in quattro atti. Ol'ga avrebbe recitato la parte di Maša, la sorella di mezzo.

Nell'ottobre, portò il copione al Teatro d'Arte. Cominciarono le prove. Ma a lui sembrava che tutti recitassero male. E il dramma gli sembrava «noioso, lento, arduo»; cosí scrisse all'attrice Vera Komissarževskaja; vi si respirava, le scrisse, «un'atmosfera piú nera della notte». Si diede a rivederlo furiosamente.

D'un tratto, nel dicembre, decise di andarsene via da Mosca e partire per Nizza. Ol'ga non sapeva spiegarsi quella decisione improvvisa. Lo accompagnò al treno, e si mise a piangere.

A Nizza, egli non rimase a lungo. Fece un viaggio in Italia. Vide Pisa, Firenze, Roma.

A Roma, il tempo era cattivo. Faceva freddo. Ritornò a Yalta.

Qui trovò lo scrittore Ivan Bunin, suo amico, che in sua assenza Marija aveva invitato a stare da loro nella casa di Autka. Era un uomo amabile e gentile e Marija e la madre si rallegravano di averlo ospite. Lui pure ne aveva piacere.

Il 31 di gennaio del 1901, vi fu a Mosca la prima rappresentazione delle *Tre sorelle*. Egli non si mosse.

Le prime critiche erano sfavorevoli. Dicevano: «Čechov ha farcito il suo lavoro di un ripieno di assurdità... – Predica un pessimismo ottimista e un ottimismo pessimista... – *Le tre sorelle* non è nemmeno una commedia, ma cosí... non si sa cosa».

Ma gli spettatori non condividevano per nulla quei giudizi. Amavano immensamente *Le tre sorelle*. Il teatro era sempre affollatissimo. E il critico Jartzev infine scrisse: «Un'opera che rende bella la vita».

Ol'ga lo raggiunse a Yalta, in una vacanza. Vi si trattenne due settimane. Ora lei non sopportava piú le sue frasi incerte. Voleva che lui stabilisse, per il loro matrimonio, una data precisa. Ma lui quella data non la stabiliva. Essa venne via amareggiata, e profondamente triste.

Lui allora a un tratto ebbe paura di perderla. Le scrisse che si sarebbero sposati a Mosca, nel mese di maggio. Però non voleva che al matrimonio ci fosse anima viva.

A Marija e alla madre, di questo non disse parola.

Si sposarono a Mosca il 25 maggio, in una piccola chiesa. Ol'ga aveva come testimoni suo fratello e uno dei suoi due zii, e Čechov come testimoni aveva due studenti, mai visti prima. Nessun altro c'era. Nessuno dei famigliari di Čechov, che egli non aveva avvertito.

A Marija, che era a Yalta con la madre, scrisse semplicemente che andava nella provincia di Ufa, perché i medici gli avevano consigliato una cura di *kumis*. Il *kumis* era una bevanda tartara: latte di cammella fermentato.

Dopo la cerimonia in chiesa, mandò un telegramma alla madre, dicendole del matrimonio. Poi lui e Ol'ga partirono, si fermarono da Gor'kij a Nižnij-Novgorod, e proseguirono per Axenovo, nella provincia di Ufa.

Quando Marija seppe del matrimonio, rimase sconvolta. La *knipchits* l'aveva tradita. Cosí Čechov chiamava a volte Ol'ga, e in lui era un diminutivo tenero, ma in Marija suonava invece rabbioso e sprezzante. La *knipchits*, che si diceva amica sua, del matrimonio non le aveva detto nulla. Né le aveva detto nulla nessuno. «... Mi sento sola come non mai, – scriveva ad Anton. – Sono molto infelice e depressa... Desidero solo vedere te, te e nessun altro».

Essa aveva rinunciato a sposarsi per dedicare la propria esistenza al fratello, per assisterlo, mandargli avanti la casa. E ora a un tratto si sentiva respinta in un angolo. Ol'ga avrebbe occupato il suo posto e l'intiero spazio. «Sono di un umore orrendo, – scriveva a Ivan Bunin, che sempre le aveva mostrato comprensione e amicizia, – e ho costantemente l'impressione che la mia vita sia un naufragio. In parte, la causa è il matrimonio di mio fratello. È stata una cosa cosí improvvisa!... – E perché Ol'ga ha permesso a un malato di subire un'emozione cosí forte, e per di piú a Mosca?» E aggiungeva: «Trovatemi un marito ricco e generoso... – Scrivetemi un po' piú spesso. Sono molto abbattuta per via di Antoša e Oletčka».

Da Axenov, dove beveva con grande disgusto quattro bottiglie di *kumis* al giorno, all'amico Soboleskij Čechov scriveva, con tono ironico e riduttivo: «Eh sí, mio caro signore, mi sono sposato. Mi sono già abituato, o quasi, al mio nuovo stato, cioè alla perdita di certi privilegi e diritti, e mi sento bene. Mia moglie è una persona notevole, niente stupida, con una bella anima».

Nel luglio tornavano a Yalta, lui e Ol'ga. Li accoglievano Marija e la madre, impacciate e impaurite. I rapporti delle due donne con Ol'ga erano difficili, e rimasero cosí sempre.

Egli fece testamento. Lasciava quasi tutto alla sorella, e a Ol'ga poco. Il testamento era semplicemente una lettera indirizzata alla sorella. Egli la diede alla moglie, perché la consegnasse a Marija dopo che lui era morto. A Ol'ga lasciava poco, perché riteneva che potesse vivere della sua professione di attrice.

Ol'ga dovette presto ritornare a Mosca, per i suoi impegni teatrali. D'altronde, nei tre anni del loro matrimonio, quegli impegni non cessarono quasi mai.

Fu un matrimonio strano, con rari periodi insieme e con molte lettere. In passato, diverso tempo prima, egli aveva scritto a Suvorin che avrebbe voluto una moglie che fosse «come la luna», che cioè a intervalli sparisse via; ma allora non era innamorato di nessuno; e invece adesso accadeva che le assenze di Ol'ga lo facessero acerbamente soffrire. Tuttavia nello stesso tempo trovava ogni sua partenza giusta e necessaria. Ciò che piú egli amava, nelle persone, era la forza vitale. E ciò che piú amava in Ol'ga era la forza vitale; e lo rendeva allegro l'idea che lei esistesse, intenta a recitare in lontani teatri, mentre lui se ne stava immerso nella vita monotona di Yalta, con gli sbocchi di sangue, le visite del dottor Al'tšuller, la sorella e la madre che insistevano perché mangiasse, come aveva ordinato il dottore, otto uova al giorno e portasse delle maglie di lana. Gli scriveva Ol'ga: «Mi fa male pensare che sei là solo, che sei triste, che sei annoiato... – Ti do la mia parola che questo è l'ultimo anno... – Io farò di tutto per renderti la vita piacevole, confortevole, e non solitaria. Vedrai come starai bene con me, e scriverai, lavorerai. Nel tuo cuore, tu probabilmente mi rimproveri che non ti amo. Non è vero? Tu mi biasimi di non rinunciare al teatro, di non essere per te una vera moglie. Immagino quel che pensa di me tua madre. E ha ragione, ha completamente ragione... – Forse tu rimpiangi d'avermi sposata? Dimmelo, non temere di confessarmelo francamente. Mi sento orribilmente crudele. Dimmi cosa devo fare».

Ma lui non voleva che lei lasciasse il lavoro. Soffriva, ma voleva che tutto restasse cosí com'era. Le scriveva: «Non è colpa di nessuno se il diavolo ha messo in te la passione del teatro, e in me i bacilli della tubercolosi».

In una fotografia dove sono insieme, il viso di Ol'ga è allegro e dolce, e il viso di lui è dolce e ironico. Fu per lui, l'incontro con Ol'ga e la loro unione, un regalo bellissimo che gli fece la sorte.

Nel 1902, Tolstoj venne a soggiornare per un periodo in Crimea, a Gaspra, dieci chilometri distante da Yalta, in un castello di amici suoi. Gor'kij si trovava in quei dintorni anche lui, a Olëz, in una villa che aveva preso in affitto, con la moglie e i bambini. Venivano spesso a trovare Tolstoj a Gaspra, Gor′kij e Čechov.

Tolstoj usava sempre dire a Čechov che il suo teatro non valeva nulla. Le sue commedie erano amorali. Non offrivano mai una soluzione ai piú alti problemi dell'esistenza. I suoi eroi non facevano mai altro che andare da un divano a un ripostiglio e da un ripostiglio a un divano. I suoi racconti invece li trovava stupendi.

Di quegli incontri a Gaspra, parla Gor′kij nel suo libro di ricordi.

«Un giorno Tolstoj disse: "Io sono vecchio, e forse non posso capire la presente letteratura. Ma non mi sembra che essa sia russa. Ecco, voi – si rivolse a Čechov, – voi siete russo. Sí, molto, molto russo". E sorridendo affabilmente, mise le mani sulle spalle di Anton Pavlovič. Questi divenne confuso, e a voce bassa cominciò a dir qualcosa riguardo alla sua villetta, e ai tartari». Cosí riferisce Gor′kij. E poi ancora rammenta che un'altra volta, mentre erano nel mandorleto, Tolstoj chiese a Čechov se avesse condotto, in gioventú, una vita molto dissoluta. Čechov sorrise e mormorò, «stiracchiandosi la barba rada», qualche parola indistinta. Tolstoj disse, «guardando il mare»: «Io ero insaziabile».

E poi un'altra volta, mentre Tolstoj e Gor′kij sedevano in terrazza, e Čechov con la figlia piú piccola di Tolstoj passeggiava giú nel parco, Tolstoj additò Čechov a Gor′kij e disse: «Ah, che caro ed eccellente uomo! Modesto, tranquillo come una giovinetta! e cammina come una giovinetta. È prodigioso».

Nel suo diario, in quel periodo, Tolstoj scriveva: «Sono felice di amare Gor′kij e Čechov».

Ol′ga rimase incinta, ma come fu tornata a Mosca abortí. Venendo di nuovo a Yalta, nell'aprile, ancora non stava bene. Marija e la madre le rimproveravano d'avere perso il bambino per i troppi strapazzi. Non soltanto nel lavoro a teatro s'era affaticata, ma anche e soprattutto frequentando cene mondane e feste. L'atmosfera in casa era piena di tensioni. Čechov decise di riaccompagnare Ol′ga a Mosca. Partirono nel maggio. Poco dopo, Ol′ga s'ammalò gravemente. I medici diagnosticarono una peritonite, e dissero che bisognava operarla. Si ristabilí invece in pochi giorni, senza alcuna operazione. Čechov sosteneva d'averla guarita lui, nutrendola unicamente di latte e panna.

In quella primavera, egli aveva scritto un racconto, *Il vesco-*

vo, che uscí sulla «Rivista per tutti». Rivide inoltre un monologo, *Il tabacco fa male*, scritto nel 1886.

A Bunin, che gli confessava di non aver voglia di scrivere e
di scrivere poco, egli disse: «Fate male. L'essenziale, sapete,
è lavorare incessantemente, tutta la vita». E aggiunse: «Però
non bisogna mettersi a scrivere se non quando ci si sente freddi come il ghiaccio».

L'Accademia delle Scienze rifiutò di eleggere Gor′kij fra i
suoi membri, per un ordine dello zar. Čechov allora mandò al-
l'Accademia una lettera di dimissioni. Questa lettera venne
pubblicata da tutti i giornali clandestini, e diffusa all'estero.

Gor′kij era marxista, e sognava la rivoluzione. Čechov vedeva invece la salvezza in una trasformazione lenta. Ma non
aveva alcuna fiducia nel popolo russo. Diceva a Gor′kij: «La
Russia è un paese di gente avida e pigra. Mangiano, bevono
terribilmente, russano e sognano... – Noi ci diciamo che con
un nuovo zar le cose andranno meglio, e meglio ancora fra
duecento anni, ma nessuno fa niente perché questo "meglio"
venga domani. Infine la vita diventa sempre piú complicata,
e avanza per conto suo non si sa dove, e la gente diventa sempre piú stupida, e sempre piú si trae in disparte, ai margini
della vita».

Diceva cosí, a Gor′kij. E tuttavia nei suoi racconti, nelle
sue commedie, vi sono uomini e donne che sembrano sporger-
si ansiosamente verso un avvenire meno torpido e meno buio,
come se vedessero, affacciandosi a un parapetto, le luci di
qualche lontana città.

Tornò a Yalta nell'agosto. Ol′ga doveva rimanere a Mosca
per lavoro, ma era irritata con Marija e con la madre, perché
non l'avevano sollecitata a venire a Yalta lei pure. Mandò a
Marija una lettera offesa. Marija mostrò la lettera al fratello.
Čechov scrisse a Ol′ga con rimprovero e con dispiacere. Ol′ga
gli rispose, piena di collera: «È venuto il momento che ci separiamo? Perfetto!» Sovente essa si era lamentata perché lui
non le parlava di cose importanti, come usava fare conversando con gli amici, ma con lei taceva o discorreva di futilità.
«Tu puoi vivere con me senza pronunciare una parola. A volte mi sono sentita di troppo. Credo che non hai bisogno di me
se non come di una donna piacevole, ma come persona umana, mi sento sola e mi sento un'estranea per te».

Egli le rispose ironico, allegro. La collera di lei non sembrava per nulla averlo ferito. Egli era, nei confronti di lei, tran-

quillo e sicuro. Le sue lettere a lei sono sempre colme di tranquillità e sicurezza. «Mio cane, – la chiamava. – Mio serpente. Mia piccola tacchina». Alle bufere che investivano a volte, anche a distanza, i rapporti fra sua moglie, sua sorella e sua madre, egli non mostrava di attribuire molta importanza. Essenziali erano i suoi propri rapporti con la moglie, e quelli restavano tranquilli e intatti.

Nel settembre, ebbe una visita di Suvorin. Insieme, ritrovarono il reciproco affetto. Come Suvorin se ne fu andato, il direttore d'un giornale locale parlò di lui con disprezzo. Čechov lo difese. Suvorin aveva mille difetti, ma era stato fra i primi ad aumentare lo stipendio ai giornalisti. Aveva sempre aiutato gli scrittori poveri.

Čechov pensava da qualche tempo a una nuova commedia. Ne aveva in mente il titolo: *Il giardino dei ciliegi*. Ma gli sembrava che a Yalta non sarebbe riuscito a scriverla. Decise di partire per Mosca. Marija lo volle seguire. Le stava a cuore fare la pace con Ol'ga. Mandarono la madre a Pietroburgo, dal fratello Michail.

A Mosca, Čechov rimase per un mese e mezzo. Tutti lo sollecitavano a scrivere la nuova commedia. Lui però non riusciva a scriverla, nemmeno a Mosca.

Tornò a Yalta, perché a Mosca faceva troppo freddo.

Si diede a scrivere la commedia. Nell'aprile, di nuovo dichiarò che doveva andare a Mosca perché a Yalta non gli riusciva di continuare. Il dottor Al'tšuller protestava. Infine lui partí senza dirgli nulla.

Gor'kij e gli altri amici lo incitavano a rivedere il contratto con l'editore Marks. Difatti quell'editore aveva già incassato, con la vendita dei suoi libri, duecentomila rubli e piú. Čechov parlò con Marks. Ne ebbe in regalo dei libri dalla rilegatura di lusso, e ne ebbe l'offerta di cinquemila rubli «per le sue spese mediche», offerta che egli rifiutò.

Stanislavskij, Nemirovič-Dančenko, Ol'ga, non facevano che incitarlo a portare avanti la commedia. Ma lui non riusciva a scrivere che qualche riga ogni giorno.

Un medico noto a Mosca, Ostroumov, gli disse che in Crimea il clima non era buono. Gli disse che avrebbe fatto meglio a stabilirsi in una villa vicino a Mosca. Al'tšuller, quando lo seppe, dichiarò che quell'Ostroumov, mentre faceva quelle affermazioni, doveva essere ubriaco.

Un'amica di Ol'ga li invitò in una sua tenuta, che era ap-

punto nei dintorni di Mosca. Vi rimasero qualche settimana.
Poi Čechov volle tornare a Yalta.

Nell'ottobre del 1903, spediva la commedia ormai finita al
Teatro d'Arte. Nel dicembre, partiva per Mosca, senza chiedere il parere del dottor Al'tšuller.

Prima di partire, aveva scritto, con grande fatica, un racconto: *La fidanzata*. Era l'ultimo racconto della sua vita. Forse
lo pensò.

Marija e Ol'ga a Mosca avevano preso in affitto un piccolo
appartamento, con l'ascensore.

Čechov andava ad assistere alle prove. Ne era scontento. Si
lamentava con Stanislavskij. Lo stesso Stanislavskij aveva delle perplessità su quella commedia. Čechov rivedeva il copione
e riscriveva battute, furiosamente.

Trovava che Stanislavskij, quella sua commedia, l'aveva capita male. Le dava degli accenti tragici. Egli diceva: «Io non
ho fatto un dramma bensí una commedia, anzi, in qualche
punto, addirittura una farsa».

Il giardino dei ciliegi andò in scena il 17 gennaio del 1904.

Le prime critiche esprimevano dubbi. Nella commedia, dicevano i giornali, «era eretto un monumento sulla tomba degli scansafatiche». La giovane generazione, dicevano, veniva
raffigurata in maniera incerta, incompiuta, senza vigore o fer-
mezza.

Čechov tornò a Yalta nel febbraio. Il dottor Al'tšuller lo
trovò in condizioni di salute discrete, e se ne stupí.

Da Mosca gli arrivavano le notizie di un successo di pubblico immenso.

Nel maggio, ripartí per Mosca, sempre senza avere interro-
gato il dottor Al'tšuller. Arrivò con la febbre alta. Un medico
tedesco che Ol'ga conosceva bene, il dottor Taube, gli consigliò di andare, appena fosse migliorato, a Berlino, da uno specialista di malattie polmonari, il dottor Karl Ewald.

Nei primi giorni di giugno, Čechov e Ol'ga erano a Berlino. Il dottor Ewald, dopo una visita minuziosa, spalancò le
braccia in segno d'impotenza. Non suggerí nulla. Essi partirono per Badenweiler, piccola città di acque, nella Foresta
Nera.

A Badenweiler, presero alloggio in una villa privata, la Villa Friederike, dove il proprietario ospitava gente a pagamento. La villa aveva un bel giardino grande, e finestre che s'apri-
vano sulle montagne.

Čechov si sentiva meglio. Lo curava, a Badenweiler, il dottor Schwöhrer. Egli scrisse a Marija una lettera allegra. Marija, rassicurata, lo informò che partiva per un breve viaggio nel Caucaso, con il fratello Ivan.

A Badenweiler, era venuto un caldo tremendo. Čechov, dopo una settimana, la villa Friederike l'aveva in odio. Si trasferirono in un albergo, l'albergo Sommer.

Il primo di luglio, nella notte, egli si svegliò e disse a Ol'ga di chiamare un medico. Era la prima volta che chiedeva un medico. Ol'ga si sentí tremendamente sola in quell'albergo grande, pieno di sconosciuti. Ricordò che in una stanza vicina c'erano due studenti russi, bussò e li pregò di andare in cerca del dottor Schwöhrer.

Čechov delirava, parlava del Giappone, e di un marinaio. Lei gli posò sul petto una borsa di ghiaccio. Lui le disse, ad un tratto lucido: «Perché mettere del ghiaccio su un cuore vuoto?»

Il dottor Schwöhrer arrivò alle due del mattino. «*Ich sterbe*», gli disse Čechov. «Io muoio».

Il dottore gli fece un'iniezione di canfora. Poi voleva mandare a prendere una bombola di ossigeno. Čechov disse: «È inutile. Quando la porteranno qui sarò già morto». Allora il dottore fece venire su una bottiglia di *champagne*.

Čechov prese il bicchiere che gli offrivano, e disse: «Era tanto tempo che non bevevo *champagne*». Vuotò il bicchiere e si sdraiò su un fianco. Poco dopo non respirava piú. Era il 2 luglio del 1904.

Furono prese le disposizioni necessarie perché il corpo fosse portato a Mosca. Non si sa perché, vi arrivò su un treno destinato anche al trasporto delle ostriche. Gli amici e i famigliari in attesa videro arrivare un treno di color verde, che aveva un cartello con scritto «Ostriche» su un vagone. La bara era su quel treno verde.

Sulla banchina della stazione, una banda militare suonava una marcia funebre. Gli amici pensarono che le autorità avessero voluto salutare Čechov con quelle musiche militari. Si formò il corteo ed essi lo seguirono. Però d'un tratto s'accorsero che stavano seguendo non il funerale di Čechov, ma quello del generale Keller, morto in Manciuria. La banda militare era per il generale Keller. Cambiarono strada.

Due studenti portavano la bara a spalle. Al cimitero c'era una gran folla di gente. Il giorno dopo vi fu al cimitero una cerimonia religiosa. Lo scrittore Aleksandr Kuprin s'avvicinò alla madre di Čechov e le baciò la mano. Lei disse: «Avete visto che disgrazia è successa! Non c'è piú Antoša!»

La madre di Čechov morí nel 1919. Marija divenne, dopo la rivoluzione, direttrice del museo Čechov, che era a Yalta nella loro casa. Morí molto vecchia, nel 1957. Ol'ga seguitò a fare l'attrice. Morí anche lei molto vecchia, nel 1959.

NATALIA GINZBURG

1. Čechov a Taganrog, nel 1879.

Таганрогъ. № 24.
Общій видъ.

2. Taganrog, vista sulla città.

3. Taganrog, verso la metà del secolo, era un fiorente centro commerciale, ed era lo scalo principale del Donec, del Don e del Volga. Dopo il 1870, perse il suo prestigio economico, sia per l'insabbiamento del porto sia per la concorrenza della città Rostov sul Don. Il declino coinvolse anche il commercio delle spezie, che esercitava il padre di Čechov.

4. La Tverskaja, la piú elegante strada di Mosca.

I fratelli di Čechov:

5. Michail, studente.
6. Ivan, maestro di scuola elementare ai suoi esordi.

7. Maša, studentessa.
8. Nikolaj, studente d'una scuola di arte e pittore
9. Aleksandr, dal 1882 doganiere a Taganrog.

10-11. La madre e il padre.

12. Čechov a Mosca, nel 1881 o nel 1882.

13. D. V. Grigorovič, scrittore.
14. A. S. Suvorin. Direttore del giornale «Tempo Nuovo»; dal 1897 al 1899 editore di Čechov.

15. La casa del medico delle carceri di Sachalin, B. A. Perlin. Egli ospitò Čechov al Forte Aleksandrov.
16. La saldatura delle manette.

17. Melichovo. La famiglia, nel marzo 1892. In piedi da sinistra: Maša, Anton, A. I. Smagin; seduti, Ivan, Michail, il padre e la madre.
18. Melichovo. Čechov con l'attrice L. B. Javorskaja nel 1893.
19. Čechov con la scrittrice T. L. Ščepkina-Kupernik e con l'attrice L. B. Javorskaja. Mosca, 1893.

20. Melichovo. Čechov nel 1896.

21. Melichovo. Čechov nel 1897.

22. Melichovo. Čechov nel maggio 1897.

23. Čechov con Lika Mizinova, nel
    maggio 1897.
24. Gor'kij ospite di Čechov, 5 mag-
    gio 1900.

25. *Il gabbiano*, atto III.

26-28. *Lo zio Vanja*, atto II. Rappresentazione del 26 ottobre 1899, al Teatro d'Arte di Mosca. Regia di K. S. Stanislavskij e V. I. Nemirovič-Dancenko.

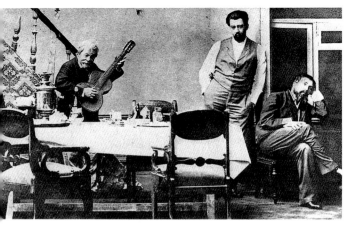

29-34. *Le tre sorelle*. Rappresentazione del 31 gennaio 1901, al Teatro d'Arte di Mosca. Nataša: M. P. Lilina; Ol'ga: M. G. Savickaja; Maša: Ol'ga L. Knipper; Irina: M. F. Andreevna; Andrej: V. V. Suskij; Cebutykin: A. R. Artem.

35. Aksënovo. Čechov e Ol'ga Knipper.

36. Čechov con la madre, Maša e Ol'ga.

37. *Il giardino dei ciliegi*. Rappresentazione del 17 gennaio 1904 al Teatro d'Arte di Mosca. Regia di Stanislavskij e di V. I. Nemirovič-Dancenko. La scena finale.

38. Il giardino d'inverno dell'albergo Sommer a Badenweiler, nella Foresta Nera.

Nella pagina seguente: 39. Badenweiler, 2 luglio 1904.

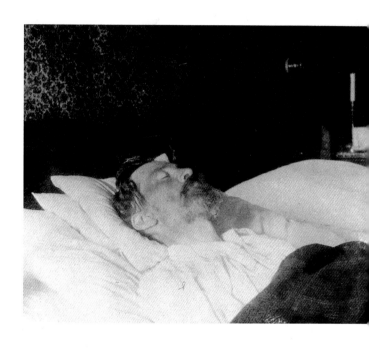

Vita attraverso le lettere

A NIKOLAJ A. LEJKIN

Mosca, 12 gennaio 1883

Egregio signor Nikolaj Aleksandrovič,

in risposta alle vostre gentili lettere vi mando alcune cose. Ho ricevuto il compenso, ricevo anche la rivista (al martedí): per l'uno e per l'altra vi esprimo la mia riconoscenza. Grazie anche del lusinghiero invito a continuare a collaborare. Con particolare piacere lavoro per «Schegge». L'indirizzo del vostro periodico, la sua veste tipografica e l'arte con la quale viene redatto vi attireranno, come già hanno attirato, molti collaboratori oltre a me.

Anch'io sono un accanito partigiano delle storielle brevi e se pubblicassi una rivista umoristica, sopprimerei tutte le prolissità. Io solo nelle redazioni moscovite insorgo contro le lungaggini (il che non m'impedisce peraltro di commetterne ogni tanto qualcuna... Contro la forza ragion non vale!) Ma, nello stesso tempo, lo confesso, l'aver lo spazio limitato «da qui fino a là» mi procura non pochi dispiaceri. Rassegnarsi a tali limitazioni riesce talvolta tutt'altro che facile. Per esempio... Voi non ammettete articoli che superino le cento righe e avete i vostri motivi... Io ho un tema. Mi metto a scrivere. Il pensiero delle «cento e non piú» mi fa venire i crampi alla mano sin dalla prima riga. Riduco fin che posso, filtro, cancello e talvolta (come mi suggerisce il mio fiuto d'autore) a detrimento del tema e soprattutto della forma. Dopo aver ridotto e filtrato, mi metto a contare... Conto cento-centoventi-centoquaranta righe (di piú non ne ho mai scritte per «Schegge»), mi spavento e... non spedisco. Appena attacco la quarta pagina d'un foglio di carta da lettere di piccolo formato, i dubbi cominciano a rodermi e... non spedisco. Molto spesso mi tocca abborracciare il finale e mandare una cosa diversa da quella che volevo... Come esempio delle mie pene vi mando l'articolo *L'unico rimedio*. L'ho accorciato e ve lo mando nella forma piú ridotta; e tuttavia mi sembra diabolicamente lungo per voi, mentre mi pare che se l'avessi fatto due volte piú lungo avrebbe avuto due volte piú sale e contenuto. Ho delle cosette piú brevi, ma anche per esse nutro timore. A volte spedirei, ma non oso...

Da quanto sopra deriva la seguente preghiera: estendete i miei diritti fino a centoventi righe... Sono sicuro che di rado mi varrò di questa facoltà, ma la coscienza d'averla mi salverà dai crampi alla mano.

E con ciò gradite l'assicurazione del rispetto e della devozione del vostro umilissimo servitore

A. Čechov

PS. Per Capodanno vi avevo preparato una busta che pesava tre once. È comparso il direttore dello «Spettatore» e me l'ha carpita. Impossibile riprendergliela: è un amico. I nostri direttori scagliano filippiche contro i moscoviti che lavorano anche per Pietroburgo. Ma certo Pietroburgo toglie loro meno di quanto inghiottiscano i signori della censura. In ogni numero della sciagurata «Sveglia» espungono dalle quattro alle ottocento righe. Non sanno che altro fare.

AD ALEKSANDR P. ČECHOV

Mosca, 20 febbraio 1883

Aleksandr Pavlovič, fratello mio di buona qualità!

Anzitutto mi congratulo con te e con la tua metà per il parto felice e per l'accrescimento della famiglia, come pure con Taganrog per la sua novella cittadina. Possa la neonata vivere a lungo (... fatti il segno della croce!), possa ella abbondare in bellezza fisica e morale, in ricchezza, in voce, in senno (fatti il segno della croce!), e a suo tempo acciuffare un intrepido marito (fatti il segno della croce, imbecille!), non senza aver prima affascinato e ridotto alla disperazione tutti i liceali di Taganrog.

Fatti gli auguri, vengo senz'altro al sodo.

Proprio adesso Nikolka mi ha dato da leggere la tua lettera. Per mancanza di tempo lasciamo da parte la questione del diritto di «leggerla o non leggerla». Se la lettera riguardasse soltanto la persona di Nikolka, mi sarei limitato alle congratulazioni, ma essa tocca anche alcune questioni interessanti e di queste voglio appunto trattare. Di sfuggita risponderò a tutte le tue precedenti epistole. Purtroppo non ho il tempo di dilungarmi, come sarebbe opportuno. Per amore dell'ordine e della precisione ricorrerò a uno schema, a un sistema: analizzerò punto per punto la tua lettera, dall'a alla zeta. Io sono un critico ed essa è un componimento che presenta un interesse letterario. Il diritto di criticarla ce l'ho, avendola letta. Tu, considera la cosa come autore – e tutto andrà bene. Del resto, non è male che noi, scrittori, ci cimentiamo nella criticaggine. È indispensabile un'avvertenza: tutto il succo sta nelle questioni di cui sopra; cercherò, per quanto è possibile, di togliere al mio commento ogni carattere personale.

1. Che Nikolka abbia torto, non si discute nemmeno. Non solo non risponde alle tue lettere, ma neppure a quelle d'affari; sotto questo aspetto non conosco un individuo piú scortese di lui. Da un anno si propone di scrivere a Lentovskij che lo cerca; da sei mesi giace, abbandonata su una mensola, la lettera di un galantuomo, giace senza risposta, eppure fu scritta soltanto per aver risposta. Piú gingillone del nostro fratellino è difficile trovarne uno. E, quel ch'è peggio, è incorreggibile...

La tua lettera l'ha intenerito, però non credo che abbia trovato il tempo di risponderti. Ma non si tratta di questo. Comincerò dalla forma della lettera. Ricordo come ridevi dei «proclami dello zio»... Ridevi di te stesso, mio caro. Quanto a sdolcinatura, i tuoi proclami rivaleggiano con quelli dello zio. Ci trovi tutto: «stringete in un amplesso»... «le ferite dell'anima»... Ci manca solo che ti metta a piangere. Se si dovesse credere alle lettere dello zio, da un pezzo egli si sarebbe sciolto in lacrime. (La provincia!) Tu stilli lacrime dal principio alla fine della lettera... E, del resto, ne spargi in tutte le tue lettere, in tutti i tuoi scritti... Si potrebbe pensare che tu e lo zio consistiate unicamente di glandole lacrimali. Non rido mica, sai, non aguzzo gli strali della mia ironia... Non accennerei a codesta lacrimosità, a codesti singulti di gioia e di dolore, a codeste ferite dell'anima, eccetera, se non fossero cosí inopportuni e... perniciosi. Nikolka (lo sai benissimo) è uno scapestrato; un bravo, vigoroso artista russo si sta rovinando, e rovinando per nulla... Ancora un anno, due, e il nostro pittore sarà un uomo finito. Si perderà tra la folla dei frequentatori di birrerie, dei pennaioli e altre canaglie... Guarda i suoi

lavori... Che cosa fa? Tutta robetta dozzinale, da quattro soldi... e intanto in sala c'è un suo bellissimo quadro incominciato. Il «Teatro Russo» gli aveva offerto d'illustrare Dostoevskij... Ha dato la sua parola ma non la manterrà; e pensare che
queste illustrazioni gli avrebbero procacciato fama e pane...
Ma a che pro parlare? Lo vedesti sei mesi fa, e non l'avrai dimenticato, spero... E adesso invece di sostenere, d'incorag-
giare quel semplicione pieno di talento con qualche buona,
energica parola, rendendogli un servizio inestimabile, tu gli
scrivi delle parole gemebonde, accorate. L'hai immalinconito
per mezz'ora, l'hai scosso, l'hai disanimato e nient'altro...
Domani avrà già dimenticato la tua lettera. Sei un ottimo sti-
lista, hai letto, hai scritto molto, capisci benissimo le cose come le capiscono anche gli altri – e non ti costerebbe nulla
scrivere a nostro fratello una parola efficace... Non una ra-
manzina, no! Se invece di lacrime ti fossi intrattenuto con lui
della sua pittura, egli si sarebbe subito messo a dipingere, questo è certo, e forse t'avrebbe anche risposto.

Tu sai come si può influire su di lui... «Mi hai dimenticato... ti scrivo per l'ultima volta» – sono tutte sciocchezze,
non è questo l'essenziale... Non è questo che bisogna sottoli-
neare. Tu, uomo forte, colto, evoluto, sottolinea ciò che è vitale, ciò che è eterno, ciò che agisce non sul sentimento meschino, ma sul vero sentimento umano.. Tu ne sei capace...
Perché sei arguto, sei realista, sei un artista. Per la lettera in
cui descrivi il tedeum in mezzo agli ormeggi (con i ghiacci alla
Hatteras) io, se fossi Dio, ti perdonerei tutti i tuoi peccati vo-
lontari e involontari, sia di fatto che di parola... (A proposito
dopo aver letto quella lettera, a Nikolka era venuta una voglia
matta di dipingere degli ormeggi). Anche nelle tue opere tu
sottolinei ciò che è mediocre. Eppure, di natura, non sei uno
scrittore soggettivo... Codesto non è un difetto innato, ma
d'acquisto... Rinunziare al soggettivismo d'acquisto è facile
come offrir da bere... Basta esser piú onesti: buttar se stessi a
mare sempre e dovunque, non intrufolarsi nei protagonisti del
proprio romanzo, rinnegare se stessi, non fosse che per mez-
z'ora. C'è un tuo racconto in cui, per tutta la durata del pranzo, due sposini non fanno che sbaciucchiarsi, pigolare, pestar
l'acqua nel mortaio. Non una parola sensata, tutto un «giu-
lebbe». Ora, tu non hai scritto per il lettore... Hai scritto perché *a te* piacciono queste cicalate. Se tu avessi invece descritto
il pranzo, come mangiavano, cosa mangiavano, com'era la
cuoca, com'era volgare il tuo protagonista, soddisfatto della

sua pigra felicità, com'era volgare la tua eroina, com'era ridicola nel suo amore per quel bestione sazio, rimpinzato, col to-
vagliuolo legato al collo... A tutti fa piacere veder gente ben
pasciuta, contenta, questo è vero, ma per descriverla non basta riferire quel che *loro* dicono e quante volte si baciano... Ci
vuol qualcos'altro: rinunziare all'impressione personale che la
felicità della luna di miele produce su ogni uomo non inaspri-
to... Il soggettivismo è una cosa tremenda. È un male per il
solo fatto che lega mani e piedi al povero autore. Scommetto
che tutte le mogli di *pope* e tutte le impiegatucce che hanno
letto le tue opere sono innamorate di te e se tu fossi un tedesco, berresti gratis la birra in tutte le birrerie tenute da tedesche. Se non fosse per questo soggettivismo, per questo «čmy-
rëvismo»[1] diventeresti un efficacissimo scrittore. Sai ridere
cosí bene, sei cosí caustico, cosí beffardo, la tua frase è cosí
rotonda, te ne sono capitate tante, hai visto tante e tante cose... Ohimè! È tutto materiale perduto! Se almeno tu lo fic-
cassi nelle lettere, stuzzicassi la fantasia di Nikolka... Col tuo
materiale si possono forgiare cose di ferro e non «proclami».
Che uomo utile potresti divenire! Prova, scrivi a Nikolka una
volta, due volte, scrivigli una parola sensata, onesta, efficace
– tu sei cento volte piú intelligente di lui – scrivigli e sta' a
vedere che effetto farà... Per quanto pigro, egli ti risponde-
rà... Ma non scrivergli delle lagne scoraggianti: è già abbastanza scoraggiato...

«Non occorre un gran fiuto, – scrivi piú innanzi, – per
comprendere che, andandomene, mi sono tagliato fuori dalla
famiglia e condannato all'oblio...» Sicché, ti avremmo dimenticato. Che non credi nemmeno tu a quel che affermi, è fuori
discussione. È una bugia inutile, amico. Conoscendo il carattere sensibile della mamma e di Nikolaj il quale, quand'è
sbronzo, si ricorda di tutti e bacia tutti, questo non avresti
dovuto scriverlo; se non fosse per le ghiandole lacrimali, non
l'avresti scritto.

«Me l'aspettavo e naturalmente è successo...» Tu vuoi colpire nel vivo... È necessario colpire, molto necessario, ma non
ci riuscirai con queste parole. Le tue sono citazioni da *Sorellina*[2], mentre hai fatto anche delle cose piú sensate, che avresti potuto citare con profitto.

---

[1] Čechov allude a N. A. Čmyrëv, collaboratore del «Gazzettino di Mosca»,
autore di bozzetti e racconti, nonché di numerosi romanzi storici.
[2] Racconto inedito di Aleksandr P. Čechov.

2. «Il babbo mi ha scritto che non ho giustificato le speranze», eccetera. Lo ripeti per la centesima volta. Non so cosa
tu pretenda dal babbo. È nemico del tabacco e del concubina-
to e vuoi farne un amico? Con la mamma e con la zia sono
trucchi che possono riuscire, ma col babbo no. È un maci-
gno, tal e quale come i *raskolniki*, e non lo smuovi. È proprio
questa la sua forza. Avrai un bello scrivergli paroline mielate,
lui continuerà a sospirare, a ripeterti le medesime cose e quel
ch'è peggio a soffrire... Non lo sai, forse? È strano. Scusa, fratello, ma mi sembra che qui vibri un'altra corda e piuttosto
sporchetta. Invece di cozzar la testa nel muro, sembra quasi
che tu cerchi d'ingraziartelo, quel muro... Che t'importa di
come questo o quel *raskolnik* guarda alla tua unione illegittima? Perché lo vai a cercare, cosa vuoi da lui? La prenda come
vuole... È affar suo, affare di quel *raskolnik*... Tu sai d'aver
ragione, quindi tieni duro e lascia che scrivano, lascia che sof-
frano... Nella protesta (dignitosa) sta tutto il sale della vita,
amico mio. Ognuno ha il diritto di vivere con chi gli pare e
come gli pare. Questo è il diritto dell'uomo evoluto e tu invece a questo diritto non ci credi, giacché ritieni necessario
mandare avvocati dalle Pimenovne e dagli Stamatič[3]. Che
cos'è codesta tua unione, secondo te? È il tuo nido, il tuo cal-
duccio, la tua croce e la tua delizia, la tua poesia, e tu ti com-
porti verso questa poesia quasi fosse un cocomero rubato,
guardi ognuno con sospetto (chi sa che ne pensa costui?), la
ficchi sotto il naso a ognuno, piagnucoli, gemi... Al posto della tua compagna io, a dir poco, m'offenderei. A te interessa
come la penso io, come la pensa Nikolaj o il babbo?! Ma che
t'importa? Non ti capiranno come tu non capisci il «padre di
sei figli», come prima non capivi i sentimenti paterni... Non
capiranno, per quanto ti siano affezionati, e del resto è inutile
che capiscano. Tira innanzi e basta. Non è possibile soffrire
per tutti e tu vorresti che noi soffrissimo anche per te. Appena ci vedi far la faccia indifferente, dàgli a piagnucolare. Prodigiose sono le tue opere, o Signore! Ma io, al tuo posto, se
avessi famiglia non permetterei a nessuno non solo d'aver una
propria opinione, ma neanche di cercar di comprendere. Questo è il mio «io», sono affari miei, e nessuna sorellina[4] ha il

---

[3] Pimenovna, cuoca a mezzo servizio che a Taganrog riportava pettegolezzi e
scandali da una casa all'altra. Stamatič, sensale greco, uno dei frequentatori abituali
della bottega del padre di Čechov a Taganrog.
[4] Allusione alla moglie dello zio Mitrofan, che il padre e la madre di Čechov
chiamavano «sorellina» in segno di affettuosa deferenza.

diritto (proprio in virtú della legge di natura) di ficcarvi il suo naso bramoso di comprendere e d'intenerirsi! Al tuo posto eviterei anche di scriver lettere sulle tue gioie di padre. Non ti capirebbero, riderebbero del tuo «proclama» e avrebbero ragione. Hai comunicato la tua malattia anche ad Anna Ivanovna. Quando era ancora a Mosca, ogni volta che ci vedeva si scioglieva in lacrime amare e chiedeva: «Possibile che a trent'anni... sia troppo tardi?» Come se gliel'avessimo chiesto noi. Quel che pensavamo era affar nostro e non era affar vostro darci spiegazioni. Io creperei piuttosto che permettere a mia moglie d'inchinarsi ai miei fratelli, per quanto in alto possano essere. Sicché... Sarebbe un bel tema per una novella, ma non ho il tempo di scriverla.

3. «Da mia sorella non ho il diritto di esigere... Essa non ha ancora avuto modo di formarsi di me... un concetto che non sia un concetto turpe. E non ha ancora imparato a leggere nel cuore...» (Leggere nel cuore... Non ti rammenta le paternali di una guardia rurale?) Hai ragione... Nostra sorella ti ama, ma non ha di te alcun concetto... Il retroscena di cui parli ha soltanto fatto sí che essa *teme* di pensare a te. Ed è piú che naturale. Ricordati: con lei hai mai parlato una volta sola da uomo? È già una ragazza fatta, frequenta una scuola superiore, si dedica a studi seri, è divenuta seria, ma tu le hai mai detto o scritto una parola seria? Tal e quale come con Nikolaj. Tu stai zitto, e non c'è da meravigliarsi se non ti conosce. Gli estranei hanno fatto per lei piú di quanto non abbia fatto tu, suo fratello... Da te potrebbe attingere molto... ma tu sei avaro. (Il tuo amore non le farà né caldo né freddo, giacché l'amore senza le buone opere è cosa morta). Essa sta combattendo una lotta, e che lotta disperata! Ti stupiresti se sapessi! È crollato tutto ciò che prometteva d'essere la missione della sua vita... In questo momento non è per nulla inferiore a un'eroina di Turgenev... Non esagero, sai. È un terreno dei piú fecondi, basta saperlo seminare. E tu invece fai del lirismo con lei, e ti arrabbi perché non ti scrive. Ma di cosa dovrebbe scriverti? Una volta si è messa a tavolino e, pensa e ripensa, t'ha parlato della Fedoticha[5]!... Avrebbe voluto aggiungere altro, ma nessuno fu in grado di garantirle che le sue parole non sarebbero state considerate con l'occhio di Tret'jakov e compagni. Io, lo confesso, sono troppo nervoso con la famiglia. Sono nervoso in genere. Sono spesso brutale, ingiusto, ma per-

[5] Il vero nome è Fedotovna, attrice drammatica del Piccolo Teatro di Mosca.

ché nostra sorella mi dice quel che non direbbe ad alcuno di voi? Perché, probabilmente, non ho visto in lei soltanto «l'amatissima sorella», cosí come non ho negato l'umanità di Mìška, col quale *bisogna* assolutamente parlare. Eppure essa è una personalità, e che personalità, perbacco! Tu scherzi con lei, le hai dato una cambiale, le hai comprato a credito una scrivania, un orologio... Bel pedagogo! Nel mondo di là non saranno i genitori a dover rispondere di lei. Questo non è affar loro.

«Di Anton tacerò. Mi sei rimasto tu solo...»

Se si considera la faccenda dal punto di vista d'un *gentleman*, anch'io dovrei tacere e lasciar correre. Ma al principio della mia lettera ho detto che avrei evitato i personalismi... Li evito anche qui, e m'attaccherò soltanto alla «questione». (Accidenti, quante questioni!) C'è a questo mondo una brutta malattia e nessuno scrittore, nessuno può vantarsi di esserne immune!...

[*Seguono alcune righe cancellate*: Essi sono molti e noi siamo pochi. Il nostro campo è troppo ristretto. È malato, questo campo. Gli uomini dello stesso campo non vogliono capirsi l'un l'altro]. Mi sono lasciato prender la mano. Mi tocca cancellare... Anche tu ne sai qualcosa. Esso consiste nel non volersi capire l'un l'altro, pur appartenendo al medesimo campo. Ignobile malattia! Siamo dello stesso ambiente, aneliamo alla stessa cosa, la pensiamo allo stesso modo, siamo spiritualmente consanguinei... e tuttavia siamo abbastanza meschini da scrivere: «tacerò!» Molto promettente! *Noi* siamo cosí pochi che ci dobbiamo sostenere a vicenda... insomma, *vous comprenez*! Per quante colpe reciproche abbiamo (ma non saranno poi tante!), non possiamo non rispettare anche quel minimo che sia simile al «sale della terra». Noi, tu, io, i Tret'jakov, il nostro Miška siamo superiori a migliaia, non siamo inferiori a centinaia di uomini... Abbiamo un compito comune ben chiaro: pensare, aver la testa sulle spalle... Chi non è con noi è contro di noi. E invece ci rinneghiamo l'un l'altro! Ci facciamo il broncio, piagnucoliamo, brontoliamo, spettegoliamo, ci sputiamo in faccia. A quanti hanno sputato in faccia Tret'jakov e compagni! Hanno stretto un patto di fratellanza con Vasja[6] e il resto dell'umanità l'hanno collocato nella categoria dei corti di mente! Io sarò stupido, non saprò soffiarmi il naso, avrò letto poco, ma adoro il vostro stesso dio – questo

---

[6] Vasilij P. Malyšev, ispettore scolastico, zio dei fratelli Tret'jakov.

dovrebbe bastare perché mi stimaste a peso d'oro! Stepanov sarà un imbecille, ma ha una laurea, è mille volte superiore a Semën Gavrilovič e a Vasja, eppure dopo aver ballato il *can-can* gli hanno fatto picchiare le tempie contro lo spigolo del pianoforte. Vergogna! Bel modo di comprendere la gente e di utilizzarla! Sarebbe bello se dessi del somaro a Zembulatov perché non conosce Darwin! Egli, educato secondo i principî della servitú della gleba, è un nemico di questa servitú – per questo soltanto gli voglio bene! E se dovessi rinnegare A, B, C,... G e l'uno e l'altro e l'altro ancora, finirei i miei giorni nella solitudine!

Noi giornalisti abbiamo una malattia: l'invidia. Invece di rallegrarsi dei tuoi successi, gli altri t'invidiano e... te la fanno scontare. Eppure adorano tutti il medesimo dio e tutti quanti lavorano per la medesima causa... Piccineria! Mancanza d'educazione!... Ma come tutto ciò avvelena l'esistenza!

Ho da fare e quindi mi fermo qui. Piú tardi, una volta o l'altra, scriverò fino in fondo. T'ho parlato da amico, parola d'onore; nessuno t'ha dimenticato, nessuno ha qualcosa di particolare contro di te e... non ho motivo di non scriverti da amico.

Saluti ad Anna Ivanovna e a *Una Ma*[7].

Ricevi «Schegge»? Fammelo sapere. T'ho mandato la conferma di Lejkin stesso.

E con ciò abbiti i miei rispetti.   A. Čechov

Non vuoi qualche temino?

Accipicchia, quanto ho scritto! Per venti rubli! Anzi, di piú...

A NIKOLAJ A. LEJKIN

Mosca, 18 aprile 1883

Egregio Nikolaj Aleksandrovič,

vi mando alcuni racconti e rispondo alla vostra lettera.

Voi osservate *à propos* che i miei *Il vetrice* e *Il ladro* sono un po' troppo seri per «Schegge». Può darsi, ma io non vi avrei mandato delle storielle prive di comicità se non fossi stato guidato da certe considerazioni. A me sembra che una cosetta

[7] Marija, la bimba di Aleksandr.

seria, breve, d'un centinaio di righe per esempio, non stride-
rebbe troppo, tanto piú che nella testata di «Schegge» non figurano le parole «rivista umoristica e satirica», non c'è obbligo di limitarsi al solo *humour*. Una cosetta leggera (non mia,
parlo in generale), nello spirito della rivista, che contenga un
intreccio e la dovuta denuncia del costume, si legge volentieri,
per quanto ho potuto osservare, e quindi non è noiosa.

Del resto, detto fra parentesi, fra gli articoletti dell'argutis-
simo I. Grek ci s'imbatte ogni tanto in coserelle d'intonazio-
ne seria, ma delicate, graziose, da mangiarsi dopo il pranzo al
posto del *dessert*. Esse non stonano, anzi... Lo stesso Fiodor
Ivanovič non fa sempre dello spirito, eppure non c'è forse
nessun lettore di «Schegge» che lasci passare le sue poesie
senza leggerle. Un articoletto leggero e breve, per quanto serio possa essere (non parlo, beninteso, della matematica o della questione caucasiana) non esclude una lettura piacevole.
Dio scampi dalle lagne, ma una parola affettuosa detta per Pasqua a un ladro che nello stesso tempo è anche un confinato
non rovinerà il giornale. E poi, per esser sinceri, è difficile
riuscire ad acchiappar per la coda l'umorismo. A volte lo inse-
gui e ne vien fuori una boiata, da nauseare anche chi l'ha
scritta. (Senza volere si cade nel serio). Per Pentecoste vi
manderò qualcosa di verdolino sul tipo di *Vetrice*. Sarò serio
soltanto per le feste solenni.

Ho scritto ad Agafopod Edinicyn. È mio fratello, attualmente impiegato dello stato; negli ultimi anni ha collaborato
alle riviste di Mosca. Ha scritto molto e a suo tempo con successo: abbastanza da camparci. Era un umorista, poi è cascato
nel lirismo, nella fantasmagoria e, forse... come autore è fallito. Vorrebbe evadere dal lirismo, ma ormai è tardi, s'è impantanato. Le sue lettere sono piene d'umorismo, non si può immaginare nulla di piú comico; ma appena si mette a scrivere
per una rivista, è un guaio, comincia a zoppicare. Se fosse piú
giovane, ne potrebbe venir fuori un bravo collaboratore. Come umorista non è male, lo si vede dal fatto che è entrato alla
dogana di Taganrog quando non c'era piú nulla da rubare. Gli
ho scritto e son certo che vi manderà qualche cosa.

E con questo, sono il vostro servitore devotissimo.

A. Čechov

Il giorno di Pasqua vi ho spedito il racconto *Vanja, la mammina, la zia e il segretario*. L'avete ricevuto?

A NIKOLAJ A. LEJKIN

Mosca, 20 agosto 1883

Stimatissimo Nikolaj Aleksandrovič,

quest'invio è uno dei meno azzeccati. Le noterelle sono scialbe, il racconto non è limato ed è alquanto pedestre. Ho un tema migliore e avrei scritto e guadagnato di piú, ma questa volta la sorte mi è avversa. Scrivo in condizioni infami. Davanti a me ho il mio lavoro non letterario che mi assilla senza misericordia, nella stanza accanto strilla la pargoletta d'un parente in visita da noi, nell'altra stanza il babbo legge ad alta voce alla mamma *L'angelo suggellato*... Qualcuno ha caricato la scatola armonica e sento *La bella Elena*... Vorrei scappare in campagna, ma è il tocco dopo mezzanotte. Per uno che scrive è difficile immaginare un ambiente piú schifoso. Il mio letto è occupato dal parente venuto da fuori, il quale ogni momento mi viene accanto e intavola un discorso sulla medicina. «La bimba ha certo delle fitte alla pancia, per questo grida...» Per mia disgrazia, studio medicina, e non c'è nessuno che non ritenga necessario «discutere» di medicina con me. Chi s'è stancato di parlare di medicina avvia un discorso sulla letteratura.

Un ambiente impareggiabile. Mi rimprovero di non esser fuggito in campagna, dove, certamente, avrei dormito a sazietà, avrei scritto un racconto per voi e soprattutto mi avrebbero lasciato in pace con la medicina e la letteratura.

In settembre, tempo permettendo, scapperò a Voskresensk. Sono entusiasta del vostro ultimo racconto.

Come strilla, la piccola! Giuro a me stesso di non aver mai figli... I francesi ne hanno pochi, forse perché sono gente da tavolino e scrivono racconti nel «Journal Amusant». Pare che adesso li vogliano costringere a esser piú prolifici; un tema per l'«Amusant» e «Schegge», sotto forma di caricatura: *Lo stato di cose in Francia*. Entra un commissario di polizia e comanda di procreare.

Arrivederci. Sto pensando al come e al dove russare.

Ho l'onore d'essere, con rispetto,

A. Čechov

A NIKOLAJ A. LEJKIN

Zvenigorod, 14 luglio 1884

Egregio Nikolaj Aleksandrovič,

mi trovo attualmente nella città di Zvenigorod, dove per volere del destino adempio le funzioni del medico condotto che mi ha supplicato di sostituirlo per due piccole settimane. Metà della giornata sono occupato a ricevere i malati (da trenta a quaranta al giorno); il resto del tempo mi riposo o mi annoio orribilmente, seduto alla finestra a guardare il cielo nero che da tre giorni riversa una brutta pioggia incessante... Davanti alla mia finestra un colle coperto di pini, piú a destra la casa del capo della polizia distrettuale, ancora piú a destra una lurida cittadina che un tempo fu capitale... A sinistra i bastioni diroccati della fortezza, piú a sinistra un boschetto dietro il quale spunta il monastero di San Savva il Benedetto... Il terrazzino posteriore, o piú esattamente l'uscio posteriore, intorno al quale c'è un gran puzzo di latrine e grugnisce un maialetto, guarda sul fiume. Oggi è sabato. Per non sbagliare i conti con la posta, m'affretto a mandarvi il lavoro a data fissa. Il racconto, invece, lo butterò giú stanotte e lo spedirò domani... Indirizzate a Voskresensk; di là mi rispediscono tutto puntualmente. Sono stato a Mosca e ho sentito dire che L. I. Pal'min ha sposato la sua vecchia.

L'ho veduto di persona, ma non me ne ha fatto parola. Non gli dite che vi ho comunicato questa prosaica novità sul conto d'un uomo poetico... Ma forse per voi non è una novità!

Addio. Vostro   A. Čechov

A NIKOLAJ A. LEJKIN

Mosca, 12 ottobre 1885

Egregio Nikolaj Aleksandrovič,

la vostra lettera m'è arrivata già nella nuova casa. È al di là della Moscova, un vero angoletto di provincia; pulito, tranquillo, a buon mercato e... alquanto insulso. Il *pogrom* contro «Schegge»[1] m'ha fatto l'effetto d'una mazzata in testa... Da una parte mi rincresce per i miei scritti, dall'altra mi sento come oppresso, ansioso... Certo, avete ragione voi: meglio imporsi un freno e rimasticare le solite cose piuttosto che far correre un rischio al giornale cozzando la testa al muro. Occorrerà aspettare, portar pazienza... Ma credo che bisognerà frenarsi di continuo. Quello che è permesso oggi, bisognerà domani andarlo a chiedere alla censura, e verrà il momento in cui perfino la parola «mercante» diventerà un frutto proibito. Sí, la letteratura dà un pane incerto, e bene faceste voi a nascere prima di me, quando era piú facile vivere e scrivere...

Questa settimana non avevo l'intenzione di mandarvi nulla. Avevate tre pezzi miei e ritenevo legittimo riposarmi un poco, tanto piú che il trasloco m'aveva affaticato. Adesso, ricevuta la vostra lettera e saputo della sorte toccata ai miei scritti, vi mando un racconto che non è stato composto specialmente per «Schegge», ma cosí, «in genere», per ogni evenienza. È un po' lunghetto, però tratta di attori, quindi è d'attualità, data l'apertura della stagione teatrale; e il soggetto mi sembra umoristico. Domani mi metterò a scrivere *Settembre, Ottobre e Novembre*, se tuttavia non ne sarò impedito dalla clientela o da qualche altra cosa...

---

[1] In data 10 ottobre Lejkin scriveva che la censura aveva vietato *Frammenti di vita moscovita* e il racconto *Belve* di Čechov; inoltre Lejkin era stato diffidato a mutare l'orientamento della rivista.

Voi mi consigliate di venire a Pietroburgo per trattare con Chudekov e dite che Pietroburgo non è la Cina... Lo so anch'io che non è la Cina, e, come v'è noto, riconosco da molto tempo la necessità di questo viaggio; ma che fare? Vivendo con la mia famiglia, che è nùmerosa, non ho mai in mano dieci rubli disponibili e per un viaggio, sia pure disagiato e miserabile, ne occorre un *minimum* di cinquanta. Dove prenderli? Privarne la famiglia? Non ne sono capace e del resto non lo ritengo possibile... Se sopprimessi una delle due portate del pranzo, mi struggerei dai rimorsi. Un tempo speravo di poter prelevare le spese di viaggio dal compenso della «Gazzetta di Pietroburgo», adesso invece vedo che a lavorare per quel giornale non guadagno un soldo di piú, giacché gli do tutto quello che pubblicavo prima su «Svago», «Sveglia», ecc. Soltanto Allah sa come mi sia difficile conservare l'equilibrio e come sia facile perderlo e fare un capitombolo. Se un mese guadagno venti o trenta rubli di meno, mi sembra che l'equilibrio debba andarsene al diavolo e che mi troverò nei guai... In fatto di denaro sono terribilmente pauroso e appunto per questa paura, del tutto anticommerciale, rifuggo dai prestiti e dagli anticipi... Non che sia lento a muovermi. Se avessi soldi, volerei di città in città, di continuo.

Dalla «Gazzetta di Pietroburgo» ho ricevuto il compenso due settimane dopo che le avevo mandato il conto.

Se in ottobre sarete a Mosca, farò in modo di partire con voi. I soldi per l'andata li rimedierò, e per il ritorno prenderò da Chudekov quello che avrò già guadagnato.

Scrivere piú di quanto scrivo adesso non posso, giacché la medicina non è come l'avvocatura: se non lavori, ti arrugginisci. Di conseguenza i miei guadagni letterari sono una grandezza costante. Possono diminuire, non aumentare.

Per martedí aspetto «Schegge» al nuovo indirizzo. Da molto tempo non la ricevo piú regolarmente.

Mi congratulo per il vostro acquisto. Vado matto per tutto quello che in Russia viene chiamato «tenuta». Questa parola non ha ancora perduto la sua sfumatura poetica. Sicché nell'estate vi darete al dolce far niente...

Qui gela, ma non c'è neve.

Pal'min è stato da me e tornerà martedí: al martedí io do delle serate con fanciulle, musica, canto e letteratura. Voglio introdurre il poeta in società altrimenti ammuffisce.

Vostro

A. Čechov

A NIKOLAJ A. LEJKIN

Mosca, 16 febbraio 1886

Egregio Nikolaj Aleksandrovič,

ho ricevuto la lettera, le bozze, nonché un sedicesimo del mio libro e vi ringrazio per le vostre premure. I tagli della censura in *Anjuta* non sono gravi, infatti... Vi ringrazio d'aver salvato questo mio racconto... son pur sempre quattrini!

I caratteri del libro mi piacciono e anche il formato. Probabilmente non sono ancora state fatte le ultime correzioni, giacché gli errori abbondano... Tra l'altro ce n'è uno che la correttrice riuscirà difficilmente a raddrizzare, perché non salta agli occhi. Vi mando un bigliettino per lei, vogliate consegnarglielo. Schechtel aveva promesso di passare oggi da me per la copertina, ma non s'è visto. Io stesso non posso andar da lui, perché me ne sto qui scalzo: mi si è formato un ascesso sul collo del piede destro e ho dovuto farlo tagliare. Tutto il mio studio puzza di iodoformio.

Mi pareva d'aver già stabilito con voi il titolo da dare al libro. Credevo che la cosa fosse ormai decisa e per questo non m'affrettavo a rispondervi. Eravamo rimasti d'accordo d'intitolarlo: A. Čechonte, *Racconti variopinti*. La foto della statuina del cane non l'ho ancora ricevuta. Ho scritto a Giljarovskij di portarmela, ma non mi ha risposto. Non posso andare da lui per il motivo di cui sopra... Giro in ciabatte, ma piú in là del gabinetto non vado. Sul mio tavolo c'è già un cane, un setter [...]

Nessuna notizia di Agafopod. Comincio a essere in pensiero. Non risponde neppure alle lettere urgenti... Che sia ammalato?

Questa lettera partirà domani col treno postale. Il racconto, invece, che ho già scritto a metà, lo spedirò col rapido... Non sono in grado di terminarlo, perché mi sento debole e voglio andare a letto... E poi sono le due di notte... Il mio cervello si rifiuta di lavorare e ieri sera e stamane sono stato impedito...

Leggete su «L'informatore russo» del 15 febbraio la fiaba di Ščedrin. È una cosetta incantevole. Vi piacerà e vi farà alzar le braccia al cielo: per la sua audacia è un vero anacronismo!

Se non trovate questo numero, scrivete e ve lo manderò... Sono stato due volte da Pal'min. Abita in un posto dove in estate si sprofonda nel fango come nella palude di Berdičev e dove l'erba cresce sui marciapiedi... Se non fosse un poeta, sarebbe un comico.

Dite a Bilibin che gli ho mandato una lettera. È inesauribile, il vostro segretario... Dove prende tanti soggetti e tanta giovialità? È l'unico autore di trafiletti che non stanca mai. In confronto a lui tutti gli altri sono barbagianni. È diventato un ottimo *feuilletoniste*.

Sogno d'andare a Pietroburgo in primavera o al principio dell'estate. Qui freddo, ma tempo splendido. Sole di giorno, luna di notte... Vien voglia di far dichiarazioni d'amore, non di scrivere racconti!

Salutatemi i vostri di casa... Il vostro divano è assai piú soffice del mio materasso, e poi da voi non si gela come da me... Brrr!

Vostro

A. Čechov

La clientela aumenta a poco a poco.

AD ALEKSEJ S. SUVORIN

Mosca, 21 febbraio 1886

Egregio Signor Aleksej Sergeevič,

ho ricevuto la vostra lettera. Vi ringrazio per il lusinghiero apprezzamento sui miei lavori e per la sollecita pubblicazione del racconto. Di quanto conforto e di quanto incitamento sia stato per l'autore la cortese attenzione d'un uomo esperto e geniale come voi, lo potete giudicare voi stesso!...

Condivido il vostro parere circa la soppressione del finale del racconto e vi ringrazio per l'utile indicazione. Scrivo da sei anni, ormai, e voi siete il primo che si sia preso la briga di darmi consigli e di motivarli.

Può darsi che lo pseudonimo A. Čechonte sia strano e ricercato. Lo escogitai agli albori della mia lontana giovinezza;
ci ho fatto l'abitudine e quindi non m'accorgo piú della sua
stranezza...

Io scrivo relativamente poco: non piú di due o tre piccoli
racconti per settimana. Troverò modo di lavorare per «Tempo Nuovo», ma, tuttavia, sono lieto che non abbiate posto come condizione della mia collaborazione un impegno a date fis-
se... Dove c'è la data fissa, c'è la fretta e un senso di oppressione e l'una e l'altra cosa impediscono di scrivere... Per me
personalmente ogni data fissa è scomoda, perché sono medico
e ho una clientela... Non posso garantire che domani i pazienti non mi strapperanno tutto il giorno dalla scrivania. Donde
il rischio di non far mai in tempo e d'esser sempre in ritardo.

Il compenso che m'avete fissato è per il momento del tutto
sufficiente. Se poi darete ordine di mandarmi il giornale, che
ho di rado l'occasione di vedere, ve ne sarò molto grato.

Per oggi vi mando un racconto due volte piú lungo e... temo, due volte peggiore del precedente[1].

Ho l'onore d'essere, con rispetto,   A. Čechov

Jakimauka, Casa Klimenkov.

A VIKTÓR V. BILIBIN

                                        Mosca, 28 febbraio 1886

Ottimo Viktor Viktorovič,

ho appena fatto una cenetta, il che auguro anche a voi.

Lejkin, quando mi scrive, si crede in dovere di mettere nel-
l'intestazione non solo l'anno e il giorno, ma anche l'ora della
notte in cui, sacrificando il sonno, si rivolge ai suoi pigri collaboratori. Io lo imiterò: sono le due di notte... Sappiate apprezzarlo!

Da molto tempo mi proponevo di rispondere alla vostra cara lettera, ma scusatemi: sono occupato fin sopra i capelli.
Non so che diavolo mi stia succedendo... Non che abbia tanto
lavoro, ma ci razzolo dentro come uno scarabeo nel letame e
l'interrompo con intervalli e passeggiate su e giú per la stan-

---

[1] *La strega*, apparso su «Tempo Nuovo» dell'8 marzo 1886.

za... Effetto della primavera che s'avvicina! Di solito, in estate e in primavera divento pigro...

Scrivo e curo malati. A Mosca infuria il tifo petecchiale. Questo tifo, io lo temo particolarmente. Mi sembra che se m'ammalassi di questa schifezza non me la caverei, e pericolo di contagio ce n'è a ogni passo... Perché faccio il medico e non l'avvocato? Sono stato stasera da una bambina ammalata di difterite e ogni giorno vado da un ebreo, alunno del ginnasio, che ha la malattia di Nanà: il vaiuolo.

Ritorno sulla questione del nome o dello pseudonimo... Perché tirate in ballo il pubblico? Da dove il pubblico potrebbe sapere che Čechonte è uno pseudonimo? E, del resto, che glie n'importa?

Oggi ho mandato un telegramma d'auguri a Suvorin.

Dicano quel che vogliono laggiú, è un uomo buono e onesto; m'ha offerto dodici copeche a riga... Quanto vi paga Notovič? È o non è onesto?

Mi spiace che non vi siate messo d'accordo con «Novità». Come futuro padre di famiglia, cinquanta o cento rubli in piú vi avrebbero fatto comodo; inoltre, per esprimermi nel linguaggio dei professori di fisica, il vostro ingegno sarebbe aumentato di molti «cavalli vapore»... Io non so né mentire né adulare; dico quel che penso: voi siete un *feuilletoniste* colto e valente. Se fra i narratori io sono il trentasettesimo, voi tra i *feuilletonistes* russi siete il secondo e, morto Bukva, sarete il primo... Se volete credere al mio fiuto e alla mia competenza, affrettatevi a insediarvi saldamente in un gran giornale... Perché non collaborereste a «Tempo Nuovo»? Sui quotidiani di Mosca non c'è da far assegnamento, per ora. Qui l'unico decente è «L'informatore russo», ma è un giornale pieno zeppo, arido, che vuol conservare un suo tono inesistente e bada anzitutto alla firma e all'etichetta dei collaboratori... Inoltre non ha una rubrica adatta a voi... Potreste lavorare anche per «Sveglia», ma quell'infusorio paga male...

Merci per i soggetti. Ah! come mi occorrono! Ho detto tutto quel che avevo da dire e sono a secco... Altri cinque o sei anni, e non sarò piú in grado di produrre nemmeno un racconto all'anno...

Scriverei qualcosa di lungo se trovaste da collocarlo fra gli eletti delle grandi riviste... Credo però che dopo il mio esordio su «Tempo Nuovo» sarà difficile che mi lascino entrare in una grande rivista... Che ne dite? O forse m'inganno?

Mi domandate di scrivervi sinceramente fino a che punto

Lejkin sia utile a «Schegge» e se avrebbero degli abbonati qualora, ecc. Voialtri pietroburghesi mi considerate, si vede, un uomo molto sincero! Voi mi chiedete di rispondere sinceramente riguardo a Lejkin. Giorni or sono, in un poscritto, Lejkin mi pregava di dirgli sinceramente la mia opinione sui suoi racconti. Suvorin mi scrive di dirgli sinceramente se sono contento dei miei onorari, ecc. Finirete col logorare tutte le corde dell'anima mia!

[...]

Che ne è del mio libro? Razza di traditore! Lejkin s'è offeso a morte perché mi sono rivolto a voi anziché a lui per la faccenda del libro... È orribilmente geloso... avete mai provato a fargli il solletico?

[...]

Parlatemi delle vostre malattie. Vi dirò in segreto che come medico non sono cosí cattivo come credete... Ma addio... Vado a dormire. Salutatemi la vostra fidanzata, Golika e Lejkin.

Vostro

A. Čechov

A DMITRIJ V. GRIGOROVIČ

Mosca, 28 marzo 1886

La vostra lettera, mio buono, mio amatissimo nunzio di gioia, mi ha colpito come un fulmine. Mi ha quasi strappato le lacrime, mi ha sconvolto, e adesso sento che ha lasciato nella mia anima una traccia profonda. Come voi avete confortato la mia giovinezza, cosí Dio conceda pace alla vostra vecchiaia! In quanto a me, non trovo parole né atti per ringraziarvi. Voi sapete con quali occhi la gente comune guardi agli eletti come voi; potete quindi comprendere che cosa rappresenti la vostra lettera per il mio amor proprio. Essa vale piú di qualsiasi diploma e per uno scrittore principiante è un compenso per il presente e per il futuro. Mi sento come inebriato. Non ho la forza di giudicare se abbia o non abbia meritato questo alto riconoscimento; ripeto solamente che la vostra lettera mi ha colpito.

Se è vero che c'è in me un dono che debba esser rispettato, io confesso alla purezza del vostro cuore che fino a oggi non l'ho rispettato. Sentivo di possederlo, ma ero avvezzo a considerarlo cosa di poco conto. Per essere ingiusti, troppo diffi-

denti e suscettibili verso se stessi, bastano talvolta all'organismo delle cause puramente esteriori... E, ora che ci ripenso, di
queste cause ne avevo a sufficienza. Tutti i miei hanno sempre considerato con disprezzo la mia attività letteraria e non
hanno mai cessato di consigliarmi amichevolmente di non abbandonare la mia vera professione per far l'imbrattacarte. A
Mosca conto centinaia di conoscenti, fra i quali una ventina
di scrittori, ma non riesco a ricordarne uno solo che mi abbia
considerato o mi abbia letto come un artista. Esiste qui un
circolo chiamato «letterario». Una volta per settimana uomini
d'ingegno e mediocri d'ogni età e colore si radunano nella sala
riservata d'un ristorante e dànno libero corso alle loro lingue.
Se andassi laggiú a leggere anche soltanto un passo della vostra lettera, mi riderebbero in faccia. Nei miei cinque anni di
peregrinazioni da un giornale all'altro, ho avuto modo d'im-
bevermi dell'opinione generale circa la mia mediocrità letteraria; mi sono presto abituato a guardare dall'alto il mio lavoro e... sono andato di male in peggio! Questo è il primo motivo... Il secondo è che sono medico e immerso nella medicina
fino al collo, sicché a nessuno come a me il proverbio delle
due lepri[1] ha turbato tanto il sonno.

Tutto questo lo scrivo soltanto per giustificarmi in parte
davanti a voi della mia grave colpa. Finora ho trattato il mio
lavoro letterario con estrema leggerezza, senza cura, senza attenzione. Non ricordo d'aver lavorato piú d'una giornata a
nessun racconto; e quanto al *Cacciatore*, che vi è piaciuto, l'ho
scritto in una cabina di bagni. Come i cronisti scrivono i loro
trafiletti sugli incendi, cosí io buttavo giú i miei racconti:
macchinalmente, quasi inconsciamente, senza darmi alcun
pensiero né del lettore né di me stesso... Scrivendo, mi studia-
vo in tutti i modi di non esaurire nel racconto le immagini e le
scene che mi erano care e che, Dio sa perché, custodivo e tenevo gelosamente nascoste.

La prima cosa che mi spinse all'autocritica fu una gentile e,
per quanto ne capisco, sincera lettera di Suvorin. Cominciai
allora a tentare di far qualcosa che meritasse, ma ciò nonostante non avevo alcuna fede nel mio valore letterario.

Ed ecco, che è che non è, mi vedo arrivare la vostra lettera.
Essa, scusate il paragone, m'ha fatto l'effetto d'un ordine del
governatore di abbandonare la città entro ventiquattr'ore. In
altre parole ho provato a un tratto il bisogno impellente d'af-

[1] Chi caccia due lepri, non ne piglia nessuna.

frettarmi a uscire dal luogo dove m'ero impantanato... Sono d'accordo con voi su ogni cosa. Il cinismo che mi segnalate l'ho sentito io stesso, vedendo *La strega* stampata. Se l'avessi scritta non in un giorno, ma in tre o quattro, non ne sarebbe rimasto traccia...

Mi libererò da ogni impegno a data fissa, ma non cosí presto... Non m'è possibile uscire dalla carreggiata in cui sono finito. Sono disposto a patir la fame, come già l'ho patita, ma non si tratta soltanto di me... Io dedico alla letteratura il mio tempo libero, due o tre ore al giorno e una piccola parte della notte, cioè un lasso di tempo che conviene solamente a opere di breve respiro. Nell'estate, quando sarò piú libero e avrò meno spese, mi metterò a un lavoro serio.

Firmare il libro col mio vero nome è impossibile; è troppo tardi. La copertina è pronta e il libro stampato. Prima di voi, parecchi amici di Pietroburgo m'hanno consigliato di non guastarlo con uno pseudonimo, ma non ho dato ascolto, forse per orgoglio. Il mio libretto non mi piace affatto. È un'insalata, un'accozzaglia di lavorucci da studente, spennacchiati dalla censura e dai direttori dei giornali umoristici. Sono sicuro che, dopo averlo letto, molti rimarranno delusi. Se avessi saputo che mi si legge e che voi mi tenete d'occhio, non l'avrei pubblicato.

Tutta la mia speranza è nell'avvenire. Ho soltanto ventisei anni; forse riuscirò a far qualcosa, benché il tempo fugga veloce.

Scusate questa lunga lettera e non biasimate un uomo che, per la prima volta nella vita, ha osato concedersi un piacere cosí grande com'è quello di scrivere a un Grigorovič.

Inviatemi, se possibile, la vostra fotografia. Mi avete tanto beneficato e commosso che vi scriverei non un foglio, ma un'intera risma. Dio vi conceda felicità e salute e credete alla sincera gratitudine e al profondo rispetto del vostro

A. Čechov

A NIKOLAJ P. ČECHOV

Mosca, marzo 1886

Piccolo Zabelin[1]!

Mi hanno riferito che ti sei offeso per i miei scherzi e per quelli di Schechtel... La capacità d'offendersi è esclusivo patrimonio delle anime nobili; ciò nondimeno, se è lecito ridere di Ivanenko, di me, di Miška, di Nelly, perché non è lecito ridere di te? Questo è ingiusto... Se però non scherzi e ti senti davvero offeso, m'affretto a chiederti scusa.

Si ride soltanto di ciò che è ridicolo o di ciò che non si comprende... Scegli quella che preferisci fra le due cose.

La seconda è certo piú lusinghiera, ma ahimè! Per me personalmente tu non sei un enigma! Non è difficile comprendere un uomo col quale si sono divise le dolcezze dei berrettini tartari, di Vučin[2], del latino e, infine, del soggiorno a Mosca. E, per di piú, la tua vita, psicologicamente parlando, è cosí poco complicata che non occorre aver fatto il seminario per capirla. Sarò schietto, per rispetto verso di te. Tu ti arrabbi, ti offendi... ma gli scherzi o le chiacchiere bonarie di Dolgov non c'entrano... Il fatto è che, da uomo onesto quale sei, senti d'essere in una situazione falsa; e chi si sente in fallo cerca sempre una giustificazione fuori di sé: l'ubriacone incolpa i dispiaceri, Putjata la censura, chi scappa da via Jakimanka per condurre vita dissoluta adduce come pretesto la sala fredda, le beffe e via dicendo... Se io abbandonassi la famiglia al suo destino, cercherei di scusarmi col carattere della mamma, con gli sbocchi di sangue, ecc. Tutto ciò è naturale e perdonabile. La natura umana è cosí fatta. Ma che tu ti senta in una situazione falsa, anche questo è vero, altrimenti non direi di te che sei un uomo onesto. Quando cesserai d'esser tale, sarà un altro paio di maniche: ti metterai l'anima in pace e non avvertirai piú la falsità.

Che tu non sei un enigma per me, che sei talvolta barbaramente ridicolo, anche questo è vero. Sei un semplice mortale e tutti noi mortali siamo enigmatici solamente quando siamo sciocchi, e siamo ridicoli quarantotto settimane all'anno... Non è cosí?

[1] Proprietario terriero di Zvenigorod, ubriacone emerito.
[2] Maestro della scuola greca di Taganrog, individuo ignorante e brutale, di cui Aleksandr Nikolaj e Anton Čechov serbavano un pessimo ricordo.

Ti sei spesso lagnato con me che «non ti capiscono!!» Di ciò neppure Goethe e Newton si son mai lagnati... Solo Cristo se n'è lagnato, però non parlava del suo «io», ma della sua dottrina... Ti capiscono benissimo... Se poi tu stesso non ti capisci, non è colpa degli altri.

Ti assicuro che come fratello e come amico io ti comprendo e di tutto cuore simpatizzo con te... Conosco a menadito tutte le tue buone qualità, le apprezzo e ho per esse una profonda stima. Per dimostrarti che ti comprendo posso anche, se vuoi, enumerare queste qualità. Secondo me sei buono fino alla dabbenaggine, sei generoso, per niente egoista; divideresti con gli altri la tua ultima copeca, sei sincero, alieno dall'invidia e dall'odio, sei semplice di cuore, hai pietà degli uomini e degli animali; non sei maligno, non serbi rancore, sei fiducioso... Dio t'ha dato quello che gli altri non hanno: l'ingegno. Quest'ingegno ti mette al disopra di milioni di uomini, giacché a questo mondo su due milioni uno solo è artista... Il tuo ingegno ti pone in una situazione particolare. Anche se tu fossi un rospo o una tarantola, saresti stimato, poiché all'ingegno si perdona tutto.

Di difetti, invece, ne hai uno solo. In esso sta la causa della situazione falsa in cui ti trovi, della tua infelicità e del tuo catarro intestinale. Questo difetto è la tua assoluta mancanza d'educazione. Scusami, sai, ma *veritas magis amicitiae*. Il fatto è che la vita ha le sue convenzioni. Per trovarci a nostro agio in un ambiente intellettuale, per non sentirci estranei ad esso e non considerarlo un peso, occorre essere, in certo qual modo, educati... L'ingegno t'ha portato in quell'ambiente; tu gli appartieni... ma ti senti attratto fuori di esso e sei costretto a barcamenarti fra la gente ammodo e quella *vis à vis*. Effetto della tua indole di piccolo-borghese, cresciuto sotto le verghe, accanto a una bottega di vinaio, a furia d'elemosine. Vincerla è difficile, tremendamente difficile.

Gli uomini educati debbono, a mio avviso, possedere i seguenti requisiti:

1. Essi rispettano la personalità altrui, e quindi sono sempre indulgenti, miti, cortesi, arrendevoli. Non dànno in escandescenze per un martello o per una gomma smarrita. Quando vivono con qualcuno, non la considerano una degnazione da parte loro e nell'andarsene non dicono: «Con voi è impossibile vivere!» Sopportano il chiasso, il freddo, l'arrosto bruciato, le facezie e la presenza di estranei nella loro casa.

2. Non hanno solo compassione dei mendicanti e dei gatti. Soffrono anche di quel che non si vede a occhio nudo. Cosí ad esempio, se Pietro sa che padre e madre incanutiscono dal dispiacere e non dormono la notte perché Pietro si fa veder di rado (e quando si fa vedere, è ubriaco), egli si affretta ad andar da loro e rinunzia alla vodka... Gli uomini educati vegliano tutta notte per venire in aiuto ai Polevaev, per mantenere i fratelli agli studi, per vestire la mamma.

3. Rispettano la roba altrui, e quindi pagano i loro debiti.

4. Sono sinceri e temono la menzogna come il fuoco. Non mentono neppure nelle cose futili. La menzogna è offensiva per colui che l'ascolta e avvilisce chi la dice. Non posano, si comportano nella strada come a casa, non gettano polvere negli occhi dei loro subalterni... Non sono chiacchieroni e non fanno confidenze, se non richiesti... Per rispetto verso le orecchie altrui stanno molto spesso zitti.

5. Non si umiliano per suscitare compassione negli altri. Non fanno vibrare le corde dell'anima altrui per farsi compiangere e coccolare. Non dicono: «Nessuno mi capisce!» oppure: «Mi spendo in moneta spicciola», «Io sono una [...]!» giacché tutto questo è di facile effetto, ed è triviale, vecchio e falso...

6. Non sono vanitosi. Non dànno importanza ai brillanti falsi quali la dimestichezza con le celebrità, la stretta di mano d'un Plevako ubriaco, l'ammirazione d'un tizio incontrato al *Salon*, la notorietà nelle birrerie. Ridono della frase: «Io sono un rappresentante della stampa», frase che si addice soltanto ai Rodzevič e ai Levenberg. Se fanno per mezza copeca di lavoro, non si dànno l'aria d'averne fatto per cento rubli e non si vantano d'esser stati ammessi dove altri non lo furono... I veri talenti se ne stanno sempre nell'ombra, in mezzo alla folla, e non si mettono in mostra... Anche Krylov ha detto che una botte vuota risuona piú che una piena...

7. Se hanno talento, lo rispettano, gli sacrificano la tranquillità, le donne, il vino, le vanità del mondo... Sono fieri del loro talento. Cosí, ad esempio, non si sborniano con i sorveglianti della scuola professionale né con gl'invitati di Skvorcov, ben sapendo d'esser chiamati non già a viver con loro, ma a educarli. Inoltre sono di gusti difficili.

8. Coltivano in sé il senso estetico. Non sopportano di dormire vestiti, di vedere le fessure delle pareti piene di cimici, di respirare un'aria corrotta, di camminare su un pavimento coperto di sputi, di farsi da mangiare su un fornelletto a pe-

trolio... Cercano per quant'è possibile di domare e nobilitare
l'istinto sessuale... [...] sopportare la sua logica, non spiccicar-
si mai da lei, tutto questo perché? Sotto questo aspetto gli uomini educati non sono cosí cafoni. Quel che vogliono dalla
donna non è il suo letto, il lavoro massacrante, [...] né un'intelligenza che si manifesta col saper fingere una gravidanza
inesistente e col mentire senza posa... Essi, soprattutto se sono pittori, esigono la freschezza, l'eleganza, l'umanità, la capacità d'essere non una [...] ma una madre... Non tracannano
vodka a tutto spiano, non annusano le credenze, giacché sanno di non esser dei maiali. Bevono soltanto nei momenti liberi, quando se ne presenta l'occasione... Poiché hanno necessità di *mens sana in corpore sano*.

E via dicendo. Cosí sono gli uomini educati. Per educare se
stessi e non essere al disotto del livello dell'ambiente in cui ci
troviamo, non basta leggere soltanto Pickwick e sapere a memoria il monologo del Faust... Non basta prendere una car-
rozzella e farsi portare in via Jakimanka, per poi tagliar la corda dopo una settimana...

Occorre lavorare senza sosta, giorno e notte, occorrono as-
sidue letture, applicazione, volontà... Ogni ora è preziosa...

I viaggi in via Jakimanka e ritorno non servono a nulla. Bisogna aver il coraggio d'infischiarsene e di darci un taglio...
Vieni da noi; spacca la caraffa della vodka e mettiti a leggere... non foss'altro che Turgenev, che non hai letto...

[...] lascia da parte l'amor proprio, giacché non sei un bambino... fra poco avrai trent'anni! Sarebbe ora!

T'aspetto... tutti noi t'aspettiamo...

Tuo   A. Čechov

A DMITRIJ V. GRIGOROVIČ

Mosca, 12 febbraio 1887

Ho terminato in questo momento di leggere *Il sogno di Karelin* e la questione che ora mi appassiona è: fino a che punto il sogno da voi narrato è un sogno? Mi sembra che abbiate reso con singolare sensibilità artistica ed esattezza fisiologica il lavorio cerebrale e lo stato d'animo d'un uomo che dorme. Certo, il sonno è un fenomeno soggettivo e il suo aspetto interiore lo possiamo osservare soltanto in noi stessi, ma siccome il processo del sognare è uguale per tutti gli uomini, mi sembra che ogni lettore possa misurare Karelin col proprio metro e che ogni critico debba essere suo malgrado soggettivo. Giudico dai sogni che faccio spesso.

Anzitutto avete reso con straordinaria finezza la sensazione del freddo. Quando di notte mi cade la coperta, comincio a vedere in sogno certe enormi rocce viscide, una gelida acqua autunnale, sponde brulle – tutto questo è vago, avvolto nella nebbia, senza un lembo di cielo azzurro. Mesto e abbattuto, quasi smarrito o derelitto, guardo le rocce e sento, chi sa perché, di dover a ogni costo traversare il fiume profondo; vedo intanto piccoli rimorchiatori che trascinano enormi chiatte, travi galleggianti, zattere di legname, ecc. Tutto è squallido, infinitamente triste e umido. Quando poi scappo via dal fiume m'imbatto, strada facendo, nel portico diroccato d'un cimitero, in un funerale, nei miei professori del ginnasio... e in quel momento sono tutto pervaso da quel particolare freddo dell'incubo, che da svegli è impensabile e si prova soltanto quando si dorme. Questa sensazione torna viva alla memoria quando si leggono le prime pagine di Karelin e in specie la prima metà della quinta dove si parla del gelo e della solitudine della tomba...

Credo che se fossi nato e avessi sempre abitato a Pietroburgo, sognerei immancabilmente le rive della Neva, la Piazza del Senato, i muraglioni massicci.

Ogni volta che, dormendo, sento freddo, vedo in sogno della gente. Ho letto per caso la recensione de «L'Informatore Pietroburghese» in cui il critico vi rimprovera d'aver messo in scena il personaggio del «quasi ministro» guastando cosí il tono maestoso del racconto. Io non sono d'accordo con lui. Non sono i personaggi che guastano il tono, ma le loro caratteristiche che, in certi punti, interrompono il quadro del sogno... Le persone che ti appaiono in sogno sono sempre antipatiche. Io, per esempio, ogni volta che sento freddo, sogno un venerando e dotto arciprete che offese mia madre quando ero bambino; sogno gente cattiva, implacabile, intrigante, sarcastica, volgare, gente che da svegli non s'incontra mai. La risata al finestrino del vagone è un sintomo caratteristico dell'incubo di Karelin. Quando in sogno abbiamo la sensazione d'essere oppressi da una volontà malvagia che ci porterà inevitabilmente alla rovina, capita sempre di vedere qualcosa come questa risata... In sogno si vedono anche persone care, ma di solito esse sembrano soffrire insieme con noi...

Quando poi il mio corpo s'è abituato al freddo o qualcuno di casa mi ricopre, la sensazione di gelo, di solitudine e di opprimente malvagia volontà svanisce pian piano. Insieme col caldo comincio a sentire che cammino su soffici tappeti oppure sull'erba; vedo il sole, donne, bambini... Le scene cambiano a poco a poco, ma piú bruscamente che da svegli, cosicché, aprendo gli occhi, è difficile ricordare i passaggi da una scena all'altra. Questa rapidità si sente benissimo nel vostro racconto ed essa intensifica l'impressione del sogno.

Molto evidente è un fatto naturale che avete rilevato: chi sogna manifesta i moti dell'animo per l'appunto a scatti, in forma brusca, infantile. Com'è vero! Dormendo si piange e si grida assai piú spesso che da svegli. Scusatemi, Dmitrij Vasil'evič, il vostro racconto m'è piaciuto tanto, che sarei capace di riempire una dozzina di fogli, pur sapendo benissimo che non sono in grado di dirvi nulla di nuovo, di buono e di proficuo. Per tema d'annoiarvi e di lasciarmi scappare qualche sproposito, mi freno e taccio. Vi dirò soltanto che il vostro racconto è magnifico. Il pubblico lo trova «nebuloso» ma per chi scrive e assapora ogni riga simili nebulosità sono piú limpide dell'acqua benedetta.

Benché mi ci sia messo d'impegno non ho trovato nel racconto che due lievi pecche, e anch'esse appena rilevabili: 1) le descrizioni dei personaggi interrompono la scena del sogno e dànno l'impressione di quei cartellini che i giardinieri istruiti attaccano agli alberi dei parchi e che rovinano il paesaggio; 2) all'inizio del racconto il senso di freddo si attutisce un poco nel lettore e diviene abituale a causa della frequente ripetizione della parola «freddo».

Altro non ho potuto trovare e confesso che nella mia vita letteraria, in cui sento un costante bisogno di modelli incoraggianti, *Il sogno di Karelin* è un grande avvenimento. Ecco perché non ho saputo trattenermi e mi sono preso la libertà di riferirvi una piccola parte delle mie impressioni e idee.

Scusate la lunghezza della lettera e gradite sinceri auguri d'ogni bene dal vostro devoto

A. Čechov

A MARIJA P. ČECHOVA

Taganrog, 7-19 aprile 1887

Benevoli lettori e devoti ascoltatori!

Continuo con tremore, osservando l'ordine cronologico.

2 aprile. Il viaggio da Mosca a Serpuchov è stato noioso. Sono capitato in compagnia di gente seria e positiva, che ha discusso tutto il tempo sul prezzo della farina. Alle sette sono arrivato a Serpuchov. L'Oka è limpida e bella. C'è un servizio di battelli per Kašira e Kaluga. Una gita che si potrebbe fare, una volta o l'altra.

A Tula, regina di tutte le Tule, sono giunto alle undici. In treno ho fatto la conoscenza d'un ufficiale di nome Volžinskij, che m'ha dato il suo biglietto di visita e m'ha invitato ad andarlo a trovare a Sebastopoli. Veniva da Mosca, dove un suo fratello, arrivato dalla campagna per il congresso medico, è morto di tifo petecchiale, lasciando una vedova. A Tula *schnapstrinken*, una mezza sbornia e *schlafen*. Ho dormito acciambellato *à la* Fëdor Timofeič[1]: con la punta delle scarpe vicino al naso. Mi sono destato a Orël, donde vi ho spedito una cartolina. Tempo buono. Neve, se ne vede poca.

Alle dodici Kursk. Un'ora d'attesa, un bicchierino di vodka, ritirata con relative abluzioni, e zuppa di cavoli. Cambio

---

[1] Il gatto di casa Čechov.

treno. Il vagone è pieno zeppo. Subito dopo Kursk, altre nuove conoscenze: un proprietario terriero di Char'kov, un buontempone come Jaša Korneev, una signora che ha subito un'operazione a Pietroburgo, un capo di polizia distrettuale, un ufficiale ucraino e un generale in uniforme di giudice del tribunale militare. Si discute di problemi sociali. Il generale ragiona con buon senso, è conciso e liberale. Il poliziotto – tipo di vecchio rinsecchito ussaro-peccatore, con una gran nostalgia di avventure piccanti – è manieroso come un governatore: prima di dire una parola tiene a lungo la bocca aperta e dopo averla proferita seguita per un pezzo a ringhiare come un cane: e-e-e-e... La signora s'inietta morfina e alle stazioni manda i compagni di viaggio a prenderle del ghiaccio.

A Belgrad zuppa di cavoli. Alle nove arriviamo a Char'kov. Commiato commovente dal poliziotto, dal generale e dagli altri. La carrozza è quasi vuota. Volžinskij ed io occupiamo un lungo divano per uno e ci addormentiamo presto, senza l'aiuto della bottiglia di mammina. Alle tre di notte mi sveglio: il mio ufficiale sta radunando il suo bagaglio per scendere. Siamo a Lozovaja. Ci salutiamo, promettendoci visite reciproche (?!) Mi riaddormento e proseguo. Mi desto a Slavjansk, donde vi mando una cartolina. Qui salgono altri compagni di viaggio: un proprietario terriero sul tipo di Ilovajstij e un ispettore delle ferrovie. Discutiamo di strade ferrate. L'ispettore racconta come la linea Lozovaja-Sebastopoli rubò trecento vagoni a quella di Azov e li ridipinse con i suoi colori.

Stazione di Charcyzskaja. È mezzogiorno. Un tempo stupendo. C'è odore di steppa e si sentono cantare gli uccelli. Rivedo dei vecchi amici: i nibbi, che volano sopra la steppa...

Tumuli, serbatoi dell'acqua, edifici... tutto è noto e vivo nel ricordo. Al *buffet* mi servono una porzione di zuppa di cavoli freschi, straordinariamente gustosa e grassa. Poi una passeggiata sulla banchina. Signorine. All'ultima finestra del secondo piano della stazione è affacciata una signorina (o signora, chi diavolo la conosce?), languida e bella, con una camicetta bianca. Io la guardo, lei mi guarda... Io mi metto il *pince-nez*, lei pure... O meravigliosa visione! Mi busco un catarro cardiaco e proseguo. Il tempo è diabolicamente, scandalosamente bello. Contadini ucraini, buoi, nibbi, casupole bianche, fiumicelli del sud, diramazioni della linea del Donec con un solo filo telegrafico, figliolette di proprietari terrieri e di fittavoli, cani rossicci, erba... tutto questo mi sfila davanti come un sogno... Fa caldo. L'ispettore incomincia a romper le

scatole. Ho ancora la metà delle polpette e dei pasticcini e
puzzano già un poco di rancido... Li ficco sotto il divano di-
rimpetto, insieme col resto della vodka.

Le cinque. Si vede il mare. Eccola, la linea ferroviaria di
Rostov, dalle belle curve, ecco le carceri, l'ospizio, i cafoni, i
carri merci... l'albergo Belov, la chiesa di San Michele dalla
rozza architettura... Sono a Taganrog. È venuto a ricevermi
Egoruška, un robusto ragazzone, vestito da zerbinotto: cappello, guanti da un rublo e mezzo, bastoncino e via dicendo.
Io non lo riconosco, ma lui riconosce me. Si prende una car-
rozzella e via. Ho l'impressione di trovarmi a Ercolano o a
Pompei: non si vede gente, in luogo delle mummie alcuni cafoni assonnati e teste a forma di popone. Tutte le case si sono
come accasciate, da molto tempo hanno perduto l'intonaco, i
tetti non sono dipinti, le imposte sono chiuse... Da via Poli-
cejskaja incomincia un pantano mezzo prosciugato e quindi
appiccicoso e tutto bozze, sul quale la carrozza può andare solo al passo e non senza pericolo. Arriviamo.

– To', to' to'... Antocha!

– Te-so-o-ro!

Accanto alla casa, una botteguccia che pare una scatola
di saponette. Il terrazzino d'ingresso sta agonizzando e di
lussuoso non ha serbato che una cosa: la scrupolosa pulizia.
Lo zio non è cambiato, però ha molti capelli bianchi. È sempre lo stesso, affettuoso, mite, schietto. Dalla gioia Ljudmila
Pavlovna s'è scordata di mettere nella teiera il tè piú costoso
e non fa che scusarsi e protestare fuori luogo. Mi guarda con
sospetto: penserò male di lei? Ma, con tutto ciò, è felice d'a-
vermi alla sua tavola e mi colma di gentilezze. Egoruška è un
bravo ragazzo, molto educato per Taganrog. Si dà arie da zerbinotto e gli piace guardarsi nello specchio. S'è comprato per
venticinque rubli un orologio d'oro da donna e va a spasso
con le signorine. Se la dice con la Mamaki, con la Goroška,
con la Babit′ka e altre donzelle esclusivamente create per
riempire i vuoti fra le teste di popone. Vladimirčik, che ricorda all'aspetto lo sparuto e curvo Miščenko (quello che è stato
da noi), è quieto e taciturno; si vede che è d'indole buona. Si
prepara a divenire un luminare della chiesa. Sta per entrare in
seminario e sogna la carriera del metropolita. Di modo che lo
zio non avrà soltanto il suo nocciolato, ma anche il suo metropolita. Saša non è cambiata affatto. E Lëlja differisce poco da
Saša. Quello che colpisce è lo straordinario affetto dei figli
per i genitori e dei fratelli tra di loro. Irina è ingrassata.

Nelle stanze, sempre la stessa cosa: un mucchio di bruttis-
simi ritratti e di *réclames* di Coats e Clarke, appese un po'
dappertutto. Quello che urta è la pretesa al lusso e alla raffina-
tezza, ma c'è meno buon gusto da loro che femminilità in uno
stivalone da padule. Nelle stanze si sta allo stretto, fa troppo
caldo, non ci sono abbastanza tavoli, manca qualsiasi comodità. Irina, Volodja e Lëlja dormono in una camera, lo zio, Ljudmila Pavlovna e Saša nell'altra; Egor si fa il letto nell'anticamera, sulla cassapanca. Non usano cenare, forse di proposito,
se no la loro casa sarebbe già saltata in aria da un pezzo. Un
calore soffocante emana dalla cucina e dalle stufe che si con-
tinuano ad accendere nonostante la temperatura tiepida. Il
gabinetto è in capo al mondo, ai piedi dello steccato. Ogni
tanto vi si rifugiano i malandrini, sicché defecare di notte è
assai piú pericoloso che prendere il veleno. Non vi sono tavoli, all'infuori dei tavolini da giuoco e di quelli rotondi, messi lí
soltanto per belluria. Non vi sono sputacchiere, non c'è un lavabo decente... i tovaglioli sono grigi... Irinuška è inflaccidita
e trasandata... insomma c'è da spararsi, tanto si sta male! I
gusti di Taganrog non mi piacciono, non li sopporterei, e, credo, scapperei mille miglia lontano.

La casa di Selivanov è vuota e abbandonata. Fa venir la
malinconia a guardarla e per nulla al mondo vorrei esserne il
proprietario. Mi domando con stupore come abbiamo potuto
viverci. A proposito: Selivanov sta nelle sue terre, e la sua Saša è in esilio...

Prendo il tè, poi vado con Egor a fare una passeggiatina
nella via Bol'saja. Annotta. La via è ben tenuta, il selciato meglio che a Mosca. Si sente odore d'Europa. A sinistra passeggiano gli aristocratici, a destra i democratici. Un profluvio di
signorine: capelli color stoppa, musetti scuri, greche, russe,
polacche... Sono di moda gli abiti verde oliva, con la camicetta. Non solo l'aristocrazia (vale a dire i luridi greci), ma perfino tutto il quartiere di Novostroenka porta questo colore verde oliva. Le *tournures* non sono grosse. Soltanto alcune greche
osano portarle grosse, le altre non ne hanno il coraggio.

Passo la sera in casa. Lo zio indossa l'uniforme di guardiano della chiesa[2]. L'aiuto a cingere al collo la grande medaglia
che mette per la prima volta. Risate. Andiamo a piedi a San
Michele. Buio pesto. Niente carrozzelle. Per le vie s'intravve-

---

[2] Čechov era solito scherzare sulla carica di fabbriciere, di cui lo zio andava
orgoglioso.

dono le *silhouettes* dei cafoni e degli scaricatori del porto che fanno il giro delle chiese. Molti hanno un lanternino. La chiesa di San Mitrofan è illuminata sfarzosamente, dal basso fino in cima alla croce. Casa Loboda spicca nelle tenebre con le sue finestre illuminate.

Arriviamo alla chiesa. Tutto è grigio, meschino e malinconico. Qualche candelina alle vetrate, questa sarebbe l'illuminazione. La faccia dello zio è tutta un sorriso beato, il che sostituisce la luce elettrica. L'addobbo non ha niente di straordinario, ricorda quello della chiesa di Voskresensk. Vendiamo i ceri. Come zerbinotto e liberale, Egor non li vende; se ne sta in disparte e guarda tutti con occhio indifferente. In compenso Vladimirčik si sente nel suo elemento...

Esce la processione. Due imbecilli vengono avanti, agitando fuochi di bengala che fumigano e cospargono il pubblico di scintille. Nel vestibolo interno della chiesa stanno i fondatori, benefattori e ammiratori del tempio, in testa a tutti lo zio; con le icone in mano attendono il ritorno della processione... Vladimirčik, appollaiato sull'armadio, aggiunge incenso nel turibolo. C'è un fumo che mozza il respiro. Ma ecco entrare nel vestibolo i sacerdoti e i vessilliferi. Silenzio solenne. Tutti gli occhi sono rivolti a padre Vasilij.

– Babbino, debbo metterne ancora? – squilla a un tratto dall'alto dell'armadio la voce di Vladimirčik.

Comincia la messa. Io prendo Egor e vado con lui alla cattedrale. Non ci sono carrozzelle e, volere o no, ci tocca far la strada a piedi. Alla cattedrale tutto è decoroso, degno e solenne. La cantoria è ottima, le voci magnifiche, ma per niente disciplinate. Pokrovskij è incantutito; la sua voce s'è fatta piú sorda e piú fioca. Il diacono Viktor è irriconoscibile. Grigorevič sembra un cadavere.

Nella cattedrale m'imbatto in I. I. Loboda, che riconosco da lontano per via della nuca rossa e cicciosa. Discorriamo sino alla fine della funzione.

Dalla cattedrale rincasiamo a piedi. Ho le gambe indolenzite e intorpidite. A casa rompiamo il digiuno nella camera di Irinuška: ottimi panettoni, un salame schifoso, tovaglioli grigi, un'aria da tagliar col coltello e un puzzo di coperte da bambini. Lo zio cena da padre Vasilij. Dopo aver mangiato a sazietà e bevuto santorino, mi corico e m'addormento al suono di: «to'... to'... to'...»

Al mattino un'invasione di *pop* e di cantori. Io me ne vado dagli Agali. Polina Ivanovna mi fa molte feste. Lipočka non

viene a salutarmi perché il marito geloso non glielo permette.
Nikolaj Agali è un gran babbeo che ha tentato dappertutto di
prender la licenza liceale, non c'è riuscito, e adesso sogna
d'andare all'università di Zurigo. È uno stupido. Uscito da
casa Agali, vado da *Mme* Savel'eva, che abita in via Kontor-
skaja, in una casinetta sbilenca e rugginosa. Nelle due minu-
scole stanzucce stanno due lettini verginali e una culla. Di sotto i letti occhieggiano, ingenui e accoglienti, due «Jakov Andreič»[3]. Evgenija Jasonovna è separata dal marito e ha due
bambini. È spaventosamente imbruttita e avvizzita. Sembra
molto infelice. Il suo Mitja è in servizio in un villaggio cosacco
del Caucaso e fa vita di scapolo. Un bel porco, però.
    Prendo una carrozzella per andare da Eremeev, non lo tro-
vo in casa e gli lascio un biglietto. Di là mi reco da *Mme* Zem-
bulatova. Nell'attraversare il Mercato Nuovo ho potuto constatare quanto Taganrog sia sporca, vuota, pigra, ignorante e
noiosa. Non un'insegna senza errori di grammatica, e c'è perfino un ristorante Rasija[4]. Le vie sono quasi deserte; i grugni
degli scaricatori, soddisfatti; gli elegantoni in lunghi soprabiti
e berretti, tutta la Novostroenka in abiti verde oliva, i cavalieri, le signorine, l'intonaco scrostato, l'indolenza generale,
la capacità d'accontentarsi di centesimi e d'un avvenire incerto – tutto questo, veduto da vicino, è cosí disgustoso che Mosca, col suo fango e il suo tifo petecchiale, diventa simpatica.
    Dalla Zembulatova, santorino e ciance. Poi torno a casa,
dallo zio. Si pranza: minestra e polli arrosto. (Alla festa non si
può star senza polli, figliuolo caro! Perché non permettersi
questo lusso?) Durante il pranzo arriva di corsa uno dei giovani Kamburov – un individuo dal muso nero, sbarbato, in
panciotto bianco. È già sufficientemente santorinizzato a furia di far visite. È impiegato di banca, suo fratello [...] è a Varsavia, anche lui in una banca.
    – Perdio, vieni a trovarmi! – esclama. – Leggo sempre i
tuoi racconti del sabato. Mio padre è un tipo! Vieni a vederlo!
Ah, ma tu non sai che sono ammogliato! Ho già una bambina,
perdio... Ma come sei cambiato! – e via dicendo.
    Dopo il pranzo (minestra di riso mezzo crudo e polli), mi
faccio portare da Chodakovskij. Il *pan* se la passa discretamente, anche se non piú col lusso d'una volta. La sua biondis-
sima Manja è un pezzo di carne polacca, grassa e ben arrosti-

---

[3] Eufemismo scherzoso per «vasi da notte».
[4] Invece di Rossija: Russia.

ta, bella di profilo, ma sgradevole *en face*. Borse sotto gli occhi
e attività anormale delle glandole sebacee. Una sfacciata, a
quanto pare. Ho saputo poi che nella scorsa stagione teatrale
c'è mancato poco che scappasse con un attore e aveva già perfino venduto anelli, orecchini, ecc. Questo in confidenza, beninteso... Del resto, a Taganrog è di moda scappare con gli attori. Molti si son visti mancare moglie e figlie.

Dopo vado dai Loboda. Sono tutti terribilmente invecchiati. Anoša è calvo come la luna. Dašen'ka è ingrassata. Varen'ka è invecchiata, dimagrita e rinsecchita. Quando ride, il suo naso s'appunta verso il basso e il mento, arricciandosi, sale verso il naso. Anche Marfa Ivanovna è invecchiata. È tutta grigia. M'ha fatto molte feste e ha acconsentito a venire con me a Mosca.

Dai Loboda ho visto l'imperituro Carenko, faceto, loquace e liberale. Pëtr Zacharyč è vivo; è stato felicissimo di vedermi e ha chiesto di tutti voi... Parla con una voce rauca, cosí strana che è impossibile ascoltarlo senza ridere; era sposato, poi ha divorziato dalla moglie. Tornando a casa ho incontrato *Mme* Savel'eva con la bambina, che è tutta suo papà: ride molto e parla già benissimo. Quando l'ho aiutata a rimettere una galoscia che le si era sfilata dal piede, mi ha ringraziato con un'occhiata languida e m'ha detto:

– Venite a dormire da noi.

A casa ho trovato padre Ioann Jakimovskij, un *pop* grasso e ben pasciuto che s'è benevolmente informato dei miei studi di medicina e, con gran soddisfazione dello zio, s'è degnato di sentenziare:

– È una consolazione per i genitori avere dei figliuoli cosí bravi.

Anche il padre diacono s'è interessato di me e ha detto che il coro di San Michele (un branco di sciacalli affamati, capitanati da un direttore ubriacone), è considerato il migliore della città. Gli ho dato ragione, pur sapendo che padre Ioann e il padre diacono non capiscono un'acca di musica. Il chierichetto sedeva a rispettosa distanza e lanciava occhiate di concupiscenza alla marmellata e al vino di cui si deliziavano i suoi superiori.

Alle otto di sera lo zio, la sua famiglia, Irina, i cani, i topi che vivono nel magazzino, i conigli, tutto dormiva della grossa. Volere o volare, ho dovuto andar a letto anch'io. Dormo in salotto, sul divano. Il divano non è cresciuto, è corto come prima, per cui, una volta coricato, sono costretto a tirar su indecentemente le gambe oppure a posare i piedi sul pavimento. Mi torna alla memoria il letto di Procuste. Mi copro con una trapunta rosa, dura e soffocante, che di notte diviene insopportabile, quando si fanno sentire le stufe accese da Irina. «Jakov Andreič» è lecito soltanto nei sogni e nelle fantasie. Due sole persone a Taganrog si concedono questo lusso: il governatore e Alferaki; gli altri debbono bagnare il letto, oppure peregrinare in capo al mondo.

6 aprile. Mi sveglio alle cinque. Cielo nuvoloso, tira un vento freddo, sgradevole, che mi ricorda Mosca. Noia. Aspetto che suonino alla cattedrale e vado all'ultima messa. Qui trovo tutto molto carino, decoroso e non m'annoio. Il coro canta bene, non ha nulla di plebeo, e il pubblico consiste unicamente di signorine in abito verde oliva e camicetta color cioccolata. Di graziose ce ne sono molte, ce ne sono tante che rimpiango di non essere Miška al quale i bei musetti sono cosí necessari... Le ragazze di qui sono quasi tutte ben fatte, hanno un bel profilo e non sono aliene dall'amoreggiare. Di cavalieri non ce n'è affatto, se si eccettuano i sensali greci e gli slavati Kamburov. Una pacchia, quindi, per gli ufficiali e i forestieri.

Dopo la messa alla cattedrale vado da Eremeev. Trovo in casa sua moglie, una piccola signora molto graziosa. Eremeev si è sistemato proprio benino, alla moscovita, e guardando il suo grandissimo appartamento non credo piú ad Aleksandr, il quale diceva che è impossibile avere una bella casa a Taganrog. Un mucchio di visite, tutta l'aristocrazia cittadina, gentucola da quattro baiocchi di cui si potrebbe peraltro fare una selezione passabile. M'han presentato l'ufficiale Džeparidze, una celebrità locale, che si è battuto in duello. Ho visto parecchi dottori: Famil'janta, Rombrò, Iordanov, ecc. Eremeev compare alle tre, ubriaco fradicio. È felicissimo di vedermi e mi giura eterna amicizia. Lo conoscevo poco, ma lui sostiene che a questo mondo ha soltanto due veri amici: me e Korobov. Il pranzo è discreto: una buona minestra senza riso crudo e polli novelli. Nonostante il vento gelido, andiamo in carrozza alla «Quarantena». Molte casette, a poco prezzo e comode; se ne potrebbe prender una in affitto per l'anno prossimo. Però sono un po' esitante: dove le villette sono molto numerose, c'è troppa gente e troppo rumore. Ci sono delle casette sullo spiazzo davanti al mulino Kompanejskij, ma il sito non mi piace. Molti mi consigliano d'andar a vedere verso il Mius, a sette verste da Taganrog, dove ci sono altre villette.

In riva al Mius le case si vendono a poco prezzo. Se ne può acquistare una discreta, con giardinetto e spiaggia, per cinquecento-mille rubli. Costa meno dei funghi.

7-8-9 e 10 aprile. Giornate noiosissime. Fa freddo e il cielo è coperto. Ho la sciolta. Corro giorno e notte. Di notte è un vero martirio: buio, vento, porte cigolanti e dure da aprirsi, peregrinazioni per il cortile scuro, un silenzio sospetto, niente carta di giornale... Ho comprato acqua di Hunyady, ma l'Hunyady di qui è una spudorata contraffazione, amara come l'assenzio. Ogni notte ho dovuto compiangermi e rimproverarmi d'aver accettato volontariamente queste torture, d'esser venuto da Mosca nel paese dell'Hunyady falsificato e dei gabinetti ai piedi degli steccati. Ho sempre la sensazione di vivere scomodamente accampato, e per giunta, quel continuo: «to'... to'... to'... ma tu hai mangiato troppo poco, ma tu dovresti assaggiare... oh, ho dimenticato di mettere nella teiera il tè buono»... Unico conforto: Eremeev, sua moglie e il loro comodo appartamento... La sorte mi è benigna: non vedo Anisim Vasil'ič e finora non sono stato costretto a parlar di politica. Se incontro Anisim Vasil'ič, mi sparo una pallottola in fronte.

Siccome ho la sciolta, esco di rado. Partire è impossibile, giacché fa piuttosto freddo e poi vorrei vedere «l'accompagnamento». Il 19 e il 20 faccio bisboccia: sono compare d'anello a un matrimonio a Novočerkassk, ma prima e dopo quella data starò da Kravcov dove i disagi della vita sono mille volte piú comodi degli agi di Taganrog.

11 aprile. Sbornia da Eremeev, poi tutta la compagnia va in gita al cimitero e alla «Quarantena». Sono stato ai giardini pubblici, dove suonava la banda. Sono magnifici. C'è odor di signore, e non di fumo di samovar come a Sokol'niki. Il circolo era affollato.

Ogni giorno conosco nuove ragazze, cioè le ragazze vengono da Eremeev a vedere che razza d'individuo sia il Čechov che «scrive». Per lo piú non sono né brutte né sciocche, ma mi lasciano freddo, perché ho un catarro intestinale che soffoca tutti i miei impulsi.

E veniamo agli affari correnti. Sono morti: il dott. Schrempf, Sila Marinčenko, Marfa Petrovna... Ho veduto Mar'ja Nikiforovna, che mi ha dato del «fratellino». Egoruška è impiegato alla Società russa di navigazione. Esce di casa alle cinque di mattina, ritorna per il pranzo, esce di nuovo alle cinque e alle nove, quando, stanco e affaticato, lascia l'ufficio, se ne va dritto ai giardini a passeggiare con le fanciulle. È un ragazzo laborioso e ammodo. Fuma di nascosto dal babbo. Ljudmila Pavlovna tiene celato questo peccato del figlio e trema all'idea che Mitrofan fiuti l'eresia. Egoruška è esonerato dall'obbligo di stare in bottega e di andare in chiesa, giacché non ha tempo. Va all'ufficio ogni giorno, non escluse le feste solenni. Ha il permesso di rincasare a notte alta e di parlar di donne. Vladimirčik ammira la sua vita e si lecca le labbra.

La torre di guardia dei pompieri è stata dipinta in rosso. A. F. D'jakonov continua a essere sottile come una viperetta; porta certe brachettine di calicò e un padellino a guisa di berretto. Čakan è vivo, ma non l'ho ancora veduto. Kurdt e Feist non si decidono a morire.

Ho assistito a un funerale. È sgradevole vedere il feretro scoperto, e dentro la testa del morto che traballa. Il cimitero è bello, ma l'hanno saccheggiato. Il monumento a Katapuli è stato barbaramente spogliato. Padre Pavel è sempre il medesimo: nero, azzimato, e non si scoraggia: seguita a bestemmiare e a mandar denunce contro tutti.

Mentre attraversa il mercato, vede Marfočka seduta davanti alla sua bancarella.

– Perché diavolo ve ne state qui? – le dice. – Fa un freddo indemoniato e voi non vi tappate in casa! Chi diavolo verrà a comprare, con questo freddo?

Lo zio va in giro con l'ispettore. L'ispettore – ossia il controllore delle imposte – è un personaggio cosí importante, che Ljudmila Pavlovna trema al solo vederlo, e c'è mancato poco che dalla gioia Marfčka tingesse di giallo la sua *tournure* quando egli le ha chiesto di fargli da comare. Si vede benissimo che è un gran filibustiere e che sa approfittare della sua posizione. Si spaccia per generale e sia lo zio che i Loboda credono a quel suo grado.

Pokrovskij è diventato prevosto. Nel suo piccolo formicaio fa la pioggia e il bel tempo. Si comporta come un vescovo. La sua mammina bara alle carte e non paga i debiti di giuoco.

14 aprile. Ahimè! Il calice amaro non mi è stato risparmiato. Ieri se n'è arrivato quello spermatozoo, quel bacherozzolo poliziesco di Anisim Vasil'ič. Appena entrato, s'è messo a dire con la sua voce «kamburovesca», ma cosí forte e stridula che nemmeno cento Kamburov riuscirebbero a parlare cosí:

– O Signore, l'avevo pur detto a Egor dove abito; perché non siete venuto a trovarmi? Il mio Firs è in navigazione. E Nikolaj Pavlyč, ha finito la sua *Messalina*? Espone i suoi quadri alla mostra? E voi, come state?

Ha raccontato che il questore s'è fatto dare da lui la parola d'onore che non avrebbe scritto sui giornali, che il capo della polizia l'ha minacciato di spedirlo entro ventiquattr'ore al di là degli Urali se osava scrivere anche una sola riga, e via dicendo. Poi ha parlato del tempo, dei socialisti, dell'Italia, dell'immoralità, dei topi campagnoli, ha parlato ininterrottamente; con modulazioni, con interiezioni, e cosí forte che ho finito per condurlo in cortile, perché m'era quasi venuto male. È rimasto fino a sera; per sbarazzarmene, sono andato ai giardini, e lui dietro. Dai giardini sono corso da Eremeev, e lui dietro. Eremeev era fuori, sono tornato a casa, e quella carogna di poliziotto sempre dietro a me – e cosí di seguito. Ha promesso di passare oggi a prendermi per accompagnarmi al cimitero.

Ricevo in questo momento una lettera di Ivan. Vi ho mandato in due volte sedici pagine di diario e mi stupisco che non le abbiate ancora ricevute.

Il catarro intestinale continua a farmi far la spola fra la mia stanza e il luogo di lussuria. Il raffreddore è guarito, ma gli è subentrata una nuova malattia – l'infiammazione d'una vena alla gamba sinistra. Per una lunghezza di circa sette centimetri la vena è dura come un sasso e mi duole. I miei mali non si contano! Si compie in me il detto della Scrittura che l'uomo genererà la sua prole nel dolore... Però la mia prole non è né Egor né Vladimírčik, ma i racconti e le novelle ai quali non posso pensare in questo momento... Scrivere mi disgusta.

Sulla «Gazzetta di Pietroburgo» vi sono due racconti miei, vale a dire sessantacinque-settanta rubli. In aprile ne manderò un altro, sicché per questo mese riceverete cento rubli dalla «Gazzetta». Su «Tempo Nuovo» non ho niente da dire per ora.

Padre Vasilij è gravemente malato.

In questo momento mi mandano a dire che Irodiada Egorovna, altrimenti detta Iraida, desidera vedermi. Ha seppellito la madre e il marito e dal dispiacere sta per sposarsi una seconda volta. Il tempo è bello, ma tira vento.

Vi accludo un campione delle barzellette taganroghesi, con preghiera di conservarlo.

Il negozio dei Loboda fa cattivi affari. Quanto allo zio, vende per poche copeche al giorno, e anche quelle a stento. I cantori e gli operai che ricevono da lui il loro salario hanno l'obbligo – chi sa perché – di servirsi nella sua bottega.

Al castello non vi sono funzioni. La cappella è chiusa e tutta arrugginita.

Martedí ho assistito all'«accompagnamento» al cimitero. Questa cerimonia è cosí originale che meriterebbe una descrizione a parte, motivo per cui taccio e la rimando a piú tardi. Mercoledí dovevo proseguire il viaggio, ma ne sono stato impedito dalla vena della gamba. Da mercoledí a sabato ho bighellonato nei giardini, sono andato al circolo, ho visto delle fanciulle. Per quanto noiosa e opprimente, la vita a Taganrog possiede una notevole forza d'attrazione; non è difficile abituarvisi. Durante il mio soggiorno ho potuto render giustizia soltanto alle cose seguenti: le ciambelline del mercato, straordinariamente gustose, il santorino, il caviale, le buone carrozzelle e la schietta cordialità dello zio. Tutto il resto è cattivo e mediocre. Le ragazze, è vero, non sono brutte, ma bisogna farci l'abitudine. Sono brusche nelle movenze, frivole nei loro rapporti con gli uomini, scappano di casa con gli attori, ridono sguaiatamente, s'innamorano con troppa facilità, fischiano per chiamare il cane, bevono, ecc. Fra di loro ci sono anche delle ciniche, come per esempio Manja Chodakovskaja, dai capelli color di stoppa. È un essere che infastidisce non solo i vivi, ma anche i morti. Mentre passeggiavo con lei nel cimitero, non ha fatto che beffarsi dei defunti e dei loro epitaffi, dei *pop*, dei diaconi, ecc.

Quello che è odioso a Taganrog sono le imposte sempre chiuse. Al mattino, però, quando le spalancano e nella stanza irrompe un torrente di luce, è una festa per l'anima.

Sabato ho proseguito il mio viaggio. Alla Stazione Marittima un'aria deliziosa e caviale fresco a settanta copeche la libbra. Due ore d'attesa a Rostov e venti a Novočerkassk. Ho pernottato da un conoscente. In genere, sa il diavolo dove non mi tocca pernottare: in letti cimiciosi, su divani, divanetti, cassapanche... Stanotte ho dormito in una sala lunga e stretta, sul sofà sotto lo specchio. «Jakov Andreič» somigliava a una zuppiera ed era adorno di fregi a delicate mezzetinte. Mi trovo a Novočerkassk. Ho finito adesso di far colazione: caviale, burro, uno squisito Cymljanskoe e succolente polpette con cipollina verde.

La fanciulla alle cui nozze sarò compare d'anello ha rimandato il matrimonio a venerdí. Giovedí debbo esser di nuovo a Novočerkassk, oggi alle quattro mi rimetto in viaggio. A Zverevo mi toccherà aspettare nove ore. Per adesso vi saluto.

Domattina proseguo.

A. Čechov

A MARIJA P. ČECHOVA

Čerkassk, 25 aprile 1887

Parto adesso da Čerkassk per Zverevo, di là con la linea del Donec vado da Kravcov. Ieri e ieri l'altro ci sono state le nozze, vere nozze cosacche con musica, belati donneschi e una scandalosa bisboccia. Una tale massa d'impressioni diverse che è impossibile riferirle per lettera. Bisognerà quindi rimandare la descrizione al mio ritorno a Mosca. La sposa aveva sedici anni. Il matrimonio è stato celebrato alla cattedrale. Io ho fatto da compare d'anello, con una marsina tolta a prestito, calzoni troppo larghi e non un solo bottone allo sparato. A Mosca un compare cosí l'avrebbero preso a scapaccioni, qui invece ho fatto un figurone.

Ho visto molti ricchi partiti. La scelta era vasta, ma io ero sempre cosí ubriaco che pigliavo le bottiglie per fanciulle e le fanciulle per bottiglie. È probabile che grazie al mio stato di ebrietà le ragazze del posto m'abbiano trovato spiritoso e «burlone». Qui le signorine sono come le pecore; se una si alza ed esce dalla sala, le altre le tengono dietro. Una di esse, la piú ardita e intelligente, per mostrare che sapeva trattare con finezza e diplomazia, mi batteva ogni momento il ventaglio sul braccio, dicendo: «Uh, che mascalzone!» E intanto seguitava a far la faccia spaventata. Io le ho insegnato a dire ai suoi spasimanti: «Come siete ingenuo!»...

Gli sposi, forse in virtú d'una consuetudine locale, si baciavano ogni momento, si baciavano a perdifiato cosicché ogni volta le loro labbra schioccavano esalando l'aria compressa, e a me veniva in bocca un sapore dolciastro di zibibbo e sentivo un sussulto nervoso al polpaccio sinistro. A causa dei loro baci mi si è acuita l'infiammazione alla gamba.

Non posso dire quanto caviale fresco abbia mangiato, né quanto Cymljanskij abbia bevuto. E non so come non sia scoppiato!

Dite a Ja. A. Korneev che lo manda a salutare un certo Pochlebin – un individuo con le fedine e una testa che pare un ramolaccio con la coda in su.

Il catarro intestinale m'è passato nel preciso istante in cui sono partito dalla casa dello zio. Evidentemente l'atmosfera devota produce un effetto lassativo sugli intestini.

Ieri ho spedito un racconto alla «Gazzetta di Pietroburgo». Se il 15 maggio vi troverete senza denaro, potrete riscuotere il compenso da quel giornale, cioè mandare il conto per le due novelle, senza aspettare la fine del mese. Scrivere mi costa uno sforzo enorme... Ho molti soggetti per «Tempo Nuovo», ma fa cosí caldo che stento perfino a scrivere una lettera.

Sono al verde e mi tocca fare il mantenuto. A furia di vivere dappertutto alle spalle altrui, comincio ad assomigliare a un imbroglione di Nižnij-Novgorod, che mangia a ufo, ma brilla per la sua faccia tosta.

I miei ospiti sono usciti in questo momento. Ho pranzato *solo* e m'è tornato in mente l'Anton Ivanovič di Gončarov: le cameriere stavano in piedi davanti a me e io benignamente mangiavo e m'abbassavo fino a discorrere con le Ul'jaše e le Anjute.

A Zverevo dovrò aspettare dalle nove di sera alle cinque di mattina. L'altra volta ho dormito in una carrozza di seconda classe su un binario morto. Durante la notte sono sceso dal vagone per un bisognino e fuori era un'autentica meraviglia... La luna, la steppa sconfinata con i tumuli e il deserto; un silenzio di tomba, i vagoni e le rotaie che spiccavano nitidi nella penombra; il mondo sembrava morto. Una scena che non dimenticherò, vivessi mill'anni. Mi spiace che Miška non sia potuto venire con me. Sarebbe rimasto sbalordito da tante impressioni...

Saluti a tutti: Ma-Ste, Na-Ste, *Mlles* Efros, Semaško, ecc. Fatemi sapere quando partirà Ivanenko.

Le lettere che mando a Mosca sono per tutta la famiglia Čechov; temo che facciano la stessa fine di «Novità del Giorno».

Arrivederci. Vi spero tutti bene.

I ciliegi e gli albicocchi sono in fiore.

A. Čechov

A MARIJA P. ČECHOVA

Ragozina Balka, 30 aprile 1887

30 aprile. Una tiepida sera. Ci sono grosse nuvole e quindi è buio pesto. L'aria è afosa e odora d'erba.

Sto a Ragozina Balka, da Kravcov. Una minuscola casettina dal tetto di paglia, con gli annessi in pietra piatta. Tre stanze con pavimento d'argilla battuta, soffitti sbilenchi e finestre che s'aprono dal basso in alto. Pareti tappezzate di fucili, pistole, sciabole e scudisci. Cassettoni e davanzali di finestre – tutto è ingombro di cartucce, di strumenti per accomodare i fucili, di barattoli di polvere e di sacchetti di pallini. Mobili zoppi e scrostati. Mi tocca dormire su un divano consunto, molto duro e non ricoperto di stoffa. A dieci verste all'intorno non vi sono cessi, portacenere e altre comodità. Per potersi ricordare di *Mlle Sirou* bisogna (con qualunque tempo) scendere in fondo al burrone e scegliere un cespuglio; è consigliabile di non accovacciarsi prima d'essersi accertati che sotto il detto cespuglio non ci sia una vipera o qualche altro animale.

Abitanti: il vecchio Kravcov, sua moglie, il *chorunžij* [1] Pëtr dalle larghe bande rosse, Alëcha, Chachko, vale a dire Aleksandr, Zojka, Ninka, il pastorello Nikita e la cuoca Akulina. Una moltitudine innumerevole di cani, tutti cattivi, feroci, che non lasciano passare nessuno né di giorno né di notte. Mi tocca camminare sotto scorta, altrimenti la Russia avrebbe uno scrittore di meno. I cani si chiamano: Muchtar, Lupetto, Zampa bianca, Gapka, ecc. Il piú tremendo è Muchtar, un vecchio mastino, dal cui muso invece che peli pendono ciuffi di sudicia stoppa. Mi odia, e ogni volta che esco di casa mi si avventa contro, latrando.

Adesso, del mangiare. Al mattino tè, uova, prosciutto e lardo. A mezzogiorno minestra d'oca – un liquido molto somigliante all'acqua sporca che rimane dopo il bagno delle grasse bottegaie – oca o tacchino arrosto con prugnoli sott'aceto, gallina arrosto, budino al latte e latte cagliato. Vodka e pepe non sono ammessi. Alle cinque si cuoce nella foresta una farinata di frumento con lardo. Alla sera tè, prosciutto e tutto quel che è avanzato del pranzo. Dimenticavo: a fine di tavola servono un caffè che, a giudicare dal gusto e dall'odore, è fatto con sterco di vacca tostato.

Divertimento: caccia alle ottarde, falò, gite a Ivanovka, tiro a segno, caccia con i cani, preparazione del miscuglio per fare i fuochi di bengala, discorsi sulla politica, costruzione di torri di pietra.

Occupazione principale: l'agronomia razionale, introdotta dal giovane sottotenente, che ha ordinato da Leuchin per cinque rubli e quaranta copeche di libri d'agricoltura. Branca piú importante dell'azienda agricola – la strage in massa che non

---

[1] Nei reggimenti cosacchi grado corrispondente a quello di sottotenente.

ha un minuto di tregua nel corso della giornata. Si ammazzano i passeri, le rondini, i calabroni, le formiche, le gazze, i corvi affinché non divorino le api; si massacrano le api per impedire che danneggino i fiori degli alberi da frutta, e si abbattono questi stessi alberi affinché non impoveriscano il suolo. Ne risulta cosí una rotazione che, pur essendo originale, non si fonda sulle piú recenti conquiste della scienza.

Alle nove di sera andiamo a letto. Sonno agitato, giacché in cortile ululano i vari Muchtar e Zampe bianche, mentre sotto il mio divano Ceter abbaia freneticamente in risposta. Mi sveglia una sparatoria: i padroni di casa tirano dalla finestra a qualche animale che arreca danni all'azienda agricola. Per uscir di notte debbo svegliare il tenentino, altrimenti i cani mi sbranerebbero; di modo che il sonno dell'ufficiale dipende dalla quantità di tè e di latte che ho bevuto la sera innanzi.

Il tempo è bello; l'erba è alta e fiorisce. Osservo api e uomini, in mezzo ai quali mi sento una specie di Miklucha Maklaj[2]. Ieri notte c'è stato un bellissimo temporale.

Quel che abbiamo di magnifico qui, sono le montagne. Le miniere non sono lontane. Domani, di buon mattino, andrò a Ivanovka (ventitre verste) in calesse a un cavallo per ritirare la posta.

Ho le emorroidi, dolori alla gamba sinistra. Ho ricevuto da Miška una sola lettera, del 14 aprile. Da Aleksandr non ho avuto nulla.

Mangiamo uova di tacchina. Le tacchine fanno l'uovo nella foresta sulle foglie secche dell'anno scorso. Qui galline, oche, maiali, ecc. non vengono scannati ma fucilati*.

Arrivederci

Saluti   A. Čechov

* È una continua sparatoria.

A MARIJA P. ČECHOVA

Taganrog, 11 maggio 1887

Continuo con tremore. Da Kravcov sono andato al Sacro Monte. Per raggiungere la ferrovia di Azov ho dovuto fare

---

[2] Viaggiatore russo (1846-88) che visse a lungo tra i papuasi della Nuova Guinea.

la linea del Donec dalla stazione Krestnaja a Kramatorovka.
La linea del Donec ha questo tracciato bizzarro: [*segue uno
schizzo*].

Il circoletto al centro è la stazione di Debal'cevo. Gli altri
sono i vari Bachmut, Izjum, Lisičansk, Lugansk e simili schi-
fezze. Tutte le diramazioni sono uguali una all'altra come i
Kamburov, sicché salire a Debal'cevo nel treno altrui anziché
nel proprio è facile quanto scambiare al buio Vesta per il Falso
Monetario. Io mi sono dimostrato cosí ingegnoso e accorto
che non ho sbagliato e alle sette di sera sono giunto felicemente a Kramatorovka. Qui, afa, puzzo di carbone,... e un'ora e
mezzo di attesa. Da Kramatorovka, con la ferrovia di Azov
arrivo a Slavjansk. Una sera buia. I vetturini si rifiutano di
portarmi di notte al Sacro Monte e mi consigliano di pernottare a Slavjansk, cosa che faccio assai volentieri perché mi
sento tutto indolenzito e zoppico come quarantamila Lejkin.
Dalla stazione alla città sono quattro verste e trenta copeche in biroccio. La città è un po' come la Mirgorod di Gogol';
c'è una bottega di parrucchiere e un orologiaio, quindi si può
sperare che fra mill'anni ci sarà anche il telefono. Ai muri e
agli steccati sono affissi i cartelloni d'un serraglio, ai piedi degli steccati escrementi e bardane, per le strade, invase dalla
polvere e dall'erba, passeggiano maialetti, vaccherelle, e altri
animali domestici. Le case hanno un'aria accogliente e gentile, come nonnine bonarie; il lastrico è morbido, le vie ampie,
l'aria odora di lillà e d'acacie; da lontano giunge un canto d'u-
signuolo, un gracidio di rane, latrati, un suono di fisarmonica,
lo strillo d'una donnetta...

Sono sceso all'albergo Kulikov dove per settantacinque copeche ho preso una stanza. Dopo aver dormito sopra divani di
legno e tinozze, che voluttà vedere un letto col materasso, un
lavabo e – o destino generoso! – il dilettissimo «Jakov Andreič»! (Viaggiando per il mondo sono giunto alla conclusione
che Jakov Andreič è assai piú utile e dilettevole di Jakov Alek-
seič, di Jakov Sergeič Orlovskij e perfino di Jašen'ka M.!)
Dalla finestra spalancata entrano ramoscelli verdi, spira lo zefiro... Stiracchiandomi e facendo le fusa come un gatto, chiedo da mangiare. Per trenta copeche mi servono una robustis-
sima porzione di rosbiffe, piú grossa del piú grosso *chignon*;
un rosbiffe che potrebbe con ugual diritto chiamarsi costolet-
ta, bistecca o cuscinetto di carne: non mancherei di metter-
melo sotto il fianco, se non fossi affamato come un cane e come Levitan quando va a caccia.

Al mattino, una giornata stupenda. Poiché è festa di pre-
cetto (6 maggio), suonano alla cattedrale. È la fine della messa. Vedo uscire dalla chiesa i commissari di polizia, i giudici di
pace, le autorità militari e altre gerarchie angeliche. Compro
due copeche di semi di girasole e per sei rubli noleggio una
carrozza a molle per il Sacro Monte e ritorno (fra due giorni).

Esco dalla città attraverso viuzze letteralmente sommerse
nel verde dei ciliegi, degli albicocchi e dei meli. Gli uccelli
cantano a piú non posso. Gli ucraini che incontro, pigliando-
mi probabilmente per Turgenev, mi fanno tanto di cappello.
Il mio auriga, Grigorij Poleníčka, non fa che saltar giú di ser-
pa per accomodare i finimenti o allungar frustate ai monelli
che corrono dietro alla carrozza... Lungo la strada file di pellegrini. Dappertutto montagne e colline di color bianco, l'o-
rizzonte è bianco-azzurrognolo, la segala è alta, qua e là dei
querceti, mancano soltanto i coccodrilli e i serpenti a sonagli.

Alle dodici, arrivo al Sacro Monte. È un sito straordinariamente bello e originale. Il monastero sorge in riva al Donec, ai
piedi di un'enorme rupe bianca, sulla quale, pigiandosi e stra-
piombando uno sull'altro, s'affollano orticelli, querce e pini
secolari. Sembra che gli alberi si sentano allo stretto sulla roccia e che una forza ignota li spinga sempre piú in alto... I pini
sono letteralmente sospesi nell'aria e pare che da un momento
all'altro debbano precipitare. Cuculi e usignuoli non si cheta-
no né di giorno né di notte.

I monaci, gente assai simpatica, m'hanno dato una camera
assai antipatica, con un materassino a mo' di frittella. Ho trascorso due notti nel monastero e ne ho riportato una folla
d'impressioni. In occasione di San Nicola ho veduto affluire
circa quindicimila pellegrini, i nove decimi dei quali erano
vecchie donne. Se avessi saputo che al mondo c'erano tante
vecchie, mi sarei sparato da un pezzo... Dei monaci, di come
li ho conosciuti, come ho curato frati e vecchie, parlerò su
«Tempo Nuovo» e quando ci rivedremo. Le funzioni sono interminabili: a mezzanotte suonano a mattutino, alle cinque
per la prima messa, alle nove per l'ultima, alle tre per le litanie, alle cinque per i vespri, alle sei per i precetti. Prima d'o-
gni funzione si sente nei corridoi un campanello lamentoso e
un frate passa di corsa, gridando con la voce del creditore che
scongiura il suo debitore di pagargli almeno cinque copeche
per rublo:

– Gesú Cristo Nostro Signore, abbi pietà di noi! Favorite
al mattutino!

Restarsene in camera è imbarazzante; quindi ti alzi ed esci... Io m'ero trovato un posticino in riva al Donec e vi ho trascorso tutto il tempo delle funzioni.

Ho comperato un'icona per zia Fedos'ja Jakovlevna.

Vitto monastico, gratuito per tutti i quindicimila pellegrini: zuppa di cavoli con ghiozzi secchi e budino al latte. Saporiti l'uno e l'altra, come pure il pan di segala.

Le campane hanno un suono straordinario. Il coro non vale niente. Ho partecipato a una processione in barca.

Interrompo la descrizione del Sacro Monte, giacché nell'impossibilità di dir tutto, non farei che abborracciare.

Al ritorno ho dovuto aspettare sei ore alla stazione. Uno strazio! In un treno ho visto Sozja Chodakovskaja: s'imbelletta, si dipinge con tutti i colori dell'arcobaleno e si è parecchio sciupata.

Ho trascorso tutta la notte nella terza classe d'uno schifoso, lentissimo treno merci e viaggiatori, stancandomi orribilmente.

Adesso mi trovo a Taganrog. Daccapo: «to'... to'... to'...», daccapo il divanetto troppo corto, le *réclames* di Coats, l'acqua puzzolente nel lavabo... Vado in gita a Dubkin, alla «Quarantena», passeggio nei giardini pubblici. Molte bande musicali e un milione di fanciulle. Ieri mi trovavo nel giardino di Alferaki insieme con una donzelletta dell'aristocrazia locale; essa m'indica una vecchia e dice:

– Che carogna! Guardate: perfino la sua andatura è da carogna.

Tra le ragazze ce ne sono di carine, ma ho deciso di non tradire le Jášen'ke.

Imparo a conoscere la vita di qui. Sono stato alla posta, ai bagni pubblici, in via Kasperovka... Una scoperta: a Taganrog esiste una Via de' Macelli.

Nella via principale c'è un'insegna: «Vendita di lemonate arfeticiali». Dunque ha sentito la parola «artificiali», quella carogna, ma non ha inteso bene e ha scritto «arfeticiali».

Se riceverete in campagna un telegramma di questo tenore: «Martedí, locale, Aleksej», ciò significa che arriverò martedí col trenino locale e che chiedo di mandarmi incontro Aleksej. Martedí, beninteso, non è una data fissa, poiché non so né il giorno né l'ora in cui tornerò a casa e mi metterò al lavoro.

Scrivere mi fa venire la nausea. Sono al verde e se non avessi la possibilità di campare a ufo, non so quel che farei.

C'è odore di acacia. Ljudmila Pavlovna è ingrassata e assomiglia molto a [...] Nessun intelletto può concepire la profondità della sua mente. Quando l'ascolto, mi smarrisco dinanzi al destino imperscrutabile che crea talvolta simili perle rare. Una creatura impareggiabile! Non ho ancora dimenticato l'anatomia, ma guardando il suo cranio comincio a dubitare dell'esistenza di quella sostanza che si chiama cervello.

Lo zio è adorabile, forse è il miglior uomo di tutta la città.

A. Čechov

Ho ricevuto una lettera di Marija Vladimirovna.

AD ALEKSANDR P. ČECHOV

Mosca, 6 ottobre 1887

Carissimo Papero!

Ho ricevuto lettera e quattrini.

Di' a Burenin che t'ho incaricato di esprimergli la mia sincera gratitudine per la recensione; la conserverò per i miei posteri. Comunicagli che l'ho letta insieme con Korolenko, il quale è pienamente d'accordo con lui. È un'ottima recensione, però il sig. Burenin non avrebbe dovuto versare un barile di catrame in un cucchiaino di miele, vale a dire, elogiandomi, deridere il morto Nadson.

Tutti i nostri stanno bene. Nikolaj si fa vedere a intervalli.

Prega Fëdorov o Bežeckij d'inserire questo trafiletto nella cronaca teatrale «A. P. Čechov ha scritto *Ivanov*, commedia in quattro atti. Letta in un circolo letterario di Mosca (o qualcosa del genere), essa ha destato una grandissima impressione. Il soggetto è nuovo, i caratteri ben tratteggiati, ecc.».

Questo è uno stelloncino commerciale. La commedia m'è riuscita lieve come una piuma, senza una sola lungaggine. Un soggetto fuori del comune. Probabilmente la metterò in scena da Korš, se non farà lo spilorcio.

E questo è tutto. Ti raccomando il trafiletto. Farà salire il prezzo. Non bisogna lodare il lavoro, ma limitarsi ai luoghi comuni. Salutami i tuoi, e dammi il tuo nuovo indirizzo.

Non prender freddo.

Tuus   A. Čechov

Di' a Burenin e a Suvorin che è venuto a trovarmi Korolenko. Ho chiacchierato tre ore con lui e trovo che è un uomo
eccellente e pieno d'ingegno. Di' loro che a mio avviso ci si
può aspettare moltissimo da lui.

AD ALEKSANDR P. ČECHOV

Mosca, 10 ottobre 1887

Paperozzo!

Ho ricevuto la tua lettera. Per non star a letto a girarmi i
pollici, mi metto a tavolino e ti rispondo.

Nostra sorella è viva e vegeta. S'interessa di letteratura e
va dalla Efros. Giorni or sono s'è fatta fotografare. Se vuoi
avere il suo ritratto, scrivile.

La mamma acconsente ad accomodarti non solo le camicie,
ma anche il fegato. Mandagliele. Soldi per le spese non ne occorrono giacché in casa c'è un mucchio di stracci. La mamma
si lagna che non le scrivi.

Io sono ammalato e triste come un figlio di gallina. La penna mi cade di mano e non concludo nulla. M'aspetto di far
bancarotta in un prossimo avvenire. Se non mi salva la commedia, perirò nel fiore degli anni. Essa mi può fruttare dai
seicento ai mille rubli, ma non prima della metà di novembre
e cosa accadrà fino a quella metà, non lo so. Non *posso* scrivere, e tutto quel che scrivo è una porcheria. Non ho un briciolo
d'energia. I soggetti li avrei, per il resto è un disastro.

Scribacchio un racconto del sabato, ma a stento e su un argomento che non mi va a genio. Riuscirà male, però lo manderò ugualmente.

«L'informatore russo» paga quindici copeche a riga.
«Nord» m'invita a collaborare e dice: «Vi pagheremo quel
che volete». Anche il «Pensiero Russo» e il «Messaggero del
Nord» mi vogliono. Suvorin farebbe bene ad aumentarmi il
compenso. Se Kočetov riceve trecento rubli al mese e Atava,
oltre a un fisso, venti copeche a riga, io, prima di esaurirmi,
potrei anche esser pagato decentemente e non a centesimi.
Derubo me stesso scrivendo sui giornali. Per *Il fuggiasco* ho riscosso quaranta rubli, mentre in una grande rivista me l'a-
vrebbero pagato sulla base di mezzo sedicesimo... Del resto,
son tutte sciocchezze...

Ho scritto la mia commedia per caso, dopo una conversazione con Korš. Sono andato a dormire, ho trovato il soggetto e ho scritto. Ci ho impiegato due settimane o, per meglio dire, dieci giorni, poiché in quelle due settimane ci sono stati giorni in cui non ho lavorato oppure ho scritto altro. Sui pregi della commedia non posso pronunziarmi. M'è riuscita d'una brevità sospetta. Piace a tutti. Korš non vi ha trovato nessun errore tecnico – il che dimostra quanto buoni e perspicaci siano i miei giudici. È la prima volta che scrivo per il teatro, *ergo* gli errori sono d'obbligo. È un soggetto complesso e per niente sciocco. Ho terminato ogni atto come un racconto: conduco l'azione tranquillamente, pian pianino, e alla fine tiro un pugno in faccia allo spettatore. Ho esaurito tutta la mia energia in pochi punti veramente forti e coloriti, ma i ponticelli che uniscono quei punti sono robetta da nulla, fiacca e convenzionale. Ciò nondimeno sono soddisfatto. Anche se il lavoro è cattivo, ho creato un tipo che ha un'importanza letteraria, ho scritto una parte che soltanto un attore geniale come Davydov può impegnarsi a recitare, una parte in cui l'attore può esplicare e sfoggiare le sue doti... Mi spiace di non poterti leggere il mio lavoro. Tu sei un uomo leggero e hai visto poco, ma hai un orecchio assai piú acuto e piú sottile di tutti i miei laudatori e denigratori moscoviti. La tua assenza è per me un danno non lieve.

Nel mio lavoro ci sono quattordici personaggi, cinque dei quali femminili. Sento che, tranne una, tutte le mie signore non sono sufficientemente rifinite.

Dopo il 15, informati alla cassa circa la vendita di *Sull'imbrunire*. Chi sa che non mi spetti qualche quattrinello...

Chiedi a Suvorin o a Burenin se accetterebbero di stampare un racconto di 1500 righe. Se sí, glielo manderò, quantunque, personalmente, sia contrario a pubblicare sui giornali delle lunghe tiritere con continuazione dello strascico al prossimo numero. Ho un romanzo di 1500 righe, per niente noioso, ma inadatto a una grande rivista, giacché in esso figurano il presidente e i membri d'un tribunale militare di distretto, cioè gente non liberale. Informati e rispondi al piú presto. Ricevuta la tua risposta, lo ricopierò in fretta e lo spedirò.

La Zan'koveckaja[1] è portentosa! Suvorin ha ragione. Però non è al posto adatto per lei. Se, grazie a te, Burenin ha fatto

[1] Marija K. Zan'koveckaja, attrice drammatica ucraina, che nel 1886-87 recitò con gran successo a Pietroburgo e a Mosca.

brutta figura, poco male: non è l'inerzia, ma la mano dell'Altissimo che ha mosso la tua lingua... Certe volte non nuoce dire la verità. Salutami tutti.

A. Čechov

AD ALEKSANDR P. ČECHOV

Mosca, 20 novembre 1887

Be', il mio lavoro è stato rappresentato... Ti descrivo tutto per ordine. In primo luogo invece delle dieci prove che Korš m'aveva promesso, ce ne sono state quattro, due sole delle quali possono esser chiamate prove, giacché le altre due non sono state che dei tornei verbali in cui i signori attori si sono sfogati a discutere e a insultarsi. Soltanto Davydov e la Glama sapevano la parte; gli altri recitavano secondo il suggeritore e la loro intima convinzione.

Atto primo. Sono in un piccolo palco di proscenio che assomiglia a una cella carceraria. La nostra famiglia è in un palco di platea, e trepida. Contro ogni aspettativa sono calmo e per niente agitato. Gli attori invece sono inquieti, nervosi e si fanno il segno della croce. Sipario. Entrata del serातante. Il suo contegno incerto, il suo non sapere la parte e la corona che gli viene offerta fanno sí che, fin dalle prime frasi, non riconosco il mio lavoro. Kiselevskij, nel quale avevo riposto grandi speranze, non ha detto giusta una sola battuta. Letteralmente: *non una.* Malgrado questo e le papere del regista, il primo atto ha avuto un gran successo. Molte chiamate.

Atto secondo. Un mucchio di gente sulla scena. Gli invitati. Non sanno la parte, si confondono, dicono sciocchezze. Ogni parola è come una coltellata nella schiena. Ma – o musa! – anche quest'atto è piaciuto. Hanno chiamato fuori tutti, due volte hanno chiamato anche me. La gente si congratula con me per il successo.

Atto terzo. Lo recitano discretamente. Successo formidabile. Tre chiamate per me, durante le quali Davydov mi stringe la mano mentre la Glama, alla maniera di Manilov, si stringe al cuore l'altra mia mano. Trionfo del talento e della virtú.

Atto quarto, primo quadro. Va benino. Chiamate. Poi un lunghissimo, penoso intervallo. Il pubblico, non avvezzo ad alzarsi e ad andare al *buffet* fra due quadri, mormora. Si alza il sipario. Bello: al di là dell'arco si vede la tavola apparecchiata per la cena (banchetto nuziale). L'orchestra suona una marcia. Entrano i compari d'anello: hanno bevuto e quindi credono, capisci, di dover fare i pagliacci: un'atmosfera da baraccone e da taverna che mi fa inorridire. Poi entra in scena Kiselevskij; una scena poetica, avvincente, ma il mio Kiselevskij non sa la parte; è ubriaco come un ciabattino e il breve dialogo poetico diventa una disgustosa tiritera. Gli spettatori sono perplessi. Alla fine del lavoro il protagonista muore, non potendo sopportare l'offesa che gli è stata arrecata. Il pubblico, stanco e intiepidito, non capisce questa morte (che gli attori hanno voluto a ogni costo; io ho un'altra variante). Chiamano fuori gli attori e me. Durante una delle chiamate si sente uno zittio, soffocato dagli applausi e dal battito dei piedi.

Tutto sommato, stanchezza e un senso di stizza. Sono disgustato, quantunque il lavoro abbia avuto un successo rispettabile (contestato da Kičeev e compagnia).

La gente di teatro dice di non aver mai visto tanto fermento, tanto fragore d'applausi e di zittii, e di non aver mai sentito tante discussioni quante ne ha suscitate il mio lavoro. Né è mai accaduto da Korš che l'autore fosse chiamato fuori dopo il secondo atto.

La replica è fissata per il 23, con la mia variante e con modifiche. Sopprimerò gli accompagnatori degli sposi. I particolari, quando ci vedremo.

Tuo   A. Čechov

Di' a Burenin che dopo la mia *pièce* sono rientrato nella norma e mi sono messo a scrivere un racconto del sabato.

AD ALEKSANDR P. ČECHOV

Mosca, 24 novembre 1887

Dunque, carissimo Paperino, tutto si è finalmente calmato, dissipato, e, come prima, siedo a tavolino a scrivere con animo tranquillo i miei racconti. Non puoi figurarti che cos'è stato! Da una porcheriola insignificante come la mia piccola *pièce* (ne ho mandato una copia a Maslov), è venuto fuori un finimondo. Ti ho già scritto che alla prima regnava nel pubblico e dietro la scena un'eccitazione quale non vide mai il suggeri-

tore che pure lavora in teatro da trentadue anni. Rumoreggia-
vano, vociavano, applaudivano, zittivano. Al *buffet* c'è mancato poco che non s'azzuffassero; in loggione gli studenti volevano buttar fuori qualcuno, e la polizia ne ha espulsi due.
L'eccitazione era generale. Nostra sorella è quasi svenuta.
Djukovskij è scappato via perché aveva il batticuore e Kiselëv
s'è preso a un tratto la testa fra le mani e molto sinceramente
ha urlato: «E adesso, cosa farò?»

Gli attori avevano i nervi tesi. Tutto quello che ho scritto
a te e a Maslov sulla loro interpretazione e sul loro comportamento, deve, beninteso, restare tra noi. Bisogna spiegare e
scusare molte cose... Ho poi saputo che l'attrice che recitava
la parte principale aveva la figlia in punto di morte, altro che
recitare in quei momenti! Kurepin ha fatto bene a elogiare gli
attori.

Il giorno dopo è apparsa sul «Gazzettino di Mosca» una recensione di Pëtr Kičeev, che definisce la mia *pièce* una porcheriola immorale, di un cinismo sfacciato. «L'informatore
moscovita», invece, ne ha parlato bene.

La seconda rappresentazione è andata discretamente, seppure con qualche brutta sorpresa. L'attrice, la cui figlia è malata, è stata sostituita da un'altra (senza prove). M'hanno di
nuovo chiamato due volte dopo il terzo e una volta dopo il
quarto atto, ma non hanno piú zittito.

E questo è tutto. Mercoledí altra replica del mio *Ivanov*.
Tutti si sono ormai calmati e sono rientrati nella norma. Abbiamo preso nota della data del 19 novembre e la festeggeremo ogni anno con un banchetto, poiché questo giorno rimarrà
a lungo memorabile per la nostra famiglia. Non ti scriverò piú
niente sulla mia *pièce*. Se vuoi averne un'idea, chiedi la copia
a Maslov e leggila. La lettura del lavoro non ti spiegherà l'agitazione che ti ho descritto; non ci troverai nulla di straordinario. Nikolaj, Schechtel e Levitan, ossia gli artisti, affermano
che sulla scena essa è cosí originale da far impressione. Alla
lettura questo non si avverte. Nota bene: se a qualcuno di
«Tempo Nuovo» venisse in mente di maltrattare gli attori
che hanno interpretato il mio lavoro, pregali di astenersi. Alla
seconda rappresentazione sono stati magnifici.

Dunque, a giorni partirò per Piter. Cercherò d'arrivare per
il primo dicembre. In ogni caso festeggeremo insieme l'onomastico del tuo bimbetto piú grande... avvertilo che non ci sarà torta.

Mi congratulo per la promozione. Se sei davvero segretario

di redazione, butta giú un trafiletto come qualmente «il 23 novembre *Ivanov* è andato in scena per la seconda volta al teatro Korš. Gli attori, specie Davydov, Kiselevskij, Gradov-Sokolov e la Koševa, hanno avuto molte chiamate. Chiamate all'autore dopo il terzo e il quarto atto». O qualcosa del genere... Grazie a questo trafiletto il mio lavoro avrà una replica di piú e io riscuoterò una volta di piú dai cinquanta ai cento rubli. Se però ti sembra inopportuno, non farne niente.

Che cos'ha Anna Ivanovna? *Allah cherim!* Il clima di Pietroburgo non le si confà.

Ho ricevuto i quaranta rubli; grazie.

Ti ho seccato? Mi sembra d'essere stato nevrastenico tutto questo mese di novembre.

Giljaj parte oggi per Piter. Sta' sano e scusa la mia nevrastenia. Non mi succederà piú. Oggi sono normale...

Ho mandato a Maslov una lettera di ringraziamento per il suo telegramma.

Il tuo Schiller-Shakespearovič
Goethe

AD ALEKSEJ N. PLEŠČEEV

Mosca, 23 gennaio 1888

Caro Aleksej Nikolaevič, mille grazie per la vostra buona, affettuosa letterina. Come mi spiace che non sia giunta tre ore prima! M'ha trovato – figuratevi! – intento a scribacchiare un brutto raccontino per la «Gazzetta di Pietroburgo»... Dinanzi all'imminenza del primo del mese con i suoi conti da pagare, ho perso ogni baldanza e ho accettato un impegno a data fissa. Ma non è un gran male. Il racconto non m'ha preso piú di mezza giornata e adesso posso continuare la mia *Steppa*. Nella vostra lettera fate cosí buona accoglienza al mio piccolo romanzo che ne sono intimorito... V'aspettate da me qualcosa di speciale, di bello... che vasto campo per le delusioni! Mi perdo d'animo e temo che la mia *Steppa* riesca insignificante. La scrivo senza affrettarmi, come i buongustai mangiano le beccacce: «con sentimento, con intelligenza, con ponderazione»[1]. A esser sinceri, mi stillo il cervello, mi sforzo e mi gonfio, ma in complesso non sono soddisfatto, sebbene qua e là s'incontri della «poesia in prosa». Non sono ancora abituato a scrivere a lungo, e poi sono pigro. Il lavoro di breve respiro m'ha avvezzato male.

Terminerò *La steppa* fra il primo e il cinque di febbraio, non prima e non dopo. La manderò senz'altro a voi giacché, trattandosi del mio esordio nelle riviste di grosso formato, voglio pregarvi di farmi da padrino. Non occorrerà che andiate di persona alla posta a ritirare il plico; ve lo spedirò «con consegna a domicilio». Non avrete che da pagare un quarto di rublo, di cui vi sarò debitore. Perdonate il disturbo, per amor di Dio! Avete già tanti pensieri e io vi secco con le mie sciocchezze, e per giunta vi scrocco un quarto di rublo...

---

[1] Celebre battuta di *Che disgrazia, l'ingegno!* di Griboiedov.

Ostrovskij mi piace molto e molto. Con lui non solo non ci si annoia, ma si sta allegri... Sí, sarebbe adatto a fare il critico. Ha buon fiuto, ha letto un mucchio di roba, a quanto pare ama molto la letteratura ed è originale. Ho afferrato al volo alcune definizioni che egli aveva buttate là e che si potrebbero stampare tali e quali in un manuale di «Teoria della letteratura». Appena terminata *La steppa* andrò certamente a trovarlo. Dopo aver discorso con lui del mio abortito *Ivanov*, ho scoperto il valore che gente siffatta ha per noialtri.

Che fa Leont'ev? È un caro uomo, simpatico, cordiale e pieno di talento, ma ci gode ad avvilirsi e a essere di cattivo umore. Ha bisogno d'esser continuamente stimolato e caricato, come un orologio... Ci scriviamo. Nelle sue lettere mi chiama, chi sa perché, Egmont, ed io, per non esser da meno, l'ho battezzato Duca d'Alba.

Prima della fine dell'inverno verrò a Piter, e in primavera scapperò in qualche posto al caldo. Andiamoci insieme!

In tutte le nostre riviste di grosso formato regna un'atmosfera uggiosa, da *club*, da partito. Si soffoca! Per questo non mi piacciono e non mi seduce l'idea di lavorarvi. Lo spirito di partito, specie se mediocre e arido, non ama la libertà e l'ampiezza d'orizzonte.

Arrivederci, mio caro. Ancora una volta grazie. Salutatemi la vostra famiglia, i comuni conoscenti, e venite per carnevale. Mangeremo le frittelle... Portate anche Ščeglov.

State sano e siate felice.

Vostro   A. Čechov

AD ALEKSEJ N. PLEŠČEEV

Mosca, 3 febbraio 1888

Salve, caro Aleksej Nikolaevič! Ho terminato *La steppa* e la spedisco. Non avevo il becco d'un quattrino e d'un tratto mi son ritrovato con un capitale. Volevo scrivere una trentina o una cinquantina di pagine e ne ho scritte almeno ottanta. Non essendo avvezzo alle cose lunghe, mi sono affaticato, arrovellato, ho scritto con un certo sforzo e adesso sento d'aver fatto parecchie sciocchezze.

Vi prego d'essere indulgente!

Il soggetto di *Steppa* non ha importanza; se l'opera avrà un minimo di successo, mi servirà di base per un romanzo, e continuerò. Ci troverete qualche figura meritevole d'attenzione e d'una piú ampia rappresentazione.

Mentre scrivevo sentivo intorno a me odore d'estate e di steppa. Sarebbe bello andare laggiú!

Per amor di Dio, mio caro, non fate complimenti e scrivetemi che la mia novella è bruttina e dozzinale, se cosí è realmente. Ho un vivissimo desiderio di sapere la verità nuda e cruda.

Se la direzione la troverà adatta al «Messaggero del Nord», sono ben lieto di far cosa grata ad essa e ai suoi lettori. Adoperatevi affinché la mia *Steppa* entri tutta intera in un solo numero, giacché spezzettarla è impossibile, della qual cosa vi convincerete voi stesso leggendola. Chiedete che mi tengano da parte alcuni estratti, da mandare a Grigorovič, a Ostrovskij... Quanto all'anticipo, ne abbiamo già parlato. Aggiungerò solamente che piú presto lo riceverò, tanto meglio sarà, poiché sono ridotto al lumicino come la pulce della barzelletta di Weinberg. Se l'editrice chiede la cifra degli onorari, ditele che mi rimetto ai suoi voleri, ma che nel profondo dell'anima io, miserabile peccatore, sogno duecento rubli a sedicesimo.

Scusate il disturbo. Se camperemo, la sorte m'offrirà forse una buona occasione per ricambiarvi il servigio!

La steppa è scritta su quarti di foglio staccati. Quando riceverete il plico, tagliate i fili.

Arrivederci e siate felice.

Mi riposo. Domani farò un salto da Ostrovskij. Salutatemi la vostra famiglia e Ščeglov.

Il vostro devotissimo esordiente   *Antoine* Čechov

Piú che a una novella, la mia *Steppa* somiglia a un'enciclopedia della steppa.

A DMITRIJ V. GRIGOROVIČ

Mosca, 5 febbraio 1888

Caro Dmitrij Vasil'evič,

ieri l'altro ho terminato e spedito al «Messaggero del Nord» la mia *Steppa*, di cui vi avevo già scritto. M'è venuta d'un'ottantina di pagine, e forse piú. Se non la scartano, apparirà nel numero di marzo; vi manderò un estratto, ho già scritto in proposito alla direzione.

Lo so, dall'altro mondo, Gogol' s'adirerà contro di me. Nella nostra letteratura è lui lo zar della steppa. Io sono penetrato nei suoi possessi con buone intenzioni, ma ho detto non poche sciocchezze. I tre quarti della novella non mi sono riusciti.

Verso il 10 gennaio vi mandai due lettere: una mia e l'altra di Davydov. Le avete ricevute? Tra l'altro, vi parlavo del vostro progetto – il suicidio d'un ragazzo diciassettenne. Ho fatto un debole tentativo per servirmene. Nella mia *Steppa* faccio passare attraverso tutti gli otto capitoli un ragazzo di nove anni, il quale, capitando poi a Piter o a Mosca, finirà sicuramente male. Se *La steppa* avrà un successo sia pur modesto, la continuerò. L'ho scritta di proposito in modo che dia l'impressione d'un'opera incompiuta. Come vedrete, somiglia alla prima parte d'un romanzo. Quanto al ragazzino, perché l'abbia raffigurato cosí e non altrimenti, ve lo racconterò dopo che avrete letto *La steppa*.

Non so se vi ho capito bene. Il suicidio del vostro giovinetto russo è un fenomeno specifico, sconosciuto in Europa. Tutta l'energia dell'artista deve esser rivolta a due forze: l'uomo e la natura. Da un lato la debolezza fisica, il nervosismo, una precoce maturità sessuale, un'appassionata sete di vita e di verità, una povertà di cognizioni accanto all'ampio volo del pensiero; dall'altro la piana sconfinata, il clima rigido, la gente grigia, arcigna, con la sua storia fredda e dolorosa, il malgoverno alla tartara, la burocrazia, la povertà, l'ignoranza, lo squallore delle capitali, ecc. La vita russa schiaccia l'uomo finché di lui non rimane neppure una chiazza d'umidità, lo schiaccia come farebbe una roccia di mille *pud*. Nell'Europa occidentale la gente va in malora perché vive allo stretto e le manca l'aria, da noi invece perché ha troppo spazio, c'è una tale vastità che il piccolo uomo non ha la forza d'orientarsi...

Ecco quel che penso dei suicidi russi...

Vi ho capito bene? D'altronde è impossibile parlarne in una lettera, sarebbe troppo lungo. Questo è un tema per una conversazione; peccato che non siate in Russia!

Laggiú, adesso, ve ne state al caldo e all'asciutto, e sono sicuro che non tossite piú. Fumate tabacco leggero e soprattutto comprate cartine da sigarette di buona qualità. Spesso nelle

cartine c'è assai piú veleno che nel tabacco. Arrivederci! State
sano, allegro e contento.

Vostro sinceramente devoto   Ant. Čechov

A MICHAIL P. ČECHOV

Pietroburgo, 15 marzo 1888

Scrivo queste righe nella redazione di «Tempo Nuovo». In
questo momento è entrato Leskov. Se non me l'impedisce,
terminerò la lettera.

Sono arrivato felicemente ma ho fatto un viaggio orribile
per colpa di quel chiacchierone di Lejkin. M'ha impedito di
leggere, di mangiare, di dormire... Quella carogna non ha fatto che vantarsi e tempestarmi di domande. Appena comincio
ad assopirmi, ecco che lui mi tocca una gamba e chiede:

– Lo sapete che la mia *Sposa di Cristo* è stata tradotta in
italiano?

Sono sceso all'albergo Mosca, ma oggi mi trasferisco alla direzione di «Tempo Nuovo», dove *Mme* Suvorina ha messo a mia disposizione due stanze con pianoforte a coda e sofà a *tournure*. Stare da Suvorin mi metterà alquanto in soggezione.

Ho consegnato i biscotti ad Aleksandr. La sua famiglia è in
buona salute, ben nutrita e ben vestita. Lui non beve affatto,
cosa che mi ha non poco stupito.

Nevica. Fa freddo. Dovunque vado, si parla della mia *Steppa*. Sono stato da Pleščeev, da Ščeglov, ecc., e stasera andrò
da Polonskij.

Ho cambiato rotta. Il pianoforte a coda, l'armonium, il sofà a *tournure*, il cameriere Vasilij, il letto, un caminetto, una
lussuosa scrivania, questi i miei agi. Quanto ai disagi, non si
contano. Basti dire che non m'è possibile tornare a casa brillo
o accompagnato...

Prima di pranzo lunga conversazione con *Mme* Suvorina
sul fatto che essa odia il genere umano e che oggi ha comprato
una camicetta per centoventi rubli.

A pranzo conversazione sull'emicrania; i ragazzi non mi levano gli occhi di dosso e aspettano che dica qualcosa di straordinariamente arguto. Secondo loro, sono un uomo geniale
perché ho scritto la novella *Kaštanka*. Dai Suvorin un cane si

chiama Fëdor Timofeic, l'altro Zietta, il terzo Ivan Ivanyč[1].

Dall'ora di pranzo fino al tè passeggiata su e giú nello studio di Suvorin e filosofia; nel discorso s'immischia a sproposito la consorte, che parla con voce di basso oppure abbaia come un cane. Tè. Durante il tè si discorre di medicina. Finalmente eccomi libero, mi ritiro nel mio studio e non sento piú voci. Domani taglio la corda per tutta la giornata; andrò da Pleščeev, al «Messaggero del Nord», da Polonskij, da Palkin, e rincaserò a notte alta, con le gambe rotte. A proposito: ho una latrina e un ingresso particolari; senza di questo non resterebbe che coricarsi e morire. Il mio Vasilij veste meglio di me, ha una fisionomia distinta, e mi sembra strano vedermelo girare attorno rispettosamente, in punta di piedi, studiandosi di prevenire i miei desideri.

Insomma, è scomodo esser letterati.

Ho sonno, ma i miei ospiti vanno a letto alle tre. Qui non si cena, ma sono troppo pigro per andare da Palkin.

Ho l'onore di riverirvi. Saluti a tutti voi.

Non ho voglia di scrivere, e poi mi disturbano.

Votre à tous

A. Čechov

Notte. Si sentono cozzare le palle da biliardo; è Gej che gioca con il mio Vasilij. Accanto al letto trovo un bicchiere di latte e un pezzo di pane; ho fame. Mi corico e leggo l'almanacco di «Libellula».

Ed ecco tutto ciò che d'intelligente e di grande ho saputo fare arrivando a Pietroburgo.

A LEONID N. TREFOLEV

Mosca, 14 aprile 1888

Egregio Leonid Nikolaevič!

In questi giorni un individuo sospetto si presenterà a voi con un mio biglietto da visita... Dmitrij Ivanov, contadino, d'anni 12, sa leggere e scrivere, orfano, sprovvisto di carta d'identità, ecc. ecc. Stando a quel che dice, è arrivato a Mosca da Jaroslavl insieme con la madre; poi la madre è morta e

---

[1] Personaggi della novella *Kaštanka*.

lui è rimasto sul lastrico. A Mosca abitava nella «fortezza Ar-
žanovskaja»[1] e campava d'elemosina. Questa professione,
come ve ne accorgerete anche voi, ha influito fortemente su
di lui: è pallido, magro, mente a tutto spiano, inventa malattie, ecc. Alla mia domanda se vorrebbe tornare al paese, cioè
a Jaroslavl, ha risposto di sí. Mia sorella ha racimolato per lui
qualche soldarello e un vestituccio, e domani la nostra cuoca
l'accompagnerà alla stazione.

Il ragazzo dice d'avere una zia a Jaroslavl, ma di non cono-
scerne l'indirizzo. Se da voi esiste l'anagrafe, potreste indica-
re al monelletto la via da seguire per ritrovare nella vostra città la zia o lo zio? Dove deve andare? Alla polizia? Al municipio? Può vivere a Jaroslavl senza carta d'identità? In caso negativo a chi rivolgersi per ottenerla? Sa leggere e scrivere e afferma di voler lavorare. Se non mente, si potrebbe trovargli
un posticino qualsiasi? In una tipografia, per esempio?

Un mio buon conoscente, sovrintendente d'un grande collegio, ha regalato al monello, prelevandoli dalla dotazione del
suo istituto, i seguenti capi di vestiario: un paio di stivali, un
vestito di stoffa grigia, un grembiulone, un vestito di tela d'o-
lona, due paia di mutande e due camicie. Quando il ragazzetto si presenterà a voi, dichiarategli che già sapete che egli possiede tutta questa roba, che siete un uomo potentissimo e che
se venderà o perderà qualche capo di vestiario, oppure barat-
terà i calzoni con pan di spezie, si procederà contro di lui con
tutto il rigore della legge. Ditegli anche che se viene a mancare qualcosa, Bismarck pronunzierà un discorso al Reichstag e
Sadi Carnot andrà a far visita a Freycinet.

Se non si presenta da voi, bisognerà con rammarico concludere che è tornato indietro a Mosca, ha venduto vestiario e
biglietto, ossia ci ha ingannati.

Scusate, vi prego, se appena all'inizio della nostra amicizia
mi prendo l'ardire d'infastidirvi con una preghiera e con varie
incombenze. Non ne ho alcun diritto, ma mi conforta la speranza che capirete i motivi per i quali vi ho disturbato, e in
avvenire mi permetterete di ricambiarvi il servigio.

Non ho ricevuto la foto che m'avete promesso. Forse avete
mutato parere, ma io l'aspetto egualmente.

Se risponderete a questa lettera prima di maggio, indirizzate: Mosca, Kudrinskaja-Sadovaja, casa Korneev; dopo in-

---

[1] Asilo notturno di Mosca.

dirizzate la lettera (con foto) come segue: Sumy, Govern. di
Char'kov, podere di A. V. Lintvarëva.

Poco tempo fa sono stato a Piter. Una bella, operosa città.
Mosca dorme e ammuffisce. Tutti noi ci siamo coagulati e ri-
dotti a gelatina. Ho litigato con L. I. Pal'min, poi abbiamo ri-
fatto la pace.

State sani e perdonate il disturbo arrecatovi dal vostro devotissimo

A. Čechov

AD ALEKSANDR P. ČECHOV

Mosca, 26 aprile 1888

Paperonzolo!

Rispondo alla tua ultima lettera. Prima di tutto t'invito a
radunare il tuo sangue freddo e a guardare il fondo delle cose.
In secondo luogo ti comunico quanto segue:

I tuoi bambini si possono sistemare, ma alla condizione *sine
qua non* che tu garantisca davanti a chi o a cosa vuoi, che né il
terremoto né il diluvio né il fuoco né la guerra né la peste potranno impedirti d'esser puntuale, vale a dire d'inviare in un
determinato giorno del mese una determinata quantità di rubli. Tutto sta nei quattrini. Né la devozione del nonnino, né
la bontà delle nonnette, né i teneri sensi del babbino, né la generosità degli zietti... *nulla li può sostituire*. Ricordatene come
me ne ricordo io ogni minuto. Se sai d'essere in grado d'a-
dempiere questa condizione, continua pure a leggere.

Cinquanta rubli al mese sono sufficienti. Di meno non è
possibile. I bambini passeranno sotto la ferula della nonna...
Di quale? Non di Evgenija Jakovlevna... Abitare da Evgenija
Jakovlevna significa abitare da me... Ma da me *si sta allo stretto* e per i bambini non c'è assolutamente posto. Pago settecen-
tocinquanta rubli di pigione... Aggiungendo altre due stanze
per i bambini, la bambinaia e le loro masserizie, l'alloggio verrebbe a costare novecento rubli... Del resto, in qualsiasi appartamento spazioso noi staremmo allo stretto. Tu sai che in
casa mia c'è un assembramento di persone adulte che vivono
sotto il medesimo tetto soltanto perché, in virtú di certe mi-
steriose circostanze, non possono separarsi... Con me stanno
la mamma, nostra sorella, lo studente Miška (il quale non se

ne andrà nemmeno quando avrà terminato gli studi), Nikolaj, che non fa nulla, è stato piantato dalla sua bella, è sempre ubriaco e sbracato, la zia e Alëša (gli ultimi due fruiscono soltanto dell'alloggio). A questo aggiungi che dalle tre del pomeriggio fino a notte e tutti i giorni di festa s'aggira per casa anche Ivan, e che di sera viene il babbo... Tutta gente molto cara, allegra, ma permalosa, piena di pretese, straordinariamente loquace, che pesta i piedi e non ha soldi... Mi fa girar la testa... Se a tutto ciò aggiungessi due letti per i bambini e la bambinaia, dovrei tapparmi le orecchie con la cera e mettermi gli occhiali neri... Avessi moglie e figli, prenderei volentieri in casa anche una dozzina di bambini, ma nella famiglia attuale, oppressa dall'anormalità della convivenza obbligata, rumorosa, disordinata nelle faccende di denaro e artificiosamente appiccicata insieme, non oso accogliere qualcuno in piú, e per giunta qualcuno che dev'essere educato e avviato alla vita. Ai primi di maggio, inoltre, *tutta* la mia famigliola parte per il sud. Portare i bambini avanti e indietro sarebbe scomodo e costoso.

I tuoi figli potrebbero vivere dalla prozia Fedosja Jakovlevna. Ne ho già parlato con lei, le ho detto i tuoi e i miei motivi, ed essa ha acconsentito di buon grado. Aleksej è un brav'uomo e anche lui, probabilmente, non avrà nulla in contrario.

Stare da lei presenta per i bambini non pochi vantaggi: 1) la tranquillità, 2) la benevolenza dei padroni di casa, 3) l'assenza di motivi d'eccitazione quali la musica, le visite, la bigotteria che guarderebbe di malocchio i frutti d'una unione illegittima, ecc.

Per cinquanta rubli la zia darebbe ai bambini alloggio, vitto, servitú e la mia consulenza medica (diciotto-venticinque per la pigione, la legna la provvede Alëša, cinque-sei rubli per la bambinaia, il resto andrebbe per il vitto e le spese eventuali). Condizione: tu o la domestica dovete portare i bambini da Piter; a Mosca non c'è nessuno che li possa andare a prendere. Per il primo settembre bisognerà trovar casa. Fino allora i bambini staranno con la zia nel mio appartamento, quindi basterà mandare venticinque rubli al mese.

Ho mal di capo; probabilmente la lettera è scritta in modo incoerente. Se è cosí, peccato. In generale ho la testa confusa. Credo che mi capirai. Cioè, puoi anche non capire me e il mio intimo, ma cerca di capire i miei argomenti e le mie considerazioni. Scrivi a me, non alla zia. A lei scriverai dopo, quando ci saremo messi d'accordo, altrimenti si faranno molti discorsi inutili. M'hanno intontito a furia di chiacchiere. Sta' sano e cerca di farti coraggio.

Il tuo

A. Čechov

Strappa questa lettera. In genere, prendi l'abitudine di strappare la corrispondenza, se no andrà in giro per tutta la casa. Nell'estate vieni da noi nel sud. Si spende poco.

A MARIJA P. ČECHOVA

Feodosija, 14 luglio 1888

Mademoiselle sorella!

Fa un caldo soffocante, per cui mi toccherà scriver poco e brevemente. Tanto per cominciare, sono vivo e vegeto, tutto procede bene, per il momento ho ancora soldi... Il polmone non si fa sentire, ma si fa sentire la mia coscienza perché non faccio niente e poltrisco. Il viaggio da Sumy a Char'kov è noiosissimo. Da Char'kov a Lozovaja e da Lozovaja a Simferopol' c'è da crepar di malinconia. La steppa della Tauride è triste, monotona, senza orizzonti, scialba come i racconti di Ivanenko e, tutto sommato, assomiglia alla tundra. Guardandola, mentre attraversavo la Crimea, pensavo: «In questo, Saša, io non vedo nulla di buono»... A giudicare dalla steppa, dai suoi abitanti e dall'assenza di ciò che è bello e affascinante nelle altre steppe, la penisola di Crimea non ha né può avere un brillante avvenire. Da Simferopol' incominciano i monti e con essi anche la bellezza. Crepacci, montagne, crepacci, montagne; dai crepacci spuntano i pioppi, sui monti nereggiano i vigneti – il tutto inondato dalla luce lunare, selvaggio, nuovo, rievoca alla fantasia il motivo della *Terribile vendetta* di Gogol'. Particolarmente fantastico è l'alternarsi di precipizi e di gallerie, quel vedere ora abissi pieni di luce lunare, ora tenebre infauste, impenetrabili... È un po' pauroso e nello stesso tempo piacevole. Si sente qualcosa di non russo, di straniero. A Sebastopoli sono arrivato di notte. La città in sé è bella, bella anche perché sorge in riva a un mare stupendo. La cosa migliore è il colore, che non si può descrivere. Sembra solfato di rame. Quanto ai piroscafi e alle navi da guerra, alle baie e ai porti, quello che prima di tutto colpisce è la povertà dei russi.

Tranne le *popovki*[1], somiglianti a mercantesse moscovite, e due o tre vapori passabili, non c'è nel porto nulla che valga, e mi stupisco del nostro capitano *Michel* il quale è riuscito a vedere a Sebastopoli non solo la flotta inesistente, ma anche tutto quello che non c'è. Ho pernottato in un albergo col proprietario terriero Krivobok, di Poltava, col quale avevo fatto amicizia durante il viaggio.

Abbiamo cenato con cefali lessi e polli, ci siamo sbronzati e poi siamo andati a letto. Al mattino un tedio mortale. Caldo, polvere, sete... Il porto puzza di gomene, si vedono passare dei ceffi dalla pelle rosso mattone, si sente rumore di argani, di spruzzi d'acqua, colpi, parole, e ogni specie di sciocchezze poco interessanti. T'avvicini al piroscafo: uomini cenciosi, sudati, riarsi dal sole, inebetiti, con strappi sulle spalle e sulla schiena, scaricano cemento di Portland; ti fermi, guardi, e tutto il quadro comincia ad apparirti cosí estraneo e lontano, che provi un senso di noia insopportabile e nessuna curiosità. Salire in piroscafo e salpare è interessante, ma viaggiare e discorrere coi passeggeri, tutti tipi ormai venuti a noia e antiquati, è piuttosto noioso. Il mare e la costa nuda, monotona, sono belli soltanto per le prime ore, ma presto ci fai l'abitudine; tuo malgrado scendi nella cabina a bere vino. Il littorale non è gran che... Hanno esagerato la sua bellezza. Visti dal piroscafo, tutti quei *gurzuf*, massandri e cedri decantati dai buongustai della poesia, sembrano cespuglietti intisichiti, ciuffi d'ortica, quindi la bellezza si può soltanto intuire, ma per vederla ci vorrebbe un cannocchiale molto potente. La valle dello Psël con Sarami e Raševka è assai piú varia e ricca di contenuto e di colori. Guardando la costa dal battello, ho capito perché non abbia ancora ispirato nessun poeta e non abbia offerto un soggetto a nessun narratore ammodo. Medici e signore le hanno fatto la *réclame* – in questo sta tutta la sua virtú. Jalta è un miscuglio d'europeo, tipo cartoline di Nizza, con un certo che di piccolo-borghese e d'ambiente da fiera. Alberghi a forma di scatola, in cui languiscono i disgraziati tubercolosi, impudenti ceffi tartari, *tournures* con una troppo palese espressione di qualcosa di molto abietto, musi di ricchi fannulloni assetati d'avventure volgari, odore di profumeria in luogo dell'odore dei cedri e del mare, il porto miserabile, lurido, i tristi fari in lontananza, le chiacchiere delle signore e

---

[1] Guardacoste corazzati, di forma rotondeggiante, cosí chiamati dal nome del loro costruttore, l'ammiraglio Popov.

dei cavalieri affluiti quaggiú per godere una natura di cui non capiscono nulla – tutto questo messo insieme produce un'impressione cosí deprimente ed è cosí suggestivo, che incominci ad accusarti di prevenzione e parzialità.

Ho dormito bene, in una cabina di prima classe, in un letto. Alle cinque di mattina sono arrivato a Feodosija, una cittaduzza bruno-grigiognola, dall'aspetto malinconico e annoiato. Niente erba, alberelli stenti, una terra di grana grossa, irrimediabilmente magra. Tutto è bruciato dal sole, sorride soltanto il mare cui non importa nulla delle meschine cittaduzze e dei turisti. Fare il bagno è cosí bello che dopo il primo tuffo mi sono messo a ridere senza alcun motivo. I Suvorin, che abitano nella piú bella delle ville, sono stati lieti di vedermi; è risultato che la mia camera era pronta da un pezzo e che m'aspettavano per cominciare le escursioni. Un'ora dopo il mio arrivo m'hanno portato a colazione da un tartaro, un certo Murza. Qui s'era adunata una gran compagnia: i Suvorin, il capo procuratore marittimo, sua moglie, i pezzi grossi del posto, Ajvazovskij... Hanno servito circa otto pietanze tartare, molto saporite e grasse. La colazione s'è protratta fino alle cinque e ci siamo ubriacati come ciabattini. Murza e il procuratore (un uomo d'affari pietroburghese ancor giovane) hanno promesso di condurmi nei villaggi tartari e di mostrarmi gli harem dei ricconi. Ci andrò, naturalmente.

Fa troppo caldo per scrivere. Non credo che resisterò a lungo in quest'afa. Tornerò presto, benché i Suvorin vogliano trattenermi fino a settembre.

Con i Suvorin discorsi interminabili. Lei cambia abito ogni ora, canta romanze con molto sentimento, litiga e chiacchiera senza posa. È una donna turbolenta, volubile, fantastica e originale fino al midollo delle ossa. Con lei non ci si annoia.

Vado in città. Ciao. Saluti a tutti. Scriverò ancora. L'almanacco con il denaro l'ho nella valigia.

Tuo   A. Čechov

Vi manderò dei soldi.

A MARIJA P. ČECHOVA

Feodosija, 22 luglio 1888

Cari famigliari! Con la presente v'annunzio che domani parto da Feodosija. È la mia pigrizia che mi scaccia dalla Crimea. Non ho scritto un rigo e non ho guadagnato una copeca; se la mia ignobile poltroneria dura ancora una o due settimane, rimarrò senza un soldo e la famiglia Čechov sarà costretta a svernare a Luka. Sognavo di scrivere in Crimea una commedia e due o tre racconti, ma ho scoperto che sotto il cielo del sud è assai piú facile volar da vivi in paradiso che scrivere un rigo. M'alzo alle undici, mi corico alle tre di notte, tutto il giorno mangio, bevo e parlo, parlo, parlo a non finire. Sono diventato una macchina da discorrere. Anche Suvorin sta in ozio, e insieme abbiamo risolto di nuovo tutti i problemi. Una vita satolla, colma come una coppa, una vita che assorbe... Dolce far niente sulla spiaggia, *chartreuse, cruchons*, fuochi artificiali, cene gioconde, bagni, gite, romanze – tutto ciò rende le giornate brevi e appena percepibili; il tempo vola, vola, la testa sonnecchia al rumore delle onde e non vuol saperne di lavorare... Giornate caldissime, notti afose, asiatiche... No, bisogna partire!

Ieri sono andato a Šach-mamaj, il podere di Ajvazovskij, a venticinque verste da Feodosija. Una proprietà magnifica, quasi fiabesca, forse in Persia se ne possono vedere di simili. Ajvazovskij, un arzillo vecchietto sui settantacinque anni, è una specie d'incrocio fra un armeno bonario e un vescovo ben pasciuto; ha un alto concetto dei suoi meriti, ha mani morbide e le porge come un generale. Di mente limitata, è però una natura complessa e degna d'attenzione. Ha qualcosa di un generale, di un vescovo, di un artista, di un armeno, di un nonnino ingenuo e di Otello. È sposato con una donna giovane, molto bella, e la fa rigar dritto. Conosce sultani, scià ed emiri. Ha scritto insieme con Glinka *Ruslan e Ljudmila*. È stato amico di Puškin, ma non ha mai letto le sue opere. In vita sua non ha mai letto un libro. Quando gli propongono di leggere, dice: «A che pro, visto che ho già le mie opinioni?» Ho trascorso da lui un'intera giornata e ci ho pranzato. Un pranzo lungo, monotono, con interminabili brindisi. Tra l'altro ho conosciuto la dottoressa Tarnovskaja, moglie del famoso professore. È una grossa, obesa palla di ciccia. Se la mettessero nuda e la pitturassero di verde, ne verrebbe fuori una rana di padule. Dopo aver conversato con lei, l'ho radiata mentalmente dall'elenco dei medici...

Vedo molte donne; la migliore fra esse è la Suvorina. È originale quanto suo marito e non ha una mentalità femminile. Dice molte cose assurde, ma quando vuol parlare sul serio lo fa con intelligenza e con uno spirito indipendente. Ha una cotta per Tolstoj, e quindi detesta di tutto cuore la letteratura contemporanea. Quando t'intrattieni con lei di letteratura senti che Korolenko, Bežeckij, io e gli altri siamo suoi nemici personali. Possiede un talento straordinario per chiacchierare senza posa di sciocchezze, chiacchierare con genialità e in modo divertente, cosicché si può ascoltarla tutto il giorno senza fastidio, come un canarino. Insomma, è una persona interessante, piena d'ingegno e buona. La sera se ne sta seduta sulla sabbia in riva al mare e piange, la mattina ride a gola spiegata e canta romanze zigane...

Delle due l'una: o torno difilato a casa o me ne vado in capo al mondo. Nel primo caso, aspettatemi fra una settimana, nel secondo invece non aspettatemi fra una settimana.

Saluti ad Aleksandra Vasil'evna, a Zinaida Michajlovna, all'egregia collega, a Natal'ja Michajlovna, a Pavel e Georgij Michajlovič e a tutti i cristiani ortodossi. Un saluto anche ad Antonida Fëdorovna e al suo pupetto.

In questo momento la Suvorina sta nella mia stanza e geme: «Fatemi leggere la lettera». Geme e impreca. Vado subito in città.

Il denaro ve lo manderò in questi giorni.

I soldi per comprare un poderetto *ci sono*: duemila rubli. Suvorin m'ha regalato due barche e un carrozzino. Le barche, a quanto dicono, sono magnifiche. Farò in modo che le spediscano allo Psël. Sono state acquistate presso lo *yacht-club* di Pietroburgo. Una è a vela.

Bacio la mano alla mamma. Spero che tutti abbiano da mangiare, che ci sia tabacco, ecc. Non lesinate. Tanto meno lesinate in quanto non ci sono quattrini.

Baci a tutti.

A. Čechov

AD ALEKSEJ S. SUVORIN

Sumy, 29 agosto 1888

Il due settembre, egregio Aleksej Sergeevič, finisce la mia estate e torno a Mosca. L'indirizzo rimane quello dello scorso anno, cioè casa Korneev, Kudrinskaja-Sadovaja, Mosca. Quando tornerete a Piter, passando da Mosca venite a trovarmi, se avete tempo, o per lo meno avvertitemi, verrò a salutarvi e ad accompagnarvi da una stazione all'altra.

Tutti questi giorni ho rimuginato sul vostro dizionario enciclopedico. Se lo pubblicate davvero, fatemelo sapere in tempo: vi comunicherò le mie riflessioni che forse vi saranno utili.

Son tornato ieri l'altro dal governatorato di Poltava. Ho adocchiato una cascina, ma non mi son messo d'accordo sul prezzo e ho fatto marcia indietro. Laggiú sono capitato per l'appunto durante la trebbiatura. Un raccolto magnifico. Chi ha seminato frumento, nonostante i prezzi bassi ha avuto un utile netto di settanta o ottanta rubli per *desjatina*; quanto alla segala, le spighe sono cosí piene che in mia presenza una trebbiatrice da sei cavalli vapore ha trebbiato in un giorno solo duecento quintali, e gli operai erano spossati, cosí pesanti erano i covoni! È un lavoro faticoso, ma divertente come un ballo. Da bambino, vivendo col nonno nella tenuta del conte Platov, mi toccava star giorni e giorni dall'alba al tramonto accanto alla trebbiatrice per registrare i *pud* e le libbre di grano trebbiato; i fischi, il crepitio e il rumore cupo, simile a quello d'una trottola, che la macchina fa nel pieno del lavoro, il cigolio delle ruote, l'andatura pigra dei buoi, i nugoli di polvere, le facce nere e sudate d'una cinquantina di uomini – tutto questo mi si è impresso nella memoria, come il Padre nostro. Anche questa volta son rimasto ore e ore a guardare la trebbiatura e mi sentivo straordinariamente felice. La macchina, quando lavora, sembra viva; ha un'aria astuta, maliziosa; gli uomini e i buoi, invece, sembrano macchine. Nel distretto di Mirgorod sono rari quelli che possiedono in proprio un locomobile, ma chiunque può prenderlo a nolo. La trebbiatrice esercita la prostituzione, cioè viaggia per tutto il distretto, tirata da sei buoi, e si offre a chi la desidera. Costa quattro copeche a *pud*, cioè circa quaranta rubli al giorno. Oggi ronza in un posto, domani in un altro, e dappertutto il suo arrivo è un avvenimento non meno importante della visita del vescovo.

Il podere che ho visto m'è piaciuto. È un posticino molto accogliente e poetico. Una terra ottima, prati irrigui, stagno, frutteto, e nel frutteto una profusione di frutta, vivaio per i pesci e un viale di tigli. È situato fra due grossi villaggi, Chomutec e Bakumovka, dove non c'è nemmeno un medico, sicché potrebbe diventare sede d'un ottimo ambulatorio. Tutto è a buon prezzo [...] Col proprietario, un cosacco, non mi sono accordato per una differenza di trecento rubli. Piú di quanto gli offro non posso dare né darò, giacché chiede oltre il lecito. Se per caso accetta, lascerò a un amico la procura per l'atto di compera e chi sa che prima d'ottobre non entri nel consesso degli Špon'ka e dei Korobočka. Se l'affare si conclude, approfitterò della vostra offerta e prenderò da voi un millecinquecento rubli, ma, per favore, alla condizione *sine qua non* che considererete il mio debito un debito, cioè non lasciandovi trascinare né dalla parentela né dall'amicizia, non m'impedirete di rimborsarvi, non mi farete riduzioni o sconti, altrimenti questo debito mi metterà in una posizione che potete intuire. Fino a oggi, ogni volta che ero in debito, diventavo ipocrita – una situazione da far diventare nevrastenici. In genere, in cose di denaro, sono estremamente ombroso e bugiardo contro la mia stessa volontà. Vi dirò con franchezza e in confidenza che quando cominciai a lavorare per «Tempo Nuovo» mi sentivo come in California (prima d'allora non guadagnavo piú di sette o otto copeche a riga) e mi ripromisi di scrivere quanto piú possibile per guadagnare di piú – e in questo non c'è nulla di male; ma ora che vi ho conosciuto piú da vicino e siete divenuto per me un amico, la mia diffidenza s'è inalberata e il lavoro per il giornale, in confronto alla riscossione del compenso, ha perduto per me il suo vero valore; ho cominciato a parlare e a promettere piú che a fare. Tutto questo è sciocco, mortificante, e dimostra solamente che do troppa importanza al denaro, ma non posso farci nulla. Soltanto se i nostri rapporti divenissero meno cordiali, mi risolverei forse a occupare nel giornale una ben precisa situazione economica e di lavoro, ma per il momento continuerò a essere per voi un uomo inutile. In qualità di buon conoscente trafficherò attorno al giornale e al dizionario enciclopedico, accetterò *pour plaisir* una rubrica in quest'ultimo; ogni tanto, una volta al mese, scriverò un «racconto del sabato», ma di assumere un lavoro stabile non me la sento, nemmeno per un milione, nemmeno se mi scannate. Ciò non significa che sia con voi piú cordiale e piú schietto degli altri; significa che sono terribilmente guastato dal fatto d'esser nato e cresciuto, d'aver studiato e cominciato a scrivere in un ambiente in cui si dà un'importanza eccessiva al denaro. Scusate questa spiacevole franchezza; era necessario chiarire una volta per sempre quello che può sembrare incomprensibile.

A ogni buon conto ho scritto a mio fratello di lasciare in cassa il ricavo dei libri e il venticinque per cento del mio compenso. In tal modo il debito potrà essere estinto in un anno e mezzo o due.

Ieri una lettera m'ha portato una terribile notizia. Il figlio del defunto A. N. Ostrovskij è morto di difterite alla vigilia delle nozze; dopo il funerale la sua fidanzata s'è avvelenata con l'acido fenico; il fratello della sposa è caduto da cavallo e s'è ferito.

Addio, state sano. Il farmacista ha ordinato la fenacetina? Saluti ad Anna Ivanovna, ad Aleksej Alekseevič, alla sua famiglia, ai Vinogradov e figli. Se compro la cascina, comincerò a diramare inviti per la mia stazione climatica. Ad Aleksej Alekseevič manderò la pianta della località.

Dio vi conceda la pace dell'anima e coraggio.

Cordialmente vostro   A. Čechov

Per qualche tempo smetterò di scrivere cose lunghe e tornerò ai piccoli racconti. Ne sentivo la mancanza.

Se Aleksej Alekseevič mi scrive, indirizzi pure a Mosca.

AD ALEKSEJ S. SUVORIN

Mosca, 11 settembre 1888

Credo che questa lettera vi troverà ancora a Feodosija, egregio Aleksej Sergeevič.

Accetto con piacere di correggere le bozze della «esculapia» moscovita per il vostro almanacco e se vi accontento, ne sarò ben lieto. Non me l'hanno ancora mandate, ma probabilmente non tarderanno. Mi darò d'attorno, ci metterò le mani da padrone e farò quel che posso, ma temo che mi riesca diversa da quella pietroburghese, cioè piú grassa o piú magra. Se il mio timore vi sembra fondato, telegrafate alla tipografia di mandarmi per mia norma anche le bozze pietroburghesi. Non starebbe bene se nella medesima rubrica Pietroburgo rappresentasse la parte della vacca magra e Mosca quella della grassa, o viceversa; alle due capitali vanno resi gli stessi onori o semmai a Mosca ne vanno resi di meno.

Approfittando dell'occasione, inserirò nel testo: «I manicomi in Russia» – un problema nuovo che interessa medici e funzionari dello *zemstvo*. Darò soltanto un breve elenco. L'anno prossimo, col vostro permesso, m'incaricherò di tutta la parte medica del vostro almanacco, adesso invece mi limiterò a versare vino nuovo nei vecchi otri; di piú non posso fare, non avendo per ora né un piano né materiali sotto mano.

Voi mi consigliate di non inseguire due lepri in una volta e di non pensare a occuparmi di medicina. Non so perché non si possano inseguire due lepri, anche nel senso letterale della frase. Purché ci siano i segugi, le lepri si possono inseguire. Di segugi, secondo ogni probabilità, non ne ho (questa volta in senso traslato), ma mi sento piú alacre e piú contento di me quando so d'aver due cose da fare e non una sola... La medicina è la mia legittima moglie e la letteratura è la mia amante. Quando la prima mi secca, vado a dormire dall'altra. Sarà forse immorale, ma in compenso non è cosí noioso, e per di piú la mia infedeltà non fa torto a nessuna delle due. Se non avessi la medicina, difficilmente dedicherei alla letteratura i miei ozi e i miei pensieri superflui. Io sono un essere indisciplinato.

Nella mia ultima lettera vi ho scritto molte assurdità (ero d'umor nero); v'assicuro però sulla mia parola che, parlando delle nostre relazioni, non mi riferivo a voi, ma soltanto a me. Le vostre offerte d'anticipi, la simpatia che m'avete dimostrato, e via dicendo, hanno sempre avuto il loro vero senso per me; bisogna conoscervi male e nello stesso tempo essere nevrastenico a diciotto carati per subodorare una pietra nel pane che offrite. Dilungandomi sulla mia ombrosità, avevo presente soltanto una mia personale e leggiadra caratteristica, per cui quando ho pubblicato un racconto su un giornale, mi perito di stamparne un altro subito dopo, affinché le persone dabbene come me non pensino che pubblico troppo spesso per guadagnare di piú... Scusate, per amor di Dio, se ho intavolato cosí a sproposito questa imbarazzante e inutile «polemica».

Oggi ho ricevuto una lettera di Aleksej Alekseevič. Trasmettetegli il mio consiglio, fondato sull'esperienza: faccia rigar dritto i signori artisti, li tenga sempre in sospetto e non si fidi mai di loro, per quanto cari ed eloquenti siano. Dite a lui e, se capita, anche a Borja, che io conosco la cavallerizza Godefroy. Non è affatto bella. Tranne l'«alta scuola» e ottimi muscoli, non ha niente, tutto il resto è comune e volgare. A giudicare dalla faccia, dev'essere una brava donna.

La signorina (di Sumy) che mi pregò di non venire da voi, si riferiva all'«orientamento», allo «spirito», non al difetto di cui parlate. Essa paventava la vostra influenza politica sulla mia riverita persona. Sí, questa signorina è un'anima buona e pura, ma quando le chiesi come conoscesse Suvorin e se avesse mai letto «Tempo Nuovo» si confuse, rimase perplessa e disse: «Insomma, non vi consiglio d'andarci». Sí, le nostre signorine e i loro cavalieri politicanti sono anime pure, ma i nove decimi della loro purezza d'animo non valgono un fico secco. Tutta la loro inoperosa santità e purezza è fondata su ingenue e nebulose antipatie e simpatie verso le persone e le etichette, non verso i fatti. È facile esser puri, quando sei capace di odiare il diavolo perché non lo conosci, e di amare Dio perché non hai abbastanza cervello per dubitare della sua esistenza.

Saluti a tutti.

Vostro

A. Čechov

AD ALEKSEJ S. SUVORIN

Mosca, 10 ottobre 1888

La notizia del premio ha prodotto un effetto sbalorditivo. Ha attraversato la mia casa e Mosca come il formidabile tuono di Zeus immortale. Tutti questi giorni vado attorno come un innamorato; la mamma e il babbo dicono enormi sciocchezze e sono indicibilmente felici, mia sorella che vigila sulla nostra reputazione con la severità e la pignoleria d'una dama di corte ambiziosa e nervosa, va dalle amiche a scampanare la notizia dappertutto, *Jean* Ščeglov disserta sugli Jago letterari e sui cinquecento nemici che mi acquisterò con quei cinquecento rubli. Ho incontrato i coniugi Lenskij e m'hanno fatto giurare che sarei andato a pranzo da loro; ho incontrato una signora, grande amatrice di talenti, e anch'essa m'ha invitato a pranzo; l'ispettore della Scuola d'arti e mestieri è venuto a farmi le congratulazioni e per duecento rubli m'ha comprato *Kaštanka*, per «farci un affare»... Credo che persino Anna Ivanovna, che considera me e Ščeglov come due Rasstrygin, m'inviterebbe adesso a pranzo. I vari X, Y e Z, collaboratori

di «Sveglia», di «Libellula» e del «Gazzettino», sono in sub-
buglio e guardano speranzosi al loro avvenire. Ancora una
volta lo ripeto: i narratori di seconda e terza categoria, che
pubblicano sui giornali, debbono erigermi un monumento o
per lo meno offrirmi un portasigarette d'argento: ho spianato
loro la strada verso le grandi riviste, verso gli allori e i cuori
delle persone dabbene. Questa è per adesso la mia unica bene-
merenza; tutto quello, invece, che ho scritto e per cui m'hanno conferito il premio, non vivrà neppure dieci anni nella memoria degli uomini.

Ho una fortuna da matti. Ho passato un'estate magnifica,
felice, spendendo pochi soldini e senza far debiti troppo grossi. Tutto mi ha arriso: lo Psël, il mare, il Caucaso, il podere e
la vendita dei libri (ogni mese ho riscosso per il mio *Sull'imbrunire*). In ottobre ho guadagnato tanto da saldare metà del
mio debito e ho scritto una novelletta di trentasei pagine, che
m'ha fruttato piú di trecento rubli. È uscita la seconda edizione di *Sull'imbrunire*. E a un tratto, come la grandine dal cielo,
questo premio!

Ho tanta fortuna che comincio a sbirciare il cielo con sospetto. Mi nasconderò in fretta sotto il tavolo e me ne starò
quatto quatto, senza alzar la voce. Finché non mi risolverò al
gran passo, cioè a scrivere un romanzo, mi terrò in disparte,
quieto e umile, a scrivere raccontini senza pretese, commediole; non darò la scalata al monte e non precipiterò giú, ma lavorerò regolarmente, allo stesso ritmo del polso di Burenin. Darò retta a quell'ucraino, che diceva: «Se fossi zar, ruberei cento rubli e mi squaglierei». Finché sono ancora un piccolo zar
nel mio formicaio, ruberò cento rubli e scapperò via. Del resto, ora sto cominciando a scrivere scemenze, mi pare.

In questo momento si parla di me. Il ferro va battuto finché è caldo. Adesso, e anche il 19, quando il premio verrà
conferito ufficialmente, bisognerebbe inserire tre volte di seguito un annunzio sui miei due libri. I cinquecento rubli li
metterò da parte per l'acquisto del podere. Lo stesso farò col
ricavo dei libri.

Che fare con mio fratello? È una vera croce. Quando è sobrio è intelligente, timido, sincero e mite, ma appena s'ubriaca diventa insopportabile. Dopo due o tre bicchierini si eccita
in sommo grado e comincia a raccontar frottole. Ha scritto la
lettera perché aveva una voglia pazza di dire, scrivere, o im-
bastire qualche frottola innocua, ma di grande effetto. Non è
ancora arrivato al punto di soffrire di allucinazioni, perché

beve relativamente poco. Dalle sue lettere so riconoscere quando è in sé e quando è ubriaco: nel primo caso sono profondamente oneste e sincere, nel secondo sono bugiarde da cima a fondo. È un alcoolizzato, questo è indubbio. Che cos'è l'alcoolismo? È una psicosi, tal quale come la morfinomania, l'onanismo, la ninfomania, ecc. Quasi sempre si eredita dal padre o dalla madre, da un nonno o da una nonna. Ma nella nostra famiglia non ci sono ubriaconi. Mio nonno e mio padre prendevano talvolta sbronze solenni, però questo non impediva loro, a tempo debito, di mettersi al lavoro o di svegliarsi per il mattutino. Il vino li rendeva bonari e arguti; rallegrava il cuore e stuzzicava l'ingegno. Mio fratello l'insegnante ed io non beviamo mai *da soli*, non c'intendiamo di vini, possiamo bere finché vogliamo, ma ci svegliamo con le idee chiare. Questa estate io e un professore dell'università di Char'kov ci siamo messi in mente di sbronzarci. Abbiamo bevuto bevuto, e poi abbiamo smesso perché non ci faceva nessun effetto; e al mattino ci siamo svegliati come se niente fosse. Aleksandr e il pittore, invece, diventano come matti dopo due o tre bicchierini, e in certi periodi hanno la smania di bere... Da chi abbiano preso, lo sa Iddio. Io so soltanto che Aleksandr non beve senza un motivo, e si sbronza quando è infelice o scoraggiato. Non conosco il suo indirizzo di casa. Se non vi disturba, mandatemelo, per favore. Gli scriverò una lettera di affettuoso, diplomatico rimprovero. Le mie lettere gli fanno effetto.

Sono lieto che il mio articolo di fondo vada bene. Il racconto sul giovanotto e sulla prostituzione, di cui vi ho parlato, lo manderò alla raccolta Garšin.

In fondo all'anima non sono tranquillo. Ma tutte queste sono inezie. Ossequi e saluti ai vostri. Ho mandato all'almanacco l'elenco dei medici. Ho dovuto rifarlo da cima a fondo. Se permettete, l'anno prossimo m'incaricherò io di tutta la parte medica dell'almanacco. Nell'estate m'occuperò di caccia. State sano e tranquillo.

Vostro

A. Čechov

Maslov mi scrive: «Per la seconda volta mi viene riferito il vostro consiglio di pigliar moglie. Che significa questo, nobile *sir?*»

Vi mando un racconto del maestro Ežov. È acerbo e ingenuo come la sua protagonista Lëlja e appunto per questo è bel-

lo. Ho soppresso tutto quello che c'era di troppo legnoso. Se
non potete utilizzarlo, non buttatelo via. Il mio protetto ne
sarebbe offeso.

AD ALEKSEJ S. SUVORIN

Mosca, 14 ottobre 1888

Ancora una volta, salve, Aleksej Sergeevič! Ieri o oggi *Jean*
Ščeglov vi avrà certo consegnato la mia lettera con accluso il
racconto del mio protetto Ežov. Oggi rispondo alla vostra ultima. Parliamo prima di tutto degli sbocchi di sangue... Li ebbi la prima volta tre anni fa, al Palazzo di Giustizia: durarono
tre o quattro giorni e portarono non lieve scompiglio nella mia
anima e in casa. Una notevole quantità di sangue proveniente
dal polmone destro. Da allora un paio di volte all'anno mi sono accorto che veniva del sangue, ora in abbondanza cioè sino
a colorire intensamente di rosso ogni sputo, ora meno... Ieri
l'altro o forse il giorno prima, non ricordo, ho notato del sangue, anche ieri, oggi invece no. Ogni inverno, nell'autunno e
in primavera, e in ogni giornata estiva un po' umida, ho la tosse. Ma mi spavento soltanto quando vedo il sangue: nel sangue che vien fuori dalla bocca c'è qualcosa di sinistro, come
nel bagliore d'un incendio. Quando non ce n'è, non m'allar-
mo e non profetizzo alla letteratura russa «un'altra perdita».
Il fatto è che la tisi o qualsiasi altra malattia polmonare si dia-
gnostica soltanto dal complesso dei sintomi, e questo complesso io per l'appunto non ce l'ho. Di per sé un'emorragia polmonare non è grave: può capitare che per un giorno intero il sangue esca dai polmoni, esca a zampilli; tutti i famigliari e il malato ne restano atterriti, ma in definitiva l'infermo non muore, e questo è il caso piú frequente. Sicché sappiate a ogni
buon conto che se a qualcuno, notoriamente non tisico, afflui-
sce all'improvviso sangue alla bocca, non bisogna spaventarsi.
La donna può perdere impunemente la metà del suo sangue,
l'uomo un po' meno della metà.

Se l'emorragia che mi colse al Palazzo di Giustizia fosse
stata il sintomo d'una tisi incipiente, da un pezzo sarei all'altro mondo, questa è la mia logica.

Quanto a mio fratello, non posso far altro che ringraziarvi.
Converrete con me che sarebbe brutto lasciare senza alcun
appoggio morale un uomo che soffre d'allucinazioni o raccon-

ta frottole perché è alcoolizzato. Voi avete scritto a me, io ho scritto a lui, ed entrambi abbiamo fatto il nostro dovere. Se non m'aveste avvertito, molte cose mi sarebbero riuscite incomprensibili, il che è peggio di qualsiasi dispiacere.

Per ventiquattr'ore il mio dozzinante, alunno del ginnasio, nipote di Ašanin, è rimasto a letto con quaranta di febbre, mal di capo e delirio. Figuratevi lo spavento generale e il mio in particolare! Sua madre è una donna simpatica come poche. Mi tormentava il problema se telegrafarle o no. Il telegramma l'avrebbe costernata – il ragazzino è il suo unico figlio maschio –, d'altra parte non avevo il diritto di non telegrafarle. Per fortuna il mio pupillo s'è rimesso e il problema s'è risolto da sé. A proposito: dal ginnasio è venuto il professore di lettere del pupillo, un individuo abbrutito, terrorizzato dalle circolari, corto di cervello e odiato dai ragazzi per la sua severità (ha per sistema di prendere gli alunni per le spalle e di scrollarli; immaginate d'essere afferrato per le spalle dalle mani d'un uomo che odiate). Con me era molto impacciato, non ha assolutamente voluto mettersi a sedere e tutto il tempo s'è lagnato dei superiori che trasformano i professori in caporali. Lui e io abbiamo liberaleggiato, abbiamo chiacchierato del sud (ci siamo scoperti conterranei), abbiamo sospirato... Quando gli ho detto: «Come si respira liberamente nei nostri ginnasi del sud!» ha fatto un gesto di desolazione e se n'è andato.

I professori di lettere hanno l'obbligo di recarsi nelle case degli alunni; la loro posizione è idiota, specie quando arrivando dall'allievo trovano una folla d'invitati: tutti si sentono a disagio.

Del *Seduttore di Siviglia* parlerò da Korš, sonderò gli attori, ma è difficile che lo rappresentino. Vedete, occorrono scenari e costumi appositi; e Korš è piuttosto taccagno. E poi non c'è nessuno che possa recitarlo. Se Maslov non ha il tempo di scrivere commedie, consigliategli di fare dei *vaudevilles*... La differenza fra la grande *pièce* e quella in un atto è soltanto quantitativa. Scrivete anche voi alla chetichella un *vaudeville** (sotto uno pseudonimo); anzi, vi iscriverò alla Società drammatica.

State sano.
Vostro   A. Čechov

* Cioè un dramma o una commedia in un atto.

AD ALEKSEJ S. SUVORIN

Mosca, 27 ottobre 1888

Ežov non è un passerotto, ma piuttosto (per parlare il nobile linguaggio dei cacciatori) un cucciolo non ancora diventato cane. Per ora non fa che correre e annusare, e si avventa senza discernimento sia sulle rane che sugli uccelli. È ancora difficile determinare la sua razza e le sue capacità. La sua giovinezza, la sua onestà e integrità, il non essere mai stato rovinato dai giornali parlano in suo favore.

Io professo talvolta l'eresia, ma non sono ancora arrivato a rinnegare i problemi dell'arte in assoluto. Nelle mie conversazioni con i confratelli scrittori insisto sempre sul fatto che non è compito dell'artista risolvere problemi puramente specializzati. Un artista non deve impegnarsi in cose che non capisce. Per i problemi speciali esistono da noi gli specialisti; tocca a loro giudicare la comunità rurale, le sorti del capitale, i danni dell'alcoolismo, gli stivali, le malattie femminili... L'artista, invece, deve giudicare soltanto quello che capisce; il suo campo è limitato come quello di qualsiasi altro specialista, questo lo ripeto e su questo insisto sempre. Che nella sua sfera non vi siano dei problemi, ma nient'altro che delle risposte, lo può dire solo chi non ha mai scritto e non ha mai avuto a che fare con le immagini. L'artista osserva, sceglie, intuisce, associa; già di per sé questi atti presuppongono, nel loro principio, un problema; se fin dall'inizio uno non si pone un problema, non ha nulla da intuire e nulla da scegliere. Per esser breve concluderò con la psichiatria: se all'atto creativo si nega il problema e l'intenzione, bisogna ammettere che l'artista crei senza premeditazione, senza disegno, sotto l'influenza della passione; perciò se qualche autore si vantasse con me d'aver scritto una novella senza intenzione premeditata, ma unicamente per ispirazione, gli darei del pazzo.

Siete nel vero quando esigete dall'artista la consapevolezza del proprio lavoro, ma voi confondete due concetti: *la soluzione del problema* e la sua *giusta impostazione*. Per l'artista soltanto quest'ultima è obbligatoria. In *Anna Karenina* e in *Onegin* non viene risolto alcun problema, eppure queste opere vi soddisfano appieno perché in esse tutte le questioni sono impostate giustamente. Un tribunale ha l'obbligo di porre le domande, poi decidano pure i giurati, ciascuno secondo il suo gusto.

Ežov non ha ancora raggiunto la sua vera statura. L'altro autore che raccomando alla vostra attenzione, Gruzinskij (Lazarev), ha piú talento, ingegno e vigore.

Ho accompagnato alla stazione Aleksej Alekseevič, esortandolo a non coricarsi piú tardi di mezzanotte. Passar la notte a lavorare o a discorrere è nocivo quanto trascorrerla in bagordi. A Mosca egli sembrava piú allegro che a Feodosija; abbiamo vissuto in buona armonia e secondo i nostri mezzi: lui mi ammanniva opere in musica, io cattivi pranzi.

Domani da Korš va in scena il mio *Orso*. Ho scritto un altro *vaudeville*: due parti maschili, una femminile.

Mi scrivete che il protagonista del mio *Onomastico* è un personaggio di cui farei bene a occuparmi. Oh Signore, non sono mica un bruto insensibile, lo capisco da me. Capisco che macello i miei protagonisti, che guasto e spreco del buon materiale... A dirla in coscienza, sarei contento di lavorare sei mesi intorno al mio *Onomastico*. Mi piace prendermela calma, e non trovo nessun fascino nel fatto di pubblicare a precipizio. Volentieri, con piacere, con sentimento e a piccole dosi descriverei *tutto* il mio protagonista, ritrarrei il suo animo durante il parto della moglie, il suo processo, il senso di disgusto dopo l'assoluzione, descriverei la levatrice e i dottori che prendono il tè durante la notte, descriverei la pioggia... Questo non mi procurerebbe che piacere, perché amo scavare e trafficare attorno alle cose. Ma che fare? Ho cominciato il racconto il 10 settembre, con l'idea di doverlo terminare il 5 ottobre al piú tardi; passata quella data, inganno qualcuno e rimango senza quattrini. Il principio lo scrivo con calma, senza impormi alcuna soggezione, ma arrivato a metà comincio a scoraggiarmi, a temere che il racconto sia troppo lungo: debbo tener presente che il «Messaggero del Nord» non è ricco e che io sono fra i suoi collaboratori piú costosi. È per questo che l'inizio mi riesce sempre molto promettente, come se cominciassi un romanzo; la parte centrale è timida, abborracciata, e il finale è una specie di fuoco d'artifizio, come in un racconto breve. Involontariamente, quando si scrive un racconto, ci si preoccupa anzitutto della sua mole; nella massa dei protagonisti e semiprotagonisti si prende un solo personaggio – moglie o marito – lo si colloca sullo sfondo e si mette in risalto quello solo; gli altri invece si sparpagliano su questo sfondo, come monetine spicciole, e ciò forma qualcosa che assomiglia alla volta celeste: una grossa luna attorniata da una moltitudine di stelle piccolissime. La luna però non vien bene, perché la si può capire solo se si capiscono anche le altre stelle; ma queste non sono rifinite. In tal modo non faccio della letteratura ma una specie di caffettano di Triška[1]. Che fare? Non lo so davvero. Confido nel tempo, che guarisce tutti i mali.

Per parlar di nuovo secondo coscienza, non ho ancora cominciato la mia attività letteraria, pur avendo ricevuto un premio. Mi languiscono in testa i soggetti di cinque novelle e di due romanzi. Uno dei romanzi è ideato da un bel pezzo, sicché alcuni dei suoi personaggi sono già invecchiati prima che abbia avuto il tempo di ritrarli. Ho nella testa un esercito di gente che vuol venire fuori e aspetta il comando. Tutto quel che ho scritto finora è un'inezia in confronto con quel che vorrei scrivere e scriverei con entusiasmo. Per me è indifferente comporre *Onomastico* o *Fuochi* o un *vaudeville* o una lettera a un amico – tutto ciò è noioso, macchinale, insipido, e talvolta sono seccato quando un critico dà importanza a *Fuochi*, per esempio; mi par d'ingannarlo con i miei scritti, come inganno tanta gente con la mia faccia eccessivamente seria o allegra... Non mi piace d'aver successo; i soggetti che ho in mente sono gelosi di quello che ho già scritto; restano in magazzino come roba di scarto. Certo, nel mio grido di dolore c'è parecchia esagerazione, molto di quel che dico è soltanto un'ubbia, ma c'è anche una parte di verità, e una grossa parte. Che cosa chiamo buono? Le immagini che a me sembrano le migliori, che amo e custodisco gelosamente per non sprecarle e non sciuparle come *Onomastico* che debbo consegnare a data fissa... Se il mio amore s'inganna, vuol dire che ho torto, ma può anche darsi che non s'inganni. O sono un imbecille e un presuntuoso, o sono davvero un organismo capace di diventare un bravo scrittore; tutto quello che gli altri scrivono adesso mi dispiace e m'annoia, tutto quello invece che ho in testa m'interessa, mi commuove e mi turba; ne deduco che gli altri non fanno quel che dovrebbero e che io solo conosco il segreto di come va fatto. È assai probabile che ogni scrittore la pensi cosí. D'altronde su questi problemi anche il diavolo si romperebbe il collo.

Per decidere cosa debbo essere e fare, il denaro non mi servirà a nulla. Mille rubli in piú non risolveranno la questione e centomila non li vedrò mai, neppure in sogno. Inoltre, quando ho denaro (forse per mancanza d'abitudine, che ne so?) di-

[1] Accenno a una favola di Krylov.

vento spensierato e pigro all'eccesso: m'infischio di tutto e di tutti... Ho bisogno di solitudine e di tempo.

Scusate se attiro la vostra attenzione sulla mia persona. M'è sfuggito dalla penna. In questo momento non lavoro, non so perché.

Vi ringrazio di pubblicare i miei articoletti. In nome di Dio, non fate complimenti: accorciate, allungate, modificate, buttate nel cestino, fatene quel che volete. Vi do, come direbbe Korš, *carte blanche*. Sarei lieto se i miei articoli non occupassero il posto destinato ad altri.

Leggete un po' nello «Stoglav»[2] le norme per l'invio delle lettere assicurate. Son tutte frottole di Aleksej Alekseevič. La sua rubrica medica è al di sotto d'ogni critica, potete trasmettergli quest'opinione d'uno specialista!

Scrivetemi il nome latino della malattia d'occhi di Anna Ivanovna. Vi farò sapere se è o non è grave. Se le hanno prescritto l'atropina è una cosa seria, quantunque dipenda dai casi. E Nastja, che cos'ha? Se venendo a Mosca credete di guarire del vostro tedio, v'ingannate: qui regna una noia orribile. Hanno arrestato molti letterati, fra cui anche quel ficcanaso di Gol'cev, autore della *Nona Sinfonia*. Per uno di essi sta brigando V. S. Mamyšev, che è venuto oggi a trovarmi.

Saluti a tutti di casa.

Vostro

A. Čechov

Una zanzara vola nella mia stanza. Di dove sarà sbucata? Vi ringrazio per i vistosi annunzi dei miei libri.

AD ALEKSEJ S. SUVORIN

Mosca, 3 novembre 1888

Salute, Aleksej Sergeevič! A momenti indosserò la marsina per andare all'inaugurazione della «Società degli artisti e letterati» dove sono stato invitato. Ci sarà un vero ballo. Quali scopi persegua questa società, di che mezzi disponga, chi ne sia membro, ecc. – lo ignoro. So soltanto che ha a capo Fedotov, autore di molte commedie. Non mi hanno eletto socio e ne sono assai lieto perché non ho proprio nessuna voglia di

---

[2] «Centocapitoli»; antica raccolta di precetti di vita religiosa e mondana; sotto questo stesso titolo il figlio di Suvorin pubblicava un almanacco.

versare venticinque rubli di quota per avere il diritto d'annoiarmi; Lenskij leggerà qualche mio racconto.

Nel «Messaggero del Nord» di novembre c'è un articolo del poeta Merežkovskij sulla mia riverita persona. Un lungo articolo. Raccomando la chiusa alla vostra attenzione. È caratteristica. Merežkovskij è ancora molto giovane, è iscritto alla facoltà di scienze naturali, credo. Chi ha assimilato la saggezza del metodo scientifico e quindi sa pensare scientificamente, è esposto a molte affascinanti tentazioni. Archimede voleva capovolgere il mondo, le teste calde del nostro tempo vogliono invece abbracciare ciò che scientificamente non si può abbracciare, vogliono trovare le leggi fisiche della creazione, scoprire la legge generale e le formule secondo le quali l'artista, che le sente istintivamente, crea opere musicali, paesaggi, romanzi, ecc. ecc. Queste formule esistono certo nella natura. Sappiamo che nella natura esistono a, b, c, d, do, re, mi, fa, sol, che esiste una curva, una retta, un circolo, un quadrato, il color verde, rosso, blu... sappiamo che tutto ciò in determinate combinazioni produce una melodia o dei versi, o un quadro, allo stesso modo che i corpi chimici semplici producono in determinate combinazioni un albero, una pietra, o il mare; ma noi sappiamo soltanto che esiste una combinazione, ignoto ci resta il suo procedimento. Coloro che possiedono il metodo scientifico sentono che fra l'opera musicale e l'albero c'è qualcosa in comune, che l'una e l'altro vengono creati secondo le medesime, normali, semplici leggi. Di qui la domanda: quali sono dunque queste leggi? Di qui la tentazione di scrivere una fisiologia della creazione artistica (Boborykin) e, nei piú giovani e timidi, di richiamarsi alla scienza e alle leggi della natura (Merežkovskij). La fisiologia della creazione artistica esiste probabilmente nella natura, ma bisogna sin dall'inizio vietarsi di fantasticarci sopra. Se i critici si porranno sul terreno scientifico, non ne risulterà nulla di buono: perderanno una decina d'anni, scriveranno molta zavorra, ingarbuglieranno ancor di piú la questione – e nient'altro. È bene pensare scientificamente, ma il guaio è che pensare scientificamente alla creazione si ridurrà sempre, volere o no, a una caccia alle «cellule» o ai «centri» che presiedono alla facoltà creatrice; dopo di che qualche tedesco ottuso scoprirà queste cellule in una delle parti temporali del cervello, un altro dissentirà da lui, un terzo tedesco gli darà ragione, un russo scorrerà l'articolo sulle cellule e butterà giú un resoconto per il «Messaggero del Nord»; il «Messaggero d'Europa» analizzerà tale resoconto, e nell'atmosfera russa imperverserà per tre anni un'epidemia di cretinaggini che frutterà quattrini e popolarità agli imbecilli, ma seminerà il malcontento fra la gente di buon senso.

Per coloro che sono attratti verso il metodo scientifico, per coloro ai quali Dio ha dato la rara facoltà di pensare scientificamente, c'è – secondo me – un'unica via d'uscita: la filosofia della creazione. Si può raccogliere in un fascio tutto quel che di meglio hanno prodotto gli artisti in ogni secolo e, servendosi del metodo scientifico, cogliere il carattere comune che li rende simili uno all'altro e ne determina il valore. Questo carattere costituirà una legge. Nelle opere che noi chiamiamo immortali i caratteri comuni sono molti e se li eliminiamo, l'opera perde il suo pregio e il suo fascino. Questo *carattere comune* è dunque indispensabile e costituisce la *conditio sine qua non* di ogni opera che aspiri all'immortalità.

Per i giovani è piú utile scrivere critiche che poesie. Lo stile di Merežkovskij è scorrevole e fresco, ma in ogni pagina egli si spaventa, formula riserve e fa concessioni – segno che non ha compreso bene la questione... Mi fa l'onore di chiamarmi poeta, i miei racconti li chiama novelle, i miei protagonisti dei falliti, quindi egli segue la *routine*. Sarebbe ora di lasciar da parte i falliti, gli uomini superflui, ecc., e d'inventare qualcosa che sia veramente originale. Merežkovskij chiama fallito il mio monaco, compositore di litanie[1]. In che cosa lo è? Dio conceda a tutti una vita come la sua. Il mio monaco credeva in Dio, aveva da mangiare e sapeva comporre... Dividere gli uomini in fortunati e falliti significa considerare la natura umana da un punto di vista gretto, preconcetto... Voi siete un fortunato o un fallito? E Napoleone? E il vostro Vasilij? Dov'è il criterio in tutto ciò? Bisogna essere Dio per saper distinguere senza sbagliarsi una persona fortunata da una fallita... Be', vado al ballo.

Eccomi tornato dal ballo. Scopo della società è «l'unione». Uno scienziato tedesco aveva ammaestrato un gatto, un topo, un falchetto e un passero a mangiare nello stesso piatto. Quel tedesco aveva un sistema, ma la Società non ne ha nessuno. Una noia mortale. Tutti vagavano per le sale e facevano finta di non annoiarsi. Una signorina ha cantato. Lenskij ha letto un mio racconto (uno degli ascoltatori ha osservato: «piutto-

---

[1] Personaggio del racconto *La notte di Pasqua*.

sto deboluccio!», e Levinskij è stato cosí sciocco e malvagio
da interromperlo con le parole: «Ecco qui l'autore! Permettete che ve lo presenti», e quel tale è sprofondato sotto terra
dalla vergogna). Abbiamo ballato, mangiato una pessima cena
e i camerieri ci hanno imbrogliati sul conto... Se è vero che attori, artisti e letterati costituiscono il fior fiore di quella Società, è un gran peccato. Dev'esser bella quella società, se la sua
parte migliore è cosí povera di colori, di desideri, d'intenti, di
gusto, di belle donne, d'iniziativa... Avevano messo nell'anticamera un pupazzo giapponese e piantato in un angolo un
parasole cinese, avevano appeso un tappeto alla ringhiera delle scale e s'illudevano che ciò fosse artistico. C'è un parasole
cinese, ma non ci sono giornali. Se, nell'arredare la casa, un
artista non va piú in là d'un fantoccio da museo con l'alabarda
e di alcuni scudi e ventagli alle pareti, se tutto questo non è
fortuito, ma voluto e meditato, egli non è un artista, ma una
scimmia che pontifica.

Ho ricevuto oggi una lettera di Lejkin. Mi scrive che è stato da voi. È un uomo bonario e innocuo, borghese fino al midollo delle ossa. Dovunque vada e qualunque cosa dica, ha
sempre uno scopo recondito. Ogni sua parola è rigorosamente
meditata e ogni vostra parola, anche se detta casualmente,
egli se l'imprime nella memoria con l'assoluta certezza che lui,
Lejkin, deve agire cosí, se no i suoi libri non si venderanno, i
suoi nemici trionferanno, gli amici l'abbandoneranno e la
banca di credito lo caccerà via... La volpe trema per la sua pelle, e cosí fa lui. È un sottile diplomatico! Se parla di me, è perché vuol buttare un sassolino nell'orto dei «nichilisti» che mi
hanno guastato (vedi Michajlovskij) e in quello di mio fratello Aleksandr, che egli detesta. Nelle sue lettere mi mette in
guardia, mi spaventa, mi consiglia, mi svela segreti... Disgra-
ziato martire zoppo! Potrebbe campare in pace fino alla morte, ma un demonio glielo impedisce...

Nella mia famiglia è accaduto un piccolo *infortunio* che vi
racconterò quando ci vedremo. È scoppiato un fulmine sulla
testa d'uno dei miei fratelli, e questo fulmine non mi lascia lavorare e star tranquillo[1]. Oh Signore, che guaio essere capofamiglia!

Per civetteria le francesi si mettono negli occhi delle gocce
d'atropina, per dilatare le pupille, e ciò non fa loro male.

Petitpas sta leggendo il lavoro di Maslov. Da Korš è succes-

---

[1] Il fratello Michail era stato lasciato dalla fidanzata.

so un pasticcio. Una caffettiera a vapore è scoppiata e ha scottato il viso alla Rybčinskaja. La Glama-Meščerskaja è partita per Pietroburgo. La Glebova, l'amica di Solovcov, s'è ammalata, e via dicendo. Non c'è nessuno per recitare, nessuno ti dà retta, tutti gridano, bisticciano... Una commedia che richieda messa in scena e costumi verrà probabilmente rifiutata con orrore... Io invece vorrei che rappresentassero *Il seduttore*. Sto brigando non per Maslov, ma semplicemente per un senso di compassione verso la scena e per amor proprio. Bisogna far tutto il possibile perché il teatro passi dalle mani dei pizzicagnoli in quelle dei letterati, altrimenti andrà a rotoli.

La caffettiera ha ammazzato il mio *Orso*. La Rybčinskaja è malata, e non c'è nessuno per sostituirla.

Tutti i miei vi mandano i loro rispetti. Un cordiale saluto ad Anna Ivanovna, a Nastja e Borja.

Vostro   A. Čechov

Si possono stampare dei *vaudevilles* in estate; d'inverno invece non conviene. Nell'estate posso produrre un *vaudeville* al mese, d'inverno però debbo rinunziare a questo piacere.

Iscrivetemi come membro della Società letteraria. Quando verrò a Pietroburgo, ci darò una capatina.

AD ALEKSEJ S. SUVORIN

Mosca, 20 novembre 1888

... Ah, che racconto ho cominciato[1]! Lo porterò con me e vi pregherò di leggerlo.

Ho scelto la forma dell'appendice. Scrivo sul tema dell'amore. Un galantuomo che ha portato via la moglie a un altro galantuomo ed esprime la sua opinione su questo fatto; quando vive con lei ha un'opinione, quando la lascia ne ha un'altra. Di sfuggita parlo del teatro, del pregiudizio della «divergenza di convinzioni», della strada militare georgiana, della vita familiare, dell'inadattabilità d'un intellettuale moderno a una tal vita, di Pečorin, di Onegin, del Kazbek... Un fritto misto che Dio ne scampi e liberi. Il mio cervello batte le ali, ma non so ancora dove volerà.

---

[1] Si tratta del primo abbozzo del *Duello*.

Voi affermate che gli scrittori sono il popolo eletto da Dio. Non discuto. Ščeglov mi chiama il Potëmkin della letteratura, e quindi non mi s'addice parlare del cammino irto di spine, delle delusioni, ecc. Non so se ho mai sofferto piú dei ciabattini, dei matematici, dei capotreni; non so chi parli per bocca mia, se un dio o qualcuno assai peggiore. Mi permetto di constatare soltanto un lieve inconveniente che ho sperimentato su me stesso e che senza dubbio conoscete anche voi per esperienza. Ecco di che si tratta. Voi e io amiamo le persone comuni; noi, invece, ci amano perché vedono in noi degli uomini straordinari. Me, per esempio, m'invitano dappertutto, mi dànno da mangiare e da bere come se fossi un generale alle nozze; mia sorella s'indigna d'essere invitata a destra e a sinistra perché è sorella d'uno scrittore. Nessuno vuol amare in noi l'uomo comune. Ne consegue che se domani non fossimo che comuni mortali agli occhi dei buoni conoscenti, tutti cesserebbero d'amarci e ci compatirebbero. E questo è un male. È un male anche che amino in noi quello che sovente noi stessi non amiamo e non stimiamo. È male che avessi ragione nello scrivere il racconto *Il viaggiatore di prima classe*, in cui un ingegnere e un professore universitario ragionano sulla gloria.

Mi ritirerò in campagna. Il diavolo se li porti! Voi, almeno, avete Feodosija.

A proposito di Feodosija e dei tartari: ai tartari hanno tolto le terre, e nessuno pensa a loro. Ci vogliono delle scuole tartare. Scrivete che il ministero versi a queste scuole, utili alla Russia, i quattrini che spende per l'università dei salumai di Dorpat, dove studiano dei tedeschi inutili. Lo scriverei io stesso, ma non ne sono capace.

Lejkin m'ha mandato un comicissimo *vaudeville* di sua fattura. È un uomo unico nel suo genere.

State sano e felice.

Vostro   A. Čechov

Dite a Maslov che la sorte della sua *pièce* sta per decidersi; v'è dell'esitazione ora dall'una, ora dall'altra parte. Hanno inscenato un lavoro spagnolo che ha fatto fiasco e non si decidono a metterne su un altro.

AD ALEKSEJ S. SUVORIN

Mosca, 20 febbraio 1889

Caro Aleksej Sergeevič,

auguri per la quaresima, per i giorni di preghiera, di penitenza e d'ipocrisia. Per me la quaresima è cominciata malissimo: dopo una notte di bagordi sono tornato a casa alle dieci e mezzo di mattina e ho dormito fino alle cinque di sera. Ho cenato ieri nel ridotto del teatro Korš insieme con attori, attrici e generali. Era una cena d'addio, per la chiusura della stagione. Le attrici sono gente simpatica, ieri mi sono piaciute e m'hanno tanto commosso che nell'accommiatarmi ne ho baciate alcune. Hanno una nobiltà di sentimenti che manca agli attori. Gli uomini che militano nell'arte non hanno purezza d'animo. C'è molta servilità nelle loro opinioni, parole e atti. Non tutti, d'altronde, sono cosí. Ho bevuto poco, ma senza criterio, mescolando liquori e cognac. Adesso sento un vuoto opprimente: come se avessi dentro di me un abisso dalle pareti gelide. Vorrei versare una buona dose di aghi in acqua ghiacciata, agitare forte e bere, e che per giunta gli aghi fossero acidi.

Comprate la tenuta vicino a Char'kov, non vi lasciate sfuggire l'occasione. Se non avete trentacinquemila rubli, permettetemi di rubarli per voi dalla vostra cassa dove, come vi è noto, c'è un subisso di soldi. Se volete andrò a dare un'occhiata alla tenuta che vi offrono. Ho voglia di girare il mondo. Siccome è per voi, divideremo a metà le spese di viaggio (biglietti). E ne approfitterò per adocchiare qualche cascinotta. Se acquistate la tenuta, mi comprerò un poderetto nelle vicinanze e vi farò stupire con la mia agricoltura razionale, la dissolutezza dei miei familiari, l'ospitalità e la musica. Potrei anche comprare da voi un piccolo appezzamento. I quattrini li avrò. *Ivanov* ha fatto sala piena, riscuoterò un migliaio di rubli. Fino all'estate raggranellerò un duemila rubli; il primo marzo, inoltre, ne vin-

cerò settantacinquemila col mio biglietto; è cosa sicura, giacché sono un Potëmkin. Per la prossima stagione scriverò *Lešij*[1]
che mi frutterà sei o settemila rubli. Volete soldi in prestito?

A presidente della Società degli autori drammatici verrà
eletto Boborykin. Per non so qual motivo ai signori soci interessa conoscere la mia opinione in merito; io rispondo loro
che non ho assolutamente nulla da obiettare all'elezione di
Boborykin.

Il seduttore di Siviglia andrà in scena dopo Pasqua?

Mandatemi la vostra foto in gran formato e il gruppo.

Sto leggendo le bozze del mio *Ivanov* e mentre leggo penso
che non è poi cosí difficile scrivere un dramma. Quando avrò
finito il mio *Lešij*, non ve lo darò da leggere e non vi prenderò
con me alle prove. Voglio produrre su di voi un'impressione
che non sia contraddittoria e monca come quella che avete
tratto, vostro malgrado, da *Ivanov*, e per questo non dovete
conoscere l'opera prima della rappresentazione.

Ieri ho visto *Un matrimonio* di Gogol'. È un lavoro eccellente. Gli atti sono lunghi, interminabili, ma lo si avverte appena grazie ai meravigliosi pregi della commedia.

Se verrete a Mosca, mi farete un gran piacere. Vi stanche-
rete di me, questo è l'unico inconveniente che v'aspetta qui;
per il resto, invece, tutto procederà bene; vi riposerete, darete
un'occhiata alla città e mangerete la farinata che incomincia a
piacermi.

È probabile che il comitato della Società drammatica vi
chieda d'occuparvi della pubblicazione dei lavori di proprietà
della suddetta società. Dal punto di vista commerciale la proposta è vantaggiosa, non lo è invece nel senso che dovrete
pubblicare *tutti* i lavori, buoni e cattivi, ossia fare nello stesso
tempo del bene e del male. Bisogna stampare soltanto le *pièces*
originali, approvate dal Comitato e rappresentate nei teatri
sovvenzionati; le altre, invece, si possono lasciare a Rassochin
e alla sua piccante mogliettina.

La seconda edizione del mio *Orso* è uscita ed è già quasi
esaurita.

State sano e siate felice. Bacio la mano ad Anna Ivanovna,
porgo i miei omaggi a Nastja e al faraone Borja.

Vostro   A. Čechov

Salutatemi i Vinogradov. Gli voglio bene, a quei poveretti.

---

[1] Lešij è il soprannome d'un personaggio della commedia: vuol dire «lo spirito
dei boschi».

AD ALEKSEJ S. SUVORIN

Mosca, 11 marzo 1889

Elencando le bellezze della tenuta di Char'kov, voi non menzionate il fiume. Del fiume non si può far a meno. Se la tenuta è sul Donec, compratela; se invece è sul Lopan' o su qualche stagno non compratela. Qui da noi c'è un professore di chirurgia, un ometto piccolino, rapato, con le orecchie a ventola e due occhi come quelli di Juzefovič. Egli possiede una tenuta e tutti quelli che gli vanno a genio, li invita a comprare terre nel vicinato. Ha l'abitudine di prendere in disparte la persona simpatica, di guardarla in faccia con aria sentimentale e dirle sospirando: «Ah, come ce la passeremmo bene, noi due!» Anch'io vi guardo con sentimento e dico: «Ah, come ce la passeremmo bene noi due!» Insomma, se non comprate la tenuta mi arrecate un grave danno.

A me occorre soltanto la vostra foto; le mie, invece, non occorrono a me, ma alle persone che fingono d'averne tanto, tanto bisogno. Anch'io, sapete, ho i miei ammiratori! Non v'è pentola che non trovi il suo coperchio.

Cosa credete? Sto scrivendo il romanzo!! Scrivo, scrivo e del mio scrivere non si vede la fine. L'ho ricominciato (il romanzo) da capo, correggendo e riducendo quel che avevo già scritto. Ho già tratteggiato chiaramente nove fisionomie. Che intreccio! L'ho intitolato *Dalla vita dei miei amici* e lo scrivo sotto forma di singoli racconti a sé stanti, ma strettamente legati dalla comunanza dell'intreccio, delle idee e dei personaggi. Ogni racconto ha il suo titolo. Non crediate però che il romanzo sarà formato di pezzetti. No, sarà un vero romanzo, un corpo solo in cui ogni personaggio sarà organicamente indispensabile. Grigorovič, al quale avevate riferito il contenuto del primo capitolo, s'è spaventato all'idea che io presenti uno studente che muore e quindi non compare nel resto dell'opera, ossia diventa superfluo. Ma quello studente è come un chiodo in uno scarpone. È soltanto un particolare.

Stento a superare le difficoltà tecniche. In questo campo sono ancora debole e sento che faccio un mucchio d'errori grossolani. Vi saranno delle prolissità, vi saranno delle sciocchezze. Cerco d'evitare le mogli infedeli, i suicidi, gli accaparratori, i contadini virtuosi, gli schiavi devoti, le vecchiette saccenti, le buone bambinaie, i begli spiriti di provincia, i capitani dal naso rosso e gli uomini «nuovi», ma qua e là cado nel convenzionale.

Ricevo in questo momento le bozze de *La principessa*; domani le rispedirò direttamente alla tipografia.

Eccovi un bocconcino prelibato, un'inserzione comparsa su «L'Informatore Russo»:

> Famiglia abitante in una tenuta nei pressi di Mosca cerca persona di media età per mansioni domestiche ed educative. La suddetta deve conoscere le dottrine filosofiche e pedagogiche dei seguenti scrittori: dott. Pokrovskij, Gol'cev, Sikorskij e Lev Tolstoj. Compenetrata dalle idee dei suddetti scrittori e conscia dell'importanza del lavoro fisico e del danno prodotto dall'eccessivo lavoro intellettuale, dovrà rivolgere la sua attività pedagogica a sviluppare nei bambini il senso della rigorosa verità, del bene e dell'amor del prossimo. Indirizzare le offerte al N. 2183 presso l'ufficio d'informazioni e rappresentanze «V. Miller», Casa Kabanov, Petrovka, Mosca.

Questo si chiama libertà di coscienza. In cambio del vitto e dell'alloggio la signorina ha l'obbligo d'esser compenetrata delle dottrine di Gol'cev e compagnia bella. I bambini, poi, per ringraziare i loro genitori d'esser cosí intelligenti e liberali, dovranno sorvegliarsi da mattina a sera per non affaticare troppo il loro intelletto e amare il prossimo.

È strano che la gente abbia paura della libertà!

Tra l'altro, nella rassegna «Giornali e riviste» il vostro giornale citava un passo di non so quale quotidiano in cui si portavano alle stelle le cameriere tedesche che lavorano *tutto* il giorno come galeotte, ricevendo in cambio soltanto due o tre rubli al mese. «Tempo Nuovo» si associava a questi elogi e aggiungeva di suo che purtroppo noi abbiamo molta servitú superflua. A mio avviso i tedeschi sono dei vigliacchi e dei cattivi economisti. In primo luogo non è lecito parlare della servitú come se si trattasse di carcerati; in secondo luogo i domestici sono persone giuridicamente capaci e sono fatti della medesima carne di cui è fatto Bismarck: non sono degli schiavi, ma dei liberi lavoratori. In terzo luogo lo stato piú prospero è quello dove il lavoro viene meglio compensato, e ognuno di noi deve fare il possibile perché il lavoro sia compensato meglio. E non parliamo nemmeno del punto di vista cristiano. Quanto poi alla servitú superflua, la vediamo soltanto nelle case dove c'è molto denaro e dove è pagata meglio d'un capo divisione. Di essa non va tenuto conto, giacché è un fenomeno sporadico e non necessario.

Perché non venite a Mosca? Ah, come ce la passeremmo bene!

Vostro

A. Čechov

A FRANZ O. SCHECHTEL

Sumy, 18 giugno 1889

Ieri, 17 giugno, Nikolaj è morto di tubercolosi. Adesso giace nella bara con una bellissima espressione sul viso. Il Signore conceda a lui il regno dei Cieli, e a voi, amico suo, salute e felicità.

Vostro

A. Čechov

A MICHAIL M. DJUKOVSKIJ

Sumy, 24 giugno 1889

Rispondo alla vostra lettera, caro Michail Michajlovič. Alla partenza da Mosca Nikolaj era già malato di tisi. La catastrofe appariva evidente, seppure non cosí vicina. La sua salute è andata peggiorando di giorno in giorno e nelle ultime settimane Nikolaj non ha vissuto, ma soltanto sofferto; dormiva seduto, tossiva continuamente, aveva l'affanno e via dicendo. Se nel suo passato vi sono delle colpe, con le sue sofferenze le ha riscattate tutte cento volte. Da principio andava spesso in collera, era morbosamente eccitato; ma un mese prima di morire divenne mite, affettuoso e insolitamente serio. Sognava sempre di guarire e di cominciare a dipingere. Parlava spesso di voi e dei suoi rapporti con voi. I ricordi erano forse il suo unico piacere. Una settimana prima di morire si è comunicato. È morto in piena lucidità di mente. Non s'aspettava di morire; o per lo meno, non ne ha mai fatto parola.

Giaceva nella cassa con una bellissima espressione sul viso. L'abbiamo fotografato, ma non so se la foto la renderà, quell'espressione.

Il funerale è stato magnifico. Secondo l'usanza meridionale, l'abbiamo portato a spalle in chiesa e dalla chiesa al cimitero, senza fiaccole e senza il lugubre carro mortuario, con gli stendardi, nella cassa aperta. Le ragazze portavano il coper-

chio, noi la cassa. Durante il trasporto le campane suonavano.
L'abbiamo sepolto in un cimitero di campagna, molto sorri-
dente e tranquillo, dov'è tutto un cantare d'uccelli, un profumo di melissa. Subito dopo il funerale gli abbiamo fatto mettere una croce che si vede da lontano.

Domani, nono giorno dalla morte, gli faremo dire una messa in suffragio.

Tutta la famiglia vi ringrazia per la lettera; mia madre ha
pianto, leggendola.

Sono molto lieto di sentire che vi sposate. Mi congratulo
con voi e v'auguro tutto quel che si suole augurare per un matrimonio.

Vi ho scritto brevemente; l'argomento è troppo lungo per
trattarlo in due o tre foglietti. I particolari ve li racconterò
quando ci vedremo; intanto state sano e siate felice.

Tutti i miei vi salutano.

Vostro   A. Čechov

AD ALEKSEJ N. PLEŠČEEV

Sumy, 26 giugno 1889

Salve, mio caro e buon Aleksej Nikolaevič! La vostra lettera è arrivata nove giorni dopo la morte di Nikolaj, ossia quando tutto stava già rientrando nella normalità. Ora vi rispondo
e sento infatti che la norma è ristabilita e che nulla piú m'impedisce di corrispondere regolarmente con voi.

Il nostro povero pittore è morto. Qui a Luka si struggeva
come cera e non c'è mai stato un solo attimo in cui potessi liberarmi dal pensiero della catastrofe imminente. Non si poteva dire *quando* Nikolaj sarebbe morto, ma che sarebbe morto
presto per me era chiaro. La fine è avvenuta nelle seguenti circostanze. Svobodin si trovava qui in visita. Approfittando
dell'arrivo del mio fratello maggiore che poteva sostituirmi,
volli andare a riposarmi, a respirare un'altra aria per cinque o
sei giorni. Persuasi quindi Svobodin e i Lintvarëv e partii con
loro per andare dagli Smagin, nel governatorato di Poltava.
Quasi per punirmi d'essermene andato, durante tutto il viaggio soffiò un vento gelido e il cielo era cosí fosco che pareva
d'essere nella tundra. A metà strada cominciò a piovere. Ar-
rivammo dagli Smagin di notte, fradici, intirizziti; ci coricam-

mo nei letti freddi, ci addormentammo al rumore d'una fredda pioggia. Al mattino, lo stesso tempo indecente, come a Vologda; finché vivo non dimenticherò la strada fangosa, né il cielo grigio, né gli alberi stillanti lacrime. Dico che non lo dimenticherò perché al mattino arrivò da Mirgorod un contadinello che portava un telegramma bagnato: «Kolja deceduto».

Potete immaginare il mio stato d'animo. Mi toccò galoppare alla ferrovia, poi prendere il treno e aspettare otto ore nelle varie stazioni. A Romny ho aspettato dalle sette di sera alle due di notte. Per passare il tempo ho bighellonato per la città. Ricordo d'essermi seduto in un giardino: buio, un freddo cane, una noia atroce; e intanto, dietro il muro bruno vicino al quale sedevo, un gruppo d'attori provava un melodramma.

Trovai i miei in pianto. La nostra famiglia, in cui la morte non era mai entrata, vedeva per la prima volta un feretro in casa.

Abbiamo fatto al nostro pittore un bellissimo funerale. L'abbiamo portato a spalle con gli stendardi, ecc. L'abbiamo sepolto nel cimitero del villaggio, sotto la melissa; la croce si vede da lontano, dai campi. Si direbbe che laggiú riposi in una gran pace.

Probabilmente me ne andrò in qualche posto. Dove? Non so.

Suvorin m'invita a raggiungerlo all'estero. Può darsi che ci vada, sebbene non m'attiri affatto. In questo momento non sono disposto a una fatica fisica; voglio riposarmi, e le peregrinazioni per musei e torri Eiffel, il dover saltare da un treno all'altro, i quotidiani incontri col loquace Dmitrij Vasil'evič, il mangiare a stecchetto, le gran bevute di vino e la corsa alle sensazioni violente, tutto questo sarebbe una gravosa fatica fisica. Me n'andrei piú volentieri in Crimea, in un posto in cui poter lavorare.

La mia *pièce* è rimasta in sospeso. Non ho il tempo di terminarla, e d'altronde non ne vedo la necessità. Lavoro un pochino al mio romanzo, ma è piú quel che cancello di quel che scrivo.

Voi state scrivendo un lavoro per il teatro? Perché non fareste una commediola originale? Scrivetela, e incaricate me di farla rappresentare a Mosca. Assisterò alle prove, riscuoterò il compenso, penserò io a tutto.

Se me ne vado in qualche posto, da ogni stazione importante vi manderò una cartolina, e da ogni città una lettera.

I Lintvarëv stanno bene. Gran brava gente. Diventano

ogni giorno migliori e non si sa fin dove arriveranno. Per bontà e generosità non hanno eguali in tutto il governatorato di Char'kov. Gli Smagin sono in buona salute e anche loro si perfezionano.

Mi congratulo col «Messaggero del Nord» per il ritorno di Protopopov e di Korolenko. Le critiche di Protopopov non faranno né caldo né freddo a nessuno, perché tutti i signori critici del nostro tempo non valgono un baiocco e sono perfettamente inutili. Il ritorno di Korolenko, per contro, è un fatto consolante, giacché è un uomo che farà ancora molto di buono. È un po' conservatore; nell'esecuzione si attiene a forme antiquate e pensa come un giornalista di quarantacinque anni; manca di gioventú e di freschezza. Ma tutti questi difetti non sono molto gravi e, secondo me, sono soltanto esteriori, acquisiti: col tempo potrà liberarsene.

Mia sorella ringrazia e ricambia i saluti. Anche mia madre. Io vi bacio e v'abbraccio, augurandovi ogni bene. Siate felice e state sano.

Vostro   A. Čechov

AD ALEKSEJ N. PLEŠČEEV

Jalta, 3 agosto 1889

Figuratevi un po', caro e buon Aleksej Nikolaevič! Non mi trovo né all'estero né al Caucaso; da due settimane ormai vivo solo soletto in una camera da un rublo e mezzo, a Jalta, città di tartari e di parrucchieri. Stavo andando all'estero, ma sono finito per caso a Odessa, dove ho trascorso dieci giorni; di là, dopo aver dilapidato metà delle mie sostanze in gelati (faceva un gran caldo), sono venuto a Jalta. Ci sono venuto senza motivo e senza motivo ci rimango. Al mattino faccio il bagno, durante il giorno muoio dal caldo, di sera bevo vino e la notte dormo. Il mare è magnifico, la vegetazione misera; non si vedono che ebrei e ammalati. Ogni giorno decido di venir via e non mi muovo. Eppure debbo partire. La coscienza mi rimorde. Mi vergogno un pochino di fare il sibarita, mentre a casa tutto è per aria. Partendo ho lasciato la tristezza e lo sgomento.

La presente ha un duplice scopo: 1) salutarvi e ricordarvi la mia peccaminosa esistenza; 2) pregarvi di dire ad Anna Michajlovna che riceverà il racconto non piú tardi del 1° settembre. È cosa sicura, ormai, giacché l'ho quasi terminato[1]. Lavoro, nonostante il caldo e le tentazioni di Jalta. Ho già scritto per duecento rubli, ossia un intero sedicesimo.

A casa avevo incominciato la *pièce*, ma l'ho piantata. Sono stufo degli attori; il diavolo se li porti!

Oggi ho avuto una gioia. Allo stabilimento balneare c'è mancato poco che un tizio non m'ammazzasse con una lunga, pesante pertica. Mi sono salvato solo grazie al fatto che la mia testa distava d'un centimetro dalla pertica. L'essere miracolosamente scampato alla morte m'ha suggerito vari pensieri adatti alla circostanza.

A Jalta ci sono molte signorine, ma non una graziosa. Molti scrittori, ma non uno che abbia talento. Molto vino, ma non una goccia passabile. Di buono non c'è che il mare e i cavalli d'ambio. Quando vai a cavallo ti sembra di stare in una culla. La vita non è cara. Con cento rubli al mese una persona sola campa benissimo.

Vi trasmetto gli omaggi di Petrov, aborigeno di Jalta, tipografo, dongiovanni e amante della poesia; in questo momento è seduto accanto a me e si accinge a offrirmi un buon pranzo. È sordo e per questo motivo parla a voce altissima. In genere, qui ci sono molti originali.

Se volete farmi il regalo d'una lettera, indirizzatela a Sumy, dove tornerò non piú tardi del 10 d'agosto.

Per colpa del caldo e della gran malinconia, il racconto m'è riuscito piuttosto noioso; ma lo spunto è nuovo e molto probabilmente lo troveranno interessante.

Un poeta locale m'ha detto che Elena Alekseevna verrà a Jalta. Consigliatela di non arrivare prima della stagione dell'uva, cioè prima del 15-20 d'agosto.

Salutatemi tutti i vostri. Vi abbraccio forte e sono, come sempre, il vostro sinceramente affezionato

Antoine Potëmkin

(Soprannome datomi da *Jean* Ščeglov).

A proposito: che fa *Jean*? Continua a violentare Melpomene? Se lo vedete, salutatemelo.

---

[1] Si tratta di *Una storia noiosa*.

AD ALEKSEJ S. SUVORIN

Mosca, 27 dicembre 1889

Giovani fanciulle e innocenti agnelli mi portano le loro opere; da quel mucchio di robaccia ho pescato fuori un solo raccontino, l'ho raffazzonato e ve lo mando. Leggetelo. È breve e senza pretese. Mi pare che possa andare per un «sabato». È intitolato: *La mattinata del notaio Gorškov*.

Col tono di *Jean* Ščeglov che vi domanda di parlare di teatro con lui, io vi dico: «Permettetemi di parlare di letteratura con voi!» In una delle mie ultime lettere, quando vi scrissi di Bourget e di Tolstoj, non pensavo minimamente alle belle odalische né al fatto che uno scrittore debba limitarsi a descrivere le placide gioie. Volevo solo dire che i migliori scrittori contemporanei, che io amo, servono la causa del male in quanto sono dei distruttori. Gli uni [...] Gli altri, invece, [...] non sazi fisicamente, ma già sazi nello spirito, aguzzano la fantasia fino a vedere i sorci verdi e inventano l'inesistente semidio Sixte e gli «esperimenti psicologici». Bourget ha architettato un finale lieto, è vero, ma questo epilogo banale si dimentica presto e nel ricordo rimangono soltanto Sixte e gli «esperimenti» che uccidono cento lepri con un colpo solo: agli occhi della folla questi esperimenti compromettono la scienza che, al pari della moglie di Cesare, dev'essere al disopra d'ogni sospetto; dall'alto della loro grandezza letteraria simili autori trattano con disprezzo la coscienza, la libertà, l'amore, l'onore, la morale, infondendo nella massa la convinzione che tutto quel che reprime gl'istinti bestiali dell'uomo e lo distingue dal cane, tutto quello che egli ha conquistato a prezzo di lotte secolari contro la natura, può essere agevolmente screditato da «esperimenti», se non adesso, per lo meno in avvenire. È mai possibile che simili autori «spingano l'uomo a cercare il bene e a pensare che il male è effettivamente male»? È possibile che lo spingano a «rinnovarsi»? No, essi spingono la Francia verso la degenerazione, e in Russia aiutano il diavolo a moltiplicare quei lumaconi e quei millepiedi che noi chiamiamo intellettuali: un'*intelligencija* infrollita, apatica, fredda, pigramente filosofeggiante, incapace perfino di ideare un modello decente per i suoi biglietti di banca, senza patriottismo, incolore, che s'ubriaca con un solo bicchierino, frequenta i bordelli di ultima categoria, brontola e rinnega volentieri *tutto*, giacché per un cervello pigro è piú facile negare che affermare; che non prende moglie e si rifiuta d'allevare figli, e via dicendo. Anime fiacche, muscoli fiacchi, inerzia, instabilità nelle idee – e tutto questo perché la vita non avrebbe senso, perché le donne avrebbero [...] e perché il denaro sarebbe un male.

Dove c'è degenerazione e apatia, c'è pervertimento sessuale, fredda depravazione, aborti, vecchiaia precoce, giovinezza malcontenta; c'è la decadenza delle arti, l'indifferenza verso la scienza, c'è *l'ingiustizia* sotto tutte le sue forme. Una società che non crede in Dio, ma ha paura dei presagi e del diavolo, che nega *tutti* i medici e nello stesso tempo piange ipocritamente la morte di Botkin e s'inchina a Zachar'in, questa società non ardisca aprir bocca per dire che conosce la giustizia.

[...]

Mi hanno disturbato, altrimenti vi avrei scritto almeno cinque fogli; ma una volta o l'altra lo farò.

Oggi va in scena *Lešji*. Il quarto atto è completamente nuovo. Deve la sua esistenza a voi e a Vladimir Nemirovič-Dančenko, che dopo aver letto il lavoro m'ha dato alcune indicazioni molto pratiche. Gli attori non sanno la parte e recitano discretamente; le attrici la sanno e recitano malissimo. Come andrà? Ve lo scriverà quel seccatore di Filippov, lo stesso che in questi giorni m'ha chiesto di fornirgli un argomento per scrivervi una lettera. Gente noiosa.

Vi auguro buone feste.

Vostro   A. Čechov

A tutti i vostri un cordialissimo saluto dal profondo dell'anima.

AD ALEKSEJ S. SUVORIN

Mosca, 9 marzo 1890

9 marzo. Giorno dei Quaranta Martiri
e delle diecimila allodole.

Quanto a Sachalin, siamo entrambi in errore, ma voi piú di
me, forse. Parto con l'assoluta convinzione che il mio viaggio
non darà un pregevole contributo né alla letteratura né alla
scienza; mi mancano all'uopo le cognizioni, il tempo e l'ambi-
zione. Non ho piani alla Humboldt e nemmeno alla Kennan[1].
Desidero solo scrivere cento o duecento pagine e in tal modo
sdebitarmi un poco con la mia medicina verso la quale, come
sapete, mi comporto da maiale. Può darsi che non riesca a
scriver nulla, e tuttavia il viaggio non perde il suo fascino: leggendo, guardandomi attorno e ascoltando, scoprirò e impare-
rò molte cose. Non sono ancora partito, ma grazie ai libri che
ho dovuto leggere in questi ultimi tempi, ho appreso tante cose che ognuno dovrebbe conoscere sotto pena di quaranta frustate, e che io ero cosí ignorante da non conoscere. Per di piú
credo che un viaggio di sei mesi sarà un'ininterrotta fatica fisica e spirituale ed è quel che ci vuole per me, giacché sono un
ucrainaccio e ho già cominciato a impigrire. Bisogna domare
la propria natura. Ammettiamo pure che questo viaggio sia
una sciocchezza, una cocciutaggine, una stravaganza; ma ri-
flettete un po' e ditemi cosa perdo, facendolo. Tempo? Denaro? Sarà uno strapazzo? Il mio tempo non vale nulla, denaro
non ne ho mai, comunque sia; e quanto agli strapazzi, viagge-
rò con i cavalli venticinque o trenta giorni al massimo, il resto
del tempo me ne starò sul ponte d'un piroscafo oppure in una
stanza e vi bombarderò di lettere.

[1] George Kennan, giornalista americano che nel 1886 visitò le prigioni della
Siberia e riferí sulle condizioni dei deportati in una serie di articoli pubblicati sul
«The contrary Monthley Magazine».

Ammettiamo pure che il viaggio non mi dia assolutamente nulla, ma possibile che in tutti quei mesi non capitino due o tre giorni che ricorderò finché vivo, con profonda gioia o con amarezza? E via dicendo... Cosí è, signor mio. Tutto ciò è poco convincente, ma anche la vostra lettera non mi convince. Voi dite, per esempio, che nessuno ha bisogno di Sachalin, che nessuno se ne interessa. È proprio vero? Sachalin può essere inutile e priva d'interesse soltanto per una società che non vi deporti migliaia di uomini e non vi spenda milioni di rubli. Eccettuata Caienna e quel che era in passato l'Australia, Sachalin è l'unico posto dove si possa studiare la colonizzazione mediante delinquenti; tutta l'Europa s'interessa a Sachalin, e per noi, invece, sarebbe inutile? Non piú addietro di venticinque o trent'anni fa furono proprio i nostri russi che, esplorando Sachalin, compirono gesta prodigiose, sufficienti a divinizzare l'uomo, e noi non ce ne interessiamo, non sappiamo chi fossero quegli uomini, ci limitiamo a restare fra i nostri quattro muri a lagnarci di quanto mal fatto sia l'uomo creato da Dio. Sachalin è il luogo delle piú intollerabili sofferenze che possa sopportare l'uomo, libero o prigioniero che sia. Coloro che hanno lavorato intorno ad essa e su di essa hanno dovuto risolvere e tuttora risolvono problemi sociali che comportano una gravissima responsabilità. Mi spiace di non essere un sentimentale, altrimenti direi che ai luoghi simili a Sachalin noi dovremmo andare in pellegrinaggio come i turchi vanno alla Mecca; quanto agli uomini di mare e agli studiosi di problemi carcerari, essi debbono guardare in particolare a Sachalin come i militari a Sebastopoli. Dai libri che ho letto e sto leggendo è chiaro che abbiamo fatto marcire in prigione milioni di uomini, li abbiamo fatti marcire invano, senza criterio, barbaramente; abbiamo obbligato la gente a percorrere migliaia di verste al freddo, in catene, l'abbiamo contagiata con la sifilide, l'abbiamo corrotta, abbiamo moltiplicato i delinquenti, e di tutto questo addossiamo la colpa ai carcerieri dal naso rosso per il gran bere. Adesso tutta l'Europa colta sa che la colpa non è dei carcerieri, ma di ognuno di noi; però questo ci lascia indifferenti, non c'interessa. I tanto decantati anni Sessanta non hanno fatto *nulla* per gl'infermi e i detenuti, violando cosí il comandamento fondamentale della civiltà cristiana. Oggigiorno qualcosa si fa per i malati, nulla invece per i detenuti; il problema carcerario non presenta alcun interesse per i nostri giuristi. No, vi assicuro, Sachalin è utile, e l'unica cosa interessante e di cui rammaricarsi è che ci vada io, e non un altro, piú competente e piú capace di destare l'interesse della società. Io, invece, ci vado per delle sciocchezze.

Quanto alla mia lettera su Pleščeev, vi scrivevo che la mia inoperosità aveva suscitato il malcontento dei miei giovani amici e per giustificarmi vi dicevo che nonostante questa inoperosità avevo fatto piú dei miei amici, che non fanno assolutamente nulla. Io, per lo meno, ho letto la «Rassegna marittima» e sono stato da Galkin; e loro niente. Questo è tutto, mi pare.

Da noi ci sono stati dei gravi disordini studenteschi. Sono incominciati all'Accademia Petrovskaja[2], dove le autorità avevano vietato agli studenti di portarsi in camera delle ragazze, sospettandole non solo di prostituzione, ma anche di attività politica. Dall'Accademia i disordini si sono estesi all'università, dove attualmente gli studenti, accerchiati da Ettori e Achilli a cavallo, armati di tutto punto e muniti di lance, chiedono quanto segue:

1. Completa autonomia per le università.
2. Piena libertà d'insegnamento.
3. Libero accesso all'università, senza distinzione di confessione, di nazionalità, di sesso e di ceto.
4. Ammissione degli ebrei, senza alcuna limitazione, e loro equiparazione giuridica agli altri studenti.
5. Libertà di adunanza e riconoscimento delle associazioni studentesche.
6. Istituzione di un tribunale universitario e studentesco.
7. Abolizione della funzione poliziesca dell'ispettorato.
8. Riduzione delle tasse di frequenza.

Tutto questo l'ho copiato dal manifesto, abbreviando un po'. Credo che la gazzarra sia fomentata soprattutto dalla folla degli ebrei e dalle appartenenti a quel sesso che brama d'accedere all'università pur essendovi preparato cinque volte peggio dei maschi, i quali lo sono molto male e, tranne rare eccezioni, fanno pessimi studi.

[...][3].

Di tutto cuore simpatizzo con Gej, ma ha torto d'affliggersi tanto. Ai nostri giorni la sifilide si cura benissimo e si guarisce, questo è certo.

---

[2] Scuola superiore di Agraria.
[3] Omesso un elenco di opere russe su Sachalin, che Čechov rimandava o chiedeva di spedirgli.

Insieme coi libri rimandatemi il mio *vaudeville*, *Un matrimonio*. Nient'altro. Venite a vedere la *pièce* di Maslov.

State sano e prospero. Alla vostra vecchiaia credo come crederei alla quarta dimensione. In primo luogo non siete ancora vecchio: pensate e lavorate per dieci, e la vostra mentalità non ha nulla di senile. Secondo, all'infuori dell'emicrania, non avete malattie, e questo sono pronto a giurarlo. Terzo, la vecchiaia è perfida soltanto per i vecchi perfidi e gravosa soltanto per chi ha un carattere difficile; voi, invece, siete buono e non avete un brutto carattere. In quarto luogo, poi, la differenza fra gioventú e vecchiaia è del tutto relativa e convenzionale. Dopo di che, per il rispetto che vi porto, permettetemi di gettarmi in un profondo precipizio e di fracassarmi la testa.

Vostro   A. Čechov

Una volta vi scrissi riguardo a Ostrovskij. È di nuovo stato da me. Che gli debbo dire?

Andate a Feodosija! C'è un tempo delizioso.

A MARIJA P. ČECHOVA

Volga, piroscafo *Aleksandr Nevskij*
23 aprile 1890 – al mattino presto.

Amici miei tungusi!

Pioveva da voi quando Ivan è tornato dall'Abbazia? A Jaroslavl' veniva giú tanta di quell'acqua che ho dovuto indossare il «chitone» di pelle. La prima impressione del Volga è stata guastata dalla pioggia, dai vetri stillanti della cabina e dal naso bagnato di Gurljand, venuto a prendermi alla stazione. Quando piove, Jaroslavl' assomiglia a Zvenigorod e le sue chiese ricordano il monastero Perervinskij; molte insegne sgrammaticate, fango, cornacchie dalle grosse teste che passeggiano sul selciato.

Sul battello, per prima cosa ho dato libero corso al mio talento, cioè mi sono messo a dormire. Al risveglio ho veduto il sole. Il Volga è tutt'altro che brutto; prati allagati, monasteri inondati dal sole, chiese bianche; un senso di sconfinata libertà; dovunque guardi, vedi un bel posto per sedere e metterti a

pescare. Lungo le rive vagano delle professoresse[1] che bruca-
no la verde erbetta; ogni tanto si sente il corno d'un mandria-
no. Candidi gabbiani, che assomigliano alla giovane Driška[2],
si librano sopra le acque.

Il piroscafo è piuttosto mediocre. Quel che ha di meglio è il
water-closet: è situato in alto e ha sotto di sé quattro gradini,
cosicché un individuo inesperto, come ad esempio Ivanenko,
potrebbe facilmente prenderlo per un trono regale. Quel che
c'è di peggio è il pranzo. Vi comunico la lista, conservandone
l'ortografia: zupa di verdura, salcicie con cavvoli, storioncino
frí, budino di gatto. Ho poi scoperto che per «gatto» s'intendeva il semolino[3]. Siccome mi sono guadagnato i miei quattrini col sudore e col sangue, vorrei che fosse il contrario, che
cioè il pranzo fosse migliore del *water-closet*, tanto piú che dopo il santorino di Korneev ho le interiora tappate e fino a
Tomsk potrò far a meno della latrina.

Sul mio battello viaggia anche la Kundasova. Dove vada e
per qual motivo, non so. Quando glielo chiedo, s'ingolfa in
certe nebulose allusioni a un tizio che le avrebbe dato appun-
tamento in un burrone vicino a Kinešma, poi scoppia a ridere
sgangheratamente e si mette a pestare i piedi o a dar gomitate
dove càpita, non risparmiando il nervo [...] Abbiamo oltrepassato Kinešma e i burroni, ma lei continua il viaggio, il che, beninteso, mi fa molto piacere. A proposito: ieri, per la prima
volta nella mia vita, l'ho vista mangiare. Mangia quanto gli altri, ma macchinalmente, come se ruminasse l'avena.

Kostroma è una bella città. Ho veduto Plës, dov'è vissuto
il languido Levitan[4]. Ho veduto Kinešma, ho passeggiato per
la via principale e osservato i bellimbusti locali; sono entrato
in una farmacia a comprare del sale di Berthollet per la mia
lingua che a causa del santorino è diventata come un pezzo di
cuoio bulgaro. Scorgendo Ol'ga Petrovna il farmacista s'è rallegrato e confuso, e lei anche; evidentemente si conoscono da
un pezzo e a giudicare dai loro discorsi devono aver fatto parecchie passeggiate per i burroni vicino a Kinešma. Guarda
un po' dove vanno a ficcarsi i bellimbusti! Il farmacista si
chiama Kopfer di cognome.

---

[1] I parenti della direttrice del ginnasio in cui insegnava Marija Čechova posse-
devano una fattoria e alcune latterie. Per burla Čechov dava alle professoresse il
nome di «mucche».
[2] Soprannome dato da Čechov all'attrice D. M. Glebova.
[3] Gioco di parole fra *koška* = gatto e *kaška* = semolino.
[4] Isaac Levitan, pittore. Divenne piú tardi famoso.

Fa freddino ed è un po' noiosetto, ma nel complesso ci si diverte.

La sirena del piroscafo fischia ogni momento; il suo fischio è un che di mezzo fra un raglio d'asino e un'arpa eolia. Fra cinque o sei ore arriveremo a Nižnij. Sta spuntando il sole. Questa notte ho dormito artisticamente. Non c'è pericolo che perda i quattrini: non faccio che tenermi la pancia.

Molto belli sono i rimorchiatori, ognuno dei quali trascina dietro di sé quattro o cinque chiatte; fanno pensare a un giovane, elegante intellettuale che vuol scappar via, ma vien trattenuto per le falde della marsina da una grossa moglie plebea, dalla suocera, dalla cognata e dalla nonna della moglie.

Un inchino fino a terra al babbo e a mammina; a tutti gli altri mezzo inchino per uno. Spero che Semaško, Lidija Stachievna e Ivanenko si comportino bene. Mi piacerebbe sapere chi farà bisboccia adesso con Lidija Stachievna fino alle cinque del mattino! Ah, come sono contento che Ivanenko sia in bolletta!

La valigia comperata da Miška sta andando a pezzi. Ve ne ringrazio assai. La mia salute è *assoluta*. Non ho mal di gola. Ieri non ho bevuto nemmeno un goccio.

Fatevi dare il Fofanov da Driška. Restituite alla Kundasova l'atlante francese e il viaggio di Darwin che è nello scaffale. Questo riguarda Ivan.

Il sole s'è nascosto dietro una nuvola, il cielo è coperto e il grande Volga ha un aspetto cupo. Levitan non dovrebbe vivere in riva a questo fiume, che mette addosso la tristezza. Però non sarebbe niente male averci una piccola tenuta sulle sue sponde.

Auguro molte belle cose a tutti. Un cordiale saluto e mille omaggi.

Miša, insegna a Lidija Stachievna a spedire le stampe raccomandate e consegnale la ricevuta per il Gogol'. Ricordatevi che un volume è stato rimandato a Suvorin come modello per la rilegatura, sicché dovete riceverne ancora tre.

Se il cameriere si svegliasse, gli ordinerei un caffè; adesso, invece, mi toccherà bere acqua senza alcun piacere. Saluti a Mar'juška e a Ol'ga.

Be', state sani e contenti. Scriverò regolarmente.

Il vostro annoiato viaggiatore del Volga

Homo Sachaliensis
A. Čechov

Salutatemi la nonnetta.

A MARIJA P. ČECHOVA

Krasnyj Jar-Tomsk, 14-17 maggio 1890

Mammina mia eccellente, ottima Maša, dolce Miša, e voi tutti, miei congiunti! A Ekaterinburg ricevetti il telegramma di risposta da Tjumen: «Primo piroscafo per Tomsk partirà 18 maggio». Questo significava che, volente o nolente, dovevo viaggiare coi cavalli. E cosí feci. Partii da Tjumen il 3 di maggio, dopo aver trascorso a Ekaterinburg due o tre giorni che dedicai a rimettere in sesto la mia persona tossicolosa ed emorroidale. Per viaggiare attraverso la Siberia, oltre al servizio postale si possono noleggiare vetturini privati. Io scelsi questi ultimi: tanto era lo stesso. Mi fecero salire, povero servo di Dio, in una specie di cesta di vimini con un tiro a due. Te ne stai seduto nella tua cesta, come un lucherino, guardi il vasto mondo e non pensi a nulla... La piana siberiana comincia, mi pare, a Ekaterinburg e finisce chi sa dove; io direi che assomiglia molto alla nostra steppa della Russia meridionale, se non fosse per le piccole macchie di betulle sparse qua e là e per il vento freddo che punge le guance. La primavera non è ancora incominciata. Non c'è un filo di verde, i boschi sono brulli, la neve non s'è ancora sciolta tutta; sui laghi c'è una crosta di ghiaccio opaco. Il 9 maggio, giorno di San Nicola, ha gelato e oggi, 14, sono caduti circa sei centimetri di neve. Soltanto le anatre ti dicono che è primavera. Ah, quante anatre! Mai nella mia vita ne avevo viste tante. Volano sopra la testa, frullano intorno alla vettura, nuotano nei laghi e nelle pozzanghere; insomma, in un giorno solo e con un cattivo fucile potrei ammazzarne un migliaio. Si sentono gracidare le oche selvatiche... Anch'esse sono molto numerose... Spesso si vedono lunghe file di gru e di cigni... Nei boschi di betulle svolazzano galli cedroni e francolini. Le lepri, che da queste parti non si mangiano e non si uccidono, si alzano sulle zampe posteriori e, drizzando le orecchie, seguono il viaggiatore con occhio curioso e senza alcun timore. Attraversano cosí sovente la strada, che qui non lo considerano un cattivo presagio.

In carrozza fa freddo... Ho indosso il giubbone di pelo. Il corpo sta al caldo, ma le gambe sono intirizzite. Le avvolgo nel cappotto di cuoio, ma non serve a nulla. Mi sono messo due paia di calzoni. Be', vai e vai... Pali indicatori delle verste, pozze d'acqua, ciuffi di betulle sfilano davanti agli oc-

chi... Ecco che abbiamo oltrepassato un gruppo d'emigranti,
poi un convoglio di detenuti. Incontriamo dei vagabondi, col
paiuolo sulla schiena: questi signori passeggiano indisturbati
per tutta la strada siberiana. Ora ammazzano una povera vecchietta per prenderle la gonnella e farsene pezze da piedi; ora
strappano da un palo indicatore la targa di latta col numero –
potrà sempre servire –, ora spaccano la testa al primo mendi-
cante che incontrano, ora cavano gli occhi a un loro compagno deportato; i viaggiatori, però, non li toccano. In generale,
quanto a brigantaggio, non si corre alcun pericolo. Da Tjumen a Tomsk né i vetturini postali né quelli privati ricordano
che un viaggiatore sia mai stato rapinato. Arrivando a una stazione, lasci la tua roba nel cortile; alla domanda se non la porteranno via, ti rispondono con un sorriso. Di rapine e d'assassini per la strada non si usa neppure parlare. Credo che se
smarrissi il mio denaro in una locanda postale o in carrozza, il
postiglione che lo trovasse me lo restituirebbe senz'altro e
non se ne vanterebbe.

Da queste parti la gente è buona, onesta e di nobili tradi-
zioni. Le stanze sono arredate semplicemente, ma con molta
pulizia e con qualche pretesa di lusso; i letti sono soffici, con
piumini e grandi guanciali, i pavimenti verniciati o coperti di
tappeti di lino fatti in casa. Ciò si spiega naturalmente con l'a-
giatezza, col fatto che ogni famiglia possiede un appezzamento di sedici *desjatiny* di terra nera, sulla quale cresce del buon
frumento (qui la farina bianca costa sedici copeche al *pud*).
Ma non tutto si può spiegare con l'agiatezza e il benessere; bisogna riconoscere che anche la maniera di vivere ci ha la sua
parte. Quando entri di notte nella stanza dove dormono, non
senti né tanfo di rinchiuso né «odor di russo». Vero è che una
vecchia, prima di porgermi un cucchiaino, se l'è strofinato sul
sedere; ma in compenso non vi offrono il tè senza mettere una
tovaglia, non ruttano in vostra presenza, non si cercano in testa. Quando vi servono acqua o latte, non intingono le dita
nel bicchiere; le stoviglie sono nitide, il *kvas* è trasparente come birra – insomma una pulizia che i nostri ucraini non si sognano neppure, e sí che sono infinitamente piú puliti dei russi! Il pane è saporitissimo; i primi giorni ne ho fatto delle scor-
pacciate. Sono gustosi anche i pasticci, le frittelle, le pizze, le
focacce che ricordano le ciambelle bucherellate dell'Ucraina.
Le frittelle sono sottili e croccanti... Il resto, però, non è fatto
per uno stomaco europeo. Dappertutto, per esempio, mi hanno servito la «zuppa d'anatra». È una vera porcheria: un li-

quido torbido, nel quale galleggiano pezzi d'anatra selvatica e
cipolla semicruda; le interiora delle anatre non sono state
completamente svuotate del loro contenuto, sicché, quando ti
capitano in bocca ti viene il sospetto che bocca e *rectum* si siano scambiato il posto. Una volta ho chiesto che mi preparas-
sero una minestra con carne e mi friggessero dei pesci persici.
La minestra me l'hanno data troppo salata, sporca, con certi
brandelli coriacei di pelle anziché di carne, e i pesci li hanno
fritti con le squame. Qui la zuppa di cavoli si prepara con la
carne salata, che si fa anche arrosto. Oggi me l'hanno servita
a pranzo: uno schifo. Ne ho mangiato un po', poi ho rinunzia-
to. Bevono tè pressato. Come gusto sembra un infuso di salvia e di scarafaggi e come colore non è tè, ma piscio di cavallo.
Fra parentesi, m'ero portato da Ekaterinburg un quarto di
libbra di tè, cinque libbre di zucchero e tre limoni. Il tè l'ho
finito e non c'è dove comperarne. In queste miserabili cittaduzze anche i funzionari del governo bevono tè pressato. Nei
migliori negozi non si trova tè che costi piú d'un rublo e mezzo la libbra. Ho dovuto rassegnarmi a bere la salvia.

La distanza fra le stazioni è determinata dalla distanza che
intercorre fra un villaggio e l'altro: da venti a quaranta verste.
Qui i villaggi sono grandi, non esistono borgate né poderi isolati. Dappertutto vi sono chiese e scuole; le izbe sono di legno, alcune anche a due piani.

Verso sera strada e pozzanghere cominciano a coprirsi di
ghiaccio; di notte, poi, gela sul serio, tanto da indossare la pelliccia doppia. Brr! Si va avanti traballando perché il fango s'è
trasformato in zolle dure. Ti senti salir lo stomaco in bocca!...
Verso l'alba sei completamente esausto per il freddo, gli scossoni, il tintinnio dei sonagli; hai una voglia pazza di scaldarti
e di dormire... Mentre cambiano i cavalli, ti rannicchi in un
cantuccio e t'addormenti di colpo, ma dopo un minuto il vetturino ti tira per la manica e dice: «Alzati, amico, è ora di partire!» La seconda notte ho cominciato a sentire uno spasimo
ai calcagni, acuto come un mal di denti. Un dolore insopportabile. Mi sono chiesto se non era un principio di congela-
mento.

Non posso continuare. È arrivato il «delegato», ossia il
commissario della polizia rurale. Abbiamo fatto conoscenza e
ci siamo messi a discorrere. A domani.

Tomsk, 16 maggio

Ho poi scoperto che era colpa degli stivaloni, che hanno i quartieri troppo stretti. Dolce Miša, se avrai dei figli, della qual cosa non dubito, lascia loro scritto per testamento di non correr dietro al buon mercato. Per la merce russa il prezzo basso equivale a un diploma d'inservibilità. È meglio, secondo me, andar scalzi che con stivali da poco prezzo. Figuratevi il mio martirio! Ogni momento mi toccava scendere dalla carrozza, sedere sulla terra umida e togliermi le calzature per dar un po' di requie ai calcagni. Comodissimo, con questo freddo! A Išim ho dovuto comprare soprascarpe di feltro... E cosí ho viaggiato, finché l'umidità e il fango non le hanno infracidite.

Al mattino, fra le cinque e le sei, si prende il tè nella locanda della posta. In viaggio il tè è una vera benedizione. Adesso ho imparato ad apprezzarlo e lo bevo con la frenesia di Janov. Riscalda, dissipa il sonno; io ci mangio insieme molto pane e di pane, in mancanza d'altro cibo, bisogna mangiarne in gran quantità; è appunto per questo che i contadini consumano tanto pane e farinacei. Mentre bevo il tè, discorro con le donne, che sono buone madri, assennate, compassionevoli, industriose, e piú emancipate che in Europa; i mariti non le insultano e non le maltrattano, perché sono alte, robuste e intelligenti quanto i loro signori e padroni. Sono loro che fanno le vetturine, quando il marito è assente; amano i giochi di parole. Con i figli non sono severe, anzi li viziano. I bambini dormono sul soffice e finché vogliono; bevono il tè, mangiano insieme con gli uomini e s'arrabbiano quando vengono presi amorevolmente in giro.

Difterite non ce n'è. Qui prevale il vaiuolo nero, ma, cosa strana, è meno contagioso che altrove: due o tre s'ammalano, muoiono, e l'epidemia è bell'e finita. Non esistono né ospedali né medici, i malati sono curati dagli infermieri. Salassi e coppette vengono praticati su scala bestialmente vasta. Lungo il viaggio ho visitato un ebreo affetto d'un cancro al fegato. Era un uomo esausto, ridotto al lumicino; ma ciò non ha impedito all'infermiere di applicargli dodici coppette.

A proposito degli ebrei: qui coltivano la terra, lavorano come vetturini e traghettatori, esercitano il commercio e vengono chiamati «agricoltori», giacché lo sono veramente sia *de jure* che *de facto*. Godono la stima generale e, come m'ha detto il «delegato», non è raro il caso che siano eletti *starosta*. Ne ho veduto uno, alto e sottile, che arricciava il naso e sputava con disgusto mentre il «delegato» raccontava storielle scabrose: era un'anima pura. Sua moglie m'ha preparato una squisita zuppa di pesce. La moglie dell'ebreo malato di cancro m'ha offerto del caviale di luccio con un pane bianco quanto mai saporito. Di sfruttamento, da parte degli ebrei non si sente parlare.

Ed ora vi dirò anche dei polacchi. Ci sono fra essi dei deportati mandati qui dalla Polonia nel 1864. Brava gente, ospitale e assai educata. Alcuni se la passano molto bene, altri malissimo e lavorano come scrivani nelle stazioni di posta. I primi rimpatriarono dopo l'amnistia, ma poco tempo dopo tornarono in Siberia, dove ci son piú risorse; gli altri, invece, già vecchi e infermi, sognano la patria lontana. A Išim il ricco *pan* Zaleskij, la cui figlia somiglia a Saša Kiselëva, m'ha dato per un rublo un pranzo eccellente e una stanza da dormire. Gestisce un'osteria, è divenuto un profittatore fino al midollo delle ossa, scortica la gente; e tuttavia, dalle sue maniere, dal modo di stare a tavola, da tutto, si vede il gentiluomo polacco. Per cupidigia non torna al suo paese, per cupidigia sopporta la neve il giorno di san Nicola; quando morrà, sua figlia, che è nata a Išim, resterà qui per sempre e cosí si moltiplicheranno in Siberia gli occhi neri e i lineamenti delicati. Questi incroci fortuiti sono necessari, giacché i siberiani sono tutt'altro che belli. Uomini bruni non se ne vedono. Forse volete che vi parli anche dei tartari? Eccovi serviti. Qui sono poco numerosi. Brava gente. Nel governatorato di Kazan' ne parlano bene perfino i sacerdoti; in Siberia, poi, sono «meglio dei russi»: cosí m'ha detto il «delegato» in presenza dei russi che l'hanno confermato col loro silenzio. Dio mio, com'è ricca di brava gente la Russia! Se non fosse il freddo che la priva dell'estate, e se non ci fossero i funzionari che corrompono contadini e deportati, la Siberia sarebbe il paese più ricco e fortunato del mondo.

Pranzare come si deve è impossibile. Le persone intelligenti, quando vanno a Tomsk, usano portare con sé qualche chilogrammo di provviste. Io, però, mi sono dimostrato un imbecille e quindi per due settimane mi sono nutrito esclusivamente di latte, e di uova, che qui fanno cuocere in modo che il tuorlo sia duro e il bianco molle. Un mangiare che viene a noia dopo due giorni. In tutto il viaggio ho pranzato bene due sole volte, non contando la zuppa di pesce dell'ebrea che ho mangiato pur essendo ancora sazio dopo il tè. Acquavite non ne ho bevuta, quella siberiana è disgustosa e già prima d'arrivare a Ekaterinburg m'ero disabituato dal berne. E invece bisognerebbe berne: è un eccitante per il cervello che il viaggio ha infiacchito e intorpidito sino a renderti stupido e apatico.

Stop! Non posso continuare: Kartamyšey, direttore del «Messaggero di Siberia», il Nozdrëv locale, ubriacone e gaudente, è venuto per fare la mia conoscenza.

Ha bevuto una birra e se n'è andato. Continuo.

I primi tre giorni di viaggio, clavicole, spalle, vertebre e coccige erano indolenziti dagli urti e dagli scossoni... Non potevo né sedere, né camminare, né star sdraiato... In compenso, però, sono svaniti tutti i dolori di petto e di testa, m'è venuto un appetito formidabile e le emorroidi stanno zitte zitte, non si fanno piú vive. A causa della tensione nervosa, delle sfacchinate con le valigie, ecc. e forse anche delle bisbocce prima di partire da Mosca, al mattino m'è capitato di sputar sangue. Questo fatto m'aveva alquanto disanimato, ispirandomi pensieri foschi, ma verso la fine del viaggio tutto è finito. Ora è scomparsa anche la tosse; da un pezzo non tossivo piú cosí poco come adesso, dopo due settimane trascorse all'aria aperta. Passati i primi tre giorni, il mio corpo s'è avvezzato agli scossoni ed è venuto il momento in cui non mi sono piú accorto che al mattino subentrava il meriggio, e poi la sera e la notte. I giorni sono volati rapidi come durante una grave malattia. Credi che non sia ancora mezzogiorno e invece i contadini dicono: «Senti, padrone, faresti bene a dormir qui; di notte potresti smarrirti». Guardi l'orologio e, infatti, sono le otto di sera.

Guidano forte, ma non in modo cosí straordinario. Forse è perché sono capitato quando le strade sono cattive; d'inverno si viaggia piú in fretta. Attaccano le salite al galoppo e prima d'uscire dal cortile o prima che il cocchiere s'arrampichi a cassetta, ci vogliono due o tre uomini per tenere i cavalli. Questi ultimi assomigliano ai cavalli dei pompieri di Mosca; una volta c'è mancato poco che non schiacciassi alcune vecchiette e un'altra volta per un pelo non ho investito un convoglio di deportati. E adesso, eccovi un'avventura di cui vado debitore al modo di guidare dei siberiani. Solo prego mammina di non dare in esclamazioni d'orrore e di non effondersi in lamenti, poiché tutto è finito bene.

All'alba del 6 maggio mi trovavo in un piccolo *tarantas*[1], a

---

[1] Carrozza da viaggio, non molleggiata.

due cavalli, guidato da un vecchino molto simpatico. Una vetturetta minuscola. Sonnecchiavo, e per passare il tempo guardavo certi fuochi che, sprizzando scintille, serpeggiavano nei campi e in un bosco di betulle: era l'erba dell'anno passato che bruciava; qui usano darle fuoco. A un tratto sento un fitto martellare di ruote. Una carrozza postale a tre cavalli vola verso di noi, veloce come un uccello. Il mio vecchio s'affretta a prendere a destra, i cavalli ci sfrecciano davanti e nella penombra intravvedo un'enorme, pesante vettura postale in cui siede il cocchiere che torna alla sua stazione. Dietro, eccone un'altra, anch'essa di gran carriera. Ci spicciamo a piegare a destra... Con mio grande stupore, spavento e perplessità, invece di svoltare a destra, la *trojka* svolta a sinistra... Ho appena il tempo di pensare: «Dio mio, ora ci scontriamo!» che s'ode uno schianto tremendo, i cavalli si confondono in una massa scura, gli archi cadono[2], il mio *tarantas* si rizza sulle ruote posteriori, io precipito in terra e dietro di me le mie valigie. Ma non è tutto... Arriva al galoppo una terza *trojka*... Logicamente, quest'ultima avrebbe dovuto ridurre in briciole me e il mio bagaglio, ma, grazie a Dio, tenevo gli occhi aperti, nella caduta non m'ero rotto niente e riuscii a balzare in piedi e a buttarmi da un lato. «Ferma! – urlai alla terza *trojka*. – Ferma!» Quella piombò addosso alla seconda e si fermò... Certo se fossi capace di dormire in carrozza o se la terza *trojka* avesse seguito immediatamente la seconda, sarei tornato a casa invalido o come il cavaliere senza testa. Risultato dello scontro: stanghe spezzate, finimenti rotti, archi e bagagli sparsi per le terre, cavalli sbalorditi e ansimanti e la paura che si prova all'idea d'aver corso un pericolo. S'è poi saputo che il primo vetturino aveva sferzato i cavalli e che i postiglioni delle altre due *trojke* dormivano, sicché le loro bestie s'erano lanciate al galoppo dietro la prima, senza che ci fosse nessuno a guidarle. Appena riavutisi dallo sgomento, il mio vecchio e i tre postiglioni cominciarono a insultarsi freneticamente. Ah, come si sono insultati! Credevo che sarebbe finita con una rissa.

Non potete immaginare il senso di solitudine che ho provato in mezzo a quell'orda di selvaggi imprecanti, tra i campi, sul far dell'alba, in vista di quei fuochi vicini e lontani che divoravano l'erba senza minimamente intiepidire la gelida aria notturna! Ah, che angoscia! Senti imprecare, guardi le stan-

---

[2] Archi di legno, le cui estremità s'infilano nella tirella per fissare le stanghe del veicolo al pettorale del cavallo.

ghe rotte e il tuo bagaglio malconcio, e ti sembra d'esser stato
gettato in un altro mondo, che stiano per calpestarti... Dopo
una litigata d'un'ora, il mio vecchio s'è accinto a legare stanghe e finimenti con pezzi di [...]; sono entrate in funzione anche le mie cinghie. Pian piano, alla meglio, ci siamo trascinati
fino alla stazione, fermandoci ogni momento...

Dopo cinque o sei giorni sono incominciate le piogge, ac-
compagnate da un vento impetuoso. Pioveva giorno e notte.
Sono ricorso al cappotto di pelle che mi ha protetto sia dall'acqua che dal vento. Un cappotto miracoloso. Il fango è divenuto
impraticabile, i postiglioni hanno cominciato a viaggiare malvolentieri di notte. Ma la cosa piú terribile, che non dimenticherò mai, è il passaggio dei fiumi. Arrivi di notte sulla sponda... Insieme col tuo vetturino ti metti a gridare... Pioggia,
vento, sul fiume scivolano lenti i lastroni di ghiaccio, si sente il
rumore dell'acqua... E, per colmo d'allegria, un tarabuso[1] grida. Sui fiumi siberiani vivono dei tarabusi. Dunque per loro
l'importante non è il clima, ma la latitudine... Be', dopo un'ora
spunta nell'oscurità un immenso traghetto a forma di chiatta;
remi giganteschi che assomigliano a pinze di gamberi. I traghettatori sono un branco di mascalzoni, quasi tutti deportati
qui per la loro vita depravata in seguito a condanna delle comunità rurali. Bestemmiano come turchi, urlano, chiedono la
mancia per comprarsi l'acquavite... La traversata del fiume è
lunga, lunga... penosamente lunga! Il traghetto arranca... Ti ritorna quel senso di solitudine e sembra che il tarabuso gridi a
bella posta, come per dire: «Non temere, amico, son qua io, mi
hanno mandato quaggiú i Lintvarëv dallo Psël!»

Il 7 maggio, quando chiesi i cavalli, il vetturino rispose che
l'Irtyš era straripato e aveva allagato i prati; che il giorno prima Kuz'ma aveva faticato a tornare indietro ed era impossibile mettersi in cammino, bisognava aspettare... Gli domando:
«Aspettare fino a quando?» Risposta: «Lo sa Dio!» Questo
era piuttosto vago. Inoltre m'ero giurato di liberarmi durante
il viaggio di due vizi che m'hanno cagionato non poche spese,
seccature e inconvenienti: intendo parlare della mia facilità a
cedere e a lasciarmi persuadere. Io mi arrendo subito, e per
questo m'è toccato viaggiare Dio sa come, pagare talvolta il
doppio e aspettare ore e ore... Appena ho cominciato a non
acconsentire e a non fidarmi piú, mi sono trovato meglio. Per
esempio, invece d'un carrozzino chiuso, attaccano un sempli-

---

[1] Uccello di palude.

ce carro traballante. Tu rifiuti di salirci, t'impunti e immancabilmente sbuca fuori il carrozzino, benché prima avessero assicurato che in tutto il villaggio non ce n'era nemmeno uno, e
cosí via. Dunque, sospettando che la piena dell'Irtyš fosse stata inventata unicamente per non portarmi di notte attraverso
il fango, protestai e diedi ordine di partire. Il contadino che
aveva sentito parlare dell'alluvione da Kuz′ma, ma non l'aveva veduta di persona, si grattò un po' la testa, poi obbedí, in-
coraggiato dai vecchi i quali dicevano che loro, quando da giovani facevano i vetturini, non avevano paura di nulla. Partiamo... Fango, pioggia, un vento rabbioso, freddo... e stivali di
feltro ai piedi. Sapete cosa sono gli stivali di feltro quando sono inzuppati? Sembrano calzature fatte di gelatina. Va' e va';
ecco stendersi dinanzi ai miei occhi un lago immenso, dal quale fa capolino qualche chiazza di terra ed emergono cespugli:
sono i prati allagati. In lontananza si profila la sponda ripida
dell'Irtyš, sulla quale biancheggia la neve... Cominciamo ad
attraversare il lago. Tornerei indietro, ma la cocciutaggine me
l'impedisce e un furore incomprensibile s'impadronisce di
me, lo stesso che mi spinse a gettarmi dallo *yacht* in mezzo al
Mar Nero e che m'ha già indotto a fare non poche follie... Una
specie di psicosi, probabilmente. Proseguiamo, tenendoci sulle isolette, sulle lingue di terra. La direzione ci viene indicata
dai ponti e ponticelli smantellati dall'acqua. Per passarci sopra
bisogna staccare i cavalli e condurli a mano, uno per uno... Il
cocchiere li stacca, io diguazzo nell'acqua con gli stivali e reg-
go i cavalli... Un divertimento! Intanto piove, tira vento...
Salvaci, regina dei Cieli! Finalmente s'arriva a un'isoletta dove c'è una piccola izba senza tetto. Cavalli bagnati s'aggirano
sul letame fradicio. Dall'izba esce un contadino con una lunga pertica e s'impegna a farci da guida. Con la pertica misura
la profondità dell'acqua e saggia il fondo. Ci accompagna –
Dio gli conceda la salute! – fino a una lunga striscia di terra,
da lui chiamata «cresta». C'insegna come da quel punto,
prendendo a destra o a sinistra – adesso non ricordo – avremmo raggiunto l'altra cresta. E cosí abbiamo fatto...

Si va... Nei miei stivali di feltro c'è umido come in una latrina. L'acqua vi gorgoglia dentro, sembra che i calzini si sof-
fino il naso. Il vetturino sta zitto e con aria sconsolata schioc-
ca le labbra per incitare i cavalli. Sarebbe felice di tornare indietro, ma ormai è tardi, annotta... Finalmente – o gioia! –
arriviamo all'Irtyš... L'altra sponda è scoscesa; questa, invece, è pianeggiante. È corrosa dalle acque, viscida all'aspetto,

ripugnante, senza traccia di vegetazione... Un'acqua torbida
dalle creste bianche la sferza e rimbalza indietro con rabbia,
quasi provasse ribrezzo a sfiorare la brutta, viscida riva sulla
quale pare non possano vivere che rospi e anime d'assassini...
L'Irtyš non rumoreggia, non muggisce, ma sembra che in fondo al suo letto batta dei colpi su casse da morto. Un'impressione tremenda! L'altra sponda è alta, bruna, deserta...

Una capanna: ci abitano i traghettatori. Ne esce fuori uno
e dichiara che il traghetto non può funzionare perché è cominciato il maltempo. Il fiume, dice, è largo, e il vento forte...
Che fare? M'è toccato pernottare nell'izba... Mi rammento
quella notte, il russare dei traghettatori e del mio vetturino, il
rumore del vento, il martellare della pioggia, il brontolio del-
l'Irtyš... Prima d'addormentarmi scrissi una lettera a Marija
Vladimirovna: m'era tornato in mente lo stagno Božarovskij.

Al mattino non hanno voluto traghettarmi: c'era troppo
vento. Sono stato costretto a prendere una barca. Mentre at-
traversiamo il fiume la pioggia sferza, soffia il vento; il mio
bagaglio s'inzuppa; gli stivali di feltro che durante la notte s'e-
rano asciugati sulla stufa, si trasformano di nuovo in gelatina.
Oh, caro cappotto di pelle! Se non mi sono buscato un malanno, lo devo a lui solo. Quando tornerò, ungetelo di grasso o
d'olio di ricino per ricompensa. Un'ora intera sono rimasto
seduto su una valigia in riva al fiume, nell'attesa che arrivas-
sero i cavalli dal villaggio. Ricordo d'esser sdrucciolato molte
volte mentre salivo la sponda. Al villaggio mi sono scaldato e
ho bevuto il tè. Alcuni deportati sono venuti a chiedermi l'e-
lemosina. Ogni famiglia cuoce per loro un *pud* di pane di frumento al giorno. È una specie di tributo.

I deportati prendono il pane e se lo bevono all'osteria. Uno
di loro, vecchio, rapato, lacero, al quale gli stessi suoi compagni *avevano cavato* gli occhi in una bettola, sentendo che nella
stanza c'era un forestiero e credendomi un mercante, s'è messo a cantare e a recitar preghiere. Ha recitato le preghiere per
la salute, per la pace dell'anima, e ha cantato l'inno pasquale:
«Risorga il Signore» e «Riposa in pace coi Santi»... Dio sa cosa non ha cantato! Poi ha cominciato a raccontar frottole, a
dire che era un mercante moscovita. Ho notato che quell'u-
briacone disprezzava i contadini alle cui spalle viveva!

L'11 mi sono rimesso in viaggio con cavalli da posta. Dalla
noia ho letto nelle stazioni il registro dei reclami. Ho fatto
una scoperta che m'ha colpito e che è preziosa quando piove

e fa umido: nell'atrio delle stazioni postali vi sono delle ritira-
te. Ah, voi non sapete che cosa vuol dire questo!

Il 12 maggio non m'hanno dato i cavalli, dicendo che non
si poteva partire perché l'Ob era straripato e aveva allagato
tutti i prati. M'hanno consigliato di deviare dalla strada maestra fino a Krasnyj Jar, poi di fare dodici verste in barca fino
a Dubrovino, dove avrei trovato i cavalli da posta... Con un
vetturino privato ho raggiunto Krasnyj Jar. Arrivo di mattina.
Mi dicono che la barca c'è, ma che bisogna aspettare un poco,
perché il nonnino l'ha mandata a Dubrovino con un garzone
per accompagnare lo scrivano del commissario di polizia. E
sia, aspettiamo... Passa un'ora, ne passa una seconda, una terza... Si fa mezzogiorno, poi sera... Per Allah, quanto tè ho bevuto, quanto pane ho mangiato, quanti pensieri ho rimuginato! E quanto ho dormito! Sopraggiunge la notte, e la barca
non c'è ancora... Spunta il giorno... Finalmente, alle nove ritorna il garzone. Sia lodato il cielo, c'imbarchiamo! E come na-
vighiamo bene! L'aria è calma, i rematori bravi, le isole belle...
L'acqua alta ha colto di sorpresa uomini e animali; vedo le donne andare in barca nelle isole per mungere le vacche. E le vacche sono magre, hanno un'aria abbattuta... A causa del freddo
il foraggio manca completamente. Ho percorso cosí dodici
verste. A Dubrovino prendo il tè nella locanda della posta e,
figuratevi, insieme col tè mi servono delle cialde... La padrona dev'essere una deportata o la moglie d'un deportato. Alla
stazione successiva il vecchio scrivano, un polacco al quale ho
dato un'antipirina contro il mal di capo, s'è lagnato con me
della sua povertà e ha raccontato che poco tempo prima era
passato attraverso la Siberia il conte Sapega, ciambellano alla
corte d'Austria, un polacco che aiuta i compatrioti. «Ha so-
stato vicino alla stazione, – racconta lo scrivano, – e io non
l'ho saputo! Madre Santissima! Mi avrebbe aiutato! Gli ho
scritto a Vienna, ma non ho ricevuto risposta»... ecc. Perché
non sono Sapega? Lo rimanderei in patria, quel povero diavolo.

Il 14 maggio, daccapo, hanno rifiutato di darmi i cavalli. Il
Tom è straripato. Che rabbia! Non rabbia, ma disperazione!
Eccomi fermo a cinquanta verste da Tomsk, e cosí inaspetta-
tamente! Una donna, al mio posto, sarebbe scoppiata a piangere... Per me la brava gente trova una via d'uscita: «Andate
fino al Tom, Eccellenza, sono soltanto sei verste; là vi tra-
ghetteranno in barca fino a Jar, e di là Il'ja Markovič vi porterà a Tomsk». Noleggio una vettura privata e mi dirigo verso il

punto del Tom dove ci dovrebbe essere la barca. Arrivo: niente barca. Mi dicono che è partita poco prima con la posta e che difficilmente tornerà perché soffia un gran vento. Mi metto ad aspettare... La terra è coperta di neve, vien giú pioggia e nevischio, tira vento... Passa un'ora, ne passa un'altra, e niente barca. Il destino si beffa di me! Torno indietro alla stazione e ci trovo tre *trojke* e il postiglione che si accingono a partire per il Tom. Gli dico che la barca non c'è. Rinunciano a partire. La sorte mi manda un compenso: alla mia timida domanda se non si possa mangiare un boccone, il vecchio scrivano risponde che la padrona ha fatto la zuppa di cavoli... Oh, gaudio! Oh, giorno di giubilo! Infatti, la figlia della padrona mi serve un'eccellente zuppa di cavoli con carne squisita, patate arrosto e un cetriolo. Un pranzo simile non l'avevo piú avuto dopo *pan* Zaleskij. Finito di mangiare le patate, mi sono dato alla pazza gioia e mi sono fatto un caffè. Che baldoria!

Verso sera il postiglione, un uomo attempato che deve aver sofferto molto e che non osa mettersi seduto in mia presenza, si prepara a raggiungere il Tom. Io pure. Si parte. Appena arriviamo al fiume, compare una barca, lunga come non ne avevo mai veduto neppure in sogno. Mentre caricavano la posta, fui testimone d'uno strano fenomeno: nonostante la neve e il freddo, tuonava. Finito di caricare, salpiamo. Dolce Miša, scusami, ma ero proprio contento di non averti preso con me! Come ho fatto bene a partire solo! Da principio la nostra barca attraversò una prateria, costeggiando macchie di vetrici... Come accade prima o durante la tempesta, a un tratto passò sull'acqua una raffica di vento che sollevò delle ondate. Il rematore seduto al timone consigliò d'aspettare fra i cespugli la fine della burrasca. Gli risposero che se rinforzava, saremmo rimasti lí fino a notte e saremmo affogati lo stesso. La risposta fu messa ai voti e *a maggioranza* fu deciso di proseguire. Che brutta, ironica sorte è la mia! Perché mi giuoca certi tiri? Si navigava in silenzio, assorti... Ricordo la figura del postiglione, un uomo che ne aveva viste di tutti i colori. Ricordo un soldatino che a un tratto diventò rosso come il sugo di ciliegia... Pensavo: «Se la barca si capovolge, mi levo il giubbone e il cappotto di pelle... poi gli stivali... poi...» Ma ecco che s'avvicina la riva, s'avvicina sempre piú... Ti senti diventar leggero, sempre piú leggero, il cuore ti si strugge dalla gioia, tiri un gran sospiro, chi sa perché, quasi ti sentissi improvvisamente riposato, e salti sulla riva bagnata e scivolosa... Sia lodato Iddio.

Da Il'ja Markovič, un ebreo convertito, mi dicono che è impossibile partire di notte: la strada è pessima, debbo fermarmi a dormire. E sia, mi fermo. Dopo il tè mi sono messo a scrivere questa lettera, interrotta dall'arrivo del «delegato». Costui è un concentrato di Nozdrëv, di Chlestakov e di un cane. Ubriacone, libertino, bugiardo, amante del bel canto, narratore d'aneddoti, e con tutto ciò un'ottima persona. Ha portato con sé un grosso baule pieno zeppo di pratiche, un letto con relativo materasso, un fucile e uno scrivano. Quest'ultimo è un uomo colto, indipendente, un accanito liberale, che ha studiato a Pietroburgo e non si sa come sia finito in Siberia; contagiato fino al midollo da ogni sorta di malattie, e dedito al bere grazie al suo principale che lo chiama Kolja. L'autorità costituita manda a prendere del liquore. «Dottore! – urla. – Bevete ancora un bicchierino, ve lo chiedo in ginocchio!» Io bevo, naturalmente. L'autorità costituita beve per quattro, mente come un cavadenti, dice oscenità senza un briciolo di pudore. Andiamo a dormire. Al mattino si manda di nuovo a prendere del liquore. Si sbevazza fino alle dieci e finalmente si parte. L'ebreo convertito Il' ja Markovič che i contadini di qui *adorano* – cosí m'hanno detto – mi dà i cavalli per arrivare a Tomsk.

Io, il poliziotto e lo scrivano saliamo nello stesso veicolo. Per tutta la strada, il «delegato» ha raccontato frottole, ha bevuto a garganella, s'è vantato di non accettare mance, s'è estasiato sul paesaggio e ha mostrato il pugno ai vagabondi che incontravamo. Dopo quindici verste, *stop!* Siamo nel villaggio di Brovkino... Ci fermiamo davanti a una botteguccia ebrea e andiamo a «ristorarci». Il giudeo corre a comprar liquori, sua moglie prepara la zuppa di pesce di cui vi ho già scritto. Il «delegato» dà ordine di convocare il *sotskij*, il *desjatskij* [3], l'appaltatore delle strade e, ubriaco com'è, comincia a strapazzarli, senza alcun ritegno per la mia presenza. Bestemmia come un tartaro.

Ben presto mi sono separato dal «delegato» e per una strada orrenda sono arrivato a Tomsk la sera del 15 maggio. Negli ultimi due giorni ho fatto solamente settanta verste; potete immaginare com'era la strada!

A Tomsk un fango da non levarne le gambe. Della città e della vita locale vi parlerò fra qualche giorno, per adesso arrivederci. Sono stanco di scrivere. Saluti al babbo, a Ivan, alla

[3] Gradi inferiori della polizia rurale (funzionari eletti dalle comunità).

zia, ad Alëša, ad Aleksandra Vasil'evna, a Zinaida Michajlovna, al Dottore, a Troša, al grande pianista, a Mar'juška. Se sapete l'indirizzo della carissima Kundasova, trasmettete i miei
omaggi a quella straordinaria, meravigliosa fanciulla. Alla cara
Jamais[4] un cordiale saluto. Sarò molto lieto se verrà a trovarvi quest'estate. È tanto buona. Dite a Troša che poco fa ho
bevuto nel suo bicchierino. Fra parentesi, ho brindato con
Kartamyšev.
  Pioppi non ce n'è. Il generale di casa Kuvšinnikov ha men-
tito. Niente usignuoli; ci sono gazze e cuculi.
  Oggi ho ricevuto da Suvorin un telegramma di ottanta parole.
  V'abbraccio, vi bacio, e benedico tutti.
  Vostro   A. Čechov

  La lettera di Miša è arrivata. Grazie.

  Scusate se questa mia assomiglia a un fritto misto. È alquanto sconclusionata, ma che farci? In una camera d'albergo
non si può scrivere meglio. Perdonate se è cosí lunga. Non è
colpa mia. Mi si è sfrenata la penna, e poi avevo voglia di discorrere un po' con voi. Sono le tre di notte. Ho la mano in-
dolenzita. Lo stoppino della candela s'è consumato, e ci si vede poco. Scrivetemi a Sachalin ogni quattro o cinque giorni.
Ho scoperto che la posta arriva non solo via mare, ma anche
via Siberia. Quindi la riceverò a tempo debito e spesso.
  Domani andrò da Vladislavlev e Florinskij. I quattrini sono
intatti, non ho ancora disfatto le cuciture. Che fa Artemen-
ko? Charitonenko ha ricevuto la stella al merito? Mi congratulo con la città di Sumy.
  Su tutti gli steccati di Tomsk fa bella mostra di sé la *Domanda di matrimonio*. La gente dice che per trovare una primavera fredda e piovosa come questa bisogna risalire al 1842.
Mezza Tomsk è allagata. La mia solita fortuna.
  Sto mangiando le caramelle.
  Se anche nell'estate Maša avrà mal di gola, tornando a Mosca in settembre si faccia tagliare dal prof. Kuz'min un pezzetto di ognuna delle due tonsille. È un'operazione innocua e
indolore. Se Maša non se la fa, soffrirà finché campa di angi-

  [4] Uno dei tanti soprannomi dati da Čechov all'amica Lidija Stachievna Mizinova.

ne follicolari e d'altro genere. Meglio ancora se Elena Michajlovna s'incarica di eseguire quest'operazione. Quando le tonsille non sono molto ingrossate, basta tagliarne un piccolissi-
mo pezzo.

A Tomsk dovrò aspettare la fine delle piogge. Dicono che
la strada di Irkutsk sia orrenda. Qui c'è un «Bazar Slavo». Ci
si pranza bene, ma arrivare fin là, non è facile: si affoga nel
fango.

Oggi (17 maggio) vado ai bagni. Pare che in tutta Tomsk ci
sia un solo bagnino, un certo Archip.

AD ALEKSEJ S. SUVORIN

Mosca, 9 dicembre 1890

Salve, mio carissimo! Urrà! Eccomi finalmente a casa, seduto davanti alla mia scrivania! Prego i miei sbiaditi penati e
vi scrivo. Ora provo un senso di benessere, come se non fossi
mai stato via di casa. Sono sano e prospero fino al midollo delle ossa. Eccovi un brevissimo resoconto. Ho trascorso a Sachalin non due mesi come avete stampato sul vostro giornale,
ma tre mesi e due giorni. Ho lavorato intensamente; ho fatto
un completo e meticoloso censimento di tutta la popolazione
di Sachalin e ho veduto *ogni cosa*, eccetto un'esecuzione capitale. Quando ci vedremo, vi mostrerò un intero baule pieno
d'ogni sorta di documenti sull'ergastolo: come materiale grez-
zo, hanno un grandissimo valore. Adesso so molte cose, ma
l'impressione che ho riportato dal mio viaggio è assai penosa.
Finché stavo a Sachalin, sentivo dentro di me soltanto un sapore amarognolo, come dopo aver mangiato burro rancido;
ora invece Sachalin mi appare nel ricordo un vero inferno.
Per due mesi ho lavorato d'impegno, mettendocela tutta; ma
durante il terzo mese, ho cominciato a mollare: colpa di quel
sapore amaro, della noia e del pensiero che il colera avanzava
da Vladivostok verso Sachalin e che rischiavo pertanto di
svernare nel penitenziario. Ma, grazie a Dio, il colera è cessato e il 13 ottobre il piroscafo m'ha portato via da Sachalin.

Sono stato a Vladivostok. Dell'Estremo Oriente e in genere della nostra costa orientale con le sue flotte, i suoi problemi
e le mire sul Pacifico, dirò una cosa sola: è una povertà che
grida al cielo. Povertà, ignoranza e insipienza tali da ridurre

alla disperazione. Un uomo onesto su novantanove ladri che infamano il nome della Russia... In Giappone non abbiamo fatto scalo perché c'era il colera; per questo non vi ho comprato nulla di giapponese e i cinquecento rubli che m'avevate dato per gli acquisti li ho spesi per le mie necessità personali, per la qual cosa, secondo la legge, avete il diritto di farmi confinare in Siberia. Il primo porto straniero sulla nostra rotta è stato Hong Kong. Una baia stupenda, sul mare un traffico come non l'avevo mai veduto prima, nemmeno in fotografia; ottime strade, tram, una ferrovia che sale la collina, un museo, orti botanici. Dovunque volgete lo sguardo, vedete la premurosa sollecitudine degli inglesi verso chi lavora per loro; c'è perfino un *club* per i marinai. Ho fatto una passeggiata in *riksciò*, cioè in un veicolo tirato da uomini. Ho comperato dai cinesi ogni sorta di gingilli e mi sono indignato sentendo i miei compagni di viaggio russi criticare gl'inglesi perché sfruttano gl'indigeni. È vero – pensavo – l'inglese sfrutta i cinesi, i cipài e gl'indú; ma in cambio dà loro strade, fognature, musei e il cristianesimo. Anche voi li sfruttate, ma cosa gli date in cambio?

Appena usciti da Hong Kong, abbiamo cominciato a ballare. Il piroscafo era vuoto e sbandava fino a trentotto gradi, sicché temevamo che si capovolgesse. Io non sono soggetto al mal di mare – una scoperta che m'ha piacevolmente sorpreso. Sulla rotta di Singapore abbiamo gettato a mare due cadaveri. Quando vedi un uomo morto, avvolto in un telo di vela, precipitare, facendo capriole, nell'acqua e ti torna a mente che prima di toccare il fondo ci sono parecchie verste, provi un senso di terrore e, chi sa perché, cominci a pensare che anche tu morrai e sarai buttato a mare. I bovini di scorta si sono ammalati. In seguito a verdetto del dott. Sčerbak e del vostro umilissimo servitore, il bestiame è stato ammazzato e gettato a mare.

Di Singapore non ho un ricordo chiaro, perché mentre la giravo in carrozza ero triste, non so per qual motivo; quasi quasi piangevo. Dopo di che Ceylon – il luogo dov'era il paradiso terrestre. In questo paradiso ho percorso piú di cento verste in ferrovia, e ho fatto una scorpacciata di foreste di palme e di donne color bronzo [...] Dopo Ceylon abbiamo navigato senza sosta tredici giorni e siamo inebetiti dalla noia. Il caldo, lo sopporto bene. Il Mar Rosso è deprimente; contemplando il Sinai, mi sono commosso.

Com'è bello questo mondo! Una sola cosa non va: l'uomo. Quanta poca giustizia e umiltà c'è in noi e come male inten-

diamo il patriottismo! Un ubriacone, un gaudente logorato
dagli stravizi ama sua moglie e i suoi figli, ma a che giova il
suo amore? Noi, cosí dicono i nostri giornali, amiamo la nostra grande patria, ma come si manifesta questo amore? Invece della cultura, impudenza e presunzione smisurata; invece
del lavoro, pigrizia e sozzura; non c'è giustizia, e il concetto
dell'onore non va oltre «l'onore della divisa», di quella divisa
che è l'ornamento abituale del banco degli imputati nei nostri
tribunali. Quel che occorre è lavorare, tutto il resto vada al
diavolo. Prima d'ogni altra cosa bisogna esser giusti, il rima-
nente verrà da sé.

   Ho una voglia matta di discorrere con voi. La mia anima è
in fermento. Non voglio nessuno eccetto voi, poiché solo con
voi si può parlare. Al diavolo Pleščeev. Al diavolo anche gli
attori.

   I vostri telegrammi mi sono arrivati in uno stato impossibile, tutti strappati.

   Ho viaggiato da Vladivostok a Mosca col figlio della baronessa Ikskul', ufficiale di marina. La baronessa è scesa al «Bazar Slavo»[1]. Fra un momento andrò da lei; mi ha mandato a
chiamare, non so perché. È una brava donna; suo figlio, per lo
meno, la porta alle stelle ed è un ragazzo schietto e onesto.

   Come sono contento d'essermela cavata bene senza l'aiuto
di Galkin-Vraskij! Non ha scritto un rigo per raccomandarmi,
e sono arrivato a Sachalin senza che nessuno sapesse chi io
fossi.

   Quando vedrò voi e Anna Ivanovna? Che fa Anna Ivanovna? Datemi notizie piú particolareggiate di tutti, giacché è
difficile che capiti da voi prima delle feste. Saluti a Nastja e a
Borja; a riprova che sono stato all'ergastolo, quando verrò a
trovarvi mi avventerò su di loro col coltello e mi metterò a gridare come un selvaggio. Darò fuoco alla camera di Anna Ivanovna e al povero procuratore Kostja predicherò idee sovver-
sive.

   V'abbraccio forte, insieme con tutta la redazione, eccetto
Žitel' e Burenin, che vi prego di salutare soltanto: da un pezzo avrebbero dovuto deportarli in Siberia.

   Ho avuto sovente occasione di parlare di Maslov con Ščer-
bak. A me, personalmente, Maslov è molto simpatico.

   Che il cielo vi protegga.

   Vostro   A. Čechov

---

[1] Nome di un albergo di Mosca.

AD ANATOLIJ F. KONI

Pietroburgo, 26 gennaio 1891

Egregio signor Anatolij Fëdorovič,

non mi sono affrettato a rispondere alla vostra lettera perché rimarrò a Pietroburgo almeno fino a sabato.

Mi rincresce di non esser andato dalla signora Naryškina, ma mi sembra piú opportuno rimandare la visita a dopo la pubblicazione del mio libro, quando sarò in grado di muovermi piú liberamente in mezzo al materiale che possiedo. Il mio breve passato sachaliniano mi si presenta cosí immenso che quando voglio parlarne non so da dove incominciare e ho sempre l'impressione di non dire quel che dovrei.

Cercherò di descrivere minutamente la situazione dei bambini e degli adolescenti di Sachalin. È una situazione eccezionale. Ho veduto dei bimbi affamati, delle mantenute tredicenni, delle ragazzine di quindici anni incinte. Le bambine cominciano a praticare la prostituzione a dodici anni, talvolta prima delle mestruazioni. Chiesa e scuola esistono solamente sulla carta; in realtà i ragazzi vengono educati nell'ambiente e nell'atmosfera del penitenziario. Tra l'altro, ho trascritto una mia conversazione con un monelletto di dieci anni. Stavo facendo il censimento di una colonia dell'Armudan superiore; gli abitanti sono tutti, senza eccezione, miserabili e hanno fama di accaniti giocatori di bassetta. Entro in una capanna: i padroni non sono in casa; sulla panca siede un ragazzotto dai capelli bianchicci, curvo, scalzo; sembra immerso nei suoi pensieri. Incominciamo a discorrere.

IO   Come si chiama tuo padre di patronimico?
LUI   Non lo so.
IO   Come mai? Vivi con tuo padre e non sai come si chiama? Vergogna!
LUI   Non è il mio vero padre.

IO   Come sarebbe a dire?

LUI   È quello che convive con la mamma.

IO   Tua madre è sposata o vedova?

LUI   È vedova. È venuta qui per causa del marito.

IO   Che significa «per causa del marito»?

LUI   L'ha ammazzato.

IO   Ti ricordi di tuo padre?

LUI   No. Sono illegittimo. La mamma mi ha partorito in
      prigione, sul Kara.

Insieme con me sul piroscafo dell'Amur viaggiava, diretto
a Sachalin, un detenuto coi ceppi ai piedi, che aveva ucciso la
moglie. Aveva con sé la figlia, una povera bimba di sei anni al-
l'incirca. Ho notato che quando il padre scendeva dal ponte
superiore per andare alla latrina, lo seguivano i guardiani e la
figlia; mentre lui era nella latrina, un soldato armato di fucile
e la bambina stavano davanti alla porta. Quando il detenuto
risaliva la scala per tornare sul ponte, la piccola s'arrampicava
dietro di lui, reggendosi ai suoi ceppi. Di notte essa dormiva
in un mucchio coi prigionieri e coi soldati.

Ricordo d'aver assistito a un funerale a Sachalin. Seppelli-
vano la moglie d'un colono, che se n'era andato a Nikolaevsk.
Intorno alla fossa scavata di fresco c'erano: quattro ergasto-
lani-portatori *ex officio*; il tesoriere e io, in qualità di Amleto
e Orazio vaganti per il cimitero; l'inquilino della defunta –
un circasso – che era lí per non aver niente di meglio da fare
e un'ergastolana. Quest'ultima era venuta per compassione e
aveva portato con sé i due bambini della morta: un lattan-
te e un marmocchio di quattro anni di nome Alëška, in giubbetto da donna e calzoncini blu con pezze variopinte ai ginocchi. Faceva freddo, umido, la fossa era piena d'acqua, i forzati
ridevano. Si vedeva il mare. Alëška guardava dentro la fossa,
incuriosito; avrebbe voluto asciugarsi il naso arrossato dal
freddo, ma gliel'impedivano le lunghe maniche del giubbetto.
Mentre ricolmavano la fossa, gli ho chiesto:

– Alëška, dov'è la mamma?

Lui fa un gesto di disappunto, come un possidente che abbia perduto alle carte, ride e dice:

– L'hanno sotterrata!

I forzati ridono; il circasso si rivolge a noi e chiede cosa deve fare dei bambini; non ha mica l'obbligo di mantenerli.

Malattie infettive non ne ho riscontrate a Sachalin. Sono
molto rari i casi di sifilide congenita, ma ho veduto dei bam-

bini ciechi, sporchi, coperti di eruzioni cutanee, tutti mali che attestano uno stato di completo abbandono.

Non sarò certo io a risolvere il problema dei bambini. Non so quel che bisognerebbe fare. Mi sembra però che con la beneficenza e i residui dei fondi carcerari e d'altro genere, non s'arriverà a nulla. Secondo me, far dipendere tutto dalla beneficenza, che in Russia ha carattere fortuito, e da inesistenti residui di fondi è solo dannoso. Preferirei un intervento della tesoreria dello stato.

Il mio indirizzo di Mosca è: Casa Viergang, Malaja Dmitrovka.

Permettetemi di ringraziarvi per le cordiali accoglienze e per la promessa di venire da me e credetemi, con sincera stima e devozione

A. Čechov

A MARIJA P. ČECHOVA

Pietroburgo, 16 marzo 1891

Torno dall'aver veduto l'attrice italiana Duse nella *Cleopatra* di Shakespeare. Io non so l'italiano, ma ha recitato cosí bene che m'è parso di capire ogni parola. Un'artista meravigliosa. Non avevo mai visto nulla di simile. Guardavo la Duse e mi sentivo stringere il cuore all'idea che siamo costretti a formarci il temperamento e il gusto su certe attrici legnose come la N. e simili, che noi chiamiamo grandi per non averne mai vedute di migliori. Guardando la Duse ho capito perché il teatro russo è cosí noioso.

Oggi vi ho mandato per assegno trecento rubli, li avete ricevuti?

Dopo la Duse è stato piacevole leggere il discorsetto qui accluso[1]. Dio mio, che decadenza del gusto e del senso di equità! E sono studenti, che il diavolo se li prenda! Si tratti di Solovcov o di Salvini, per loro è lo stesso; entrambi trovano la medesima «fervida eco nei cuori della gioventù». Non valgono un baiocco, tutti quei cuori.

Domani all'una e mezzo partiamo per Varsavia. Conserva-

---

[1] Alla lettera era accluso un ritaglio di giornale col testo dell'indirizzo presentato dagli studenti dell'Istituto di Tecnologia all'attore Solovcov, in occasione della sua serata d'onore.

tevi vivi e vegeti. Un saluto a tutti, anche alla mangusta che
non se lo merita.

Scriverò.

Con tutta l'anima   A. Čechov

A MARIJA P. ČECHOVA

Venezia, 24 marzo 1891

L'affascinante Venezia dagli occhi azzurri invia i suoi saluti
a tutti voi. Ah, *signori e signorine*, che stupenda città, questa
Venezia! Figuratevi una città fatta di case e di chiese come
non ne avete mai vedute: un'architettura inebriante, ogni cosa graziosa e lieve come la gondola a foggia d'uccello. Simili
case e chiese le possono costruire soltanto degli uomini in pos-
sesso d'un immenso gusto artistico e musicale e dotati d'un
temperamento leonino. E adesso figuratevi che nelle vie e nei
vicoli al posto del selciato c'è l'acqua; figuratevi che in tutta
Venezia non c'è un solo cavallo; che invece di vetturini vedete dei gondolieri sulle loro meravigliose imbarcazioni, simili a
leggeri, delicati uccelli dal lungo becco, che sfiorano appena
l'acqua e rabbrividiscono alla minima onda. E tutto, dal cielo
alla terra, è inondato di sole.

Ci sono vie larghe come la prospettiva Nevskij, e ce ne sono di quelle che si potrebbero sbarrare allargando le braccia.
Il centro della città è formato da Piazza San Marco, con la celebre cattedrale dello stesso nome. È una chiesa magnifica,
specie dall'esterno. A fianco c'è il Palazzo Ducale, dove Otello dichiarò il suo amore davanti al doge e ai senatori.

In breve, qui non c'è luogo che non susciti ricordi e non
commuova. Per esempio, la piccola casa dove visse Desdemo-
na produce un'impressione di cui è difficile liberarsi.

A Venezia le ore migliori sono quelle della sera. In primo
luogo ci sono le stelle; secondo, i lunghi canali in cui si rifletto-
no luci e stelle; terzo, gondole, gondole e gondole; quando fa
buio, sembrano vive. Quarto, vien voglia di piangere perché
da ogni parte si sente sonare e cantare magnificamente. Ecco
passare una gondola tutta adorna di lanterne di vari colori; fa
abbastanza chiaro per distinguere un contrabbasso, una chi-
tarra, un mandolino, un violino... Ed eccone un'altra... Cantano uomini e donne, e come cantano! Par d'essere all'opera!

In quinto luogo, fa caldo.

In poche parole, stupido chi non viene a Venezia. La vita è a buon mercato. Camera e vitto costano diciotto franchi a testa, cioè sei rubli per settimana e venticinque rubli al mese; un gondoliere prende un franco all'ora, ossia trenta copeche. L'ingresso ai musei, all'Accademia, ecc., è gratuito. Si spende dieci volte meno che in Crimea, eppure la Crimea sta a Venezia come una seppia a una balena.

Temo che il babbo sia in collera con me perché non l'ho salutato prima di partire. Gliene chiedo scusa.

Che vetro, che specchi vi sono qui! Perché non sono un milionario? A papà, a mammina, all'ispettore delle imposte[1], alla zia con Alëša, a Lika dai riccioli d'oro, a Semaško con la consorte, a Lenskij, al bel Levitan e ai Kuvšinnikov un profondissimo inchino.

L'anno prossimo verremo tutti a villeggiare a Venezia.

L'aria è piena delle vibrazioni delle campane; amici miei tungusi, suvvia, abbracciamo il cattolicesimo! Se sapeste che buoni organi ci sono nelle chiese, che sculture, che italiane inginocchiate col libro da messa!

Be', state sani e non vi scordate di me, gran peccatore.

Una bella strada, della quale avevo sentito parlare molto, porta da Vienna a Venezia. Però mi ha deluso. Le montagne, i precipizi e le cime nevose che ho veduto nel Caucaso e a Ceylon, sono assai piú imponenti. *Addio.*

Vostro   A. Čechov

A MARIJA P. ČECHOVA

Firenze, 29 marzo 1891

Eccomi a Firenze. A furia di correre per musei e chiese, sono stanco da morire. Ho veduto la Venere medicea e trovo che se le mettessero addosso un abito moderno, sarebbe orrenda, specie nel punto della vita.

Sto bene. Il cielo è coperto e l'Italia senza sole è come un volto sotto la maschera. State sani. Vostro

Antonio

Il monumento a Dante è bello.

___
[1] Il fratello Michail (Miša).

A MARIJA V. KISELËVA

Roma, 1° aprile 1891

Il Papa m'ha incaricato di presentarvi i suoi omaggi per il vostro onomastico e d'augurarvi tanti quattrini quante sono le sue stanze. E ne ha undicimila! Girando per il Vaticano, sono quasi morto dalla stanchezza e son tornato a casa che mi pareva d'aver le gambe di bambagia.

Mangio alla *table d'hôte*. Figuratevi che di fronte a me siedono due olandesine: una assomiglia alla Tat'jana di Puškin[1], l'altra a Ol'ga, sua sorella. Io le guardo durante tutto il pranzo e m'immagino una linda casina bianca con una torretta, dell'ottimo burro, dello squisito formaggio olandese, delle aringhe olandesi, un venerando pastore, un dignitoso maestro... e mi vien voglia di sposare un'olandesina e che ci dipingano tutt'e due su un vassoio, accanto alla bianca casetta.

Ho veduto ogni cosa e mi sono arrampicato in tutti i posti dove me l'hanno ordinato. Quel che m'hanno dato da fiutare ho fiutato. Ma per ora sento soltanto una gran stanchezza e il desiderio d'una zuppa di cavoli con polentina di grano saraceno.

Venezia mi ha affascinato, m'ha fatto uscir di senno; ma appena l'ho lasciata è cominciato il Baedecker e il cattivo tempo.

Arrivederci, Marija Vladimirovna, che il Signore vi protegga. Rispettosissimi ossequi da parte mia e del Papa a Sua Eccellenza, nonché a Vasilissa e a Elizaveta Aleksandrovna.

Qui le cravatte costano straordinariamente poco. Cosí poco che quasi quasi comincerò anche a mangiarle. Un franco il paio.

Domani parto per Napoli. Auguratemi d'incontrare laggiú una bella signora russa, possibilmente vedova o divorziata.

Nelle guide sta scritto che un idillio è la condizione essenziale d'un viaggio in Italia. E sia, acconsento a tutto. Vada per l'idillio, se cosí dev'essere.

Non dimenticate il gran peccatore, a voi sinceramente devoto

A. Čechov

I miei rispetti ai sigg.ri stornelli.

---

[1] La protagonista femminile di *Evgenij Onegin*.

A MARIJA P. ČECHOVA

Napoli, 4 aprile 1891

Appena arrivato a Napoli, sono andato alla posta e vi ho trovato cinque vostre lettere, per le quali sono molto riconoscente a tutti voi. Che bravi parenti! Perfino il Vesuvio si è spento dalla commozione.

Il Vesuvio nasconde la cima fra le nuvole e si vede bene soltanto di sera. Di giorno il cielo è coperto. Siamo in un albergo sul lungomare, dal quale si vede ogni cosa: il mare, il Vesuvio, Capri, Sorrento... Durante il giorno siamo saliti fino al convento di San Martino: di lassú c'è una vista come non avevo mai goduto in vita mia. Un panorama stupendo. Qualcosa di simile lo vidi a Hong Kong, mentre salivo in treno su per la collina.

A Napoli c'è una magnifica galleria[1]. E i negozi!! Da far venire il capogiro! Uno splendore! Tu, Maša, e voi, Lika, impazzireste dall'entusiasmo.

Dite a Semaško che non ho potuto procurarmi il catalogo. Ogni negozio ha soltanto il *proprio* catalogo, e suppongo che ciò non basti per un grande *maestro* come Semaško.

A Napoli c'è un acquario maraviglioso. Ha perfino degli squali e delle piovre. Una piovra (con otto piedi) che divora un animale è uno spettacolo ripugnante.

Sono stato dal barbiere e l'ho veduto lavorare un'ora intera per sforbiciare la barbetta a un giovanotto. Uno sposo, probabilmente, o un cavaliere d'industria. Il soffitto e tutt'e quattro le pareti del locale sono rivestiti di specchi, cosicché si ha l'impressione di essere non in una bottega di parrucchiere ma nel Vaticano, dove ci sono undicimila stanze. Tagliano i capelli magnificamente.

Per punirvi di non avermi scritto nulla della villeggiatura e della mangusta, non vi porterò nemmeno un regalo. T'avevo già comperato un orologio, Maša, ma l'ho buttato ai porci. Del resto, Dio vi perdoni! Statevi bene. Saluti a tutti, anche alla zia e ad Alëša.

Vostro   A. Čechov

Tornerò per Pasqua. Venite a incontrarmi alla stazione.

---

[1] La Galleria Umberto I.

A MARIJA P. ČECHOVA

Napoli, 7 aprile 1891

Ieri sono stato a Pompei e l'ho visitata. Come sapete, è una città romana che nel 79 d. C. fu sepolta sotto la lava e le ceneri del Vesuvio. Ho girato per le sue vie, ho veduto case, templi, teatri, piazze... E ho anche ammirato la facoltà dei romani di combinare la semplicità con la comodità e la bellezza.

Visitata Pompei, ho fatto colazione in un ristorante, dopo di che ho deciso di salire sul Vesuvio. A questa decisione ha sensibilmente contribuito l'ottimo vino rosso che avevo bevuto. M'è toccato andare a cavallo fino ai piedi del Vesuvio. Per questo provo oggi in certe parti del mio corpo caduco una sensazione come se fossi stato alla Terza sezione e m'avessero frustato. Che martirio salire sul Vesuvio! Cenere, montagne di lava, onde coagulate di minerali fusi, monticelli e ogni sorta di porcherie. Fai un passo avanti e mezzo passo indietro, le piante dei piedi ti dolgono, ti senti un peso sul petto... Cammini, cammini, cammini, e la vetta è ancor sempre lontana. Ti chiedi se non sia meglio tornare indietro. Ma ti vergogni, tutti ti prenderebbero in giro. L'ascensione è cominciata alle due e mezzo ed è finita alle sei. Il cratere del Vesuvio ha un diametro di parecchie saženi[1]. Mi sono trattenuto sul ciglio e ho guardato giú, come in una tazza. Tutt'intorno il suolo è coperto di uno strato di zolfo e fumiga. Dal cratere escono vortici di fumo bianco, fetido, schizzano fuori getti di lava e sassi roventi, e sotto il fumo giace e russa Satana. Il rumore è piuttosto composito: ci senti lo scroscio della risacca, il rombo del tuono, il fracasso delle rotaie, il precipitare di assi. Provi una gran paura e nello stesso tempo vorresti saltar giú proprio nel bel mezzo del cratere. Adesso credo all'inferno. La lava ha una temperatura cosí elevata che una moneta di rame vi si scioglie.

Scendere è brutto quanto salire. Affondi nella cenere fino ai ginocchi. Mi sono orribilmente stancato. Sono tornato indietro a cavallo, attraverso piccoli villaggi e costeggiando ville; c'era un profumo delizioso e splendeva la luna. Io annusavo, guardavo la luna e pensavo a lei, cioè a Lika Lenskaja.

Tutta l'estate, nobili gentiluomini, staremo senza soldi, e

[1] Antica misura lineare russa, pari a m 2,134.

quest'idea mi guasta l'appetito. Per il viaggio che, da solo, avrei fatto con trecento rubli, ho contratto un debito di mille. Tutta la mia speranza è in quegli imbecilli di dilettanti che metteranno in scena il mio *Orso*.

Signori, avete trovato la villa per l'estate? Voi agite da porci con me, non mi scrivete nulla, e non so quel che succede a casa.

I miei rispetti a tutti. Statevi bene e non dimenticate completamente il vostro

Antoine

A LIDIJA S. MIZINOVA

Bogimovo, 12 giugno 1891

Affascinante, meravigliosa Lika!

Invaghitavi del circasso Levitan, vi siete completamente scordata che avevate promesso a mio fratello Ivan di arrivare da noi il primo di giugno, e non rispondete alle epistole di mia sorella. A mia volta vi ho scritto a Mosca per invitarvi, ma anche la mia lettera è rimasta una voce che grida nel deserto. Sebbene siate ricevuta nell'alta società (da quel girino della Malkiel'), siete maleducata e non rimpiango d'avervi frustata quella volta. Cercate di capire che la quotidiana attesa del vostro arrivo non solo ci fa soffrire, ma ci cagiona delle spese: a pranzo siamo soliti mangiare solamente la minestra avanzata dal giorno prima; quando però aspettiamo ospiti, prepariamo in piú un arrosto, fatto con la carne lessa che acquistiamo dalle cuoche del vicinato.

Abbiamo un giardino magnifico, viali bui, cantucci reconditi, un fiumicello, un mulino, una barchetta, notti di luna, usignuoli, tacchini... Nel fiume e nello stagno ci sono delle ranocchie molto intelligenti. Spesso facciamo passeggiate, durante le quali sono solito chiudere gli occhi e arrotondare il braccio destro a mo' di ciambella, nell'illusione che camminiate a braccetto con me.

Se venite, alla stazione chiedete del vetturino Guščin, ed egli vi porterà da noi. Si può anche scendere alla fermata facoltativa, ma in tal caso bisogna avvertirci prima perché vi mandiamo incontro un Pegaso. Dalla fermata a casa nostra ci sono soltanto quattro verste.

Salutatemi Levitan. Pregatelo di non parlare di voi in ogni sua lettera. In primo luogo non è generoso da parte sua, e in secondo luogo non m'importa un bel niente della sua felicità. State sana e contenta, e non scordatevi di noi. La guardiana vi manda a salutare. Questa è la mia firma: [*segue un disegno che rappresenta un cuore trafitto da una freccia*]. La mangusta è stata ritrovata. Maša sta bene.

Ricevo in questo momento la vostra lettera. È piena da cima a fondo di graziose espressioni, quali «il diavolo vi strozzi», «il diavolo vi scortichi», «maledetto», «sberla», «farabutto», «mi sono abboffata», e cosí via. Non c'è che dire, che bella influenza esercitano su di voi i carrettieri tipo Trofim.

Fate pure il bagno e andate a spasso di sera. Codeste sono sciocchezze. Dentro di me sono tutto pieno di rantoli secchi e umidi, ma faccio il bagno e vado a passeggio, e ciò nonostante sono in vita.

Avete bisogno di fare una cura di acque. Questo, lo approvo. Ma venite da noi, altrimenti saranno guai. Tutti vi presentano i loro omaggi, io pure. La vostra calligrafia è, come sempre, magnifica.

AD ALEKSEJ S. SUVORIN

Mosca, 25 ottobre 1891

Alla redazione moscovita di «Tempo Nuovo» sono stati versati cinque rubli e ottantacinque copeche, raccolti dalle allieve del collegio Rževskaja per gli affamati. Fate pubblicare la notizia; i soldi li ho consegnati ad Aleksej Alekseevič.

Ho sconsigliato vostro figlio di andare a Zarajsk. Primo, non è conveniente a una persona col raffreddore di far venticinque verste per una strada attualmente impraticabile alle slitte e alle carrozze. Secondo, le tenute si visitano d'inverno soltanto quando se ne vuol ricavare una delusione. Terzo, Aleksej Alekseevič può andarci anche in aprile, la tenuta non scappa via, e nel frattempo potreste cambiar idea. Quarto, infine, domani voglio far colazione con lui da Testov, e questo è il punto capitale.

Pubblicate *Il duello* non a due, ma a una puntata per settimana. Due puntate sarebbero una violazione del sistema in vigore nel giornale e farebbero pensare che tolgo ad altri una

puntata, mentre per me e per la mia novella uscire settimanal-
mente o bi-settimanalmente è proprio lo stesso.

Nella confraternita letteraria di Pietroburgo non si parla
d'altro che della disonestà dei miei propositi. Ho ricevuto or
ora la gradita notizia che sto per sposare la Sibirjakova. In genere ricevo molte belle notizie.

Ogni notte mi sveglio e leggo *Guerra e pace*. Lo leggo con
una curiosità e con ingenua passione, come se non l'avessi mai
letto. È un'opera straordinaria. Però non mi piacciono i passi
dove c'è Napoleone. Appena compare lui, ecco subito la sfor-
zatura e ogni trucco possibile e immaginabile per dimostrare
che era piú stupido di quanto non fosse in realtà. Tutto quel
che fanno e dicono Pierre, il principe Andrej o quella perfetta
nullità di Nikolaj Rostov – tutto è bello, profondo, naturale e
commovente. Tutto quel che fa e dice Napoleone non è naturale né intelligente, ma tronfio e insulso. Quando mi stabilirò
in provincia (cosa che sogno giorno e notte), eserciterò la medicina e leggerò romanzi.

A Pietroburgo non ci verrò.

Se fossi stato accanto al principe Andrej, l'avrei guarito. Fa
una strana impressione leggere che la ferita del principe, un
uomo ricco, curato giorno e notte dal dottore, assistito da
Sonja e da Nataša, esalava un odore di cadavere. Com'era ar-
retrata la medicina, a quei tempi! Mentre scriveva il suo grosso romanzo, Tolstoj si dev'essere, suo malgrado, imbevuto
d'odio per l'arte medica!

State sano. La zia è morta.

Vostro   A. Čechov

A IVAN L. LEONT'EV (ŠČEGLOV)

Melichovo, 9 marzo 1892

Caro il mio *Jean*,

il vostro desiderio sarà esaudito: manderò un racconto a
«La settimana». E tanto piú volentieri, in quanto la rivista mi
è simpatica. Informate il pilota che fisso una cabina nella sua
nave per aprile, non piú tardi.

Sí, di uomini come Račinskij[1] ce ne sono pochi a questo
mondo. Comprendo il vostro entusiasmo, mio caro. Dopo il
senso di soffocazione che si prova nell'ambiente dei Burenin
e degli Averkiev – ed essi sono legione – Račinskij, uomo di
saldi principî, umano e puro, è come uno zeffiro di primavera.
Sono pronto a dar la vita per lui, ma, caro amico... concedete-
mi questo «ma», e non andate in collera: io non manderei i
miei figli a scuola da lui. Perché? Da bambino mi fu impartita
un'educazione religiosa, e che educazione! A base di inni, di
recitazione degli «apostoli» e di litanie in chiesa, con l'obbligo di servir messa e di suonar le campane. E il risultato? Se ripenso alla mia infanzia, essa mi appare piuttosto tetra; adesso
non ho religione. Sapete, quando due miei fratelli ed io canta-
vamo in mezzo alla chiesa il terzetto *Ravvedetevi* o *Voce d'ar-
cangelo*, tutti ci guardavano commossi e invidiavano i nostri
genitori, ma noi, in quel momento ci sentivamo come piccoli
forzati. Sí, mio caro! Io comprendo Račinskij, ma non conosco i bambini che studiano sotto di lui. Le loro anime sono
per me un mistero. Se sono piene di gioia, quei ragazzi sono
piú felici di me e dei miei fratelli, che abbiamo avuto un'infanzia tutta di sofferenze.

Bella cosa essere un *lord*. Si sta al largo, al caldo, nessuno

---

[1] Pedagogista, professore all'università di Mosca, fautore dell'educazione religiosa della gioventú.

che strappi il campanello all'uscio, ma è facile fare un ruzzo-
lone e da *lord* diventare portinaio o custode. Il podere, signor
mio, costa tredicimila rubli e ne ho pagato solamente un terzo. Il resto forma un debito che mi terrà incatenato per molto, molto tempo.

Eccovi il mio indirizzo: villaggio di Melichovo, staz. Lopasnja, ferrovia Mosca-Kursk. Questo per la corrispondenza
ordinaria e i telegrammi.

Venite a trovarmi, *Jean*, insieme con Suvorin. Mettetevi
d'accordo con lui. Che giardino, il mio! Che ingenuo cortilet-
to! Che oche!

Scrivete più spesso.

Saluti e ossequi alla vostra gentile consorte. State sano e allegro, mio carissimo.

Vostro   A. Čechov

Inviatemi l'estratto della vostra ultima novella.

AD ALEKSANDR P. ČECHOV

                                    Melichovo, 21 marzo 1892

Saša pompiere!

Riceviamo la tua rivista e con giubilo leggiamo le biografie
dei grandi comandanti dei vigili del fuoco, nonché l'elenco
delle onorificenze loro concesse. Auguriamo anche a te, Sandrino, di ricevere l'ordine del Leone e del Sole.

Noi viviamo nelle nostre terre. Come un qualsiasi Cincinnato trascorro tutto il tempo lavorando e mi guadagno il pane
col sudore della fronte. Oggi mammina ha digiunato e s'è fatta portare in chiesa con un *cavallo nostro*; il babbo è caduto
dalla slitta, tanto impetuosa era la corsa del destriero!

Nostro padre continua a filosofeggiare e a far domande di
questo genere: «Perché in questo punto c'è ancora neve?»
Oppure: «Perché laggiú ci sono alberi e qui no?» Passa il suo
tempo a leggere i giornali, e poi racconta alla mamma che a
Pietroburgo stanno fondando una società per la lotta contro
la «classificazione» del latte. Come tutti i taganroghesi è incapace di qualsiasi lavoro, tranne quello d'accendere le lampa-
de. I contadini, li tratta con severità.

Abbiamo ricevuto dallo zio una stupenda lettera di felicita-
zioni, in cui attesta che «Irinuška ha pianto».

Be', quanto alle mie faccende finanziarie, vanno piuttosto male: le uscite superano dieci volte le entrate. Mi torna a mente Tournefort: «Bisogna partorire, ma non ci sono candele». Lo stesso accade a me: bisogna seminare ma mancano le sementi. Oche e cavalli devono mangiare, ma non basta possedere i muri d'una casa. Sí, Sandrino, non soltanto Mosca richiede quattrini.

Lo stagno si trova nel giardino, a venti passi dalla casa. È profondo quattro metri. Che soddisfazione riempirlo di neve e pregustare il momento in cui dal suo grembo guizzeranno i pesci! E i fossatelli?... Scavare fossatelli è forse meno piacevole che dirigere «Il pompiere»? E alzarsi alle cinque, sapendo che non hai da andare da nessuno e che nessuno verrà da te? E sentire il canto dei galli, degli stornelli, delle allodole e delle cinciallegre? E ricevere dal lontano mondo fasci di giornali e di riviste?

Ma, Saša, quando la mia tenuta sarà venduta all'asta, mi comprerò a Nežin una casa con giardino e qui vivrò fino a tarda età! – Tutto non è ancora perduto! – dirò, quando nelle mie terre s'insedierà lo straniero.

Commetteresti una viltà e un'infamia se quest'estate non venissi da noi sia pure un solo giorno, a viver la vita di Cincinnato. Tempo fa, a due passi da me, hanno venduto per tremila rubli un bel poderetto: casa, annessi, stagno, cinquanta *desjatiny*... Quel che ci voleva per te! Quanti lamponi, quante fragole!

Oggi, mentre buttavamo la neve nello stagno, Miška e io abbiamo ripensato a te, quando gridavi a Besčinskij: «Nàum, Nàum, ebreuzzo!», ecc. Com'eri intelligente, Saša!

Sta' sano. Salutami Natal'ja Aleksandrovna e i tuoi *pueri*. Come va la testa di Michail? È guarita o è ancora piena di croste? Se qualcosa non va, di' a Natal'ja Aleksandrovna che mi scriva tutti i particolari: le darò un consiglio (gratis).

Il tuo

Cincinnato

Il secondo numero del «Pompiere» è meglio del primo.

I tuoi congiunti sono assai lusingati che tu collabori con un conte e pubblichi ritratti di principi. I nostri ossequi alle loro Altezze, mio caro, e chiedi loro un rubletto per i tuoi fratelli, sí, mio caro.

Quanto mi pagherebbe il conte se gli mandassi una storia di pompieri? Me li darebbe, cento rubli?

A LIDIJA S. MIZINOVA

Melichovo, 27 marzo 1892

Lika, freddo atroce per le strade e nel mio cuore; per questo non vi scrivo la lunga lettera che volevate ricevere.

Be', come avete risolto la questione della villeggiatura? Siete una bugiarda e non vi credo: non avete nessuna voglia di abitare vicino a noi. La vostra villa è nel rione Mjasnickaja, all'ombra della torre di guardia dei pompieri: là siete col cuore e con l'anima. Noi, invece, non siamo niente per voi. Siamo come gli stornelli dell'anno scorso, il cui canto è ormai dimenticato da un pezzo.

Abbiamo avuto ospite per due giorni A. I. Smagin. Oggi è venuta la guardia rurale. Nel termometro la colonnina del mercurio è scesa a dieci gradi. Mando al suo indirizzo tutte le parolacce che incominciano con la lettera *s* e ne ricevo in risposta un gelido scintillio d'occhi... Ma quando, finalmente, sarà primavera? Lika, quando?

Quest'ultima domanda, dovete intenderla alla lettera, e non cercar in essa un significato recondito. Ahimè! Io sono ormai un vecchio giovanotto; il mio amore non è il sole e non fa primavera né per me né per l'uccellino che amo! Lika, non te amo d'amore ardente. Io amo in te le sofferenze antiche e la perduta giovinezza mia.

AD ALEKSEJ S. SUVORIN

Melichovo, 8 aprile 1892

Sarò a Mosca mercoledí o giovedí della seconda settimana di Pasqua. Questo, senza meno. Prima di partire telegrafate: Čechov, Scuola Mjusskoe, Barriera di Tver, Mosca. Arriverei anche prima, ma il racconto non è ancora terminato. Dal Venerdí Santo fino a oggi ho avuto visite visite visite... e non ho scritto un rigo.

Se Šapiro mi regalasse la gigantesca fotografia di cui mi parlate, non saprei che farne. È un regalo ingombrante. Voi dite che a quei tempi ero piú giovane. Già, figuratevi un po'! Per quanto strano possa sembrare, ho passato i trenta da un pezzo e già sento avvicinarsi i quaranta. Sono invecchiato non solo di corpo, ma anche di spirito. Sono divenuto scioccamente indifferente a ogni cosa al mondo e, chi sa perché, l'inizio di questa indifferenza ha coinciso col mio viaggio all'estero. M'alzo e mi corico con la sensazione che ogni interesse per la vita sia inaridito in me. Si tratta della malattia che i giornali chiamano esaurimento nervoso, oppure è quel lavorio interiore, non percettibile alla coscienza, che nei romanzi viene denominato crisi spirituale? Se è quest'ultima cosa, vuol dire che tutto è per il meglio.

Ieri e oggi ho avuto un mal di testa che è incominciato con scintillii negli occhi, malattia che ho ereditato dalla mamma.

Il pittore Levitan è qui in visita. Ieri sera siamo andati a caccia; lui ha sparato a un beccaccino che, ferito a un'ala, è caduto in una pozza d'acqua. L'ho raccolto: un lungo becco, due grandi occhi neri e un bellissimo piumaggio. Mi guarda, stupito. Che farne? Levitan corruga la fronte, chiude gli occhi e mi prega, con un tremito nella voce: «Caro, schiacciategli la testa col calcio del fucile...» Io rispondo: «Non ho il coraggio». Lui seguita a stringersi nervosamente nelle spalle, a scrollare il capo e a implorare. E il beccaccino a guardarci con stupore. Ho poi dovuto obbedire a Levitan e ucciderlo. Una bella creatura innamorata di meno, e due imbecilli che tornano a casa e si mettono a tavola.

Jean Ščeglov, in compagnia del quale vi siete annoiato tutta una sera, è un gran nemico d'ogni sorta di eresie, tra le quali anche l'intelligenza femminile. Ma se paragonate lui stesso, poniamo, alla Kundasova, al confronto è lui che sembra una monachella. A proposito, se vedete la Kundasova, salutatemela e ditele che l'aspettiamo qui. All'aria aperta è molto interessante e assai piú intelligente che in città.

È venuto a trovarmi Giljarovskij. Che cosa non ha fatto, mio Dio! Ha ridotto a malpartito tutti i miei ronzini, s'è arrampicato sugli alberi, ha spaventato i cani e per mettere in mostra la sua robustezza ha rotto delle travi. Non è stato zitto un momento.

State sano e prospero. Arrivederci a Mosca!

Vostro   A. Čechov

A LIDIJA S. MIZINOVA

Melichovo, 28 giugno 1892

Nobile, vereconda Lika!

Appena ho saputo da voi che le mie lettere non m'impegnano affatto, ho tirato un sospiro di sollievo ed ecco che vi scrivo un gran letterone senza timore che qualche zietta, vedendo queste righe, mi ammogli con un mostro quale voi siete. Dal canto mio m'affretto ad assicurarvi che ai miei occhi le vostre missive hanno soltanto valore di fiori olezzanti, non di documenti; riferite al barone Stackelberg, a vostro cugino e agli ufficiali dei dragoni che non sarò loro d'ostacolo. Noi, Čechov, contrariamente a quegli altri, tipo Ballas, lasciamo vivere le ragazzine. È questo un nostro principio. Di conseguenza siete libera.

Ha preso dimora da noi una cagnetta maltese smarrita, di cui non si conosce il padrone. È arrivato Semaško. La contessa se n'è andata, ma tornerà presto. Nell'aria c'è un acuto odore di quel che, nel linguaggio di Miša, si chiama «far carriera». Cos'altro ancora? Le visciole maturano. Ieri abbiamo già mangiato tortellini ripieni di ciliege e marmellata d'uva spina. A proposito di tortellini[1]. Il mio vicino Varenikov vuole a ogni costo comprarmi questo appezzamento. Farebbe abbattere tutti i fabbricati, permettendoci però di viver qui fino all'inverno prossimo (1894), e pagherebbe probabilmente non meno di diecimila rubli. Che ve ne pare? Io non vedo l'ora di trasferirmi nell'altro appezzamento. Se riesco a concluder l'affare con Varenikov, in autunno comincerò a sistemarmi nel mio romitaggio in mezzo alla foresta e per portare al colmo la mia felicità mi mancherebbero soltanto quei tremila rubli di cui v'ho parlato. Lo so, Cantalupa; entrando nell'età matura avete cessato d'amarmi. Ma in segno di gratitudine per la passata felicità, mandatemi quei tremila rubli. Non v'impegnerebbero a nulla e io mi sdebiterei inviandovi, durante l'inverno, burro e ciliege secche.

Da noi tutto è pace, armonia e tranquillità se si eccettua il baccano prodotto dai figli del mio fratellino maggiore. Ma ciò nonostante mi riesce difficile scrivere. Non posso concentrar-

---

[1] Gioco di parole intraducibile. *Varenik*, radice di *Varenikov*, significa in russo «tortellino».

mi. Per pensare e comporre, mi tocca ritirarmi nell'orto a sar-
chiare la povera erbetta che non dà noia a nessuno. Ho una
notizia sensazionale: «Il pensiero russo», nella persona di Lavrov, mi ha mandato una lettera piena di sentimenti delicati
e di proteste d'amicizia. Sono commosso, e se non avessi la
brutta abitudine di non rispondere alle lettere, gli direi che
considero terminato il dissenso prodottosi fra noi due anni fa.
In ogni caso la novella d'ispirazione liberale che avevo cominciato mentre eravate qui, bimba mia, la manderò al «Pensiero
russo». Guardate un po' che razza di storia!

Sognate Levitan dagli occhi neri, pieni di passione africa-
na? Seguitate a ricever lettere dalla vostra rivale settantenne
e a risponderle ipocritamente? In voi, Lika, si cela un grosso
coccodrillo e, tutto sommato, faccio bene a dar ascolto alla
voce della ragione e non a quella del cuore che avete trafitto.
Lungi, lungi da me! Oppure no, Lika, vada come vuole: permettete alla mia testa d'aver le vertigini quando aspiro il vostro profumo e aiutatemi a stringer piú forte il laccio che m'a-
vete gettato al collo.

Immagino il vostro maligno trionfo e la satanica risata con
cui leggerete queste righe... Ma via, sto scrivendo sciocchezze, credo. Strappate questa lettera. Scusate se è scritta in modo cosí illeggibile e non mostratela a nessuno. Ah, ah!

Basov mi ha scritto che avete ricominciato a fumare. È
un'infamia, Lika. Disprezzo la vostra mancanza di carattere.

Ogni giorno c'è qualche spruzzatina di pioggia e tuttavia la
terra è secca.

Be', arrivederci, pannocchietta dell'anima mia. Con impudente deferenza bacio la vostra scatoletta di cipria e invidio i
vostri vecchi stivaletti che possono vedervi ogni giorno. Scrivetemi dei vostri successi. Buona fortuna, e non dimenticate

il da voi soggiogato re Mida

A LIDIJA S. MIZINOVA

Melichovo, 16 luglio 1892

Voi, Lika, cercate il pelo nell'uovo. In ogni sillaba della mia
lettera scorgete l'ironia o la malizia. Un bel carattere avete,
non c'è che dire! A torto pensate che diventerete una vecchia
zitella. Scommetto che col tempo vi trasformerete in una fem-

mina malvagia, stridula e litigiosa, di quelle che praticano lo
strozzinaggio e tirano le orecchie ai monelli del vicinato. L'infelice consigliere titolare in vestaglietta stinta, che avrà l'onore di chiamarvi moglie, vi ruberà ogni momento un po' di liquore per annegare nell'alcool le amarezze della vita coniuga-
le. M'immagino sovente due rispettabili signore – voi e Saffo
– sedute a un tavolino a scolar liquore rievocando i tempi
passati, mentre nella stanza attigua il vostro consigliere titolare e l'ebreuzzo dalla gran calvizie, di cui taccio il nome, siedono davanti alla stufa con aria timida e contrita, intenti a
giocare a dama.

Da un pezzo ormai Maša è andata a Luka insieme con Ma-
muna. Un dottore qui di passaggio m'ha detto d'aver consta-
tato due casi di colera nei pressi di Char'kov e precisamente a
Merefa. Se la voce giunge fino a Sumy, Maša scapperà via.
L'aspetto per il 20 di luglio. Non posso assentarmi perché lo
zemstvo distrettuale mi ha già nominato medico dei colerosi
(senza stipendio). Ho da fare fin sopra i capelli. Giro per i villaggi e le fabbriche a tener prediche sul colera. Domani c'è un
raduno sanitario a Serpuchov. Io disprezzo il colera ma, chi sa
perché, sono costretto a temerlo tal quale come gli altri.

Alla letteratura, beninteso, non posso nemmeno pensare.
Sono stanco e maledettamente seccato. Soldi niente, e non ho
né il tempo né l'umore adatto per guadagnarne. I cani abbaia-
no come disperati. Ciò significa che morrò di colera o riscuoterò il premio dell'assicurazione. La prima alternativa è la piú
probabile, giacché gli scarafaggi non sono ancora scappati.
M'hanno assegnato venticinque villaggi, senza neppure un
aiutante. Io solo non basto e farò la figura dell'imbecille. Venite a trovarci, cosí aiuterete i contadini a picchiarmi.

Quanto a voi, mia cara fanciullina, perdete molto vivendo
a Toržok e non da noi. Grazie al colera, che non è ancora
comparso, ho fatto conoscenza con tutti i vicini. Ci sono fra
loro dei giovanotti interessanti. Per esempio il principe Ša-
chovskoj, che ha ventisette anni. Egli trascorre intere giornate da me.

Quando la paura del colera si sarà acquetata, me n'andrò in
Crimea. Cantalupa, invece, rimarrà a Toržok ad ammuffire
coi suoi parenti; poi, ammuffita che sia, tornerà a Mosca e si
darà ai piaceri innocenti: andare da Saffo, fumare, litigare col
parentado, frequentare gli spettacoli di Fedotov... Graziosa
prospettiva!

È pronta la commedia? No?

Da noi pioggia e gran caldo. La segala è magnifica, ma non c'è nessuno per mieterla. Come pure non c'è nessuno per raccogliere le ciliege. Ma tutte queste ricchezze non mi seducono. Una cosa sola mi rallegra: l'idea di non dover andare a Mosca. Lika, venite da noi quest'inverno. Vedrete come ce la passeremo bene. Io prenderò in mano la vostra educazione e vi guarirò dalle cattive abitudini. Ma, soprattutto, vi proteggerò da Saffo.

Be', state sana. Questa volta non vi scrivo paroline tenere, perché in esse vedete solamente dell'ironia. E, beninteso, non firmo col mio cognome. Per testardaggine non firmo.

PS. Una signorina di mia conoscenza, brutta ma simpatica, aveva smesso di fumare, poi, a quanto dicono, ha ricominciato. Che bestia cocciuta! Scrivetemi! Avete capito? Ve ne supplico in ginocchio.

AD ALEKSEJ S. SUVORIN

Melichovo, 16 agosto 1892

Voglio esser dannato se vi scrivo ancora. V'ho scritto ad Abbazia, a St. Moritz; v'ho scritto una decina di volte per lo meno. Siccome non m'avete mai mandato un indirizzo esatto, nessuna delle mie lettere è giunta fino a voi e quindi sono andate perse le mie lunghe descrizioni e dissertazioni sul colera. È una vergogna. Ma ancor piú vergognoso è che dopo una serie di lettere in cui vi parlavo dei grattacapi che il colera ci ha dato, voi mi scriviate a un tratto dalla gaia Biarritz, color turchese, che invidiate i miei ozi. Be', Allah vi perdoni!

Dunque, sono vivo e vegeto. Abbiamo avuto un'estate magnifica, asciutta, calda, prodiga di frutti; ma, a cominciare da luglio, le notizie sul colera hanno guastato tutto il fascino. Quando, nelle vostre lettere, m'invitavate a raggiungervi ora a Vienna ora ad Abbazia, io ero già medico di settore presso lo *zemstvo* di Serpuchov, acchiappavo il colera per la coda e a gran velocità organizzavo un nuovo settore comprendente venticinque villaggi, quattro fabbriche e un monastero. Al mattino ricevo i pazienti, al pomeriggio vado in giro, viaggio, tengo conferenze agl'indigeni, li curo, m'arrabbio, e siccome lo *zemstvo* non m'ha dato un soldo per attrezzare gli ambulatori, vado a mendicare ora dall'uno ora dall'altro riccone. Mi

sono dimostrato un bravissimo accattone: grazie alla mia eloquenza mendicatoria il mio settore possiede adesso due ottimi
lazzaretti attrezzati di tutto punto e altri cinque che sono piú
scadenti che buoni. Ho risparmiato allo *zemstvo* perfino le
spese di disinfezione. La calce, il vetriolo e ogni sorta di porcherie puzzolenti le ho ottenute a furia d'insistere dagli indu-
striali, per tutti i miei venticinque villaggi. Insomma, A. P.
Kolomnin può esser fiero d'essermi stato compagno al liceo.

La mia anima è molto stanca. Sono annoiato. Non apparte-
nere a se stessi, pensare soltanto alle diarree, sussultare di notte a ogni latrato di cane, a ogni colpo bussato al portone (vengono a chiamar me?), girare con cavalli arrembati per strade
sconosciute, leggere soltanto notizie sul colera, aspettare soltanto il colera e, nello stesso tempo, essere completamente indifferenti a questo male e alla gente a cui rendi servizio – questa, signor mio, è una zuppa che non fa pro a nessuno.

Il colera è già a Mosca e nel distretto di Mosca. L'aspettiamo qui da un momento all'altro. A giudicare dal suo decorso
in città, c'è da supporre che sia ormai in declino e che il bacil-
lo virgola cominci a perdere la sua virulenza. Inoltre è lecito
pensare che ceda velocemente alle misure prese a Mosca e da
noi. L'*intelligencija* lavora a tutto spiano, senza risparmio d'e-
nergie e di denaro; la vedo ogni giorno all'opera e ne sono
commosso; e quando ripenso a Žitel' e a Burenin, usi a riversare la loro bile su questa stessa *intelligencija*, provo un lieve
senso di nausea. A Nižnij i medici e gl'intellettuali in genere
hanno fatto miracoli. L'entusiasmo mi ha sopraffatto quando
ho letto le notizie sul colera. Nel buon tempo antico, allorché
la gente s'ammalava e moriva a migliaia, non si sognavano
neppure le splendide vittorie che si conseguono adesso sotto i
nostri occhi. Peccato che non siate medico e non possiate con-
dividere la mia soddisfazione; non possiate cioè sentire, comprendere e apprezzare appieno tutto quanto si va facendo. Ma
è una questione che non si può discutere in poche parole.

Il trattamento del colera esige dal medico prima di tutto
molta disponibilità di tempo; bisogna, cioè, dedicare a ogni
ammalato da cinque a dieci ore, se non piú. Siccome mi propongo d'applicare il metodo di Kantani – clisteri di tannino e
ipodermoclisi – mi troverò in una situazione quanto mai idiota. Mentre m'affannerò attorno a un paziente, altri dieci
avranno il tempo d'ammalarsi e morire. Vedete, io sono solo
per venticinque villaggi, a parte un infermiere che mi dà del-
l'Eccellenza, non osa fumare davanti a me, non muove un

passo se non ci sono io. Finché si tratterà di casi isolati, sarò all'altezza della situazione; ma se l'epidemia dovesse estendersi foss'anche a cinque casi giornalieri, non farei altro che stancarmi, arrabbiarmi e sentirmi in colpa.

Alla letteratura, naturalmente, non c'è nemmeno da pensare. Non scrivo nulla. Per riservarmi un minimo di libertà d'azione, ho rifiutato ogni compenso e mi trovo perciò senza un soldo. Sto aspettando che si finisca di trebbiare e si venda la segala; frattanto camperò col mio *Orso* e con i funghi che qui pullulano. A questo proposito vi dirò che non ho mai vissuto cosí a buon mercato. Abbiamo di tutto, perfino il pane è di nostra produzione. Credo che fra un paio d'anni le spese complessive per la casa non supereranno i mille rubli annuali.

Quando saprete dai giornali che il colera è finito, significherà che avrò ricominciato a scrivere. Finché, invece, sarò al servizio dello *zemstvo*, non mi considerate uno scrittore. Non si possono far due cose alla volta.

Voi scrivete che ho abbandonato il mio *Sachalin*. No, non abbandonerò mai questa mia creatura. Quando sono oppresso dal tedio letterario, mi fa piacere occuparmi di qualcosa che non sia la narrativa. Il problema di quando terminerò *Sachalin* e di dove lo pubblicherò non mi sembra importante. Fino a quando un Galkin-Vraskij regnerà sulle prigioni, non ho nessuna voglia di stamparlo. Certo, se mi troverò nelle strettezze, sarà un'altra faccenda.

In tutte le mie lettere vi ho rivolto con insistenza una domanda alla quale, peraltro, non siete obbligato a rispondere: dove sarete in autunno e vi piacerebbe trascorrere con me una parte del settembre e tutto ottobre a Feodosija e in Crimea? Ho una voglia matta di mangiare, bere, dormire e discorrere di letteratura, cioè di non far nulla e nello stesso tempo di sentirmi una persona ammodo. D'altronde, se la mia inoperosità vi disgusta, posso promettere di scrivere con voi o accanto a voi una *pièce*, una novella... Che ne dite? Non volete? Be', pazienza.

L'astronoma[1] è stata qui due volte; tutt'e due le volte mi ha scocciato. È venuto Svobodin. Sta diventando sempre piú buono. La grave malattia ha prodotto in lui una metamorfosi spirituale.

Vedete che lettera lunga vi ho scritto, pur non essendo certo che vi arriverà. Cercate d'immaginare la mia noia di medi-

---

[1] Ol'ga Kundesova, studiosa di astronomia.

co del colera, la mia solitudine e la forzata inoperosità letteraria e scrivetemi piú a lungo e piú spesso. Condivido il vostro senso di disgusto per i francesi. I tedeschi sono di molto superiori, quantunque, Dio sa perché, si dica che sono ottusi. Quanto alle simpatie franco-russe[1], le detesto non meno di Tatiščev. C'è un che di losco in quelle simpatie. In compenso l'arrivo di Virchov m'ha fatto un gran piacere.

Le nostre patate vengono su molto saporite e i cavoli sono magnifici. Come potete far a meno di zuppa di cavoli? Non invidio né il vostro mare né la libertà né il senso di benessere che si prova all'estero. L'estate russa è meglio d'ogni altra cosa. A questo proposito vi dirò che i paesi stranieri non m'attirano gran che. Dopo Singapore, Ceylon e, se volete, il nostro Amur, l'Italia e perfino il cratere del Vesuvio non mi seducono piú. Ora che sono stato nell'India e in Cina, non trovo che ci sia poi una gran differenza fra l'Europa e la Russia.

Si trova attualmente a Biarritz un mio vicino, il conte Orlov-Davydov, proprietario della celebre «Otrada», scappato a causa dell'epidemia. Per la campagna contro il colera ha dato al suo medico soltanto cinquecento rubli. Sua sorella, la contessa, che abita nel mio settore, quando sono andato da lei a parlare della costruzione d'un lazzaretto per i suoi operai, m'ha trattato come se fossi venuto a chiederle un impiego. Ci sono rimasto male e le ho dato a intendere che ero molto ricco. Ho raccontato la stessa bugia all'archimandrita, che aveva rifiutato di dare un locale per gli eventuali casi di colera al monastero. Quando le ho domandato cosa avrebbe fatto di quelli che si fossero ammalati nella sua foresteria, mi ha risposto: «È gente agiata; vi pagheranno di tasca loro...» Capite? Io sono scattato e ho risposto che non mi preoccupavo del pagamento, poiché ero ricco, ma dell'incolumità del monastero. Ci sono a volte situazioni idiote e umilianti. Prima che partisse il conte Orlov-Davydov, m'incontrai con sua moglie. Grossi brillanti alle orecchie, *tournure* e maniere volgari. Una tipica milionaria. Con persone di quel genere ti senti come un seminarista e hai voglia di dire insolenze senza alcun motivo.

Il *pop* del villaggio viene spesso da me e mi fa delle lunghe visite. È un uomo molto simpatico, vedovo, con alcuni figli illegittimi.

Suvvia, scrivete, o saranno guai.

Vostro
                                                                A. Čechov

[1] Allusione alla *Entente cordiale*.

AD ALEKSEJ S. SUVORIN

Melichovo, 25 novembre 1892

Comprendervi non è difficile, a torto vi rimproverate di non esservi espresso chiaramente. A un ubriacone inveterato come voi io ho offerto una limonata dolciastra, e dopo averle fatto onore osservate giustamente che ci manca l'alcool. Nelle nostre opere manca per l'appunto l'alcool che inebria e soggioga, e questo lo fate ben capire. Perché manca? Lasciando da parte la mia persona e *Il reparto n. 6*, parliamo piuttosto del problema generale, che è piú interessante. Parliamo delle cause generali, se ciò non vi annoia, e analizziamo l'intera epoca.

Ditemi in coscienza, chi, dei miei coetanei, cioè degli uomini fra i trenta e i quarantacinque anni, ha dato al mondo non foss'altro che una goccia di alcool? Cosa sono Korolenko, Nadson e tutti i drammaturghi contemporanei, se non limonata? I quadri di Repin o di Šiškin vi hanno forse fatto venir le vertigini? Robetta graziosa, piena di maestria. Vi estasiate, ma nello stesso tempo non riuscite a dimenticare che avete voglia di fumare. È questo il periodo aureo della scienza e della tecnica, ma per noialtri scrittori è un'epoca frolla, acida, tediosa, noi stessi siamo acidi e tediosi, siamo solo capaci di mettere al mondo bambini di guttaperca[1]; e l'unico a non accorgersene è Stasov cui la natura ha dato la rara facoltà d'ubriacarsi anche con l'acqua della rigovernatura. La causa non sta nella nostra stupidaggine, non nell'inettitudine e nemmeno nell'arroganza, come crede Burenin, ma in un male che per l'artista è peggiore della sifilide o della nevrastenia sessuale. Sí, è giusto, a noi manca «un non so che» e questo significa che se sollevate la gonnella della nostra musa, vedrete in quel punto un affarino piatto piatto. Gli scrittori che noi diciamo immortali o semplicemente buoni e che ci inebriano hanno, ricordatevelo, un contrassegno comune e assai importante: essi procedono in una data direzione e v'invitano a seguirli, e voi sentite non con la mente ma con tutto l'essere che hanno uno scopo, come l'ombra del padre d'Amleto, la quale non senza motivo appariva e turbava l'immaginazione. A seconda del loro calibro alcuni perseguono scopi immediati: l'abolizione del servaggio, la liberazione della patria, la politica, la bel-

---

[1] Allusione alla novella di Grigorovič *Il bambino di guttaperca*.

lezza o semplicemente la vodka, come accade a Denis Davydov; altri invece hanno scopi lontani: Dio, la vita d'oltretom-
ba, il bene dell'umanità, ecc. I migliori fra di loro sono realisti
e ritraggono la vita com'è, ma per il fatto che ogni loro riga è
impregnata, come da un succo, dalla consapevolezza dello
scopo, voi, oltre a sentire la vita com'è, la sentite anche come
dovrebbe essere, ed è questo che vi avvince.

E noi?! Noi rappresentiamo la vita com'è, punto e basta...
Piú in là non ci farete andare, nemmeno con la frusta. Non
abbiamo scopi né immediati né lontani, e nella nostra anima
c'è il vuoto assoluto. Non abbiamo concezione politica, non
crediamo nella rivoluzione, non abbiamo un Dio, non temia-
mo i fantasmi e, quanto a me, non temo neppure la morte e la
cecità. Chi non vuole non spera e non teme nulla, non può essere un artista. Sia questa una malattia o no, poco importa; bisogna però riconoscere che ci troviamo in una maledetta situazione. Non so che sarà di noi fra dieci o vent'anni; forse allora le circostanze saranno diverse, ma per adesso sarebbe im-
prudente aspettarsi da noi qualcosa di buono, indipendentemente dal fatto che abbiamo o non abbiamo talento. Noi
scriviamo come macchine, seguendo l'andazzo per cui gli uni
servono lo stato, gli altri esercitano il commercio, gli altri ancora scrivono...

Voi e Grigorovič trovate ch'io sono intelligente. Sí, sono
intelligente, lo sono per lo meno tanto da non dissimulare a
me stesso la mia malattia, da non mentire a me stesso e nascondere il mio vuoto sotto gli stracci altrui, come sarebbero
ad esempio gl'ideali degli anni Sessanta, ecc. Io non mi butterò, come Garšin, nella tromba delle scale, ma non starò neppure a lusingarmi con le speranze in un avvenire migliore.
Non è colpa mia se sono malato, e non tocca a me curarmi,
giacché è da supporre che questa malattia abbia i suoi lati
buoni, a noi ignoti, né ci è stata mandata invano... «Non invano, non invano, ella fuggí con l'ussaro!»

E veniamo all'intelligenza. Grigorovič crede che essa possa sopraffare il talento. Byron era intelligente come cento diavoli, e tuttavia il suo talento rimase intatto. Se mi dicessero
che X ha scritto sciocchezze perché in lui l'intelligenza ha sopraffatto il talento o viceversa, io risponderei: «Ciò significa che X non aveva né intelligenza né talento».

I *feuilletons* di Amfiteatrov valgono assai piú dei suoi racconti. Sembrano tradotti dallo svedese.

Ežov scrive d'aver radunato o piú esattamente fatto una

selezione dei suoi racconti e vorrebbe chiedervi di pubblicare il volume. In questo momento ha l'influenza, come pure sua figlia. Poveretto, è amareggiato.

Verrò a Pietroburgo e se non mi scacciate, ci resterò quasi un mese. Forse farò una scappata in Finlandia. Quando verrò? Non lo so. Tutto dipende dal momento in cui finirò di scrivere una novella di un'ottantina di pagine, per non dover di nuovo batter cassa in primavera.

Che il Cielo vi protegga!

Che ne pensate della Svezia e della Danimarca?

Vostro

A. Čechov

AD ALEKSEJ S. SUVORIN

Melichovo, 5 febbraio 1893

Mio padre è malato: ha un forte dolor di schiena e ha perduto l'uso delle dita, non sempre del resto, ma per attacchi, come nell'*angina pectoris*. Egli filosofeggia e mangia per dieci, non c'è modo di convincerlo che la miglior medicina per lui è la continenza. In generale, nella mia pratica e nella vita di casa, ho notato che quando consigli ai vecchi di mangiar meno la prendono quasi per un'offesa personale. Gli attacchi al vegetarianesimo e, in particolare, la càmpagna di Burenin contro Leskov, mi sembrano assai sospetti in tal senso. Se voi cominciaste a predicare il riso, vi prenderebbero in giro. Ma penso che a ghignare sarebbero solo i mangioni.

Caro mio, m'è capitata una disgrazia: mia sorella ha una specie di tifo. La poveretta s'è ammalata a Mosca. Quando l'ho portata a casa era completamente rauca, spossata, 40 gradi, dolori per tutto il corpo, angoscia... Ho passato due notti accanto a lei. Gemeva: «muoio!», e questo gettava nello spavento tutta la famiglia, specialmente la mamma. C'è stato un momento in cui sembrava che Maša fosse in punto di morte. E adesso son già quattro giorni che le duole forte la testa, tanto che il piú piccolo movimento le dà dolore. Nulla è cosí gravoso come curare i propri cari. Fai tutto quel che occorre, e ogni momento ti sembra di sbagliare...

Il mio attestato non so dove sia, la carta d'identità invece l'ho qui a casa. Quando occorra, posso spedire il certificato che sono medico. Ma pazientate sino alla fine di marzo. Nell'animo mio s'è insinuata l'indecisione. Tra l'altro mi pare adesso che il titolo «Il gabbiano»[1] non vada. Splendore, Campo, Lampo, Baule, Cavatappi, Pantaloni... non va. Inti-

---

[1] Si tratta del titolo d'una rivista letteraria progettata da Suvorin e Čechov.

toliamolo cosí: Inverno. Si può anche: Estate. Si può: Luna.
E perché non semplicemente: Dodici?

Nel fascicolo di gennaio de «Il lavoro» è pubblicato il
dramma di Merežkovskij: *Passata la tempesta*. Se vi manca il
tempo e la voglia di leggerlo tutto, gustatene almeno il finale,
dove Merežkovskij ha superato perfino *Jean* Ščeglov. L'ipocrisia letteraria è la piú detestabile delle ipocrisie.

Perché siete cosí severo con Lesseps e C.? I francesi sono
un popolo feroce: hanno la ghigliottina, hanno delle prigioni
da cui vengono fuori degli idioti rammolliti; hanno un sistema
d'intimidazione; eppure anche loro trovano la sentenza eccessivamente severa o, per lo meno, per un senso di delicatezza
dicono che la sentenza sembra loro severa. Lesseps e C. sono
precipitati dalle loro altezze, sono già stati condannati e sono
incanutiti in una sola notte. Secondo me, è meglio sopportare
un rimprovero di superfluo sentimentalismo e di mancanza di
senso politico, piuttosto che rischiare d'esser crudeli. A voi è
sfuggito un telegramma davvero crudele. Cinque anni di de-
tenzione carceraria, perdita dei diritti, eccetera, è la maggiore
delle misure punitive, essa ha soddisfatto perfino il pubblico
ministero; nel telegramma invece: «Noi troviamo ciò troppo
indulgente». Santo cielo, cosa occorreva dunque? E a chi occorreva?

Il sole brilla intensamente. Odora di primavera. Odora
non nel naso, ma in qualche punto dell'anima, tra il petto e la
pancia. Di notte fa freddo, ma di giorno i tetti sgocciolano.

L'astronoma è a Pietroburgo, del che ho l'onore di felici-
tarvi. Vorrei che venisse da voi e si trattenesse otto ore. Desidera entrare in qualche posto, a studiare, e la sua amica dottoressa crede che ne verrà fuori qualcosa di grande.

Se davvero andrete all'estero e vi vedrete con Pleščeev, ditegli che mi comperi una mezza dozzina di sedie. Non lo lascerò in pace finché non le avrà comprate. Delle sedie non ho
bisogno, ma ho bisogno ch'egli soffra. Informatevi anche riguardo alla verginità.

Da voi m'ero ingrassato e irrobustito, qui invece son di nuovo andato giú. Sono maledettamente irritato. Non son fatto io
per gli obblighi e il sacrosanto dovere. Scusate questo cinismo.
Ha ragione quel dottore, mio compagno di ginnasio, da me dimenticato, che inopinatamente, in una lettera dallo sperduto
Caucaso, mi scrive: «Tutti i migliori intellettuali salutano il vostro passaggio dal panteismo all'antropocentrismo». Cosa significa antropocentrismo? Mai inteso simile parola.

Seguito a fumar sigari.

Non mancate di dire ad Anna Ivanovna che le invio i miei omaggi, poiché essa ha detto che nelle mie lettere a voi io termino di solito col luogo comune: «saluti a tutti i vostri». A lei i piú profondi ossequi e la mia riconoscenza per l'ospitalità che non dimenticherò mai. Da voi sono stato egregiamente. Che il cielo, il sole, la luna e le stelle vi proteggano. Scrivete. Novità, nessuna. Buone cose.

Vostro
                                                        A. Čechov

A IOSIF I. OSTROVSKIJ

                                      Melichovo, 11 febbraio 1893

Egregio Iosif Isaevič!

Tornato in questi giorni da Pietroburgo, ho ricevuto la vostra lettera. Mi giunge rispedita da Mosca, dov'era indirizzata, e dove non abito piú fin dalla primavera dell'anno passato. Dunque non è colpa mia se il nostro tardivo aiuto medico s'è dimostrato inutile. Grazie al cielo la malata è ora guarita. È stato da lei un mio amico, eccellente uomo e altrettanto eccellente medico; gli ho trasmesso la vostra commissione ed egli l'ha eseguita con gran piacere. Io invece non avrei potuto andare a vedere la signora Rakovskaja giacché mi trovo nella mia proprietà, nel distretto di Serpuchov; a maggior ragione poi avendo a casa dei malati, che non posso abbandonare.

Mi domandate di mio fratello Nikolaj. Ohimè! egli è morto nel 1889, di tisi. Era un pittore di talento e già popolare, che dava fondate speranze. La sua morte è stata una gran perdita nella mia vita. Degli altri compagni di ginnasio ho notizie del tutto insignificanti. Savel'ev è medico condotto in qualche posto sul Don; Zembulatov è dottore in una località sulla strada per Kursk; Ejngorn canta all'Opera di Pietroburgo, sotto il nome di Černov; Sergeenko vive a Mosca e lavora nei giornali locali, non senza successo; Unanov (ma non Onanov, come hanno scritto nei giornali) è morto di colera. Kukuškin conduce la vita vagabonda del cantante d'operetta. I fratelli Volkenstejn sono avvocati, Mark Krasso è dottore a Rostov. Chi ancora? Non so di nessun altro. Ziberov, dicono, è morto.

Il mio – diciamo cosí – *curriculum vitae* vi è noto nelle grandi linee. La medicina è la mia moglie legittima, la lettera-

tura l'illegittima. Com'è naturale, s'intralciano fra loro, ma
non abbastanza da far sí che l'una escluda l'altra. Ho finito
l'università (di Mosca) nel 1884. Nel 1888 ho ricevuto il premio Puškin. Nel 1890 ho fatto un viaggio a Sachalin, sul quale voglio far uscire tutto un libro. E questo è tutto il mio stato
di servizio. Ma no, una cosa ancora: nel 1891 ho viaggiato per
l'Europa. Sono scapolo. Non sono ricco e vivo esclusivamente
del mio guadagno. Quanto piú vado avanti con gli anni, tanto
meno e più pigramente lavoro. Sento già la vecchiaia. La salute è mediocre. Quanto poi al panteismo, del quale m'avete
scritto alquante buone parole, ecco cosa vi rispondo: al di sopra della fronte gli occhi non spuntano, ognuno scrive come
sa. Vorrei fare di piú, ma mi manca la forza. Se la qualità del
lavoro letterario dipendesse appieno e soltanto dalla buona
volontà dell'autore, credetemi, di buoni scrittori ne conte-
remmo a decine e a centinaia. Il problema non sta nel panteismo, ma nella misura dell'ingegno.

Ricordo benissimo Rachman Zachar (al ginnasio non lo
chiamavano Zel'man?) Fategli i miei saluti e i miei auguri di
successo.

Grazie per l'invito a venire da voi. Quando sarò nel Caucaso, ne approfitterò. Frattanto permettete che vi ringrazi d'esservi ricordato di me, dei vostri buoni sentimenti, e lasciatemi
augurarvi ogni bene. Nel caso aveste ancora intenzione di
darmi qualche incarico, sono tutto a vostra disposizione.

Vostro

A. Čechov

AD ALEKSEJ S. SUVORIN

Melichovo, 28 luglio 1893

Mi precipiterei immediatamente da voi, a Pietroburgo, è
questo il mio umore attuale, ma a venti verste c'è il colera ed
io sono medico condotto, costretto a stare sul posto senza al-
lontanarmi. Potrei squagliarmela per due o tre giorni, ma la
mia assistente sanitaria trangugia morfina ed è già intossicata
per tre quarti, sicché non saprei su chi riversare l'ambulatorio
e i malati. Resta una sola cosa: fingere che siate venuti voi da
me, in questa Melichovo che vi è cosí antipatica. Mi figuro
che siate arrivato portando con voi dei sigari presi da Ten-
Kate, a 6 rubli e 50 copeche il cento, «di quelli che fuma
Atava».

Effettivamente ho passato la primavera in modo disgustoso. Ve ne ho già scritto. Emorroidi e un detestabile umor nevrastenico. M'arrabbiavo, ero di malumore, e quelli di casa trovavano ciò imperdonabile – di qui attriti giornalieri e un feroce bisogno di solitudine. La primavera poi è stata infame, gelida. E non avevo il becco d'un quattrino. Ma lo zefiro ha soffiato, è giunta l'estate, e tutto è scomparso d'incanto. L'estate è stata d'uno splendore raro. Molte limpide, tiepide giornate e interi tesori d'umidità – simile felice unione capita, credo, una volta ogni cent'anni. Il raccolto è stato sorprendente. Nella regione di Mosca il miglio matura di rado, ma adesso arriva alla cintola. Ci fossero sempre dei raccolti cosí, si potrebbe vivere della sola rendita della proprietà, basterebbe già il fieno di cui, con qualche sforzo, si potrebbe falciarne da me sino a diecimila *pud*. Lo scorso autunno avevo scavato uno stagno e tutto intorno avevo piantato degli alberi. Adesso vi nuotano già intere bordate di carpe. Vi si possono anche fare dei bagni passabili. In primavera non ho fumato affatto, né ho bevuto, adesso fumo uno o due sigari al giorno; ma trovo che astenersi dal fumo è molto salutare. Anche voi fareste bene a smettere. Del resto queste sono minuzie, bagattelle.

Non ho scritto drammi sulla vita siberiana, di cui ho perso il ricordo, ma in compenso ho dato alle stampe il mio *Sachalin*. Lo raccomando alla vostra attenzione. Dimenticate quel che una volta leggeste da me, perché era falso. Per lungo tempo, scrivendo, sentivo di non aver colto il verso giusto, e infine ho pescato quel che c'era di falso. Il falso consisteva appunto nel fatto che sembrava quasi ch'io volessi, col mio *Sachalin*, dare una lezione a qualcuno, e nello stesso tempo pareva ch'io nascondessi qualcosa, che mi trattenessi. Ma appena mi son messo a descrivere come mi sentivo spaesato in quel di Sachalín, e che razza di porcaccioni ci sono laggiú, tutto divenne facile, effervescente, anche se il lavoro è riuscito un po' umoristico. I primi capitoli appariranno nel fascicolo d'ottobre del «Pensiero russo».

Ho scritto anche una novelletta d'una trentina di pagine, *Il monaco nero*. Se veniste, ecco, ve la darei da leggere. Sissignore. Arrivare non è poi cosí difficile. Adesso ho cavalli e carrozze decenti, la strada è discreta. Si sta allo stretto, e non c'è solitudine, ma per liberarsi da questi mali si può andare nel bosco. Di scrivere un dramma non ho nessuna voglia.

Mio fratello Ivan s'è sposato, Michail invece minaccia ora di congedarsi, ora di trasferirsi in provincia.

Michail Aleksandrovič Levitskij, ex ufficiale giudiziario a Serpuchov, uomo onestissimo, carico di figli e soffocato dai debiti, ha fatto domanda al governatore di Perm' per essere nominato capo dello *zemstvo* in uno dei distretti del suddetto governatorato. Se conoscete e v'incontrate con qualcuno dei consiglieri segreti del ministero degli Interni, accordategli la vostra protezione. Non mi scuso di questo fastidio, poiché io stesso accordo continuamente la mia protezione, e piú d'una volta son capitato nei pasticci.

Domenica verrà il dio della noia – Potapenko.

Nell'estate abbiamo avuto l'astronoma, rideva a tutto spiano, lasciava le frasi a metà, si ripeteva, non mangiava niente, in genere m'ha stancato. Ma non è persona insignificante, e questo le dona tanto, che con lei non ci s'annoia.

C'è da me una novità: due bassotti, Bromuro e Chinino, cani d'aspetto difforme. Zampe storte, corpi lunghi, ma intelligenza fuori dell'ordinario.

La medicina è a volte stancante e meschina sino alla nausea. Certi giorni mi tocca partire di casa quattro o cinque volte. Torni da Krjukovo, e nel cortile t'aspetta già uno mandato da Vas'kino. Anche le donne coi bambini m'hanno stufato. A settembre abbandonerò definitivamente la pratica medica.

Voi avete voglia di far baldoria, ed io ne ho *una voglia matta*. Il mare m'attira diabolicamente. Vivere una settimana a Jalta o a Feodosija sarebbe per me un'autentica delizia. A casa si sta bene ma su un battello mi pare che sarebbe mille volte meglio. Ho voglia di libertà e di soldi. Sedere in coperta, tracannar vino e chiacchierare di letteratura, e la sera donne.

Non verreste al sud, in settembre? Nel sud russo, naturalmente, perché per l'estero non mi basta il denaro. S'andrebbe insieme, se non vi disgusta.

Dobbiamo parlarci riguardo a Wagner, l'essenziale è mettersi d'accordo prima, per non cantare due arie diverse. Quando tentai di dissuaderlo dal pubblicare una rivista con voi, mi pentii: questo ha condotto a una spiacevole corrispondenza.

Per comperare una grossa proprietà, bisogna essere un grosso possidente, altrimenti essa manda in rovina. Tutto il segreto del successo nell'amministrazione sta nel tener gli occhi aperti giorno e notte. Se Aleksej Alekseevič non pensa di passare l'inverno nella tenuta, non posso congratularmi con lui: la vita gli sarà difficile, specialmente nei primi tempi. Dapprincipio le spese sono terribili, e tutto è terribile. Secondo me la miglior proprietà è quella composta d'una villa e non più di trenta *desjatiny* di terra.

Se volete farmi la grazia di venire da me, telegrafate cosí: «Čechov, Lopasnja. Arrivo martedí col treno del mattino». Invece che col treno omnibus, o con quello delle nove... Meglio però se mi scriveste. O magari incontrarsi a Mosca? Telegrafate la data sicura in cui sarete a Mosca, giacché non ho dove fermarmi, e passeggiare per la città aspettandovi sarebbe noioso. Arrivando calcolo di passar la notte al «Bazar Slavo», e alle 9 di mattina partire per Melichovo.

Buone cose!! Scrivete!!!

Vostro

A. Čechov

AD ALEKSEJ S. SUVORIN

Melichovo, 7 agosto 1893

Volevo far visita a Tolstoj, dove ero atteso, ma Sergeenko m'aspettava al varco per andare insieme; e andar da Tolstoj sotto scorta o con la balia: grazie tante! Poiché Sergeenko aveva detto alla famiglia Tolstoj: «vi porterò Čechov», l'avevan pregato di portarmi. Io però non voglio essergli debitore d'aver conosciuto Tolstoj. A proposito, con Sergeenko è venuto a trovarmi Potapenko. Ha detto che per quei soldi v'aveva scritto, dice che non vi deve più niente giacché ha mandato dei racconti, e poi Aleksej Alekseevič l'ha inviato in missione per la causa Dreyfus[1], ma che non avendo ancora fatto i conti con la cassa, teme che abbiate un concetto errato dei suoi rapporti finanziari con voi; quanto poi ai trecento rubli, intende saldarli con una novella, che l'ha già scritta, che sta per mandarla, ecc. Cosí m'ha detto, e io ve lo riferisco. È un ucrainaccio sventato e seccatore, ma non un bugiardo, mi pare. Ritiro l'espressione: «dio della noia». L'impressione avuta a Odessa m'aveva ingannato. Oltre tutto, Potapenko canta molto bene e suona il violino. Non mi sono affatto annoiato con lui, indipendentemente dal violino e dalle romanze.

Son già due giorni che mi duole la testa. Sono appena tornato da una fabbrica – c'ero andato in carrozzino, tra il fango – dove ho visitato i malati. Nella mattinata, prima di pranzo,

[1] Causa riguardante una ditta odessita esportatrice di grano, la Dreyfus & C., accusata di malversazioni.

m'han trascinato da un bambino sofferente di vomito e di diarrea. In breve, alla letteratura neanche da pensarci.

Siete contento ch'io possa bere vino a vostre spese? ma quando succederà? Cioè quando potrò farlo? È un gran peccato che partiate per l'estero. Leggendolo, nella vostra lettera, mi sono sentito chiudere la porta in faccia. In caso di disgrazia o di noia da chi vado? A chi mi rivolgo? Uno, alle volte, è d'umor diabolico, ha voglia di parlare e di scrivere, ma all'infuori di voi non sono in corrispondenza con nessuno, e con nessuno m'intrattengo a lungo. Questo non significa che siate il migliore dei miei amici, significa che mi sono abituato a voi, e che solo con voi mi sento libero. Fatemi almeno sapere il vostro indirizzo. Vi scriverò e vi manderò gli estratti – se non crepo di colera o difterite. Ma probabilmente ciò non avverrà, e in autunno inoltrato potrò pranzare e cenare con i decadenti di Pietroburgo.

Poiché non so chi comanda adesso nella vostra libreria, né so a chi rivolgermi, prendetevi la briga d'informarvi quanto io debbo ancora di quei cinquemila rubli, presi in prestito per l'acquisto del podere. In gennaio versai, a pagamento di questo debito, cinquecento rubli in contanti, e pregai la persona di sesso femminile, dai capelli di stoppa, di consegnare a Polina Jakovlevna duemila rubli, che mi spettavano in conto libri. Complessivamente me ne spettavano cinquemila, ma circa tremila andarono per la stampa. Informatevi di questo, mio caro, e comunicatemelo. A quanto pare, i miei libri non hanno successo, ché già non sono piú posti in vendita nelle stazioni; probabilmente ho ancora un grosso debito.

Il piroscafo *Čechov* è certamente una faceta invenzione, se ha già raggiunto Pietroburgo. Ščeglov si trova a Vladimir: si tiene alla larga dalle donne, scrive sul teatro popolare ed è assurto in cielo da vivo.

La vostra «letterina»[2] sui tedeschi e sulla nostra ignoranza è scritta benissimo. In voi le buone idee sono incastonate in un temperamento vivace, e il linguaggio scorre liscio come olio.

Di quale romanzo chiedete? Di quello ancora non scritto o in genere d'un romanzetto con una donna? E perché pensate che non risponderei a questa domanda? A quali domande non ho risposto?

---

[2] Rubrica tenuta da Suvorin nel giornale «Tempo Nuovo», sotto il titolo *Letterine*.

Ancora sull'esercito della salvezza. Ho visto una volta un corteo: fanciulle in abiti indú e con gli occhiali, tamburi, fisarmoniche, chitarre, una bandiera e, dietro, una folla di ragazzetti neri [...], negri in giubbetta rossa... Le vergini cantano qualcosa di selvaggio, e i tamburi bum! bum! E questo nelle tenebre, sulle rive d'un lago.

Scrivetemi, per favore.

Vostro

A. Čechov

PS. Tolstoj vi ama molto. V'amerebbe anche Shakespeare, se fosse vivo. Dall'estero, portatemi una decina di sigari!!

Giorni fa un paziente m'ha offerto, in segno di riconoscenza, dieci sigari del prezzo di cinque rubli e un bicchiere da liquore con la scritta: «Anche i monaci lo bevono».

Dov'è il vecchio Pleščeev? Dove sono i suoi quattrini?

A LIDIJA S. MIZINOVA

Melichovo, 13 agosto 1893

Cara Lika, non vi scrivo perché non ho niente da scrivere; la vita è a tal punto vuota, che senti soltanto come pungono le mosche, e nient'altro. Venite, biondina cara, chiacchiereremo, litigheremo, faremo la pace; senza di voi m'annoio, e darei cinque rubli per poter conversare in vostra compagnia, sia pure per cinque minuti. Colera non c'è, ma c'è la dissenteria, c'è la pertosse, c'è il cattivo tempo con la pioggia, l'umidità e la tosse. Accorrete da noi, graziosa Lika, e cantate. Le sere son diventate lunghe, e non c'è vicino persona con la quale desidererei scacciare la mia noia.

A Pietroburgo andrò quando ne avrò il diritto, cioè dopo il colera. Verosimilmente mi ci stabilirò già in ottobre. Medito di costruire in quella zona e sogno di trasferirmici. Ma tutto questo è banale. Non è banale unica e sola la poesia, che mi manca.

Soldi! Soldi! Avessi dei soldi, partirei per il Sud-Africa, sul quale sto leggendo ora lettere molto interessanti. Bisogna avere uno scopo nella vita, e quando viaggi lo scopo ce l'hai.

Da noi son maturati i cetrioli. Bromuro s'è innamorato di *Mlle* Meriliz. Viviamo tranquilli. Non beviamo piú vodka, non fumiamo, e tuttavia, non so perché, dopo cena ogni volta mi viene una gran voglia di dormire, e la stanza odora di sigaro. Gladkov è dimagrito, il principe s'è ingrassato. Da Varenikov, a sentir lui, il trifoglio ha attecchito bene. Ivanenko il Bietolone seguita ad essere un bietolone, a camminare sulle rose, sui funghi, sulle code dei cani e simili. Avrà un posto nella scuola, da Ivan? Cosa ne sapete? Mi fa una pena infinita, e se l'accettasse senza prendersela a male, gli regalerei un pezzetto di terra e gli costruirei una casa. È già cosí vecchio!

Anch'io sono vecchio. Mi pare che la vita voglia deridermi un poco, per questo m'affretto a iscrivermi tra i vecchi. Quando, lasciatami sfuggire la giovinezza, vorrò vivere da uomo, se non ci riuscirò avrò una giustificazione: sono un vecchio. Del resto tutto questo è sciocco. Scusate, Lika, ma davvero, non ho altro di che scrivere. Non di scrivere ho bisogno, ma di stare vicino a voi e discorrere.

Vado a cena.

Da noi sono maturate le mele. Io dormo diciassette ore al giorno. Lika, se vi siete innamorata di qualcuno, e m'avete già dimenticato, per lo meno non ridete di me. Maša e Miša sono andati a Babkino dai Kiselëv e son rimasti delusi – e questa è tutta la novità, altro non c'è proprio da scrivere. Sono stati da noi Potapenko e Sergeenko. Potapenko ha fatto una buona impressione. Canta proprio benino.

State sana, mia cara Lika, e non dimenticatemi. Se vi siete invaghita di qualche Tiša, scrivete egualmente, almeno un rigo.

Vostro   A. Čechov

AD ALEKSEJ S. SUVORIN

Melichovo, 18 agosto 1893

Tira un gran freddaccio, fa un tempo disgustoso. Anch'io me ne andrei volentieri in qualche posto, ma l'anno scorso il diavolo m'ha fatto saltare in mente di promettere – se ci sarebbe stato il colera – che non avrei abbandonato il distretto. Io non ho carattere, sono uno straccio. *Il reparto n. 6* lo diedi a Čertkov perché durante la primavera e anche prima mi trovavo in uno stato d'animo tale, che tutto m'era indifferente. Se m'avesse chiesto tutte le mie opere, gliele avrei date, e se m'avesse invitato a salire sulla forca, ci sarei salito. Un simile umore abulico, indeciso, mi tiene talvolta per mesi interi. Questo spiega in parte tutto l'andamento della mia vita.

Il conto della libreria m'ha gettato nella disperazione. Io debbo 3482 rubli! Nel mio cervello stava un debito iniziale di soli 5000 rubli, da me presi in prestito per l'acquisto del podere; ora, deducendo gli introiti librari, dovrebbero restare meno di mille rubli di debito, ma con mio terrore mi rammento d'averne presi altri mille per il viaggio all'estero e, forse, non ho ancora estinto il debito fatto in occasione del viaggio fra gli ergastolani. Del resto, al diavolo la ragioneria. Cosí sia! Ma che tra mezz'anno i conti siano pari, è poco probabile. Personalmente a voi, a parte l'amministrazione, debbo ancora 400 rubli (ve li chiesi al «Bazar Slavo», a due riprese: 200 + 200). Perché io possa, nella situazione in cui si trova adesso il mercato dei miei libri, estinguere un debito di 3482 + 400 rubli, occorre almeno un anno e mezzo. E intanto non avrei proprio nessuna voglia di dovere dei quattrini. Quando vivi sul contante, conosci i limiti del mare nel quale sei costretto a navigare ogni giorno; il credito invece, sotto questo aspetto, ti conduce in un deserto senza fine. Faccio nella mia mente tanti calcoli finanziari, ma sempre risulta qualcosa di simile a uno struzzo che, nascosto il capo, pensa d'essersi nascosto tutto. Acconsentirebbe la vostra libreria a tirare un frego sul mio debito pagando a voi i 400 rubli, e accettando in cambio il diritto di stampare e vendere per dieci anni tutti i miei libri finora editi da voi? A parte l'estinzione del debito, dovrebbe inoltre impegnarsi a pagarmi 300 rubli l'anno, oppure 3000 in una sola volta. In totale i libri le verranno a costare piú o meno 7000 rubli, cifra che, divisa per 10, dà 700 rubli l'anno. Se la libreria non lo trovasse vantaggioso per sé, che abbassi i 7000 a 6; qualora invece, da un calcolo preventivo, quest'accordo si dimostrasse svantaggioso per me, che s'impegni allora a pagarmi mille rubli ogni decima edizione, cioè all'uscita del decimillesimo d'ognuno dei miei libri. È un progetto fantastico? Ohimè! me n'accorgo anch'io.

Le bozze del *Sachalin* si sono rovesciate su di me. In autunno abbandono la medicina, a gennaio finisco col *Sachalin*, e allora mi sprofonderò fino alle orecchie nella letteratura. Coll'anno nuovo comincerò a collaborare da voi la domenica, non ogni domenica però, ma una volta ogni due. Consegnerò dei racconti di sei o settecento righe l'uno. Per 150 rubli è poco. Non andrebbe 200? Per le restanti due domeniche invitate Jasinskij, o Potapenko, o Vas. Nemirovič-Dančenko. Adesso io scrivo molto e piú presto di prima. Ho ammucchiato una massa di soggetti, tutti giocondi, senza eccezione. Per *Il monaco nero* non v'ho risposto perché me ne sono dimenticato. Non vi darò questo racconto, perché ho deciso di non pubblicare sui giornali racconti col «continua». La letteratura giornalistica non deve ripetere quel che han fornito e forniscono le riviste; la pratica ha elaborato per lei una forma speciale, quella stessa che Merežkovskij, quand'è d'umore gelatinoso, chiama novella. Il primo racconto per la domenica lo riceverete con l'anno nuovo, per ora non me ne chiedete. Non ho tempo, e poi ho i nervi diabolicamente tesi, come le sartie d'una nave durante la tempesta. Voi partite. Quand'è lecito aspettare il vostro ritorno? A Mosca abiterò al «Cencioso»[1], a Pietroburgo invece fisserò una camera ben calda in qualche posto lontano dal centro, e ci starò fino a primavera. Ho già la carta d'identità. Sono funzionario sanitario in seconda fuori ruolo, addetto alla Direzione della Sanità. Questo è il mio titolo. Decorazioni non ne ho ancora, ma ho diritto di portare la coccarda.

Se la strada per Biarritz passasse per Mosca, potremmo vederci. Quell'assistente sanitaria della quale vi scrissi (che prendeva morfina) è stata mandata in una clinica psichiatrica.

Contro la febbre orticaria il miglior rimedio è l'*atropinum sulfuricum*, 1/60 di grano al giorno in pillole. Questa malattia della pelle denota una nevrosi dei vasi cutanei, e perciò giovano anche preparati di bromo e arsenico.

Quando riceverò il compenso per il *Sachalin* mi costruirò una casa nel bosco, con camino, pavimenti feltrati, armadi per libri e cosí via, e assumerò un lacchè. Comprerò d'un colpo per cento rubli di tulipani e rose, e li pianterò attorno alla casa.

Piove. Con questo tempo sarebbe bello essere un Byron – cosí mi sembra – perché s'ha voglia d'essere corrucciati e di scrivere bellissimi versi. Prosperità a tutti! Buon viaggio!

Vostro

A. Čechov

AD ALEKSEJ S. SUVORIN

Melichovo, 24 agosto 1893

Quanto ai racconti non scherzo affatto, perché quelli piccoli li venderò solo ai giornali, cioè a «Tempo Nuovo». Ho

[1] Albergo di Mosca.

proprio intenzione di scrivere cosette spicciole. Il mio sogno
è di costruire – nel bosco, che ho già – una casa, piantar rose,
dar ordine di non ricevere nessuno e scrivere piccoli racconti.
Per la casa ho un posto magnifico.

La mia proposta uno stupido scherzo? Ma allora ancor piú
stupido sarebbe se io, essendo debitore, chiedessi di spedirmi
a Serpuchov altri mille rubli. Scrivete che con i libri ne guada-
gnerò venti o trentamila. Benissimo. Si dice pure che andrò in
paradiso. Ma quando? Frattanto però ho voglia di vivere al
presente, ho voglia di quel sole del quale scrivete.

Questa notte ho avuto un'atroce palpitazione di cuore, ma
non mi sono spaventato, sebbene mi fosse difficile respirare,
e mi son messo al *Pascal*, che tanto v'è piaciuto. È un bellissimo romanzo. Il personaggio migliore non è il dottore stesso,
che è artificioso, ma Clotilde. Io sento i suoi fianchi, il petto.
E cosí, ripeto, non mi sono spaventato del batticuore perché
tutte quelle sensazioni, come battiti, colpi, palpitazioni, ecc.,
sono terribilmente ingannatrici. Non credeteci neanche voi.
Il nemico che uccide il corpo s'insinua di solito impercettibil-
mente, in maschera; quando, ad esempio, siete ammalato di
tubercolosi, e a voi sembra che non è tisi, ma sciocchezze.
Neppure il cancro mette paura, perché si presenta come un'i-
nezia. Vuol dire che pericoloso è quel che non temete; quello
invece che ispira apprensione non è pericoloso. Mi par di non
scrivere chiaro. La natura che tutto risana, nel momento stesso che ci uccide, c'inganna abilmente, come la balia un bambino, quando lo porta via dal salotto, a dormire. Io so che morirò d'una malattia della quale non avrò timore. Quindi, se ho
paura significa che non morirò. Del resto, sono sciocchezze.
Partono per la stazione. State sano!!

Il vostro   A. Čechov

                                    24 agosto

Avevan fretta d'andare alla stazione, e m'hanno impedito
di finire la lettera. Attacco un altro foglio. Avete fatto bene a
smettere le sigarette. I sigari sono piú salubri. Io però ne fumo
non piú di due o tre al giorno e, quel che è importante, non li
aspiro. Pur senza aspirarlo, il sigaro mi sazia fino alla nausea.

Aveva ragione Pasternackij quando diceva che il vostro organismo è sano. Non avete neppure il catarro gastrico, senza
parlare di gioie quali una grossa pancia, la tosse senile, l'*angina*

pectoris, eccetera. Un solo malanno è indubbio: avete i nervi rovinati e siete tormentato da quella mezza malattia psichica che i seminaristi chiamano le paturnie. Ma *tu l'as voulu, George Dandin*. A che pro abbandonare Voronež e mettersi al giornalismo?

Scrivete che mio fratello Aleksandr «s'assottiglia». Cosa significa? È di nuovo malato di tifo ambulante? Già da un pezzo non ricevo lettere da lui. Da che l'hanno ingannato, Miša ha smesso di parlare di matrimonio e farnetica di vecchiaia, di vanità, e simili. Sollecita un trasferimento a Tarusa, perché con i superiori di Mosca litiga. Scrive una relazione «sulla responsabilità collettiva»; io ho tirato un frego su tutta la sua relazione e ho proposto un nuovo progetto, con nuove idee, delle quali egli è rimasto contento... Dunque, nel ministero delle Finanze c'è anche il mio granello di sabbia. Ma che porcheria il linguaggio burocratico! Con riferimento al fatto che... da un lato... dall'altro invece – e tutto questo senza nessuna necessità. I termini «ciò non di meno» e «conformemente a ciò» li hanno inventati i funzionari. Io leggo e sputo dallo schifo. Particolarmente ributtante il modo come scrive la gioventú. Un modo oscuro, gelido e senza eleganza; scrive, figlia di cane, come giacesse fredda nella bara. Il concetto della relazione è questo: l'abolizione della responsabilità collettiva, cioè della responsabilità della comunità contadina di fronte ai suoi debitori insolvibili. Ho dato ordine a Miša di scrivere cosí: sí, la responsabilità collettiva è ingiusta, e bene ha fatto il ministero a sollevare il problema della sua abolizione, ma, partendo dalla tesi che la comunità contadina è un fenomeno storico e che la responsabilità collettiva è una sua condizione indispensabile, noi dobbiamo riconoscerci impotenti, giacché ciò che è creato dalla storia non può essere spezzato da teste burocratiche, ma dalla storia medesima, cioè dai movimenti storici nella vita popolare. Poiché noi non possiamo combattere contro la comunità contadina, ci faremo furbi e cercheremo il mezzo di lottare dentro la comunità stessa... eccetera.

Abbiamo costruito una nuova cucina e la stanza per la servitú, ciò che ha colpito fortemente la mia tasca. Abbiamo sterminato gli scarafaggi – questo anche è un fenomeno storico. La pioggia infuria, il grano primaverile marcisce nei campi.

A costruirmi la casa comincerò in aprile. Una casa a due piani. Ci vivrò solo, senza servitú femminile. Le donne sono sporche e parlano troppo della loro operosità. Dinanzi alla casa un gran campo con vasto orizzonte, il paese a due verste. Un parco d'una ventina di *desjatiny*. Tutto questo, natural-mente, a patto di non sperperare nell'inverno i soldi che rica-verò dal *Sachalin*. Intanto ho già mangiato 1100 rubli. Dite a Witte[1] che mi dia incarico di preparare qualche progetto e mi paghi per questo una prebenda. A parte tutti i miei vasti piani e sogni di solitudine, di case a due piani, ecc., vedo chiara-mente che presto o tardi finirò con una bancarotta, o piú pre-cisamente con la liquidazione di tutti i miei piani e sogni.

Stiamo allo stretto. Figuratevi, c'è Ivan con la moglie. Iva-nenko abita qui da piú d'un anno ormai, in attesa che gli tro-vino un posto a Mosca. A tavola si dànno reciproci colpi di spillo. Una cosa stupida e noiosa.

V'auguro piú soldi e un soffitto bianco nello studio. Che Dio vi salvi dall'oro sul rosso. È davvero chiassoso e senza gusto.

Vostro   A. Čechov

---

[1] Allusione scherzosa al ministro delle Finanze.

AD ALEKSEJ S. SUVORIN

Melichovo, 25 gennaio 1894

Chiedete i numeri 1 e 2 de «Il medico» e leggete *Sul problema dei rapporti sessuali*. L'articolo è scritto da un bonaccione, che non firma col suo cognome «a causa della legittima e giusta richiesta della moglie». È nel vostro gusto, cioè troverete nell'articolo parecchie idee che vi piaceranno. Vi si parla di quel marchio che i rapporti sessuali imprimono sulla gioventú e sul genio umano. Voi, creatore della fanciulla che appassisce e si spegne dopo un amplesso, dovete mandare a questo placido autore un bacio aereo. Dovete assolutamente leggerlo, per favore.

A me par d'essere psichicamente sano. A dire il vero, non ho un particolare desiderio di vivere, ma non si tratta per ora d'una malattia vera e propria, è piuttosto qualcosa di transitorio e che non s'allontana dalla norma. Comunque, se un autore descrive uno psicopatico, questo non significa che sia malato lui stesso. Ho scritto *Il monaco nero* senza alcuna idea melanconica, ma con fredda meditazione. M'era semplicemente venuto voglia di rappresentare la megalomania. Il monaco poi, che vola attraverso i campi, me lo sono sognato, e al mattino, appena sveglio, lo raccontai a Miša. Dite ad Anna Ivanovna che, grazie a Dio, il povero Anton Pavlovič non è ancora diventato matto, ma mangia troppo a cena, e perciò vede in sogno dei monaci.

Mi dimentico sempre di scrivervi di leggere nel «Pensiero russo» di dicembre il racconto di Ertel' *I visionari*. V'è della poesia e qualcosa di raccapricciante, di sapore antico-fiabesco. È una delle migliori novità moscovite. Se volete qualcos'altro di nuovo, eccovelo: Iv. Iv. Ivanov è stato nominato membro del comitato teatrale letterario. «Le novità del giorno» hanno una enorme quantità d'abbonati. La «Gazzet-

ta di Mosca» è andata a rotoli... e quelli che hanno offerto il
pranzo quando arrivò Grigorovič, dicono adesso: quante bu-
gie abbiamo dette in quel pranzo, e quante ne ha dette *lui*!

Male han fatto i letterati a chiamare i loro pranzi mensili
«Arzamas». Suona falso.

Adesso vado a Serpuchov, al consiglio sanitario, dove m'an-
noierò mortalmente, giacché si discuterà solo d'affari correnti.

Se mi darete ascolto e leggerete «Il medico», troverete negli stessi numeri anche il discorso di Erisman sul vegetarianesimo. Non capisco a chi dia fastidio questo povero vegetarianesimo.

Che gli angeli e gli arcangeli, i cherubini e i serafini vi proteggano.

Vostro   A. Čechov

AD ALEKSEJ S. SUVORIN

Jalta, 27 marzo 1894

Salute! Ecco già quasi un mese che mi trovo a Jalta, nella
noiosissima Jalta, all'albergo «Russia», stanza n. 39, mentre
al 38 sta la vostra attrice preferita, la Abarinova. Il tempo è
primaverile, caldo e limpido, il mare è il mare, ma la gente è
estremamente uggiosa, slavata, scialba. Ho fatto la stupidaggine di dedicare alla Crimea tutto il mese di marzo. Avrei dovuto andarmene a Kiev e là darmi alla contemplazione dei
santuari e della primavera ucraina.

La tosse non m'è passata, ma il 5 aprile risalirò egualmente
al nord, ai penati. Piú a lungo qui non posso restarci. E poi
non ho soldi. Ho preso con me solo 350 rubli. Dedotte le spese di viaggio d'andata e ritorno, restano 250 rubli, non c'è da
scialare. Ne avessi mille, o millecinquecento, me ne andrei a
Parigi, sarebbe una buona cosa per molte ragioni.

In generale sto bene, sto male in alcuni particolari. Ad
esempio tosse, palpitazioni, emorroidi. Una volta le palpitazioni mi sono durate sei giorni, senza sosta; tutto il tempo una
sensazione disgustosa. Da che ho smesso completamente di
fumare non mi capita ormai piú quello stato d'animo ansioso
e cupo. Forse per il fatto che non fumo, la morale tolstojana
ha smesso di commuovermi, in fondo all'anima sento per lei

della malevolenza, e questo, certo, è ingiusto. Nelle mie vene
scorre sangue contadino, non son dunque le virtú contadine a
farmi impressione. Al progresso ho creduto sin dall'infanzia,
e non potevo non crederci, poiché la differenza tra quando mi
si frustava e quando smisero di frustarmi, fu enorme. Le persone intelligenti, la sensibilità, la cortesia, lo spirito sottile, li
ho sempre amati, e il fatto che la gente si stuzzicasse i calli o
che le loro pezze da piedi mandassero un odore asfissiante mi
lasciava del tutto indifferente, cosí come mi è indifferente che
al mattino le signorine girino coi diavolini nei capelli. La filosofia tolstojana tuttavia mi commoveva fortemente, essa m'ha
dominato per sei o sette anni; su di me influivano non tanto le
sue tesi fondamentali, che conoscevo già da prima, quanto la
sua particolare maniera d'esprimersi, il suo parlare per senten-
ze e, probabilmente, una specie d'ipnotismo. Ora invece qualcosa in me protesta; un ragionamento imparziale mi dice che
c'è piú amore per l'umanità nella forza elettrica e nel vapore,
che nella castità e nell'astenersi dal mangiar carne. La guerra
è un male e i tribunali sono un male, ma non ne consegue
ch'io debba andare con le ciocie e dormire sulla stufa insieme
al lavorante e a sua moglie, ecc. ecc. Ma non si tratta di questo, non si tratta di «pro e contro», quanto del fatto che, in
un modo o nell'altro, Tolstoj è ormai lontano da me, nell'anima mia egli non esiste piú, m'ha abbandonato dicendo: «lascio deserta questa vostra casa». Son libero di piantar le tende
dove voglio. Tanti ragionamenti m'hanno annoiato, quanto
poi ai seccatori, come Max Nordau, li leggo semplicemente
con avversione. I malati febbricitanti non hanno voglia di
mangiare, pure di qualcosa han voglia, ed esprimono il loro
vago desiderio cosí: «qualcosa d'agrognolo». Cosí anch'io
avrei voglia di qualcosa d'agrognolo. E non a caso, perché è
questo appunto lo stato d'animo che noto all'intorno. Come
se tutti, dopo essere stati innamorati, passato l'incanto cercas-
sero ora nuovi invaghimenti. È ben possibile, e verosimile,
che i russi s'appassionino di nuovo per le scienze naturali e
che il movimento materialista torni di moda un'altra volta. Le
scienze naturali stanno facendo miracoli, e possono, come
Mamaj, marciare sul pubblico e soggiogarlo con la loro massa,
con la loro grandiosità. Del resto, tutto questo è nelle mani di
Dio. A filosofeggiare gira la testa.

Un tedesco di Stoccarda mi ha mandato 50 marchi per la
traduzione d'un mio racconto. Come vi piace? Io sono favorevole alla convenzione, mentre un porco ha pubblicato sui

giornali che, conversando, io mi sarei dichiarato contro[1]. E mi vengono attribuite frasi che non posso neanche aver pronunziato.

Scrivetemi a Lopasnja. Se invece voleste telegrafarmi, il telegramma mi raggiungerebbe ancora a Jalta, giacché resterò qui fino al 5 aprile.

State sano e tranquillo. Come va la vostra testa? Duole piú spesso o piú raramente di prima? A me ha cominciato a doler di meno, perché non fumo.

Ossequi ad Anna Ivanovna e ai ragazzi.

Vostro

A. Čechov

A LIDIJA S. MIZINOVA

Jalta, 27 marzo 1894

Cara Lika, grazie per la lettera. Anche se in essa minacciate di morir presto, anche se siete arrabbiata perché v'ho ripudiato, grazie lo stesso. So benissimo che voi non morirete e che nessuno v'ha ripudiato.

Mi trovo a Jalta, e m'annoio, e di molto anche. La locale, diciamo cosí, aristocrazia sta mettendo in scena *Faust*; io assisto alle prove e mi diletto a contemplare tutta un'aiuola di testoline nere, rosse, bionde e color del lino, ascolto il canto e mangio; dalla direttrice del ginnasio femminile mangio *čebureki*[1] e lombo di montone con la *kaša*.

Nelle famiglie distinte ingurgito minestrone di verdura; talvolta mangio in pasticceria e anche in albergo, in camera mia. Mi metto a dormire alle dieci di sera, m'alzo alle dieci di mattina, e dopo pranzo riposo; e tuttavia sono malinconico, cara Lika. Non che io soffra di nostalgia perché non ho accanto a me «le mie dame», ma perché la primavera nordica è meglio di quella di qui, e perché non un attimo m'abbandona il pensiero ch'io debbo, ch'io ho l'obbligo di scrivere. Scrivere, scrivere e scrivere. Io son dell'opinione che la vera felicità è impossibile senza l'ozio. Il mio ideale è: stare in ozio e amare una ragazza grassottella; il mio piú gran diletto: passeggiare o star seduto, e non far niente; la mia occupazione preferita: raccogliere cose che non servono (foglioline, pagliuzze, ecc.)

---

[1] Allude alla convenzione sui diritti d'autore.

[1] Pietanza tartara. Pasticcio ripieno di carne di montone.

e far cose inutili. E invece sono un letterato, e debbo scrivere persino qui, a Jalta. Cara Lika, quando sarete diventata una grande cantante, e vi daranno un buono stipendio, allora fatemi la carità: sposatemi e mantenetemi a vostre spese, perch'io possa non far niente. Se poi voi morite per davvero, allora che lo faccia Varja Eberle, che, come sapete, io amo. Il continuo pensiero dell'indispensabile, inevitabile lavoro, mi ha talmente spossato che già da una settimana son tormentato da una perpetua palpitazione di cuore. Disgustosa sensazione.

Ho venduto la mia pelliccia di volpe per venti rubli! Era costata sessanta rubli, ma essendone già venuto via pelo per quaranta, venti rubli non sono pochi. Qui l'uva spina non è ancora matura, ma fa caldo, l'aria è limpida, gli alberi germogliano, il mare ha un aspetto estivo, le ragazze hanno sete di sensazioni; e tuttavia il settentrione è meglio del meridione russo, per lo meno in primavera. Da noi la natura è piú triste, piú lirica, piú alla Levitan, qui invece non è né carne né pesce, come dei buoni versi, sonori ma freddi. Grazie alle palpitazioni è già una settimana che non bevo vino, e perciò l'ambiente mi sembra ancor piú misero. E voi come vi trovate a Parigi? Come sono i francesi? Vi piacciono? Ebbene, accomodatevi.

Mirov ha dato qui un concerto con un ricavo netto di centocinquanta rubli. Ha rugliato come uno storione, ma il successo è stato enorme. Rimpiango terribilmente di non aver imparato a cantare, anch'io avrei potuto rugliare, giacché la mia gola abbonda di elementi rantolanti, e la mia ottava, dicono, è autentica. Guadagnerei, e avrei successo con le signore.

In giugno non io verrò a Parigi, ma voi a Melichovo; vi pungerà nostalgia della patria, impossibile che non veniate in Russia, sia pure per un giorno. Mettetevi d'accordo con Potapenko. Anche lui d'estate viene in Russia. Con lui il viaggio costerà meno. Lasciate che comperi lui il biglietto, e voi dimenticate di pagarglielo (non sarebbe la prima volta che vi capita). Ma se non verrete, allora verrò io a Parigi. Però son sicuro che verrete. È difficile ammettere che non vogliate vedere nonno Sablin.

Lika, state sana, serena, felice e contenta. V'auguro successo. Voi siete una persona assennata.

Se volete coccolarmi con una lettera, indirizzate a Melichovo, dove andrò presto. Risponderò alle lettere puntualmente. Vi bacio le due mani.

Vostro

                              A. Čechov

I miei ossequi a V. A. Eberle.

A MARIJA P. ČECHOVA

Milano, 22 settembre 1894

Cara Maša, sono in Italia, a Milano. Sono stato a Lemberg
(Leopoli) dove ho visto l'esposizione polacca trovandola, ad
onta di Sienkiewicz e Vukol Lavrov, molto sbiadita e insignificante; sono stato a Vienna, dove ho mangiato del pane gu-
stosissimo e mi son comperato un calamaio nuovo, come pure
un berretto da *jokey* con paraorecchi; sono stato ad Abbazia
sulle rive del mare Adriatico e lí ho trovato una bella pioggia
e noia; a Fiume, a Trieste, da dove partono enormi piroscafi
per tutte le parti del mondo. Dopo di che, senza dire né ài né
bài, sono stato a Venezia; qui mi son buscato l'orticaria, che
ancor oggi non m'ha abbandonato. A Venezia mi sono comperato un bicchiere iridato dei colori del paradiso, e anche tre
cravatte di seta e una spilla. Adesso sono a Milano; ho visto il
duomo e la Galleria Vittorio Emanuele, e non mi resta che
andare a Genova, dove ci sono molte navi e un magnifico cimitero. (A proposito: a Milano ho visitato il crematorio, cioè
il cimitero dove bruciano i defunti; ho rimpianto che non vi
brucino anche i vivi, per esempio quegli eretici che mangiano
grasso di mercoledí).

Da Genova è probabile che andrò a Nizza, e da Nizza direttamente a casa. In ottobre sarò a casa di certo, verso il 12 o
il 15. In ogni modo telegraferò il giorno dell'arrivo. Immagino
il fango che c'è adesso da noi!

Se vedi Gol'cev, comunicagli che sto scrivendo per «Il
pensiero russo» un romanzo sulla vita moscovita. Gli allori di
Boborykin non mi dànno pace, e scrivo un'imitazione de *Il
valico*. Ma che Gol'cev e Lavrov non l'aspettino prima di dicembre, perché è un grosso racconto di cento, centotrenta
pagine[1].

Probabilmente non hai soldi, o molto pochi. Abbi pazienza
una settimana; a Nizza riceverò un conto dettagliato dalla libreria di «Tempo Nuovo», e allora darò ordine di mandarvi
del denaro. Bisogna pagare ancora 180 rubli alla banca.

Cosa fa Potapenko? Dov'è? A lui i miei riveriti omaggi.

All'estero la birra è meravigliosa. Ho l'impressione che se
ci fosse in Russia una birra simile, mi darei al bere. Anche gli

---

[1] Si tratta del racconto *Tre anni*.

attori sono formidabili. Una recitazione cosí noi russi neppure ce la sognamo.

Sono stato all'operetta. Ho visto *Delitto e castigo* di Dostoevskij nella traduzione italiana. Ho ricordato i nostri attori, i nostri grandi, colti attori, e ho trovato che la loro recitazione è piú insipida d'una gazzosa. Per quanto umani sono sulla scena questi attori e attrici, altrettanto i nostri sono [...]

Ieri sono andato al circo. Sono stato all'esposizione.

Saluti a papà e a mamma. Saluti a tutti. In ottobre sarò a casa.

Tossisco, mi gratto l'orticaria, ma in generale sto bene.

Sento come imparano a cantare. Qui a Milano ci son molte straniere, *à la* Lika e Varja, che studiano canto, contando su gloria e ricchezza. Poverette, vocalizzano dalla mattina alla sera.

Oggi me ne andrò a Genova.

Sta' sana.

Il tuo   A. Čechov

Se per andare all'estero ci si riunisce in grossa compagnia, viene a costare assai poco.

AD ALEKSEJ S. SUVORIN

Melichovo, 27 novembre 1894

Sono stato in questi giorni a Serpuchov, e là un odessita m'ha giurato che I. A. Kazarinov, quello che ci aveva ammannito i canti delle ragazze dell'orfanotrofio, è morto quest'inverno.

A Serpuchov ho fatto il giurato. Piccola nobiltà terriera, fabbricanti e mercanti di Serpuchov, ecco la composizione della giuria. Per uno strano caso son capitato in tutti i processi, senza esclusione, sicché, alla fine, questa combinazione cominciò a suscitare le risa. In tutti i processi ero io il capo della giuria. Ecco la mia conclusione: 1) i giurati non sono la strada, ma uomini pienamente maturi per rappresentare la cosiddetta coscienza sociale; 2) nel nostro ambiente la brava gente ha un'enorme autorità, indipendentemente dal fatto che siano nobili o contadini, colti o incolti. In genere ho avuto un'impressione favorevole.

Sono stato nominato provveditore della scuola d'un paese che porta il nome di Talež. Il maestro riceve 23 rubli al mese, ha moglie, quattro figli, ed è già canuto, malgrado i suoi trent'anni. È talmente assillato dalla miseria, che di qualunque cosa si parli con lui, sempre torna al problema dello stipendio. Secondo lui poeti e prosatori dovrebbero scrivere solo dell'aumento di stipendio; quando il nuovo zar cambierà i ministri, lo stipendio dei maestri verrà certamente aumentato, e cosí via.

È stato qui mio fratello Aleksandr, s'è fermato cinque giorni ed è ripartito il 21 novembre. È un uomo malato, sofferente; quand'è ubriaco è una vera pena, quando poi è sobrio egualmente fa pena, giacché si vergogna di tutto quel che ha detto e fatto quand'era ubriaco.

Sicché, son debitore di 1004 rubli. Dunque è deciso, sottoscritto. Accetto questa cifra e vi propongo la seguente combinazione: per liberarmi dal debito, e col 1° gennaio cominciare un nuovo conto, non crede la vostra libreria di poter acquistare 5000 *Racconti variopinti* in contante, col ribasso del 40 per cento? Se ciò è possibile, la libreria estinguerebbe per il 1° gennaio sia i restanti 1004 rubli, sia il mio debito personale con voi. M'affretto a saldare quest'ultimo, perché ho intenzione di chiedervi dell'altro.

Se l'idea di stampare i miei racconti in volumetti vi va a genio, non è necessario realizzarla proprio adesso; si può aspettare ancora uno o due anni, bisogna solo avvisare che sospendano la pubblicazione di *Sull'imbrunire* e di *Gente cupa*.

Niente neve, e niente strada praticabile. Non potete neppure immaginarvi che disgrazia è questa per la gente di campagna.

I miei omaggi ad Anna Ivanovna, a Nastja e Borja. Scrivetemi: che c'è di nuovo? La stampa ha ottenuto o otterrà qualcosa[1]? Chi sa che gli ammonimenti non si fermino lí.

Vostro

A. Čechov

---

[1] Si sperava che, in occasione del suo avvento al trono, Nicola II avrebbe concesso maggiore libertà di stampa.

ALLA REDAZIONE DEL DIZIONARIO ENCICLOPEDICO

Mosca, 22 dicembre 1894

Ho l'onore di comunicare alla redazione del Dizionario enciclopedico le notizie richieste.

Io, Čechov Anton Pavlovič, sono nato il 17 gennaio 1860, nella città di Taganrog. Mio nonno e mio padre – oriundi del governatorato di Voronež – erano ex servi di Čertkov (del nonno e del padre dell'attuale direttore de «L'intermediario», V. G. Čertkov). Ho studiato nel liceo di Taganrog, poi sono entrato all'università di Mosca, nella facoltà di medicina; terminai i corsi nel 1884 col grado di dottore e di medico condotto. Nel 1888 l'Accademia delle scienze mi conferí il premio Puškin. Nel 1890 feci un viaggio a Sachalin; per andarvi attraversai la Siberia, tornai su una nave della Flotta Volontaria. Nel 1892-93, quando nel governatorato di Mosca ci si aspettava il colera, diressi un settore sanitario provvisorio, quello di Melichovo, nel distretto di Serpuchov. Nel 1893 sono stato assegnato alla Direzione dell'Igiene. Presentemente abito nella mia tenuta nel distretto di Serpuchov, governatorato di Mosca.

Ho cominciato a occuparmi di letteratura nel 1879, dapprima ne «La libellula», «La sveglia» e altre riviste umoristiche e illustrate, poi nei quotidiani e, infine, nel «Messaggero del Nord» e ne «Il pensiero russo». Ecco il titolo delle mie raccolte: *Racconti variopinti, Sull'imbrunire, Racconti, Gente cupa, Il duello, Il reparto n. 6, Marmocchi, Bozzetti e racconti.* Ho scritto anche dei lavori teatrali.

Ho l'onore d'essere, con rispetto,   A. Čechov

A ELENA M. ŠAVROVA

Melichovo, 28 febbraio 1895

Avete ragione voi: il soggetto è spinto. Non posso dirvi niente di preciso, consiglio solo di chiudere il racconto in un baule e di tenercelo tutto un anno, e poi rileggere. Allora vi sarà più chiaro, io invece temo di prendere una decisione, temo di sbagliare.

Il racconto è piuttosto prolisso: la tesi salta agli occhi, i dettagli colano come olio versato, viceversa i personaggi si notano appena. Ci sono figure superflue; ad esempio il fratello e la madre della protagonista. Ci sono episodi superflui; ad esempio gli avvenimenti e i discorsi prima del matrimonio, e in genere tutto quello che il matrimonio riguarda. Ma se questi son difetti, non sono però importanti. Più importante, secondo me, è che non v'è riuscito di venire a capo della parte formale. Per risolvere i problemi della degenerazione, delle psicosi, ecc., bisogna averne una conoscenza scientifica. La portata della malattia (che per discrezione chiameremo con la lettera latina S) è da voi esagerata. In primo luogo la S è curabile, in secondo luogo, se i medici trovano in un malato qualche grave infermità, ad esempio la tabe dorsale, o una cirrosi epatica, e se questa malattia dipende dalla S, la diagnosi che fanno è relativamente favorevole, poiché la S è curabile. Nella degenerazione, nelle nevrosi generali, nei deperimenti, ecc., colpevole non è solo la S, ma un complesso di molti fattori: la vodka, il tabacco, il troppo rimpinzarsi della classe intellettuale, le cattive abitudini, eccetera eccetera. E all'infuori della S esistono anche altre malattie, non meno gravi. Ad esempio la tubercolosi. E poi mi sembra che non sia affare da artista stigmatizzare la gente per il fatto che è malata. È forse colpa mia se ho l'emicrania? È forse colpa di Sidor se ha la S, se è predisposto verso questa malattia più di Taras? È forse colpa di Akul'ka se le sue ossa soffrono di tubercolosi? Nessuno è colpevole, e quand'anche ci fossero dei colpevoli, ciò riguarda la polizia sanitaria, non gli artisti.

Nel vostro racconto i medici si comportano pessimamente. Li costringete a dimenticare il segreto professionale; e, quasi non bastasse, essi spediscono in città un malato grave, un paralitico! Per caso non sarà stata sobbalzata fin là su un *tarantas*, questa disgraziata vittima della segreta S? Le signore poi, nel vostro racconto, si comportano con la S come con uno spauracchio. A torto. La S non è un vizio, non è un prodotto della cattiva volontà, ma una malattia, e i malati di S hanno anch'essi bisogno di cure calde e affettuose. Non è bello che la moglie fugga lontano dal marito malato, allegando la scusa che la malattia è contagiosa o vergognosa. Del resto, lei può comportarsi verso la S come le piace, ma l'autore dev'essere umano fino alla punta delle unghie.

A proposito: sapete che l'*influenza* produce anch'essa nell'organismo uno sfacelo identico sotto ogni riguardo? Oh, nella natura vi sono ben poche cose che non siano nocive e non si trasmettano per ereditarietà. Persino respirare è nocivo. Quanto a me personalmente, m'attengo a questa regola: dei malati raffiguro solo quel tanto che è caratteristico, o quel tanto che c'è in loro di pittoresco. Con le malattie, invece, ho paura di spaventare. «Il nostro secolo nevrotico» – non l'ammetto, perché in tutti i secoli l'umanità è stata nervosa. Chi ha paura del nervosismo, si tramuti pure in storione o in acciuga; se uno storione fa una stupidaggine o una bassezza, succederà una cosa sola: andrà a finire su un amo, e poi in una zuppa piccante accompagnata da pasticcetti ripieni.

Io vorrei che voi descriveste qualcosa di gioioso, in verde chiaro, sul tipo d'un *pic-nic*. Lasciate a noi medici descrivere storpi e monaci neri. Io comincerò presto a scrivere dei racconti umoristici, giacché tutto il mio repertorio psicopatologico è ormai esaurito.

Sto costruendo un bagno.

V'auguro ogni bene, terrestre e celeste. Mandate dell'altra «carta protocollo». Mi piace leggere i vostri racconti. Solo, permettetemi di porvi una condizione *sine qua non*: per quanto severa sia la mia critica, questo non significa che il racconto non è buono da pubblicare. La mia pignoleria è una cosa, e la pubblicazione e il compenso un'altra.

Vostro   A. Čechov

AD ALEKSANDR V. ŽIRKEVIČ

Melichovo, 10 marzo 1895

Egregio Aleksandr Vladimirovič!

Malgrado la vostra simpatia e le premure, che tanto apprezzo, son costretto, con mio gran dispiacere, a dir di no su ogni punto.

In primo luogo, non ho fotografie mie; in febbraio sono stato a Pietroburgo e mi son fatto ritrarre da Šapiro, ma son partito senza aspettare che le copie fossero pronte. Se Šapiro me le manderà, ve ne spedirò una (naturalmente in cambio d'un vostro ritratto), intanto scusate.

In secondo luogo, scrivere sinceramente la mia opinione sul vostro poema, scriverla come voi desiderereste, è assolutamente al di sopra delle mie forze. Cioè, potrei raccontarvi un mucchio di cose, ma sarebbero tutte scempiaggini, alle quali voi alzereste le spalle. I versi non sono il mio ramo, non ne ho mai scritti, il mio cervello si rifiuta di tenerli a memoria e, appunto come per la musica, li gusto solamente, senza poter dire con precisione perché provo diletto o noia. In passato tentai di tenermi in corrispondenza con dei poeti e d'esprimere la mia opinione, ma senza risultato; presto venni a noia, come persona che ha magari della sensibilità ma espone i propri pensieri in modo impreciso e poco interessante. In genere mi limito adesso a scrivere semplicemente: «mi piace» o «non mi piace». Il vostro poema m'è piaciuto.

Quanto invece al racconto che state scrivendo, quello è un altro affare, son pronto a farne la critica su venti fogli, e se col tempo me lo spedirete, e vorrete conoscere la mia opinione, con gran piacere leggerò e vi scriverò piú o meno circostanziatamente, e in questo mi sentirò libero.

La lettera del defunto Krestovskij, pubblicata nel «Giornale storico», è una bella lettera, penso che avrà successo nei circoli letterari. Vi si sente il letterato, e per di piú un letterato molto intelligente e affabile.

Permettetemi di ringraziarvi ancora e stringervi forte la mano.

Sinceramente vostro   A. Čechov

AD ALEKSEJ S. SUVORIN

Melichovo, 23 marzo 1895

Ve l'avevo detto che Potapenko è un uomo pieno di vita, ma voi non m'avete creduto. Nelle viscere d'ogni ucraino son nascosti molti tesori. A me sembra che quando la nostra generazione sarà diventata vecchia, di tutti noi Potapenko sarà il piú allegro e arzillo vecchietto.

E sia! Mi sposerò, se lo volete. Ma ecco le mie condizioni: tutto dovrà essere com'è stato finora, cioè lei dovrà vivere a Mosca, e io in campagna, e andrò a trovarla. Una felicità che si prolunghi una giornata dopo l'altra, da mattino a mattino, non la sopporto. Quando ogni giorno mi si dice sempre la medesima cosa, col medesimo tono, io divento feroce. Ad esempio, m'inferocisco in compagnia di Sergeenko, perché somiglia molto a una donna («intelligente e comprensiva») e perché sempre in sua presenza mi viene in mente che mia moglie potrebbe essere come lui. Prometto d'essere un marito meraviglioso, ma datemi una moglie che, come la luna, appaia nel mio cielo non ogni giorno: se mi sposassi, non per questo comincerei a scrivere meglio.

Partite per l'Italia? Ottimamente, ma se prendete con voi Michail Alekseevič a scopo curativo, non so se gli sarà di sollievo dover fare le scale venticinque volte in un'ora, correre per il *facchino*, ecc. Lui dovrebbe starsene seduto tranquillo in qualche posto vicino al mare, fare dei bagni; se poi questo non gli giovasse, provi allora l'ipnotismo. Salutatemi l'Italia. L'amo ardentemente, sebbene voi abbiate detto a Grigorovič che mi sarei steso in Piazza San Marco dicendo: «Come sarebbe bello adesso allungarsi sull'erbetta da noi, nel governatorato di Mosca!» La Lombardia m'ha colpito, tanto che mi par di ricordarne ogni albero, Venezia poi la vedo a occhi chiusi.

Mamin-Sibirjak è un tipo molto simpatico e un eccellente scrittore. Il suo ultimo romanzo *Il pane* (ne «Il pensiero russo») è stato elogiato; Leskov specialmente ne era entusiasta. E senza dubbio egli ha delle cose bellissime, anzi nei racconti piú riusciti il popolo non è affatto reso meno bene che in *Padrone e servitore*[1]. Son contento che abbiate fatto almeno un poco la sua conoscenza.

---

[1] Novella di L. N. Tolstoj.

Ecco ormai trascorsi quattro anni da che vivo a Melichovo.
I miei vitelli si son tramutati in mucche, il bosco s'è innalzato
d'un *aršin* e anche piú. I miei eredi faranno un ottimo commercio di legname, pur dicendo che ero un asino, giacché gli
eredi non sono mai contenti.

Non partite troppo presto per l'estero; fa freddo laggiú.
Aspettate fino a maggio. Anch'io, forse, ci andrò; in qualche
posto c'incontreremo...

Scrivetemi ancora. C'è niente di nuovo nel campo delle
fantasie assurde e benpensanti? Perché Guglielmo ha richia-
mato il generale V.? Non faremo la guerra ai tedeschi, per caso? Ah! mi toccherà andare in guerra, fare amputazioni, poi
scrivere le memorie per il «Giornale storico»*.

Tutto vostro   A. Čechov

* Non si potrebbe avere da Šubinskij un anticipo in conto
di queste memorie?

AD ALEKSEJ S. SUVORIN

Melichovo, 21 ottobre 1895

Grazie per la lettera, per le calde parole e per l'invito. Verrò, ma certo non prima della fine di novembre, perché ho una
massa diabolica di faccende. Prima di tutto in primavera costruirò una nuova scuola nel villaggio di cui ho la curatèla; bisogna in anticipo preparare i piani, i preventivi, andare qua e
là, e cosí via. In secondo luogo, immaginatevi un po', sto scrivendo un lavoro teatrale, che terminerò anche, probabilmente, non prima della fine di novembre. Lo scrivo non senza piacere, sebbene pecchi terribilmente contro le convenzioni sce-
niche. È una commedia, ci sono tre parti femminili, sei maschili, quattro atti, un paesaggio (veduta sul lago); molti discorsi sulla letteratura, poca azione, tonnellate d'amore[1].

Ho letto del fiasco della Ozerova, e m'è dispiaciuto, perché niente è piú doloroso d'un insuccesso. M'immagino come quella [...] ha pianto e s'è sentita raggelare leggendo la
«Gazzetta di Pietroburgo», dove la sua recitazione è definita
senza ambagi ridicola. Ho letto del successo di *Potenza delle*

[1] *Il gabbiano.*

tenebre[2] nel vostro teatro. Certo è bene che Anjutka sia stata recitata dalla Domašëva, e non dalla «briciolina» che (a giudicare dalle vostre parole) vi è tanto simpatica. Quella briciolina deve recitare Matrëna. Quando fui da Tolstoj, in agosto, egli, asciugandosi le mani che s'era appena lavate, mi disse che non avrebbe rimaneggiato il suo dramma. Ed ora, rammentando questo, penso che già allora egli sapeva che il suo lavoro sarebbe stato autorizzato *in toto*. Rimasi da lui due giorni e una notte. Impressione meravigliosa. Mi sentivo a mio agio, come a casa mia, e i nostri discorsi furono piacevoli. Quando ci vedremo vi racconterò in dettaglio.

In novembre apparirà sul «Pensiero russo» *Un assassinio*; in dicembre un altro racconto, *Ariadna*.

E intanto io sono terrificato, ecco perché. A Mosca si stampano gli «Annali di chirurgia», meravigliosa rivista, che ha successo perfino all'estero. La dirigono i famosi chirurghi professori Sklifosovskij e D'jakonov. Il numero degli abbonati cresce ogni anno, ma a chiusura di bilancio ci si trova ancora in perdita. Chi ha coperto questo deficit è stato sempre (fino al gennaio del prossimo 1896) Sklifosovskij; ma quest'ultimo essendo stato trasferito a Pietroburgo, ha perduto la sua clientela, non ha piú quattrini in sovrabbondanza ed ora né lui né nessuno al mondo sa chi coprirà il debito nel 1896, nel caso ci sia: e a giudicare per analogia con gli scorsi anni, bisogna aspettarsi un deficit di 1000-1500 rubli. Venuto a sapere che la rivista va in rovina, me la son presa calda; una tale assurdità – la rovina d'un giornale di cui non si può fare a meno, e che fra tre o quattro anni darà già un utile, rovina dovuta a una somma da niente – un'assurdità simile m'ha colpito la capoccia; senza riflettere ho promesso di trovare un editore, sicuro di trovarlo. E ho cercato con impegno, ho chiesto, mi sono umiliato, sono andato, ho pranzato il diavolo sa con chi, ma non ho trovato nessuno. È rimasto solamente Soldatenkov, ma sta all'estero, non tornerà prima di dicembre, mentre il problema dev'essere risolto entro novembre. Come rimpiango che la vostra tipografia non sia a Mosca! Non avrei dovuto recitare la ridicola parte del sensale sfortunato. Quando ci vedremo vi dipingerò il quadro veritiero delle agitazioni provate. Non fosse per la costruzione della scuola, che mi prende millecinquecento rubli, m'incaricherei io stesso di pubblicare la rivista a mie spese, a tal punto mi duole e m'è

[2] Dramma di L. N. Tolstoj.

difficile rassegnarmi a una manifesta assurdità. Il 22 ottobre
andrò a Mosca, e come estremo rimedio proporrò ai direttori
di chiedere una sovvenzione di 1500-2000 rubli l'anno. Se ac-
consentono mi precipiterò a Pietroburgo e comincerò a briga-
re. Come si fa? M'insegnerete voi? Per salvare la rivista son
pronto ad andare e a fare anticamera da chiunque, e se riuscirò, tirerò un sospiro di sollievo, con un senso di piacere, poiché salvare una buona rivista di chirurgia è altrettanto utile
quanto fare ventimila operazioni riuscite. In ogni caso, consi-
gliatemi cosa fare.

Dopo domenica scrivetemi a Mosca. Grande Albergo, stanza n. 5.

Come va la *pièce* di Potapenko? E in genere cosa combina?
Jean Ščeglov m'ha mandato una lettera scorata. L'astronoma
fa la fame. Per il resto tutto va bene, per ora. A Mosca andrò
all'operetta. Di giorno lavorerò al mio dramma, di sera andrò all'operetta.

Ossequi. Scrivete, vi supplico.

Vostro   A. Čechov

AD ALEKSEJ S. SUVORIN

                                              Mosca, 26 ottobre 1895

Che Fingal sia Potapenko, questo a Mosca l'aveva lasciato
trapelare Stanjukovič, che è stato qui di passaggio. Sí, avete
ragione quando dite che negli scritti di Fingal non c'è «nerbo», Potapenko è un'anima semplice, e mi pare che i lunghi
ragionamenti non gli s'addicano affatto; egli deve scrivere per
immagini, e quanto piú presto passerà, nei suoi *feuilletons*, alla
letteratura o alla semiletteratura alla maniera d'Atava, tanto
prima imbroccherà il filone che cerca.

No, non mi tentate inutilmente, prima di novembre non
posso venire. Non partirò senza aver finito il dramma. E, arrivato, mi fermerò non da voi, ma sulla Bol'šaja Morskaja, al
«Francia», giacché di lavoro ne ho fino ai capelli; se venissi da
voi, non farei che andare attorno, alla ricerca di gente con cui
chiacchierare, e già dopo una settimana comincerei ad autoe-
spellermi da Pietroburgo, spaventato dalla mia fannullaggine.
Ho intenzione di trascorrere a Pietroburgo non meno d'un
mese. Se insistete a desiderare ch'io mi fermi da voi, verrò a

Pietroburgo a vostra insaputa e passerò al «Francia» tre settimane, poi verrò da voi facendo finta d'arrivare dalla stazione, e mi fermerò una settimana in casa vostra.

Le figlie di Tolstoj sono molto simpatiche. Adorano il padre e credono in lui fanaticamente. Questo significa che Tolstoj è davvero una gran forza morale, perché se non fosse sincero e irreprensibile, le prime ad aver verso di lui un atteggiamento scettico sarebbero le figlie, giacché le figlie son come i passeri: non cadono nella pania... Una fidanzata o un'amante puoi ingannarla come vuoi, agli occhi d'una donna innamorata perfino un asino è un filosofo, ma le figlie – è un'altra faccenda.

Mi scrivete: «Con questo biglietto prelevate per lei, in libreria, cento rubli». Ma nella lettera non c'è nessun biglietto. E neanche l'astronoma non vedo; dicono che sia andata a Batum, da sua sorella. Quanto agli «Annali di chirurgia», loro e tutti gli strumenti chirurgici, bende, bottiglioni di fenolo, s'inchinano a voi fino a terra. Gioia grande, naturalmente. Abbiamo deciso cosí: se l'idea della sovvenzione è realizzabile, allora andrò e mi darò da fare, e a sovvenzione ottenuta vi si restituirebbero i millecinquecento rubli. In novembre vedrò Sklifosovskij e certamente, se è possibile, andrò da Witte a salvare questa ingenuissima gente. Sono dei bambini. Difficile trovare persone meno pratiche. Comunque, prima o poi vi restituiremo i soldi. A me, per ringraziamento del mio affannarmi, toglieranno *gratis* le emorroidi – operazione inevitabile e che già comincia a mettermi in agitazione. Di voi canteranno le lodi e, quando verrete a Mosca, vi mostreranno le nuove cliniche vicino al Monastero Nuovo delle Vergini. Val la pena di visitare le cliniche, cosí come il cimitero e i circhi.

Scrivete. I millecinquecento rubli mandateli a me, e se possibile, non per posta, ma tramite la libreria. Com'è andata la *pièce* di Potapenko? Come va Anna Ivanovna, e Nastja, e Borja? Immagino come Borja sarà cresciuto. Saluti a tutti, anche a *Mlle* Emilie.

Vostro   A. Čechov

AD ALEKSEJ S. SUVORIN

Mosca, 13 dicembre 1895

Siate buono, dite per telefono al ragioniere che mi telegrafi il piú presto possibile al Grande Albergo di Mosca, quanto la libreria deve a me, o io alla libreria. Siamo in dicembre, ed è appunto il momento di fare il bilancio annuale. Se mi capitasse di ricevere trecento rubli, sarei al colmo della felicità, ché son misero e mendíco.

Da noi a Mosca han dato *I misteri dell'anima*[1], che a quanto pare ha avuto successo, sebbene i recensori locali, chissà perché e percome, si vergognino d'ammetterlo. Uno poi loda e si scusa, quasi lodasse il diavolo. A voi, in un giornale, v'han chiamato protettore del decadentismo.

M'annoio. Non so cosa fare di me stesso, perché non so assolutamente di che riempire il tempo, da mezzogiorno alla sera. D'estate non sento la noia, ma d'inverno è semplicemente un guaio. Questo si chiama: spirito dell'ozio.

Com'è andato lo *Stile contenuto* di Potapenko? E *Il crac della borsa*[2]? Quanto alla mia drammaturgia, a quel che pare è destino ch'io non sia drammaturgo. È una disdetta. Ma non mi perdo d'animo, giacché non smetto di scrivere racconti; in questo campo mi sento a casa mia, mentre quando scrivo per il teatro mi sento agitato, come se qualcuno mi mettesse alla porta.

Mi son sognato che il giorno del compleanno vi regalavo uno storioncino congelato. Che significa?

State sano e prospero. A casa andrò domenica. A Pietroburgo dopo Natale.

Vostro   A. Čechov

Il ragioniere mi mandi un telegramma breve, la sola cifra. Se non si può fare il consuntivo, mi risponda approssimativamente.

---

[1] Dramma di Maeterlink.
[2] Farsa in un atto di A. S. Suvorin.

A MICHAIL P. ČECHOV

Pietroburgo, 18 ottobre 1896

Il dramma è crollato, è stato un fiasco solenne. In teatro c'era un'atmosfera tesa, d'imbarazzo e di vergogna. Gli attori han recitato da cani, da cretini.

Morale: non bisogna scrivere commedie.

Io tuttavia sono egualmente vivo e vegeto, e non mi perdo d'animo.

Il vostro *batjuška*

A. Čechov

AD ANNA I. SUVORINA

Melichovo, 19 ottobre 1896

Cara Anna Ivanovna, son partito senza salutarvi. Siete in collera? Il fatto è che dopo lo spettacolo i miei amici erano molto agitati; qualcuno m'ha cercato alle due di notte in casa di Potapenko; m'han cercato alla stazione Nikolaevskij; e il giorno appresso han cominciato a venire da me alle nove del mattino; m'aspettavo ogni momento di veder arrivare Davydov con i suoi consigli e con un'espressione di compatimento. Ciò è commovente, ma insopportabile. Inoltre avevo già stabilito in precedenza che sarei partito il giorno dopo, indipendentemente dal successo o dall'insuccesso. Il clamore della gloria mi stordisce, anche dopo *Ivanov* me ne partii il giorno seguente. In una parola, c'era in me un'invincibile aspirazione alla fuga, ma scendere a salutarvi non potevo, senza cedere all'incanto della vostra cordialità, e senza restare.

Vi bacio forte la mano, sperando nel perdono. Ricordate il vostro motto[1]!

Ossequi a tutti. Tornerò in novembre.

Tutto vostro   A. Čechov

AD ALEKSEJ S. SUVORIN

Melichovo, 22 ottobre 1896

Nella vostra ultima lettera (del 18 ottobre) mi trattate tre volte da donnicciola e dite che mi son preso paura. Perché simile diffamazione? A onor del vero dopo lo spettacolo ho cenato da Romanov, poi mi son messo a letto, ho dormito profondamente e il giorno appresso me ne sono andato a casa, senza emettere un suono di lamento. Se mi fossi preso paura, sarei corso per le redazioni, dagli attori, avrei nervosamente supplicato indulgenza, nervosamente avrei apportato inutili correzioni e mi sarei fermato a Pietroburgo due o tre settimane, andando al mio *Gabbiano*, agitandomi, sudando freddo, lamentandomi... Quando veniste da me la notte, dopo lo spettacolo, diceste voi stesso che la miglior cosa per me era d'andarmene; e al mattino del giorno dopo ricevetti una vostra lettera, nella quale mi dicevate arrivederci. Dov'è dunque la vigliaccheria? Mi son comportato con saggezza, freddamente, come un uomo che, fatta una proposta di matrimonio, abbia ricevuto un rifiuto: altro non gli resta che andarsene. Sí, il mio amor proprio è stato ferito, ma non è stata una sorpresa; m'aspettavo un insuccesso e v'ero già pronto, del che vi avevo avvertito con piena sincerità.

A casa ho preso l'olio di ricino, mi son lavato con l'acqua fredda – e adesso son pronto a scrivere un nuovo lavoro teatrale. Ormai non sento né stanchezza, né irritazione, e non temo che Davydov e *Jean* vengano a parlarmi del dramma. D'accordo per le modifiche che mi suggerite, vi ringrazio mille volte. Solo, per favore, non rimpiangete di non essere stato presente alle prove. Vedete, in realtà c'è stata una sola prova, dalla quale era impossibile capire nulla; attraverso la recitazione bestiale il lavoro non si vedeva minimamente.

Ho ricevuto un telegramma da Potapenko: successo colossale. Ho ricevuto una lettera da una certa Veselitskaja (Miku-

[1] Sulla carta da scrivere di A. I. Suvorina era stampato il motto «*Comprendre - Pardonner*».

lič) a me ignota, che esprime la sua compassione in un tono tale, quasi mi fosse morto qualcuno in famiglia – questo mi par davvero fuori luogo. Ma del resto son tutte sciocchezze.

Mia sorella è entusiasta di voi e di Anna Ivanovna, e io ne sono indicibilmente contento, perché amo la vostra famiglia come la mia. Da Pietroburgo s'era affrettata a tornare a casa, evidentemente pensando che mi sarei impiccato.

Da noi c'è un tempo caldo, marcio, molti malati. Ieri ad un ricco agricoltore le feci hanno otturato l'intestino, e noi gli abbiamo fatto un enorme clistere. S'è riavuto. Scusate, v'ho sottratto – premeditatamente – il «Messaggero d'Europa», e la *Miscellanea di T. Filippov*, questa senza premeditazione. Vi restituisco il primo, la seconda la rimanderò dopo averla letta.

La cartella che Stachovič s'è portata via, speditemela in plico, ve la rimanderò subito. Ancora una preghiera: ricordate ad Aleksej Alekseevič che mi ha promesso «Tutta la Russia».

V'auguro ogni bene, terrestre e celeste, e vi ringrazio con tutta l'anima.

Vostro   A. Čechov

A ELENA M. ŠAVROVA

Melichovo, 1° novembre 1896

Se voi, egregia «una del pubblico», scrivete della prima rappresentazione, permettetemi allora – oh sí, permettetemelo! – di dubitare della vostra sincerità. Voi v'affrettate a versare un balsamo ristoratore sulle ferite dell'autore, supponendo che – date le circostanze – ciò sia meglio e piú necessario della sincerità; siete buona, cara Mascherina, molto buona, e questo fa onore al vostro cuore. Alla prima rappresentazione io non ho visto tutto, ma quel che ho visto era opaco, grigio, squallido, legnoso. Le parti non erano state distribuite da me, non m'avevan dato scenari nuovi, ci furono solo due prove, gli artisti non sapevano la parte – risultato: panico generale, scoraggiamento completo; è stata mediocre perfino la Komissarževskaja, che in una delle prove aveva recitato in modo meraviglioso, tanto che quelli che stavano in platea piangevano accoratamente.

In ogni modo io vi son grato e sono molto, molto commosso. Stanno stampando tutti i miei lavori teatrali, e non appena usciranno ve li manderò, solo avvisatemi tempestivamente del cambiamento d'indirizzo. Se a Mosca daranno *Il gabbiano* non lo so; non ho visto nessuno dei moscoviti né ho ricevuto lettere da loro. Probabilmente lo daranno.

Be', come state voi? Perché non provate a scrivere un dramma? Fa un effetto, come immergersi per la prima volta nel *narzan*[1] freddo. Su, scrivetelo. A proposito, voi vi siete impigrita e non scrivete piú niente, ormai. Questo non è bello.

Rimarrò a casa fino al 15, 20 novembre. Scrivetemi dunque due o tre righe ancora, altrimenti – per davvero – la vita è una noia. Ho la sensazione che niente esista, né sia mai esistito.

Tanti auguri d'ogni bene, e grazie ancora.

Vostro   A. Čechov

A TAT'JANA L. TOLSTAJA

Melichovo, 9 novembre 1896

Egregia Tat'jana L'vovna, vedete quando mi son deciso a rispondervi. Ho ricevuto la vostra lettera di ritorno dalla Crimea, nella seconda metà di settembre. Il tempo era splendido, l'umore pure, ed io non m'affrettavo a rispondervi, sicuro che – se non oggi, domani – sarei venuto a Jasnaja Poljana. Ma cominciarono ad arrivare lettere e telegrammi, che mi richiedevano insistentemente a Pietroburgo, dove si preparava la prima del mio lavoro. Andai, il dramma, a quanto pare, non ha avuto successo – ed eccomi di nuovo a casa. Fuori c'è la neve, per venire a Jasnaja Poljana è tardi ormai.

Nella vostra lettera chiedevate se non avevo qualcosa di finito, e se non l'avrei portato da leggere. Alla fine dell'estate avevo pronta una novella di ottanta pagine, *La mia vita* (altro titolo non ho saputo escogitare), e contavo di portarla con me a Jasnaja Poljana in bozze. Ora essa si pubblica nei «Supplementi alla Niva», ed io ne sento repulsione, perché dopo che le è passata sopra la censura, molti punti son diventati irriconoscibili.

A Pietroburgo mi sono incontrato con D. V. Grigorovič. M'ha colpito il suo aspetto cadaverico. Ha una faccia color gialloverde, come i malati di cancro. Dice d'essersi strapazzato all'esposizione di Nižnij Novgorod.

Permettetemi di ringraziarvi per la lettera e per le vostre

---

[1] Acqua minerale del Caucaso, molto frizzante.

buone disposizioni che, credetemi, apprezzo piú di quanto io
possa esprimere con le parole. A Lev Nikolaevič e a tutta la
vostra famiglia saluti e auguri d'ogni bene.

Con sincera stima vostro   A. Čechov

AD ANATOLIJ F. KONI

Melichovo, 11 novembre 1896

Egregio Anatolij Fëdorovič, non potete figurarvi quanto la
vostra lettera m'ha rallegrato. Dalla platea io vidi soltanto i
primi due atti del mio dramma, poi rimasi dietro le quinte, e
tutto il tempo avevo la sensazione che *Il gabbiano* stava facendo fiasco. Dopo lo spettacolo, la notte e il giorno appresso,
m'assicurarono che io avevo portato sulla scena soltanto degli
idioti, che il mio lavoro era goffo dal punto di vista scenico,
che era insensato, incomprensibile, assurdo addirittura, eccetera eccetera. Potete immaginarvi la mia situazione: un fiasco
come neppure mi sarei sognato! Vergognoso, rabbioso, ho lasciato Pietroburgo, pieno di dubbi. Pensavo che se avevo
scritto e messo in scena un dramma zeppo – a quanto pareva
– d'errori mostruosi, allora avevo perduto ogni sensibilità,
voleva dire che la mia macchina s'era guastata per davvero.
Ero ormai a casa quando da Pietroburgo m'hanno scritto che
la seconda e la terza rappresentazione hanno avuto successo;
ho ricevuto alcune lettere, firmate e anonime, nelle quali si
elogiava il lavoro e s'ingiuriavano i recensori; le ho lette con
piacere, ma restando pur sempre vergognoso e rabbioso; auto-
maticamente mi si è insinuata nella testa l'idea che se della
gente di buon cuore trova necessario confortarmi, significa
che le cose vanno male per me. Ma la vostra lettera ha agito
su di me nella maniera piú decisiva. Vi conosco da un pezzo
ormai, vi stimo profondamente e credo in voi piú che in tutti
i critici presi insieme. Questo avete sentito nello scrivere la
vostra lettera, e perciò è cosí bella e persuasiva. Adesso son
tranquillo e ripenso al dramma e allo spettacolo senza repulsione.

La Komissarževskaja è un'attrice meravigliosa. In una delle
prove molti al guardarla piansero e dissero che è la migliore
attrice russa del nostro tempo; invece durante lo spettacolo ha
ceduto anch'essa allo stato d'animo generale, ostile al mio

Gabbiano, e, quasi intimidita, ha perduto la voce. La nostra stampa l'ha trattata freddamente, come non meritava, e m'è spiaciuto per lei.

Permettetemi di ringraziarvi con tutta l'anima per la lettera. Credetemi, io apprezzo piú di quanto possa esprimere a parole i sentimenti che v'hanno spinto a scrivermi, e mai, qualunque cosa avvenga, mai dimenticherò quella simpatia che, alla fine della vostra lettera, voi chiamate «inutile».

Con sincera stima e devozione, vostro

A. Čechov

A LIDIJA S. MIZINOVA

Melichovo, 13 novembre 1896

Mia buona Lidija Stachievna! Arriverò sabato, col rapido, alle otto. Ecco il cerimoniale del mio arrivo:

1. Quando il treno si fermerà alla pensilina, io, assicuratomi che nessuno sia venuto ad incontrarmi alla stazione, noleggerò una carrozza per venti copeche e andrò al «Grande Albergo di Mosca».

2. Lí, consegnati i miei bagagli e fissata una camera, noleggerò una carrozza per dieci copeche e andrò da Teodoro, dal quale mi farò tagliare i capelli per quindici copeche.

3. Reso piú giovane e piú bello dal taglio dei capelli, tornerò nella mia camera.

4. Alle dieci di sera scenderò al ristorante, per mangiare una mezza porzione di frittata al prosciutto. Se Lidija Stachievna sarà con me, le cederò un pezzetto della mia porzione; in caso di sua insistente richiesta le fornirò, a sue spese, una bottiglia di birra Tre Montagne.

5. Dopo cena risalirò in camera e mi metterò a dormire, rallegrandomi d'essere, finalmente, solo.

6. Al mattino, svegliatomi, vestitomi, lavatomi, andrò sotto la Sucharevka a comprar libri.

7. Andrò via da Mosca martedí mattina, astenendomi da ogni cosa superflua e non permettendo a nessuno delle libertà, senza neppure tener conto di insistenti richieste.

A rivederci, mia buona Lidija Stachievna!
Con rispetto vostro

A. Čechov

A VLADIMIR I. NEMIROVIČ-DANCENKO

Melichovo, 20 novembre 1896

Caro Vladimir Ivanovič, vedi, neanch'io rispondo subito alle lettere. Maša abita sempre là dov'era l'anno passato: Sucharevskaja-Sadovaja, casa Kirchgof.

Sí, il mio *Gabbiano* ha avuto a Pietroburgo, alla prima rappresentazione, un grandioso insuccesso. Il teatro spirava astio, l'aria era satura d'odio, ed io – per legge fisica – son volato via da Pietroburgo, come una bomba. Di tutto ciò siete colpevoli tu e Sumbatov, giacché siete stati voi ad incitarmi a scrivere per il teatro.

Capisco la tua crescente antipatia per Pietroburgo, tuttavia lí c'è molto di buono, se non altro, per esempio, la Prospettiva Nevskij in un giorno di sole, o la Komissarževskaja, che considero una splendida attrice.

La mia salute, non c'è malaccio, l'umore anche. Ma temo che presto l'umore sarà di nuovo pessimo: Lavrov e Gol'cev hanno insistito perché *Il gabbiano* venisse pubblicato sul «Pensiero russo», e adesso la critica letteraria comincia a sferzarmi. E questo è disgustoso come d'autunno cadere in una pozzanghera.

Di nuovo t'annoio con una preghiera: nella biblioteca municipale di Taganrog aprono un reparto di consultazione. Mandami per questo reparto il programma e il regolamento della vostra società filarmonica, lo statuto della cassa mutua degli scrittori e in genere tutto ciò che trovi sottomano e che, a tua opinione, ha un carattere informativo. Scusa per questo divertente incarico.

Saluti a Ekaterina Nikolaevna, sta' sano.
Tuo   A. Čechov

Scrivimi qualcosa.

A VLADIMIR I. NEMIROVIČ-DANCENKO

Melichovo, 26 novembre 1896

Caro amico, rispondo alla sostanza della tua lettera: perché in genere facciamo cosí di rado conversazioni serie. Quando la gente tace, significa che non ha niente da dire, o che si vergogna. Di che parlare? Da noi non c'è politica, da noi non c'è vita pubblica, né di circolo, né meno che mai di piazza; la nostra esistenza cittadina è povera, uniforme, monotona, senza interesse – e parlare di questo è altrettanto noioso quanto essere in corrispondenza con Lugovoj. Tu dici che noi siamo letterati, e che già questo di per sé fa ricca la nostra vita. È proprio cosí? Noi siamo legati alla nostra professione, a poco a poco essa ci ha isolati dal mondo esterno, e come risultato abbiamo poco tempo libero, pochi quattrini, pochi libri, leggiamo poco e svogliatamente, ascoltiamo poco, viaggiamo di rado... Parlare di letteratura? Ma ne abbiamo già parlato tanto... Ogni anno le stesse cose, sempre le stesse, e di solito tutto quel che diciamo della letteratura si riduce a chi ha scritto meglio e chi peggio; e poi discorsi su temi piú generali, piú vasti, non ingranano mai, perché quando si ha attorno tundra ed eschimesi le idee generali, essendo inapplicabili alla realtà, si disperdono e scivolano via rapide come l'idea della felicità eterna. Parlare della propria vita personale? Sí, questo talvolta può essere interessante, e magari ne parleremmo, ma qui ci sentiamo in imbarazzo, siamo riservati, insinceri, l'istinto di conservazione ci trattiene, e abbiamo paura. Abbiamo paura che durante le nostre conversazioni ci senta qualche ignorante eschimese che non ci ama, e che noi pure non amiamo; io stesso temo che il mio conoscente Sergeenko, di cui tu apprezzi l'ingegno, coll'indice alzato vada risolvendo in tutti i vagoni e in ogni casa il problema del perché io me l'intenda con N, mentre Z è innamorata di me. Ho paura della nostra morale, ho paura delle nostre dame... In breve, del nostro mutismo, dell'assenza di serietà e interesse nelle nostre conversazioni non incolpare né te né me, ma incolpa – come dice la critica – «l'epoca», incolpa il clima, le distanze, quello che vuoi, e lascia alle circostanze il loro fatale, inesorabile corso, sperando in un avvenire migliore.

Quanto poi a Gol'cev, son contento e l'invidio, poiché alla sua età io sarò già un incapace. Gol'cev mi piace molto, e gli voglio bene.

Ti ringrazio di tutto cuore per la lettera, e ti stringo forte la mano. Ci vedremo dopo il 12 dicembre, prima non ti si troverebbe. Salutami Ekaterina Nikolaevna, e tu sta' sano. Scrivi, se te ne vien voglia. Risponderò con grandissimo piacere.

Tuo

A. Čechov

A MICHAIL P. ČECHOV

Melichovo, 27 novembre 1896

Il 26 novembre alle 6 di sera, è scoppiato a casa nostra un incendio. Il fuoco s'è alzato nel corridoio, vicino alla stufa della mamma. Dall'ora di pranzo fino a sera avevamo sentito puzzo di fumo, ci eravamo lagnati di un odore di carbone; la sera, nella fessura tra la stufa e la parete, si son viste delle lingue di fuoco. Dapprima fu difficile capire dove stava bruciando: se nella stufa o nella parete. Era nostro ospite il principe, che cominciò a rompere la parete con l'accetta. Il muro non cedeva, nella fessura l'acqua non passava; le lingue infuocate eran dirette verso l'alto, dunque il tiraggio c'era; frattanto bruciava non la fuliggine, ma il legno, era chiaro. Suono di campane, fumo, calca. I cani ululano. I contadini trascinano nel cortile la pompa da incendio. Rumore in corridoio, rumore in soffitta. Il tubo di gomma sibila. Il principe batte con l'accetta. Arriva una donna con l'icona. Voroncov conciona. Risultato: la stufa fracassata, la parete (di fronte al gabinetto) fracassata, strappata la tappezzeria nella stanza della mamma vicino alla stufa, la porta abbattuta, i pavimenti insudiciati, puzzo di fuliggine – e la mamma che non sa dove dormire. E per di più un motivo nuovo per la persona che sai di sbraitare e dir sciocchezze.

Dichiaro un danno di duecento rubli.

C'è da noi Lika. Saluti.

Il vostro *batjuška*   A. Čechov

La stufa era costruita in modo terribilmente stupido.

AD ALEKSEJ S. SUVORIN

Melichovo, 14 dicembre 1896

Ho ricevuto le vostre due lettere riguardanti lo *Zio Vanja* – una a Mosca, l'altra a casa. Non molto tempo fa ne ho ricevuta anche una di Koni, che era stato al *Gabbiano*. Voi e Koni m'avete procurato dei buoni momenti con le vostre lettere, ma egualmente è come se la mia anima fosse inzaccherata di

fango, per i miei lavori non sento altro che repulsione, e ne
leggo le bozze contro voglia. Voi direte di nuovo che ciò non
è intelligente, che è sciocco, che si tratta d'amor proprio,
d'orgoglio, ecc. ecc. Lo so, ma che farci? La colpa non è del
dramma che ha fatto fiasco; anche prima la maggior parte dei
miei lavori aveva fatto fiasco, e ogni volta ne ero venuto fuori
asciutto come un'anitra dall'acqua. Il 17 ottobre ha subito un
insuccesso non il mio dramma, ma la mia persona. Fin dal primo atto mi colpí una circostanza, e cioè che gente che fino a
quel giorno avevo trattato a cuore aperto, familiarmente, amichevolmente, con cui avevo pranzato spensieratamente, in favore dei quali avevo spezzato una lancia (come, ad esempio,
Jasinskij) – tutti costoro avevano una strana espressione, terribilmente strana... In una parola, è avvenuto quel che ha dato motivo a Lejkin d'esprimere in una lettera il suo rincresci-
mento ch'io avessi cosí pochi amici, e a «La settimana» di
chiedere: «Cosa aveva fatto loro Čechov?», e al «Teatralia»
di pubblicare tutta una corrispondenza (n. 95) sul fatto che la
consorteria degli scrittori m'aveva organizzato una piazzata in
teatro. Adesso son tranquillo, del solito umore, ma egualmente non posso dimenticare quello che è successo, come non potrei dimenticare se, ad esempio, qualcuno mi schiaffeggiasse.
      Ed ora una preghiera. Mandatemi la solita offa annuale: il
vostro almanacco; e non potreste, tramite qualche personaggio vicino alla Direzione generale, informarvi per qual ragione
non ci è stata ancora autorizzata la rivista «Chirurgia»? E sarà poi autorizzata? Io ho presentato la domanda sin dal 15 ottobre, a nome del prof. D'jakonov. Il tempo non aspetta, sop-
portiamo perdite enormi.
      Sytin s'è comperato una tenuta nei dintorni di Mosca, per
cinquantamila rubli, vicino alla rotabile, a quattordici verste
dal paese.
      Voi dividete i lavori teatrali in recitabili e leggibili. A qua-
le categoria – da recitare, o da leggere – vi piace porre *Bancarotta*[1], specialmente quell'atto dove Dalmatov e Michajlov,
durante tutto il tempo, non fanno che parlare di ragioneria,
e hanno un enorme successo? Io penso che se una commedia
da leggere è recitata da buoni attori, diventa anch'essa recita-
bile.
      Preparo il materiale per un libro sul genere di *Sachalin*, nel
quale descriverò tutte e sessanta le scuole comunali del nostro

---

[1] Dramma di Bjernstern-Bjernson.

distretto, prese esclusivamente dal lato delle loro condizioni economiche. Questo su richiesta dei consiglieri di *zemstvo*.

V'auguro ogni bene, terrestre e celeste, buon sonno e buon appetito.

Vostro   A. Čechov

AD ALEKSEJ S. SUVORIN

Melichovo, 17 gennaio 1897

Oggi è il mio compleanno!!

Certo, non possiamo restare nel teatro Panaevskij, ma un teatro serve e serve, se non lo costruirete voi, lo costruiranno degli altri, e poi ve la prenderete tutta la vita con voi stesso e sul vostro giornale vi scaglierete contro il nuovo teatro. A costruirne uno, non si rischia nulla.

Mi chiedete quando verrò. Il fatto è che sono adesso terribilmente occupato. Mai prima d'ora avevo avuto tanto lavoro. Mi è difficile assentarmi, e tuttavia prima della primavera debbo essere a Pietroburgo per un affare molto importante, importante innanzi tutto per me.

La vendita dei libri al «Pensiero russo» va a meraviglia. Dalla provincia c'è una forte richiesta di letteratura scientifica seria. La libreria è allestita in una stanza presso la redazione, accanto agli uffici; s'occupano della vendita persone colte. Le nuove pubblicazioni di Sytin, rilegate in grigio, sull'autoinsegnamento all'inglese, vanno a ruba.

Quanto alla peste, se verrà o no da noi, non si può dire ancora niente di preciso. Se arriva, è poco probabile che spaventi molto, giacché tanto la popolazione quanto i medici sono abituati da tempo ormai a un'alta mortalità, grazie alla difterite, al tifo, ecc. Vedete, anche senza peste da noi, su mille persone, quattrocento appena raggiungono i cinque anni d'età; né in campagna, né in città entro le fabbriche e nei vicoli troverete una sola donna sana. Il pauroso è se la peste comparirà due o tre mesi dopo il censimento; il popolo interpreterà il censimento a modo suo e comincerà a caricar di legnate i medici che avvelenano la gente superflua, dice, perché i signori abbiano piú terra. La quarantena non è una misura seria. Qualche speranza dànno i vaccini di Chavkin, ma sfortunatamente Chavkin non è popolare in Russia: «i cristiani debbono guardarsi da lui, perché è un giudeo».

Scrivetemi qualcosa. V'auguro ogni bene.

Vostro   A. Čechov

L'orologio mandatomi da Aleksej Petrovič è morto. Pavel Bure m'ha dichiarato ieri che è impossibile aggiustarlo, ed è finito tra i rottami.

A LIDIJA A. AVILOVA

Mosca, 24 marzo 1897

Eccovi il mio criminale *curriculum vitae*:

Nella notte avanti sabato ho cominciato a sputar sangue. Al mattino partii per Mosca. Alle 6 andai con Suvorin all'*Ermitage* a pranzare e, non appena sedemmo al tavolo, il sangue cominciò a scorrermi dalla gola a tutto spiano. Dopo di che Suvorin mi ha portato al «Bazar Slavo»; medici; son rimasto coricato piú di ventiquattr'ore, e adesso sono a casa, cioè al Grande Albergo di Mosca.

Il vostro   A. Čechov

AD ALEKSEJ S. SUVORIN

Mosca, 1° aprile 1897

I medici hanno individuato un processo apicale nei polmoni e m'hanno prescritto di cambiar metodo di vita. Capisco la prima cosa, non la seconda, perché quasi impossibile. Mi ordinano di vivere assolutamente in campagna; ma una vita permanente in campagna presuppone un continuo affannarsi coi contadini, con le bestie, con tutti gli elementi della natura, ed evitare fastidi e preoccupazioni in campagna è altrettanto difficile quanto evitare scottature all'inferno. Tuttavia mi sforzerò nella misura del possibile di cambiar vita, e tramite Maša ho già fatto sapere che sospendo la pratica sanitaria nel paese. Sarà per me e un alleggerimento e una gran privazione. Abbandonerò tutte le cariche provinciali, mi comprerò una vestaglia e mi scalderò al sole, e mangerò tanto. M'hanno or-

dinato di mangiare sei volte al giorno, s'indignano trovando
che mangio troppo poco. Proibito parlar molto, nuotare, ecc.
ecc.

A parte i polmoni, tutti i miei organi sono stati trovati sani
[...] Finora m'era parso di bere quel tanto che non era dannoso; ora invece al controllo risulta che ho bevuto meno di
quanto avevo diritto. Che peccato!

L'autore del *Reparto n. 6* è stato trasportato dal padiglione
n. 16 al padiglione n. 14. Qui c'è spazio, due finestre, illuminazione alla Potapenko, tre tavoli. Di sangue ne esce poco.
Dopo quella sera che venne Tolstoj (parlammo a lungo), alle 4
del mattino il sangue uscí di nuovo a tutto spiano.

Melichovo è una località salubre; sta proprio sullo spartiac-
que, su un'altura, sicché non ci sono mai febbri e difterite.
Tutti d'accordo s'è deciso che non adrò in nessun posto e se-
guiterò a vivere lí. Bisogna solo rendere piú confortevole l'a-
bitazione. Quando Melichovo mi sarà venuto a noia, allora
andrò nella tenuta vicina, che ho affittato per i miei fratelli, in
caso di loro arrivo.

Non fanno che venire a trovarmi, mi portano fiori, caramelle, roba da mangiare. In breve, è una pacchia.

Ho letto sul «Giornale di Pietroburgo» dello spettacolo
nella sala Pavlova. Dite a Nastja che se fossi stato allo spettacolo le avrei offerto senz'altro un cestino di fiori. Ossequi e
saluti ad Anna Ivanovna.

Scrivo non piú disteso, ormai, ma seduto; però appena finito di scrivere subito mi stendo sul mio giaciglio.

Vostro   A. Čechov

Scrivete, per favore, vi supplico.

A MICHAIL O. MEN'ŠIKOV

Melichovo, 16 aprile 1897

Caro Michail Osipovič, i miei polmoni sono un poco mal-
conci. Il 20 marzo partii per Pietroburgo, ma lungo la strada
ho avuto degli sbocchi di sangue, mi toccò fermarmi a Mosca
e curarmi in una clinica per due settimane. I medici hanno
diagnosticato un processo apicale, e m'han vietato quasi tutto
quel che c'è d'interessante.

Trasmettete i miei cordiali saluti e ringraziamenti a Lidija Ivanovna e a Jaša. Apprezzo molto le attenzioni e l'amichevole partecipazione.

Oggi mi duole la testa. La giornata è rovinata, ma il tempo è bellissimo, il giardino stormisce. Visite, pianoforte, risa – questo dentro casa, e fuori gli stornelli.

Da *I contadini* la censura ha tirato via un pezzo considerevole.

Mille ringraziamenti. Vi stringo forte la mano augurandovi buona fortuna. Mia sorella invia i suoi saluti.

Vostro   A. Čechov

Non c'è male senza bene. In clinica è venuto a trovarmi Lev Nikolaevič, col quale ho avuto un'interessantissima conversazione. Interessantissima per me, perché ho ascoltato piú che parlato. S'è parlato dell'immortalità. Egli ammette l'immortalità nel senso di Kant; pensa che tutti noi (uomini e animali) vivremo in un principio (ragione, amore), l'essenza e il fine del quale costituisce per noi un mistero. A me questo principio o forza si presenta sotto l'aspetto d'una informe massa gelatinosa, il mio io – la mia individualità, la mia coscienza – si fondono in questa massa. D'una simile immortalità non so che farmene, non la capisco, e Lev Nikolaevič era sorpreso ch'io non capissi.

Perché non è ancora uscito il vostro libro? È stato da me in clinica I. L. Ščeglov. Ha migliorato, si direbbe che stia guarendo. Si trasferisce a Pietroburgo.

AD ALEKSANDR I. ERTEL'

Melichovo, 17 aprile 1897

Caro amico Aleksandr Ivanovič, sono adesso a casa. Prima delle feste sono stato due settimane nella clinica di Ostroumov, sputando sangue; il medico ha diagnosticato un processo apicale nei polmoni. Io mi sento benissimo, non mi duole niente, non ho nulla dentro che mi dia fastidio, ma i medici m'hanno vietato *vinum*, movimento, conversazioni, m'hanno ordinato di mangiar molto, m'hanno vietato la pratica medica – e io m'annoio.

Non ho piú inteso parlare del teatro popolare. Al congresso se n'è discusso con apatia e senza interesse, e il circolo che aveva preso l'incarico di scrivere lo statuto e dar principio al lavoro, evidentemente s'è alquanto intiepidito. Grazie alla primavera, suppongo. Del circolo ho visto solo Gol'cev, ma non son riuscito a parlargli del teatro.

Novità, nessuna. In letteratura bonaccia. Nelle redazioni bevono tè e vino a buon mercato, bevono senza piacere, ogni momento, giusto per non stare in ozio. Tolstoj sta scrivendo un libro sull'arte. È venuto a trovarmi in clinica e ha detto che ha messo da parte il suo romanzo *Resurrezione* perché non gli piace, ora scrive solo d'arte e ha letto sull'argomento sessanta libri. La sua idea non è nuova; l'hanno ripetuta in varia forma tutti i vecchi d'ingegno di tutti i secoli. Sempre i vecchi son propensi a vedere la fine del mondo, e dicono che la moralità è scaduta al *nec plus ultra*, che l'arte è degenerata, s'è consumata, che la gente è diventata senza nerbo, ecc. ecc. Nel suo libro Lev Nikolaevič vuol convincere che al giorno d'oggi l'arte è entrata nella sua fase finale, in un vicolo cieco, da cui non c'è via d'uscita (se non tornando indietro).

Io non faccio nulla, nutro i passeri con semi di canapa e poto una rosa al giorno. Dopo la potatura le rose fioriscono rigogliose. Dell'amministrazione della nostra terra non mi occupo.

Sta' sano, caro Aleksandr Ivanovič, grazie per la lettera e per l'amichevole interessamento. Scrivimi, per amore della mia infermità, e non accusarmi troppo di trascurare la corrispondenza.

D'ora in avanti mi sforzerò di rispondere alle tue lettere non appena le avrò lette.

Ti stringo forte la mano.
Tuo
                                                      A. Čechov

AD ALEKSEJ S. SUVORIN

                                    Melichovo, 12 luglio 1897

Il pittore non fa che dipingermi e ridipingermi, e non penso che finisca il 14, come aveva promesso. Magari tirerà per le lunghe una settimana ancora. Comunque, io verrò lo stesso a Pietroburgo; l'ho deciso definitivamente e può trattenermi da questo viaggio solo una vostra lettera con l'annunzio che partite di nuovo per l'estero.

Oggi rispedisco le bozze di *La mia vita*. E cosí ancora adesso non so su che cosa ci si è fermati, cioè di quali racconti consisterà il libro. Giorni fa Neupokoev mi ha scritto per vostro incarico, a proposito delle bozze; chiedeva come spedirmele, se in colonna continua e in pagine, oppure soltanto in colonna. Io conterei di leggerle tanto in colonna quanto in pagine. È meglio.

La mia salute è magnifica, ché il tempo continua ad essere caldo e secco.

Sto leggendo Maeterlink. Ho letto *Les aveugles, L'intruse*, e adesso leggo *Aglavaine et Sélysette*. È roba strana, curiosa, ma fa un effetto enorme, e se avessi un teatro metterei senz'altro in scena *Les aveugles*. V'è appunto uno splendido scenario, col mare e un faro in lontananza. Metà del pubblico è idiota, ma si può evitare il fiasco del dramma scrivendone il contenuto sul programma, in sunto beninteso; il dramma, dice, è opera di Maeterlink, scrittore belga, decadente, e il contenuto consiste nel fatto che un vecchio che fa da guida a dei ciechi è morto silenziosamente, e i ciechi, non sapendolo, stan lí seduti ad aspettare il suo ritorno.

Leggo ogni giorno su «Echi del mondo» a proposito di «Tempo Nuovo», e su «Tempo Nuovo» a proposito della Javorskaja. Pare che diventi ogni giorno piú geniale.

Ho una quantità di ospiti. Aleksandr m'ha rifilato i suoi ragazzi, senza lasciare né biancheria, né vestiti; abitano qui e nessuno sa quando andranno via; mi pare che debbano fermarsi sino alla fine dell'estate e, magari, restare addirittura per sempre. Ciò è molto amabile da parte dei loro genitori. Dal sud è arrivato un cugino.

Ežov (non quello dei *feuilletons*) scrive che sta per venire da me, e cosí via.

È da un pezzo ormai che non ricevo vostre lettere. Dove siete? State bene? Come si sente Aleksej Alekseevič?

State sano e prospero.

Vostro

A. Čechov

A MARIJA P. ČECHOVA

Biarritz, 14 settembre 1897

14 settembre. Il tempo è caldo come da noi a luglio. Tutto procede bene. Di' a casa che ricevo regolarmente gli «Echi

del mondo» che papà mi spedisce. Qui la vita è molto a buon
mercato. Ho stanza e pasti molto abbondanti (caffè, pranzo,
cena) per 14 franchi al giorno, e questo nel miglior albergo.
Quanto a biancheria, cravatte, calze, cappelli, tutto ciò a Parigi è straordinariamente a buon mercato, e son molto contento d'aver lasciato a casa tutta la mia roba. Vedessi il bel cilin-
dro che ho! Qui tutto è cosí elegante e carino, e cosí a buon
mercato, che le mani frizzano e scivolano in tasca per prendere i soldi.
    Salutami tutti.
    Tuo   *Antoine*

A LIDIJA A. AVILOVA

                                          Nizza, 3 novembre 1897

    Ah, Lidija Alekseevna, con qual piacere ho letto le vostre
Lettere dimenticate. Sono una cosa bella, elegante, intelligente.
Una cosa piccola, breve, ma che contiene un subisso di gusto
e di talento, e non capisco perché non seguitiate appunto in
questo genere. Le lettere sono una forma infelice, noiosa e anche superficiale, ma io voglio parlare del tono, della sensibilità
schietta, quasi appassionata, della frase elegante... Aveva ragione Gol'cev quando diceva che avete un talento simpatico,
e se ancora adesso non lo credete, la colpa è tutta vostra. Voi
lavorate troppo poco, pigramente. Anch'io sono un pigro
ucrainaccio, ma in confronto a voi ho scritto intere montagne! A parte le *Lettere dimenticate*, in tutti i racconti salta fuori tra le righe l'inesperienza, l'incertezza, la pigrizia. Non ci
avete ancora fatta la mano, come si dice, e lavorate da principiante, proprio come una signorina decoratrice di porcellane.
Il paesaggio lo sentite, vi riesce bene, ma non sapete distri-
buirlo, e ogni tanto capita sotto gli occhi quando non occorre;
c'è un racconto che scompare addirittura sotto una valanga di
brani descrittivi buttati a palate dal principio del racconto fino (quasi) alla metà. E poi non elaborate la frase; bisogna ela-
borarla, in ciò sta l'arte. Bisogna buttar via il superfluo, ripu-
lire la frase dagli «a misura che», «all'occorrenza», bisogna
curarsi della sua musicalità e non tollerare nella stessa riga,
uno accanto all'altro, «si mise» e «smise». Vedete, cara, certe
parolette, come «Irreprensibile», «Nel frangente», «Nel la-

birinto», sono solamente un obbrobrio. Ammetto ancora,
uno accanto all'altro, «a primo sguardo» e «riguardo», ma
«irreprensibile» è ruvido, goffo, e s'adopera solo nel linguaggio parlato, e la ruvidezza voi dovreste percepirla, perché siete musicale e sensibile, come dimostrano le *Lettere dimenticate*. Conserverò i giornali con i vostri racconti e ve li manderò
alla prima occasione; voi, però, senza far attenzione alla mia
critica, raccogliete qualche altra cosa e mandatemela.

Finché il tempo è stato bello, tutto è andato bene; ora invece, che piove e s'è fatto rigido, son di nuovo rauco, di nuovo
è comparso del sangue; che infamia.

Scrivo, ma sciocchezzuole. Ho già mandato due racconti al
«Messaggero russo».

State sana. Vi stringo forte la mano.

Vostro   A. Čechov

AD ANNA I. SUVORINA

Nizza, 10 novembre 1897

Cara Anna Ivanovna, mille grazie per la lettera. L'ho letta,
e subito mi metto a scrivere la risposta. Chiedete della mia salute. Sentire, mi sento benissimo, all'apparenza (mi sembra)
sto perfettamente bene, ma ecco il guaio: ho degli sbocchi di
sangue. Ne vien fuori poco alla volta, ma a lungo, e l'ultima
emorragia, che dura ancor oggi, è cominciata tre settimane fa.
Per sua causa debbo sottopormi a diverse privazioni; non esco
di casa dopo le tre del pomeriggio, non bevo assolutamente
nulla, non mangio roba calda, non cammino svelto, non vado
in nessun posto, tranne che a passeggio; in breve non vivo,
ma vegeto. E questo mi irrita, sono di cattivo umore, mi pare
sempre che i russi miei commensali dicano stupidaggini e volgarità, e faccio uno sforzo su me stesso per non dir loro delle
insolenze.

Solo, per amor del cielo, non parlate a nessuno di queste
emottisi, resti fra noi. A casa scrivo che sto perfettamente bene, e d'altronde non ci sarebbe senso a scrivere diversamente,
giacché mi sento benissimo, e se i miei sapessero che seguito
a sputar sangue, lancerebbero alte grida.

E adesso parliamo del piccolo intrigo, del quale mi chiedete. A Biarritz m'ero preso per la lingua francese Margot, una

ragazza di diciannove anni; nel salutarci mi disse che sarebbe
venuta senz'altro a Nizza. E probabilmente essa è qui, a Nizza, ma non mi riesce di trovarla e... e non parlo francese.

Il tempo è paradisiaco. Caldo, placido, tenero. Son cominciati i concorsi musicali. Orchestre girano per le strade, rumore, danze, risate. Guardo tutto questo e penso: che sciocco sono stato prima, a non vivere a lungo all'estero. Adesso mi pare che, se campo, non passerò piú l'inverno a Mosca, per tutto
l'oro del mondo. Arrivato ottobre, via dalla Russia. Qui la natura non mi commuove, mi è estranea, ma io adoro il caldo,
amo la cultura... E qui la cultura salta fuori da ogni vetrinetta
di negozio, da ogni canestrino; ogni cane trasuda civiltà.

Che fa Nastja? Che fa Borja? Cordiali saluti e omaggi a loro. Non siate orgogliosa ed altera, scrivetemi piú spesso. Io ho
bisogno di lettere. Vi bacio la mano 100 × 100 volte e v'auguro felicità. Ancora una volta vi ringrazio.

Vostro con l'anima e il cuore   A. Čechov

Salutatemi Konstantin Semënovič.

AD ALEKSEJ S. SUVORIN

Nizza, 4 gennaio 1898

Ecco il mio programma: alla fine di questo gennaio (vecchio stile) o piú precisamente al principio di febbraio andrò ad Algeri, a Tunisi *et coetera*, poi tornerò a Nizza, dove vi aspetterò (avete scritto che a Nizza ci verrete); dopo di che, soggiornato qui per qualche tempo, andremo insieme a Parigi, se lo desiderate, e di là col treno «lampo» in Russia, a festeggiar Pasqua. La vostra ultima lettera è arrivata qui aperta.

A Montecarlo vado molto di rado, una volta ogni tre o quattro settimane. I primi tempi, quando c'erano Sobolevskij e Nemirovič, ho giocato, assai moderatamente, alle semplici *chances* (*rouge et noir*) ed ho portato a casa vuoi cinquanta, vuoi cento franchi, poi toccò smettere questo gioco, che m'abbatte, fisicamente.

L'affare Dreyfus ha sbuffato e s'è messo in moto, ma non è ancora sul binario giusto. Zola è un'anima nobile ed io (che faccio parte del sindacato e che ho già intascato dagli ebrei cento franchi) sono entusiasta del suo impeto. La Francia è un paese formidabile, e formidabili sono i suoi scrittori.

Sotto le feste v'ho mandato un telegramma d'auguri. Penso che non sia arrivato a tempo, giacché alla posta c'era un mucchio di telegrammi. Cosí penso, e ad ogni buon conto vi faccio ancora una volta i miei auguri per lettera.

Scrivete se dobbiamo aspettarvi a Nizza. Spero che non abbiate cambiato idea.

C'è qui l'oculista di Char'kov, Giršman, noto filantropo, amico di Koni, un sant'uomo; è venuto a vedere suo figlio, tubercolotico. Ci vediamo, chiacchieriamo, ma m'infastidisce sua moglie, donna frivola, limitata, noiosa come quarantamila mogli. C'è qui una pittrice russa, che mi disegna in caricatura dieci o quindici volte al giorno.

A giudicare dal brano stampato su «Tempo Nuovo» l'articolo di Lev Nikolaevič sull'arte non presenta interesse. Tutto ciò è vecchio. Dire dell'arte che è diventata decrepita, che è entrata in un vicolo cieco, che non è come dovrebbe essere, ecc. ecc., è lo stesso come dire che il desiderio di mangiare e bere è invecchiato, ha fatto il suo tempo, e non è ciò che occorre. Certo, la fame è una vecchia storia, col desiderio di mangiare ci siamo messi in un vicolo cieco, ma tuttavia mangiare è necessario e noi mangeremo, per quanto blaterino filosofi e vecchietti irascibili.

State sano.

Vostro   A. Čechov

AD ALEKSEJ S. SUVORIN

Nizza, 6 febbraio 1898

Ho letto in questi giorni nella prima pagina di «Tempo Nuovo» il vistoso annunzio della venuta al mondo di «Cosmopolis» col mio racconto *In visita*. Innanzi tutto il mio non è *In visita* ma *Dai conoscenti*. In secondo luogo simile *réclame* mi urta; tanto piú che il racconto è tutt'altro che vistoso, di quelli come se ne scrive uno al giorno.

Scrivete che Zola v'infastidisce, qui invece tutti hanno la sensazione che sia nato uno Zola nuovo, migliore. In questo suo processo egli s'è ripulito, come con la trementina, dalle macchie d'unto che lo coprivano e adesso brilla di fronte ai francesi del suo vero splendore. È d'una purezza e d'un'altezza morale quale non sospettavano. Seguite tutto lo scandalo dal principio. La degradazione di Dreyfus, giusta o no, ha generato in tutti (e nel numero ricordo anche voi) una gravosa, triste impressione. È da notare che durante la cerimonia della degradazione Dreyfus s'è comportato da ufficiale rispettoso, ben disciplinato; invece i presenti, ad esempio i giornalisti, seguitavano a gridargli: «Taci, Giuda!», cioè si comportarono male, indecorosamente. Tutti tornarono dalla cerimonia insoddisfatti, con la coscienza turbata. Specialmente insoddisfatto era il difensore di Dreyfus, Démange, uomo onesto, che già durante l'istruttoria aveva sentito che qualcosa di brutto s'andava preparando dietro le quinte; e poi quei periti che per convincere se stessi di non aver sbagliato parlavano

solo di Dreyfus, e del fatto che lui era colpevole, e non facevano che andarsene a zonzo per Parigi... Dei periti, uno s'è dimostrato pazzo, autore d'un progetto strampalato, due erano
delle teste balzane. Per amore o per forza s'è dovuto parlare
dell'ufficio informazioni del ministero della Guerra, quel con-
cistoro militare che s'occupa di pescar spie e di leggere le lettere altrui – se n'è dovuto parlare giacché il capo dell'ufficio,
Sandher, pare sia colpito da paralisi progressiva, Paty de
Clam s'è dimostrato qualcosa di simile al berlinese Tausch,
Picquart all'improvviso, alla chetichella, se n'è andato susci-
tando una quantità di chiacchiere. Quasi a farlo apposta, è venuta in luce tutta una serie di grossolani errori giudiziari. Poco a poco ci si è convinti che in effetti Dreyfus era stato condannato sulla base d'un documento segreto che non venne
mostrato né all'imputato né al suo difensore – e la gente d'ordine ha visto in ciò una violazione fondamentale del diritto: la
lettera, fosse pure stata scritta non da Guglielmo, ma dal sole
stesso, bisognava mostrarla a Démange. Si cominciò a cercar
d'indovinare in tutti i modi il contenuto. Corsero delle leg-
gende. Dreyfus è un ufficiale: vennero sospettati i militari;
Dreyfus è un ebreo: vennero sospettati gli ebrei. Si cominciò
a parlare di militarismo, dei giudei. Gente cosí poco rispettabile come Drummond rialzò la cresta; un po' alla volta la faccenda ha preso una brutta piega sul terreno dell'antisemiti-
smo, un terreno che puzza di strage. Quando qualcosa in noi
non va, ne cerchiamo le ragioni fuori di noi, e subito le troviamo: «son le solite porcherie dei francesi, sono i giudei, è Guglielmo»... Il capitale, gli abracadabra, i massoni, il sindacato,
i gesuiti – sono fantasmi, ma come alleviano la nostra inquie-
tudine! Certo sono un brutto segno. Se i francesi han cominciato a parlare dei giudei, del sindacato, vuol dire che non si
sentono a posto, che in essi s'è insinuato un tarlo, che han bisogno di quei fantasmi per tranquillizzare la loro coscienza
turbata. E poi quell'Esterhazy, uno spadaccino alla Turgenev,
un impudente, da tempo sospetto, una persona non rispettata
dai compagni, l'impressionante somiglianza tra la sua calligrafia e il *bordereau*, le lettere dell'ulano, le sue minacce che –
non si sa perché – non mette in atto, infine quel tribunale cosí misterioso, che stranamente decide che il *bordereau* è scritto
con la calligrafia di Esterhazy, ma non di sua mano... E il gas
è andato addensandosi sempre piú, s'è cominciata a sentire
una forte tensione, un'oppressione irrespirabile. La zuffa alla
Camera è un fenomeno puramente nervoso, isterico, conse-

guenza appunto di quella tensione. Tanto la lettera di Zola,
quanto il suo processo, sono fenomeni dello stesso ordine.
Cosa volete, i primi a suscitare l'allarme dovevano essere gli
uomini migliori, l'avanguardia della nazione – e cosí è successo. Il primo a parlare è stato Scherer-Kestner, del quale i francesi che lo conoscono da vicino (secondo le parole di Kovalevskij) dicono che è «una lama di pugnale», tanto è limpido e irreprensibile. Il secondo è stato Zola. Ed ecco che lo mettono
sotto processo.

Sí, Zola non è un Voltaire, e tutti noi non siamo dei Voltaire, ma capitano nella vita delle coincidenze per cui il rim-
proverarci che non siamo dei Voltaire è la cosa meno oppor-
tuna. Ricordatevi Korolenko, che difese i pagani di Multan e
li salvò dalla galera. Anche il dottor Haas non è un Voltaire e
tuttavia la sua vita stupenda si è svolta e s'è conclusa in bellezza.

Io conosco il processo dal resoconto stenografico; non è affatto come sui giornali, e per me Zola è chiaro. L'essenziale è
ch'egli è sincero, egli basa cioè il suo giudizio solo su quello
che vede, e non su fantasmi, come gli altri. Anche la gente
sincera può sbagliarsi, è indiscutibile, ma quegli errori appor-
tano minor danno della menzogna calcolata, della prevenzione o delle considerazioni politiche. Sia pur colpevole Dreyfus,
Zola ha ragione ugualmente, poiché non è compito degli scrittori accusare, né perseguire, ma prender le difese di chi, magari colpevole, è stato ormai giudicato e condannato. Si dirà:
e la politica? e gli interessi dello stato? Ma i grandi scrittori ed
artisti debbono occuparsi di politica solo quel tanto che è necessario per difendersi da lei. Di accusatori, procuratori, gen-
darmi, ce n'è già troppi anche senza di loro, e in ogni modo
s'addice loro piú la parte di Paolo che quella di Saul. E quale
che sia il verdetto, Zola proverà comunque una viva gioia dopo il processo, la sua vecchiaia sarà una bella vecchiaia ed egli
morirà con la coscienza tranquilla o per lo meno alleggerita.
Ai francesi scotta, s'afferrano a ogni parola di conforto e a
ogni sano rimprovero, che venga dal di fuori; ecco perché
hanno avuto tanto successo qui la lettera di Bjernstern e l'articolo del nostro Zakrevskij (che hanno letto su «Novità»), ed
ecco perché sono odiosi gli insulti a Zola, cioè quel che offre
loro ogni giorno la bassa stampa, che qui disprezzano. Per
quanto Zola s'innervosisca, tuttavia egli rappresenta nel processo il buon senso francese, e i francesi gli vogliono bene per
questo, e sono fieri di lui, pur applaudendo i generali che, nel-

la loro stupidaggine, li spaventano ora con l'onore dell'esercito, ora con la guerra.

Vedete, che lettera lunga. Da noi è primavera, c'è un'atmosfera come a Pasqua nella Piccola Russia: caldo, sole, squilli di
campane, ricordo il passato. Venite! A proposito, reciterà qui
la Duse.

Scrivete che le mie lettere non arrivano. Come mai? le
manderò raccomandate.

V'auguro salute e ogni bene. Ad Anna Ivanovna, Nastja e
Borja omaggi e saluti.

Questa carta è della direzione de «Le petit Niçois».

Vostro

A. Čechov

AD ALEKSEJ S. SUVORIN

Melichovo, 24 agosto 1898

Sytin voleva comperare i miei racconti umoristici non per
tre, ma per cinquemila rubli. La tentazione è stata grande,
tuttavia non mi son deciso a vendere; sono contrario a fare un
libro con un titolo nuovo. Pubblicare ogni anno dei libri e dar
loro ogni volta dei titoli nuovi è cosí noioso e caotico. Chec-
ché ne dica F. I. Kolesov, presto o tardi bisognerà pubblicare
i racconti in volumetti, intitolandoli semplicemente cosí: primo, secondo, terzo... cioè, in altre parole, pubblicare la raccolta delle opere. Questo mi toglierebbe dalle difficoltà; è cosí
che mi consiglia Tolstoj. I racconti umoristici che ho riunito
adesso, costituirebbero il primo volume. E se voi non avete
nulla in contrario, in autunno inoltrato, o in inverno, quando
non avrò nulla da fare, m'occuperei di rivedere i miei futuri
volumi. A sostegno di ciò parla anche la considerazione che è
meglio che sia io stesso a rivedere e pubblicare, anziché i miei
eredi. I nuovi volumetti non disturberanno i vecchi invendu-
ti, giacché questi ultimi verranno esauriti distribuendoli nelle
stazioni, dove, del resto, chissà perché si rifiutano ostinata-
mente di mettere in vendita i miei libri. L'ultima volta che ho
viaggiato sulla ferrovia per Pietroburgo, non ho veduto i miei
libri negli scaffali.

Costruisco ancora una nuova scuola, la terza di numero. Le
mie scuole son considerate esemplari – dico questo perché

voi non pensiate che io abbia sprecato i vostri duecento rubli in qualche sciocchezzuola.

Non andrò da Tolstoj il 28 agosto, primo perché sarà freddo e umido, e secondo, perché andarci? La vita di Tolstoj è un continuo giubileo, e non c'è ragione di distinguere un qualsiasi giorno; terzo, è stato da me Men'šikov, che veniva direttamente da Jasnaja Poljana, e ha detto che Lev Nikolaevič s'acciglia e brontola al solo pensiero che il 28 agosto possano arrivare da lui a congratularsi; e quarto, non andrò a Jasnaja Poljana perché ci sarà Sergeenko. Con Sergeenko io ho fatto gli studi al ginnasio; era un comico, un allegrone, un bello spirito, ma da quando s'è messo in testa d'essere un grande scrittore e amico di Tolstoj (che, sia detto a proposito, egli affatica terribilmente) è diventato la persona piú noiosa del mondo. Io ho paura di lui, è un carro funebre in posizione verticale.

Men'šikov ha detto che Tolstoj e la sua famiglia insistono per avermi a J. P. e che s'offenderanno se non vado. («Soltanto, non il 28, per favore», aggiungeva Men'šikov). Ma, ripeto, s'è fatto umido e tanto freddo, ed io ho ricominciato daccapo a tossire. Dicono che mi sono ristabilito, e nello stesso tempo mi cacciano un'altra volta di casa: dovrò partire per il sud. M'affretto a lavorare, prima della partenza vorrei aver finito qualcosetta – e cosí non ho tempo di pensare a Jasnaja Poljana, sebbene bisognerebbe andarci fra due o tre giorni. E avrei voglia di andarci.

Il mio itinerario: dapprima la Crimea e Soči, poi, quando in Russia farà freddo, partirò per l'estero. Ho voglia solo di Parigi, le contrade calde invece non mi sorridono affatto. Io ho paura di questi viaggi come dell'esilio.

Da Mosca ho ricevuto una lettera di Vl. Nemirovič-Dancenko. Laggiú il lavoro ferve. Han già fatto quasi cento prove e tengono dei corsi agli attori.

Se decidiamo di pubblicare i volumetti, bisognerà vedersi e parlare prima ch'io parta, e per l'occasione arraffare un po' di soldi all'amministrazione.

Dov'è ora A. P. Kolomnin? Se sta a Pietroburgo, siate buono, ditegli che mi mandi al piú presto le fotografie promesse.

State sano e prospero, v'auguro ogni bene.

Vostro   A. Čechov

Telegrafatemi qualcosa. Mi piace ricevere telegrammi.

A LIDIJA A. AVILOVA

Melichovo, 30 agosto 1898

Andrò in Crimea, poi nel Caucaso, e quando comincerà a far freddo andrò, probabilmente, in qualche luogo all'estero. Questo vuol dire che a Pietroburgo non capiterò.

Non ho la minima voglia di partire. Al solo pensiero mi cadono le braccia e mi passa la volontà di lavorare. Mi pare che se trascorressi quest'inverno a Mosca o a Pietroburgo, in un bell'appartamento caldo, guarirei completamente e, cosa essenziale, lavorerei (cioè scriverei) tanto da – scusate l'espressione – nauseare i diavoli.

Questa vita vagabonda, e d'inverno poi – l'inverno all'estero è odioso – mi ha fatto proprio uscire di carreggiata.

Voi avete un'errata opinione dell'ape. Essa, dapprima, non vede che i bei fiori sgargianti; è soltanto dopo che sugge il miele.

Quanto al resto – l'indifferenza, la noia, il fatto che i grandi geni vivono ed amano solo nel mondo delle proprie immagini e fantasie – posso dire una cosa sola: l'anima altrui è tenebra.

Il tempo è orribile, freddo e umido.

Vi stringo forte la mano. Siate sana e felice.

Vostro   A. Čechov

A LIDIJA S. MIZINOVA

Jalta, 21 settembre 1898

Cara Lika, a nominare il diavolo, compare. Šaljapin e S. Rozanskij dànno qui dei concerti, ieri abbiamo cenato insieme e s'è parlato di voi. Sapeste il piacere che m'ha fatto la vostra lettera! Voi siete crudele, siete grassa, e non potete capire questa mia gioia. Sí, sono a Jalta e resterò qui finché non cadrà la neve. Non avevo voglia di partire da Mosca, proprio nessuna voglia, ma ho dovuto andarmene perché seguito ancora a intrattenere dei rapporti illegittimi con i bacilli; e quel che si racconta, che son diventato grasso, pingue addirittura, è una vuota fandonia. E che io mi sposi è pure una fandonia, messa in giro da voi. Sapete che non mi sposerò mai senza il vostro permesso. Ne siete persuasa, e tuttavia mettete in giro delle voci – probabilmente per la logica del vecchio cacciatore che non sparando lui stesso col fucile, non lo permette neppure agli altri, contentandosi di bofonchiare e stronfiare, steso sulla stufa. No, cara Lika, no! Senza il vostro permesso non mi sposo e, prima d'ammogliarmi, vi farò vedere i sorci verdi, scusate l'espressione. Suvvia, venite un po' a Jalta.

Aspetterò con impazienza la vostra lettera e la fotografia nella quale, come scrivete, rassomigliate a una vecchia strega. Mandatemela, cara Lika, datemi la possibilità di vedervi almeno in fotografia. Ohimè, io non appartengo al numero dei «miei amici» e invero tutte le preghiere che vi ho rivolte sono sempre rimaste inesaudite. Non posso mandarvi una fotografia mia perché non ne ho e non ne avrò. Io non mi lascio ritrarre.

Malgrado la severa proibizione, in gennaio farò probabilmente una scappata a Mosca, per tre giorni, altrimenti dal tedio m'impiccherò. Dunque, ci vedremo? Allora portatemi due o tre cravatte, vi rimborserò.

Da Mosca andrò in Francia, o in Italia.

Nemirovič e Stanislavskij hanno messo su un teatro molto interessante. Bellissime attricette. Se fossi rimasto ancora un poco, avrei perso la testa. Quanto piú invecchio, tanto piú frequente e pieno sento in me il battito della vita. Tenetevelo per detto. Ma non abbiate paura. Non starò ad amareggiare «i miei amici», e non oserò quello che essi hanno osato con tanto successo.

Ancora una volta ripeto: la vostra lettera mi ha molto, molto rallegrato e temo che voi non lo crediate e non mi rispondiate subito. Vi giuro, Lika, che senza di voi son triste.

Siate felice, sana, e mietete successi. Ieri durante la cena v'hanno elogiato come cantante, ed io ero felice. Che Dio vi protegga.

Vostro   A. Čechov

A MARIJA P. ČECHOVA

Jalta, 27 settembre 1898

Cara Maša, ho ricevuto dalla posta l'avviso che è arrivato il pacco. Ma del berretto di pelo non avrò bisogno presto, per-

ché il tempo seguita ad essere estivo. Solo a sera fa fresco, ma
basta il soprabito estivo o autunnale.

Ieri sono andato con Sinani a vedere una tenuta in vendita.
È a ventisette verste da Jalta, sulla strada per Sebastopoli, vicino alla stazione di Kekeneis, tra Alupka e Foros. La strada
m'è parsa molto interessante e allegra; se qualche volta hai
fatto il viaggio da Bajdary, la conoscerai. Passato Kekeneis bisogna prendere a sinistra e scendere giú al mare; qui la strada
non è cattiva dal punto di vista tecnico, ma la discesa è molto
ripida, in carrozza ho avuto tanta paura che poi tutta la notte
mi son sognato il pendio scosceso. Precipitare non si può, e
tuttavia fa paura. Oltre questa via c'è anche un sentiero che
va dalla rotabile alla tenuta – passar di lí è addirittura piacevole; dicono che c'è anche un'altra strada laterale per Alupka
e che ben presto, fra un anno e mezzo o due, la ferrovia passerà vicinissimo alla tenuta, fra questa e il mare. Per quanto è
terribile scendere, altrettanto, giú, è piacevole, calmo e tranquillo. Immagina: 1) una casetta col tetto rosso, a due piani;
sopra due stanze, e sotto altre due. 2) Una casinetta di due
stanze – questa non è neppure una casa, ma una capanna tartara, pulitina. 3) Una cucina con stufa russa e fornello; qui sa
di Piccola Russia. 4) Un locale per il bestiame. 5) Un essiccatoio per il tabacco, nuovo, con diversi reparti. Gli alberi sono
tutti vecchi. Pioppi, cipressi, melograni, fichi, olivi, noci; c'è
un noce dai larghi rami, una volta e mezzo o due piú grande
del piú grande dei nostri meli. Ci sono tre *desjatiny* di terra.
C'è un vigneto, una piantagione di tabacco, delle enormi pie-
tre, grandi come la mia casinetta. Sulla medesima terra, vicino alla casa, sgorga dalle rocce un ruscello, che scaturisce in
un getto a forma d'arco. L'acqua è fredda. La casa è accogliente, dal balcone c'è una meravigliosa vista sul mare. Accanto, un paesello tartaro dalle ingenue viuzze. Non succedo-
no furti. Ti accolgono con uva e mele. Molte cipolle, simili a
quelle spagnole. Dal mare ci sono 15-20 minuti di cammino:
si può arrivare alla spiaggia a dorso d'asino; il prezzo d'un asino è dieci rubli, nutrirlo non occorre, giacché pascola fuori
tutto l'anno, mangiando pruni. Si possono avere due o tre asini. Venire da Jalta col treno omnibus o col postale costa due
rubli. La posta è a tre verste, c'è anche il telegrafo. Un ragazzo si reca ogni giorno alla posta per un rublo al mese. È facile
trovare una cuoca. Tutto è commovente, accogliente, originale, artistico; un meraviglioso, denso odore di cipressi, ma... la
strada è terribile!! A risalire già non era piú cosí – è stato anzi

divertente. Se fossi sicuro che a te non farà paura, comprerei subito questa tenutella; del resto costa solo duemila rubli, cosí poco da rasentare l'assurdo. La discesa è spaventosa, ma bella, e tu, forse, come pittrice l'ameresti. Pensaci e scrivimi. Sul retro troverai una veduta della località in sezione longitudinale. La casa è nuova, c'è moltissima acqua. L'aria è pura, come in cielo. Non occorre spendere neanche una copeca per riparazioni. Nella casa c'è una credenza, un guardaroba, un tavolo e delle sedie viennesi. Tutto nuovo nuovo. Pensaci dunque.

Saluti a tutti.

Tuo

A. Čechov

AD ALEKSEJ S. SUVORIN

Jalta, 8 ottobre 1898

Scrivete che non bisogna viziare il pubblico; sia, ma non bisogna neppure che mi vendano piú caro di Potapenko o Korolenko. Qui a Jalta vendono molti libri miei e nelle librerie m'han detto che sovente il pubblico esprime il proprio scontento. Per strada ho paura che le signore mi picchino con gli ombrellini.

Il tempo è caldo, assolutamente estivo: oggi tira vento, ma ieri e l'altr'ieri era cosí bello che non mi son trattenuto e ho mandato un telegramma a «Tempo Nuovo». Si va senza paltò e tuttavia si ha caldo. Le coste della Crimea sono belle e accoglienti, e mi piacciono piú della Riviera; ma ecco il guaio: mancano gli agi del viver civile. A Jalta sono quasi piú progrediti che a Nizza, hanno delle fognature ottime, ma i dintorni sono Asia completa.

Ho letto su «Tempo Nuovo» il trafiletto sul Teatro di Nemirovič e Stanislavskij e sul *Fëdor Ioannovič*[1], e non ne ho capito la psicologia. V'erano piaciuti tanto, e v'avevano accolto cosí cordialmente che solo un grosso malinteso – del quale non so niente – può aver dato motivo a una simile noterella.

A proposito, prima di partire andai alle prove del *Fëdor Ioannovič*. Mi colpí gradevolmente la squisitezza del tono, spirava dalla scena arte autentica, sebbene recitassero anche degli attori mediocri. Secondo me, Irina era meravigliosa. La

[1] *Lo zar Fëdor Ioannovič*, dramma di A. K. Tolstoj.

voce, la nobiltà, la sincerità – tutto era cosí bello che ne avevo la gola stretta. Fëdor m'è parso bruttino; Godunov e Šui-
skij buoni, il vecchino poi (quello della scure), fantastico. Ma
Irina è stata la migliore di tutti. Se fossi rimasto a Mosca, mi
sarei innamorato di quella Irina[2].

Ci son qui V. e N. Kolomnin. Sono stati a Jalta, poi sono
partiti per Alupka. M'ha fatto piacere incontrarli.

Come pittore, Karazin non mi piace. Con la sua uniformità
annoia da scorare.

Avevate promesso di stampare e distribuire nei teatri l'annunzio dei lavori teatrali che si vendono nelle vostre librerie.
Questo non nuocerebbe.

State sano, v'auguro ogni bene e vi porgo i miei omaggi.
Vado al bagno.

Vostro   A. Čechov

Il mio indirizzo è semplicemente: Jalta. Sloggerò presto da
casa Bušev.

A GEORGIJ M. ČECHOV

Jalta, 10 ottobre 1898

Caro *George*, ieri sera sul tardi due signorine che cercavano
una loro conoscente giravano per Jalta, dovunque chiedendo:
«Non sta mica qui una signorina con un giovanotto e un can
barbone?» In carrozza con loro c'ero anch'io. Tra l'altro siamo passati anche alla vostra agenzia, a chiedere della signorina col barbone. A proposito, ho anche ritirato il tuo pacco.
Un bel po' di marmellata era colata fuori, la carta era tutta appiccicosa, ho lavato a lungo il barattolo, come fosse un neona-
to. Del resto non se n'è versata troppa, un quarto del vasetto.
La marmellata è meravigliosa ed io non so come ringraziare.
Ha un gusto gradevole e delicato; una sola cosa non va: ho
paura d'ingozzarmi troppo; le signorine, vedendomi ritirare il
pacco, han detto che verranno da me a bere il tè con quella
marmellata. E un'altra cosa mi dà fastidio: la marmellata s'ap-
piccica alle mani e al viso come colla, tanto che, bevendo, hai

---

[2] Il personaggio di Irina era interpretato da O. L. Knipper, la futura moglie di
Čechov.

la sensazione che t'abbiano tutto cosparso di miele o di *ki-sel'*[1].

Bacio la mano a tua madre e la ringrazio di cuore. Che non mi dimentichi d'ora innanzi, e anche tu non dimenticarmi e scrivi piú spesso all'annoiato

A. Čechov

A Volodja, Sanja e Lëlja omaggi e saluti.

Scriverò a casa che ho ricevuto la marmellata, e com'era saporita.

A MARIJA P. ČECHOVA

Jalta, 14 ottobre 1898

Cara Maša, Sinani ha ricevuto il tuo telegramma ieri 13 ottobre alle due del pomeriggio. Il telegramma non è chiaro: «come Anton Pavlovič Čechov ha preso la notizia del decesso di suo padre». Sinani era turbato, e ha pensato di dovermi nascondere la notizia. Tutta Jalta sapeva della morte del babbo, mentre io non avevo ricevuto alcuna notizia, e Sinani m'ha mostrato il telgramma soltanto la sera; dopo di che sono andato alla posta dove ho letto la lettera di Ivan, arrivata in quel momento, che m'informava dell'operazione. Scrivo questo il 14 sera e fino ad ora nessuna notizia, non una parola.

Comunque, la dolorosa notizia, assolutamente inattesa, m'ha profondamente rattristato e scosso. Ho pena per il babbo, e ho pena per tutti voi: il pensiero dello scompiglio che vi tocca sopportare a Mosca – mentre io me ne sto tranquillo a Jalta – non m'abbandona e mi opprime tutto il tempo. Che fa la mamma? Dov'è? Se non andrà a Melichovo (sarà penoso per lei starsene là sola), dove la sistemerai? In genere c'è un mucchio di problemi da risolvere. A giudicare dal tuo telegramma a Sinani, sussistono in voi dei dubbi sulla mia salute. Se tu e la mamma non siete tranquille, non potrei venire per un po' a Mosca? O forse non vorrebbe mammina venir lei da me a Jalta, a riposarsi qui? Per l'occasione potrebbe dare un'occhiata a questi luoghi e, se le piacesse, potremmo prendervi dimora per sempre. Qui seguita a far caldo, andiamo senza soprabito ed evidentemente dev'esser molto comodo trascorrerci l'inverno. Si passerebbe l'inverno a Jalta, mentre

---

[1] *Kisel'*, gelatina di frutta cotta con fecola di patate.

l'estate si potrebbe trascorrerla a Melichovo o a Kučukoj, nei dintorni di Jalta.

Se mammina viene da me, che telegrafi; le verrei incontro a Sebastopoli e la porterei direttamente dalla stazione a Jalta, in carrozza.

Viaggiare col rapido è comodo. Qui mammina sarebbe accolta amichevolmente e la sistemerebbero bene. Se poi anche tu potessi prendere una vacanza e venire almeno per una settimana, sarebbe per me una gran gioia. Ne approfitteremmo per decidere cosa fare adesso. Ora che il babbo è morto, mi par che l'esistenza a Melichovo non sarà piú la stessa, come se, col suo diario¹, sia finito laggiú anche il corso della vita.

Ripeto, io sto perfettamente bene. Scrivimi, per favore, non mi lasciate senza notizie. Ho ricevuto il pacco.

Domani scriverò ancora. Sta' sana. Saluti alla mamma, a Vanja e Sonja.

Il tuo   *Antoine*

AD ALEKSEJ S. SUVORIN

Jalta, 17 ottobre 1898

È morto mio padre, dopo una tormentosa malattia e una lunga operazione. E questo non sarebbe successo se fossi stato a casa. Io non lo avrei lasciato arrivare fino alla necrosi. Comunque sia, negli ultimi giorni il mio umore non è stato affatto gioioso. Il tempo invece è splendido; abbiamo giornate calde, assolutamente estive, e solo al mattino fa un po' fresco. Ho mandato a «Tempo Nuovo» un telegramma riguardo al clima, ma non l'hanno pubblicato, evidentemente han pensato che esageravo. Vera e Nadežda Alekseevna si pavoneggiano in abiti estivi.

Probabilmente resterò a svernare a Jalta. Di andare all'estero non ho voglia. E poi non potrei andar lontano, giacché bisogna ch'io tracci i piani della mia futura esistenza. In questi giorni arriverà a Jalta mia sorella, e insieme decideremo cosa fare. È probabile che mia madre non voglia piú vivere in campagna, avrà paura di star lí sola. Forse venderemo Melichovo e ci sistemeremo in Crimea, dove vivremo insieme, fin-

---

¹ Il padre teneva un diario, o meglio un registro dove annotava in bella calligrafia le partenze e gli arrivi.

ché i bacilli non m'avranno abbandonato; in un modo o nell'altro, i medici sono dell'opinione che mi toccherà passare in Crimea piú d'un inverno ancora. Questo si chiama uscire di carreggiata.

Piú d'una volta voi m'avete detto che potevo prendere cinque e persino diecimila rubli in prestito dalla libreria, a condizioni di favore, e cioè rimborsando il debito a rate, in qualche anno. Se la pensate ancora cosí, mandatemi una rimessa telegrafica di cinquemila rubli e dite in libreria che il debito venga scontato poco a poco sui miei introiti, un migliaio di rubli ogni anno, non piú, altrimenti me la vedrei brutta.

Ho saputo dai giornali del successo del *Fëdor Ivanovič*, da voi e a Mosca. Alla scenetta di vita popolare ci penserò: è probabile che la scriva. A Jalta esistenza tranquilla, ho voglia di scrivere un romanzo, e una volta tornato del mio solito umore, mi siederò a tavolino e scriverò centocinquanta pagine o giú di lí.

Hanno dato qui la vostra *Tat'jana Repina*, con la Volgina. Telegrafatemi. Non ho ancora ricevuto i campioni. Le signorine Kolomnin porteranno il materiale per il primo volume. Sono personcine molto gentili, con loro si sta allegri, ma vengono di rado da Alupka. Ieri m'han portato dell'uva.

Luna. Mare incantevole. Vado a imbucare questa lettera.
Vostro

A. Čechov

A LIDIJA A. AVILOVA

Jalta, 21 ottobre 1898

Ho letto la vostra lettera e son rimasto perplesso. Se nella mia ultima v'ho augurato felicità e salute non è stato con l'intenzione d'interrompere la nostra corrispondenza o, Iddio ci salvi, per sfuggirvi, ma semplicemente perché in realtà vi ho sempre augurato e vi auguro felicità e salute. È tutto qui. E se voi vedete nelle mie lettere quel che non c'è, ciò accade probabilmente perché non so scriverle.

La vostra lettera m'è stata rimandata a Jalta, da Lopasnja, è per questo che ho tardato a rispondere. Mi trovo adesso a Jalta, resterò qui ancora a lungo e forse ci passerò addirittura l'inverno. Il tempo è meraviglioso, assolutamente estivo. La vostra lettera mesta, tipicamente nordica, m'ha ricordato Pietroburgo, mi son tornati alla mente i vostri critici pietrobur-

ghesi, quei sapientoni che in risposta alle *Lettere dimenticate*
dicono: «Ringrazio umilmente!»; ho ricordato la nebbia, i discorsi – ho ricordato, e subito sono andato al mare, che è
adesso incantevole. Può darsi perfino ch'io mi fissi a Jalta. In
ottobre è morto mio padre, e dopo questo la casa di campagna
nella quale vivevo ha perduto per me ogni attrattiva; anche
mia madre e mia sorella non vorranno più viverci, toccherà
adesso cominciare una nuova vita. E poiché m'è proibito passare l'inverno nel nord, cosí dovrò probabilmente farmi il
nuovo nido nel sud. Mio padre è morto all'improvviso, dopo
una grave operazione, questo ha avuto su di me e su tutta la
famiglia un effetto opprimente, non posso riavermi.

Non molto tempo fa ho dato il vostro indirizzo al direttore
de «La rivista per tutti», che vuol fare la vostra conoscenza.

Comunque sia, non siate in collera con me, e scusate se effettivamente nelle ultime mie lettere c'era qualcosa di rude o
di spiacevole. Non volevo amareggiarvi, e se talvolta le mie
lettere non riescono bene, non è colpa mia, ciò avviene contro
la mia volontà.

Vi stringo forte la mano e v'auguro ogni bene. Il mio indirizzo è Jalta. Non occorre altro. Solo – Jalta.

Vostro
                                        A. Čechov

A LIDIJA S. MIZINOVA

                                Jalta, 24 ottobre 1898

Cara Lika, ho due novità. Primo, è morto mio padre. Ha
avuto un'occlusione intestinale; è stato curato tardi; l'hanno
trasportato fino alla stazione su una strada orribile. Poi a Mosca gli han fatto l'operazione, gli hanno aperto la pancia. A
giudicare dalle lettere, la fine della sua vita è stata straziante.
Maša ne ha sofferto, e anch'io mi sento l'animo oppresso.

Secondo, sto comprando (a credito) un terreno vicino a Jalta, per avere un immobile nel quale poter trascorrere l'inverno e far crescere a tempo libero l'uva spina da voi odiata.
L'angoletto che comprerò è situato in una località pittoresca;
vista sul mare, sulle montagne. Vigneto proprio, pozzo proprio. Questo a venti minuti di cammino da Jalta. Ho già ab-
bozzato la pianta, naturalmente senza dimenticare gli ospiti,

ai quali ho assegnato una stanzuccia nello scantinato; in assenza degli ospiti ci terrò i tacchini.

Comunque, difficilmente capiterò a Parigi prima d'aprile.
Ho una gran voglia di vedervi, ma non mi va di partire. Non
ho neppure i quattrini, e poi in Crimea è bello, cosí bello da
non dire. Il tempo è stupendo, estate autentica. No, probabilmente toccherà a voi venire in Russia, non a me a Parigi. Se
davvero verrete presto, portatemi delle cravatte e dei fazzo-
letti (marcati A), vi rimborserò. Parola d'onore, vi rimborserò! Anche se ne portate per cento rubli, rimborserò tutto, non
t'opporrai al mio comandamento.

Le vostre fotografie sono ottime. Siete persino bella, non
me lo sarei mai aspettato. Vi manderei la mia, ma non ne ho.
Potrete vedere il mio ritratto alla galleria Tret'jakov. A proposito, quel ritratto di Braz è terribilmente scipito.

Sono in attesa di Maša. Verrà a Jalta a giorni, per vedermi
e parlare. Dopo la morte di mio padre, dopo quella catastrofe,
prolungatasi parecchi giorni, tenendo tutti in agitazione, è poco probabile che mia madre e mia sorella desiderino abitare a
Melichovo. Penso già se non ci convenga trasferirci tutti in
Crimea. Qui fa caldo e la vita è facile.

Scrivetemi, Lika. Non siate pigra. Il mio indirizzo è semplice: Jalta. Se vi salta in mente di venire in Russia, scrivete-
melo una settimana prima.

Chi vi dice che divento calvo? che insolenza è questa?! Capisco: vi vendicate di me perché una volta, in una delle mie
lettere, ho accennato amichevolmente, senza il minimo desiderio d'offendervi, al fatto che siete sbilenca, ragione per la
quale, purtroppo, fino ad oggi non avete ancora trovato marito.

Siate sana e felice. Non dimenticate il vostro antico adora-
tore.

                                                    A. Čechov

A IVAN P. ČECHOV

                                        Jalta, 26 ottobre 1898

Ti scrivo di nuovo, caro Ivan. Su «Novità» hanno pubblicato un telegramma da Jalta, del 24 ottobre: la mia salute sarebbe peggiorata, avrei tosse continua, sbocchi di sangue, ecc.

Tutto questo è pura menzogna, una sciocca invenzione che può allarmare parenti e amici. Parola d'onore, la mia temperatura è normale, non c'è neanche ragione di mettere il termometro; la tosse non è più forte di prima, a Jalta non ho avuto mai emottisi. Se i giornali di Mosca riporteranno il telegramma, sarà un guaio; purché la mamma non lo legga. Ancora una volta confermo con la mia parola d'onore che il telegramma mente. Saluti a Sonja e Volodja.

Tuo   *Antonio*

Anch'io confermo che Anton Pavlovič sta bene, e non resta che meravigliarsi perché e da dove mandino simili informazioni inutili e menzognere.

V. Mirov

A GEORGIJ M. ČECHOV

Jalta, 2 novembre 1898

Caro *George*, grazie della lettera. Secondo le parole di Maša, a Melichovo la mamma si sente bene, e perciò abbiamo deciso che tutto resti come prima. I mesi estivi li passerò a Melichovo, l'inverno invece me ne verrò a Jalta. Qui mi son già comperato un pezzetto di terra e comincio a costruire una tana conveniente al nostro grado e titolo. Faccio conto che la mamma sverrnerà con me a Jalta. La casa sarà calda, economica, la vita di qui rassomiglia a quella di Taganrog: ciambelle prese al mercato, torrone e simili, cosicché suppongo che alla mamma piacerà. La vista sul mare e sui monti è stupenda. Ho comperato il terreno per caso, a buon mercato, e adesso me lo pagherebbero già due volte tanto. È a ventidue minuti di cammino dalla spiaggia.

Mi congratulo con Volodja e gli auguro ulteriori successi. A zia Sanja e Lëlja riveriti omaggi. Maša è stanca e dorme male. Manda i suoi saluti a te e a tutta la famiglia. Parte fra tre giorni, resterò solo. La mia salute prospera, non credete ai giornali. Se quest'inverno verrai a Jalta, ne sarò felice, ti sistemerò qui. Per ora il tempo è caldo e soleggiato.

Tuo   A. Čechov

A MARIJA P. ČECHOVA

Jalta, 8 dicembre 1898

Be', comincerò dalla novità. Una novità piacevole, inattesa. Non pensare che voglia sposarmi e che abbia fatto una
proposta di matrimonio. Non son riuscito a trattenermi, ho
preso lo slancio e ho comperato Kučukoj. L'ho comperato per
duemila rubli esatti, ho già fatto il contratto d'acquisto, e uno
di questi giorni ci andrò già da padrone, portandomi un materasso e delle lenzuola. Una casa di quattro stanze, una casinetta d'architettura tartara, una cucina, una stalla per le mucche,
un essiccatoio per il tabacco, una sorgente che sgorga dalle
rocce, un carro, una bilancia, una credenza, un armadio, due
tavoli, una dozzina di sedie viennesi, un divano, una stufa di
ferro. Tre *desjatiny* di terreno, vigneto, rocce, *belle vue*. Mare
meraviglioso, sabbia. Sicché sono d'ora in avanti possesso-
re d'una delle piú belle e curiose proprietà della Crimea. Là
potremo avere una mucca, un cavallo, un asino, oche e galline. Vedi le mie lettere (settembre), riguardanti Kučukoj. Ho
comperato la proprietà in contanti, non v'è su di essa un centesimo di debito. Tutto il debito graverà, pesante come un
mattone, sulla villa cittadina, in tutto diecimila rubli, o poco
meno; bisognerà pagare circa 600-700 rubli l'anno d'interessi,
compreso l'ammortizzamento. Nel mio acquisto odierno m'ha
allettato specialmente il non dover fare neanche quattro soldi
di riparazioni, e che il prezzo è insignificante, favolosamente
assurdo. Solo, non parlare dell'acquisto con *nessuno*, salvo con
Vanja e Miša, e, naturalmente, mammina, alla quale la proprietà piacerà di sicuro. Sarà per lei qualcosa di straordinario
per la quiete, la comodità, il costante tepore, e anche la pulizia.

Ad Autka i lavori avanzano. Oggi sono stato dal direttore
dell'azienda stradale, m'ha detto che quando allargheranno la
rotabile non ci esproprieranno d'un solo pollice e che l'erario
ci farà a sue spese un muro di supporto e un recinto dalla parte della strada. L'amministrazione provinciale ha già approva-
to i piani.

Ho mandato a «La settimana» un racconto; oggi è arrivata
la risposta: mi hanno spedito cinquecento rubli. Oggi fa nuovamente caldo.

Dunque, non dire a nessuno del mio acquisto, altrimenti

temo che andrà a finire sui giornali e cominceranno a dire che ho comperato una tenuta di centomila rubli. A Kučukoj chiuderò la casa e prenderò la chiave con me; non è necessario un guardiano. Per la nuova tenuta bisogna comperare un samovar e un servizio da tavola (piatti e forchette) da tener qui in caso d'arrivo. Occorrono anche dei letti a buon mercato, ma questi si troveranno a Odessa. Non c'è cantina, il latte lo tengono in brocche immerse nell'acqua gelata della sorgente, entro una piccola buca vicino alla fonte.

È venuta dalla mia padrona una signora molto bella. Be', stammi bene. Saluti a tutti. Se non ti piace che ho comperato Kučukoj non agitarti troppo. Non sono soldi perduti; si può sempre rivendere, e per di più con un grosso profitto, specialmente quando ci passerà la strada ferrata.

Il contratto me lo manderanno da Simferopol', dove un vecchio notaio lo autenticherà – allora te lo manderò. A Kučukoj verrà con me anche Šapovalov.

Tuo   A. Čechov

A MARIJA P. ČECHOVA

Jalta, 13 dicembre 1898

Anche qui ormai c'è il gelo; non forte veramente, ma quaggiú è come se lo fosse. Ieri sono andato in carrozza a Kučukoj; son partito al mattino, e quanto piú ci si allontanava da Jalta, tanto piú faceva freddo, qua e là c'era un po' di neve. Morale: se si deve viaggiare da Sebastopoli a Jalta in carrozza, è indispensabile una buona pelliccia, bisogna vestirsi pesanti. Dalla rotabile sono sceso a Kučukoj non per la strada terribile, ma per il viottolo; qui va bene, la discesa è facile, agevole, non si ha la sensazione dell'altitudine. Questa volta il terreno m'è sembrato enorme, e Šapovalov, l'architetto, che era con me, battendo le mani ha esclamato: «Cosa non si potrebbe fare qui!» Precipizi, blocchi di pietra, vecchi alberi, acqua, vastità e selvatichezza insolite, come in Africa; guardando tutto ciò pensavo: quanto sarebbe stato sciocco non comperare questa tenuta!

Sono andato fino al mare; al ritorno ho dovuto arrampicarmi su per la montagna, avevo difficoltà a respirare, tanto che per il bagno e la pesca toccherà ricorrere ai servizi d'un caval-

lo, o degli asini. I piroscafi passano vicini, e questo è interessante. Se Ivan viene per Natale, porti due o tre brande, com-
perandole da Meriliz o da Baudry, per sei o sette rubli. Di tutto quel che compera lo rimborserò qui a Jalta. Se invece non
viene, disponga perché Meriliz mi mandi contro assegno, a
piccola velocità (non tramite l'amministrazione, perché costa
una volta e mezzo di piú), due letti, anzi se non sono cari, tre;
un samovar non troppo grosso, mezza dozzina di coltelli e
mezza di forchette. Questo per Kučukoj. Tutto il mobilio
comperato è in ottimo stato. Il *buffet* troneggia in tutta la sua
imponenza.

Ad Autka i lavori sono fermi, a causa del gelo. Quando sge-
lerà seguiteremo.

Il mare è calmo.

Di ritorno da Kučukoj son salito per la strada paurosa – e
già non era cosí paurosa, perché mi sono abituato. La strada è
buona; è terribile non per i cavalli, non per la carrozza, ma solo per gli occhi. Per chi non teme l'altitudine, non è niente.

Be', v'auguro ogni bene, riveriti omaggi a mammina, Vanja, Sonja e Volodja.

Io sto bene.

Tuo

Antoine

Che Vanja non porti lui i letti, ma ordini di spedirli. Comunque, fino a primavera non occorrono.

A VLADIMIR I. NEMIROVIČ-DANCENKO

Jalta, 18 dicembre 1898

Trasmettete a tutti la mia infinita e riconoscente gratitudine. Mi trovo a Jalta come Dreyfus nell'Isola del Diavolo. Mi
struggo di non esser con voi. Il vostro telegramma m'ha guarito e reso felice.

Čechov

AD ALEKSANDR L. VIŠNEVSKIJ

Jalta, 19 dicembre 1898

Caro Aleksandr Leonidovič, siate gentile, dimostrate benevolenza alla latrice di questa lettera, Vera Efimovna Golubi-
nina, insegnante del ginnasio femminile di Jalta, mia buona
conoscente: prenotatele un posto in platea, al mio *Gabbiano*.
Vi sarò molto obbligato.

Ah, se poteste sentire e capire quanto m'è amaro non poter
assistere al *Gabbiano* e vedervi tutti! I telegrammi[1] da Mosca
mi hanno scombussolato completamente.

Vi stringo forte la mano.
Vostro   A. Čechov

La risposta è pagata!!

---

[1] Un primo telegramma, inviato la notte fra il 17 e il 18 dicembre, con le firme
di Nemirovič-Dančenko, Stanislavskij, O. L. Knipper e altri attori, diceva: «Abbiamo appena finito di recitare *Il gabbiano*. Successo colossale. Il dramma ha en-
tusiasmato fin dal primo atto, passando poi di trionfo in trionfo. Applausi senza
fine. Alla mia dichiarazione, dopo il terzo atto, che l'autore non era in teatro, il
pubblico esigeva di mandarti un telegramma a nome suo. Siamo pazzi di felicità...»
    Il giorno seguente, dopo lo spettacolo, Nemirovič mandava un secondo tele-
gramma: «Tutti i giornali con sorprendente umanità definiscono splendido, stre-
pitoso, enorme, il successo del *Gabbiano*. Per il nostro teatro *Il gabbiano* supera in
successo *Fëdor*. Sono felice come mai sono stato per la messa in scena dei miei propri lavori».

A IVAN P. ČECHOV

Jalta, 18 gennaio 1899

Caro Ivan, gli affari con Marks sono già molto avanzati e il contratto preliminare è ormai firmato. Secondo i patti che Marks propone, io riceverò – per i diritti delle opere già pubblicate e per quelle future – settantacinquemila rubli, e poi cinquemila rubli per ogni nuovo volume di venti sedicesimi stampati. Cioè io potrò pubblicare secondo il solito su riviste e giornali, ricevendone il compenso; invece raccolte di miei racconti può stamparle solo Marks, che me le pagherà cinquemila rubli ogni venti sedicesimi. Il ricavo dei lavori teatrali appartiene a me. L'affare non è ancora definito, ma le trattative si svolgono con perseveranza, ed è molto probabile che quando tu leggerai questa lettera, io sarò già venduto in schiavitú in Egitto. Questa vendita ha due lati buoni: 1) riceverò d'un colpo settantacinquemila rubli, e 2) mi libererò dai disordini suvoriniani. Tutto questo è segreto, per adesso. Comunicalo a Maša e dille che per ora non lo racconti a nessuno, perché non vada a finire sul «Corriere».

Ricevi regolarmente il «Corriere della Crimea»? Io lo mando ogni giorno, tranne i giorni dopo le feste, quando il giornale non esce.

I letti sono arrivati.

Saluti e omaggi a Sonja e Volodja. Ieri la brunetta s'è lagnata con me d'esser malata. Io le ho detto che mia sorella aveva mandato, per consegnarglielo, un barattolo di marmellata e una scatola di caramelle, ma che, inavvertitamente, me li ero mangiati io – lei ci ha creduto.

Di' a Kljukin che io l'avevo autorizzato a mettere *Frontebianca* nella miscellanea, ma non di pubblicarlo in opuscolo.

Sta' sano.

Tuo

Antonio

AD ALEKSEJ S. SUVORIN

Jalta, 27 gennaio 1899

Sergeenko mi telegrafa che il contratto è già stato firmato dal notaio. Dice anche qualcosa riguardo alle inadempienze, ma dal telegramma non ho capito. Speriamo che tutto vada per il meglio. Riceverò i settantacinquemila rubli in tre riprese; le produzioni future, preventivamente pubblicate, vanno a 250 il sedicesimo, con un aumento di 200 r. ogni cinque anni. Il ricavo dei lavori teatrali appartiene a me, poi ai miei eredi. L'ultimo punto me lo son conquistato, l'ho espugnato.

E cosí, comincia una nuova èra, e Sergeenko, che voi chiamate fabbricante di bare, può dirsene il creatore. Ora posso perdere due o tremila rubli alla *roulette*.

E tuttavia ho l'impressione spiacevole d'aver sposato una donna ricca. Io vi debbo molti soldi, e ho pregato Sergeenko di passare alla vostra libreria per estinguere il mio debito; probabilmente l'ha già fatto, ed ora non mi resta, secondo l'abitudine russa, che ringraziarvi. Gli uomini d'affari hanno un proverbio: vivi insieme e litiga, separàti e fai la pace. Noi ci separiamo pacificamente, e siamo anche vissuti senza contrasti, e mi pare che tutto il tempo in cui ho pubblicato i miei libri da voi, mai ci fu alcun malinteso. Eppure abbiamo fatto insieme grandi cose. E, veramente, il fatto che voi m'abbiate pubblicato, e che io abbia pubblicato da voi, andrebbe comunque solennizzato da entrambe le parti.

Nella lettera vi siete fatto sfuggire che per carnevale potete abbandonar tutto e venire qua. Al principio della quaresima avremo già un'autentica primavera, il tempo sarà meraviglioso, e si potrebbe fare una corsa a Feodosija. Scrivete d'aver bisogno di parlare con me; anch'io ho bisogno di parlarvi. Venite dunque, per favore.

Non molto tempo fa ho scritto un racconto umoristico di otto pagine, e adesso mi scrivono che L. N. Tolstoj lo legge ad alta voce, e lo fa straordinariamente bene.

Conoscete il letterato Gor'kij? È un talento indubbio. Se non l'avete letto, chiedete le sue raccolte e leggete per una prima conoscenza due racconti: *Nella steppa* e *Sulle zattere*. Il racconto *Nella steppa* è fatto in modo esemplare: è una cannonata, come dice Stasov.

I miei saluti ed ossequi ad Anna Ivanovna, Nastja e Borja.
V'auguro salute e la piú completa prosperità.
Vostro

A. Čechov

AD ALEKSEJ S. SUVORIN

Jalta, 6 febbraio 1899

Prima di tutto permettetemi d'apportare una piccola corre-
zione. Io vi telegrafai immediatamente, non appena ricevetti
la notizia che Marks voleva comperare. Telegrafai anche a
Sergeenko, affinché s'incontrasse con voi. Non un solo attimo di segretezza, o di indugio, e v'assicuro che la frase da voi
detta a Sergeenko, e che ripetete nell'ultima lettera: «Evidentemente Čechov non voleva vendere a me» si fonda, per
esprimersi nella lingua delle professoresse, unicamente sul pa-
radosso.

Konstantin Semënovič mi ha scritto che forse, all'inizio
della quaresima, verrete in Crimea. Sarebbe una bella cosa.
La giornata di ieri è stata assolutamente estiva; a quanto pare
la primavera è cominciata e a quaresima farà bello del tutto.
Da Jalta andremo a Feodosija in carrozza; potrebbe riuscire
una gita interessante. A proposito, qui le vetture son molto
buone. A quell'epoca, cioè in quaresima, riceverò da Marks la
prima parte dei soldi, e potrò già smettere di lavorare a cuor
leggero, con un sentimento di dignità personale.

Nella copia del contratto che mi han mandato è scritto un
mucchio di roba, assolutamente inutile, e non si fa parola dei
proventi delle opere di teatro. Ho dato l'allarme ed ecco,
aspetto ora la risposta... Il *vaudeville* è una cosa, tutto il resto
son baie[1]. Mi tengo stretto a quest'antica verità e considero i
proventi delle opere di teatro come i piú sicuri.

Leggo per noia *Il libro della mia esistenza*, del vescovo Por-
firij. Vi si parla della guerra: «Gli eserciti regolari in tempo di
pace sono una locusta che mangia il grano del popolo e lascia
fetore nella società, mentre in tempo di guerra diventano ar-
tefatte macchine da combattimento che, una volta scatenate,
addio libertà, sicurezza e gloria nazionale!... Son essi difenso-
ri illegali di leggi ingiuste e parziali, del privilegio e della ti-
rannia»...

---

[1] Citazione di Griboedov.

Questo veniva scritto negli anni Quaranta.

Poiché celebriamo il tredicesimo anniversario dei nostri rapporti, mandatemi un almanacco. È noioso non sapere quando e di chi è l'onomastico. Alla celebrazione ci penserò, e poi ne parleremo.

Mi vedo sovente con l'accademico Kondakov, parliamo della costituzione della classe di belle lettere. Lui se ne rallegra, io invece la considero completamente superflua. Non per il fatto che Slučevskij, Grigorovič, Goleniščev-Kutuzov e Potechin diventeranno accademici, la produzione degli scrittori russi e in genere l'attività letteraria in Russia diverranno piú interessanti. Non si farà che mescolarvi uno sgradevole e sempre sospetto elemento: lo stipendio. Del resto, chi vivrà vedrà.

Mi portano in questo momento la vostra seconda lettera riguardante Marks e la vendita. Io la penso cosí: la vendita sarà vantaggiosa se mi resta da vivere poco, meno di 5-10 anni; sarà svantaggiosa se vivrò di piú.

Scrivetemi se è vero che verrete a Jalta.

State sano e prospero.

Vostro   A. Čechov

A LIDIJA A. AVILOVA

Jalta, 18 febbraio 1899

Tempo fa, due o tre mesi addietro, feci un elenco dei racconti che non occorreva trascrivere, e lo mandai a Mosca. Adesso lo chiederò indietro, se però non me lo rimandano entro cinque o sei giorni ne farò un altro e ve lo manderò. Vi invio i miei ringraziamenti per l'offerta d'aiuto e per la cara, buona lettera; tante, tante grazie. Mi piacciono le lettere scritte in tono non edificante.

Dite che conosco alla perfezione l'arte di saper vivere. Può essere, ma alla mucca battagliera Dio non diede corna. Che vantaggio mi viene dal saper vivere se mi spediscono sempre qua e là, come in esilio? Io son quello che a Pisellaia andò, ma piselli non trovò; ero libero e non conoscevo la libertà, ero un letterato e, volente o nolente, ho passato la vita coi non letterati; ho venduto le mie opere per settantacinquemila rubli, e ho già ricevuto una parte del denaro, ma che vantaggio ne ho

se ecco ormai due settimane che sto tappato in casa, e non oso
mostrare il naso per via? A proposito della vendita: ho venduto a Marks il passato, il presente e il futuro; ho compiuto questo, cara comare, per rimettere in sesto i miei affari. Ci sono
ancora cinquantamila rubli, che (li riceverò definitivamente
solo tra due anni) mi frutteranno duemila rubli l'anno; prima
del contratto con Marks i libri mi rendevano circa 3500 r. annuali, anzi quest'ultimo anno ne ho ricavati, probabilmente
grazie a *I contadini*, ottomila! Eccovi i miei segreti commer-
ciali! Fatene l'uso che vi piace, solo non invidiate troppo il
mio straordinario saper vivere.

Tuttavia, comunque vada, se capito a Montecarlo voglio
senz'altro perdere un duemila rubli – lusso che finora non
osavo sognarmi. E chi sa che non vinca? Lo scrittore Ivan
Ščeglov mi chiama Potëmkin, e anche lui elogia il mio saper
vivere. Se io sono Potëmkin, perché allora sto a Jalta, perché
m'annoio tanto qui? Nevica, c'è la tormenta, le finestre lasciano passare il vento, la brace schizza fuori dalla stufa, non ho
affatto voglia di scrivere, e non scrivo niente.

Voi siete molto buona. L'ho detto già mille volte e lo ripeto
ancora.

Siate sana, ricca, allegra, e che il cielo vi protegga. Vi stringo forte la mano.

Vostro   A. Čechov

A MICHAIL O. MEN'ŠIKOV

Mosca, 27 aprile 1899

Caro Michail Osipovič, il mio indirizzo è: Mosca, Piccola
Dmitrovka, casa Šeškov. O anche semplicemente cosí: Mosca,
Dmitrovka.

È stato da me L. N. Tolstoj, ma non son riuscito a parlargli, perché c'era un mucchio d'ogni gente, tra cui due attori,
profondamente convinti che al mondo non c'è nulla al di sopra del teatro. Il giorno dopo sono stato da Lev Nikolaevič,
ho pranzato là. Tat'jana L'vovna era venuta da me prima di
pranzo, senza trovare in casa mia sorella. M'ha detto: «Michail Osipovič m'ha scritto di far la conoscenza di vostra sorella. M'ha detto che possiamo imparare molto l'una dall'altra».

Tornato a casa dopo pranzo, ho riferito queste parole a mia sorella. È rimasta atterrita, ha agitato le braccia: «No, a nessun costo andrò! a nessun costo!»

Che Tat'jana L'vovna possa imparar qualcosa da lei l'ha tanto spaventata che fino adesso non posso assolutamente indurla ad andarci – e sono in imbarazzo. Neanche a farlo apposta, tutto il tempo mia sorella è di cattivo umore, malinconica, stanca: e tutti in genere siamo un po' giú di corda.

Oggi sono andato a fare un telegramma; la telegrafista, una grassa madama asmatica, vedendo la mia firma ha chiesto: «Voi siete Anton Pavlovič?» È risultato che quindici anni fa avevo curato lei e sua madre. La gioia fu grande. Ma come sono vecchio! Son medico da quindici anni ormai, ed ho ancor sempre voglia di far la corte alle signorinette.

L'1-3 maggio sarò ancora a Mosca, con tutta probabilità.

Manderò il racconto a «La settimana» quando, finalmente, mi sarò stabilito in campagna. Ho molti soggetti, ma non ho voglia di mettermici.

Vi stringo forte la mano; state sano e contento.

Vostro

A. Čechov

A OL'GA L. KNIPPER

Melichovo, 16 giugno 1899

Cosa significa questo? Dove siete? Mettete tanta ostinazione nel non mandar vostre notizie, che noi ci perdiamo in supposizioni, e cominciamo già a pensare che ci avete dimenticati e abbiate preso marito nel Caucaso. Se vi siete maritata davvero, con chi dunque? Non avrete mica deciso d'abbandonare le scene?

L'autore è dimenticato – oh cosa orribile, crudele, sleale!

Tutti vi mandano saluti. Novità, nessuna. Neppure mosche ci sono. Niente c'è. Neppure vitelli che mordano.

Avrei voluto accompagnarvi alla stazione, ma, per fortuna, la pioggia lo impedí.

Sono stato a Pietroburgo, mi son fatto fare due fotografie. Per poco non mi son congelato laggiú. A Jalta andrò non prima del principio di luglio.

Col vostro permesso vi stringo forte la mano e v'auguro ogni bene.

Vostro

A. Čechov

A OL'GA L. KNIPPER

Mosca, 1° luglio 1899

Sí, avete ragione: lo scrittore Čechov non ha dimenticato l'attrice Knipper. Non solo, ma la vostra proposta di andare insieme da Batum a Jalta gli pare incantevole. Verrò, ma a patto che, primo, quando vi arriverà questa lettera, senza aspettare un minuto, voi mi telegrafiate approssimativamente il giorno che avete intenzione di lasciare Mcchet; v'atterrete a questo schema: «Mosca, Piccola Dmitrovka, Šeškov, per Čechov, il venti». Questo significa che partirete da Mcchet per Batum il 20 luglio. Secondo, a patto che io venga direttamente a Batum e v'incontri là, senza passare per Tiflis, e, terzo, che non mi facciate girare la testa. Višnevskij mi considera una persona molto seria, e non vorrei invece mostrarmi a lui debole come tutti gli altri.

Ricevuto il vostro telegramma, io vi scriverò, e tutto sarà bellissimo, intanto vi mando mille cordiali auguri e vi stringo forte la mano. Grazie per la lettera.

Vostro   A. Čechov

P.la Dmitrovka, casa Šeškov.
Vendiamo Melichovo. La mia tenuta in Crimea, Kučúkoj, adesso, in estate, è meravigliosa, come mi scrivono. Bisognerà senz'altro che ci veniate.

Sono stato a Pietroburgo, mi son fatto riprendere in due fotografie. Non son venute male. Le vendo un rublo l'una. A Višnevskij ho già mandato cinque foto contro assegno.

Per me il piú comodo sarebbe se voi telegrafaste «il quindici», e in ogni modo non dopo «il venti».

A MARIJA P. ČECHOVA

Bachčisaraj, 27 agosto 1899

A Kursk faceva freddo, a Char'kov tiepido, e in Crimea caldo, la natura rifulge. Con me, nello stesso treno, viaggiano la romanziera Mašen'ka Krestovskaja e il dott. Akimenko di Char'kov (un conoscente di Efros), e in una vettura-salone separata l'ingegner Sytenko con sua moglie. Sono stato nella vettura-salone, *madame* mi ha ricevuto molto affabilmente, ha fatto giocare per me il suo viso. Non avendo abbastanza pelle sulla faccia, per aprire gli occhi deve chiudere la bocca, e per aprir la bocca deve chiudere gli occhi.

Ho mangiato la carne e le uova. Un bicchiere s'è rotto. Domattina telegraferò. Scrivo questo seduto nel vagone. Mašen'ka Krestovskaja è seccante, minaccia frequenti incontri a Jalta.

Io sto bene. Saluta tutti.   *Antoine*

A OL'GA L. KNIPPER

Jalta, 3 settembre 1899

Cara attrice, rispondo a tutte le vostre domande. Sono arrivato felicemente. I miei compagni di viaggio m'han ceduto il posto in basso, poi le cose si sono arrangiate in modo che nello scompartimento siamo rimasti soltanto in due: io e un giovane armeno. Varie volte nella giornata ho bevuto del tè, ogni volta tre bicchieri, col limone, posatamente, senza affrettarmi. Tutto quel che era nel cestino l'ho mangiato. Ma trovo che darsi da fare attorno a un cestino e correre per la stazione alla ricerca d'acqua bollente non è una cosa seria, questo compromette il prestigio del Teatro d'Arte. Fino a Kursk ha fatto freddo, poi è cominciato il tepore, e a Sebastopoli ormai faceva decisamente caldo. A Jalta mi son fermato nella mia casa padronale e adesso vivo qui, guardato dal fedele Mustafà. Non pranzo tutti i giorni perché andare in città è lontano, e affaccendarsi attorno al fornello a petrolio di nuovo compromette il prestigio. La sera mangio del formaggio. Vedo Sinani. Dagli Sredin son già stato due volte; hanno esaminato la vostra fotografia con commozione, hanno mangiato le caramelle. Leonid Valentinovič si sente abbastanza bene. *Narzan* non ne bevo. Cosa ancora? Non vado quasi mai in giardino, ma sto piuttosto in casa, pensando a voi. Anche passando vicino a Bachčisaraj vi ho pensato e m'è tornato alla memoria il viaggio fatto insieme. Cara, straordinaria attrice, meravigliosa donna, sapeste come la vostra lettera m'ha rallegrato. M'inchino a voi profondamente, cosí profondamente, ma cosí profondamente da sfiorare con la fronte il fondo del mio pozzo, che han già scavato fino a otto *sažen*. Mi sono abituato a voi, ed ora soffro di nostalgia e non posso assolutamente rassegnarmi all'idea che non vi vedrò fino a primavera; in una parola, m'arrovello; se Naden'ka sapesse quel che succede nel mio animo, farebbe una storia.

A Jalta il tempo è splendido, solo che – come il cavolo a merenda – son già due giorni che piove, c'è fango e tocca infilare le galosce. Dall'umidità le scolopendre strisciano sui muri, in giardino saltellano rospi e giovani coccodrilli. Il rettile verde[1] nel vaso da fiori, che voi m'avete dato e che ho portato felicemente fino qui, sta ora in giardino e si riscalda al sole.

È arrivata la squadra navale. La guardo col binocolo.

A teatro dànno un'operetta. Le pulci ammaestrate seguitano a servire la sacra arte. Non ho soldi. Arrivano spesso delle visite. In genere m'annoio, d'una noia oziosa, assurda.

Suvvia, stringo forte e bacio la vostra mano. State sana, allegra, contenta, lavorate, saltate, innamoratevi, bevete e, se possibile, non dimenticate lo scrittore a riposo, il vostro assiduo ammiratore

A. Čechov

AD ALEKSEJ M. PEŠKOV (M. GOR'KIJ)

Jalta, 3 settembre 1899

Carissimo Aleksej Maksimovič, ancora una volta, salute! Rispondo alla vostra lettera.

Prima di tutto, in genere io sono contrario a fare qualsiasi dedica a persone viventi. Una volta ne facevo, adesso sento che non bisognerebbe farne. Questo in generale. In particolare poi, dedicare a me *Foma Gordeev* non può procurarmi che piacere e onore. Solo, come l'ho meritato? D'altronde sta a voi giudicare, a me tocca solo inchinarmi e ringraziare. Fate la dedica, per quanto è possibile, senza inutili paroloni, cioè scrivete soltanto: «dedicato al tale» e basta. Non c'è che Volynskij ad amare le lunghe dediche. Eccovi ancora un consiglio pratico, se desiderate: stampate di più, non meno di cinque o seimila copie. Il libro avrà successo. La seconda edizione si può stamparla contemporaneamente alla prima. Ancora un

---

[1] Era un *cactus*.

consiglio: leggendo le bozze, cancellate, dov'è possibile, gli attributi e gli avverbi. Voi mettete tanti attributi che il lettore
difficilmente si raccapezza, e si stanca. Quando scrivo: «l'uomo sedette sull'erba», si capisce, perché è chiaro e non trattiene l'attenzione. Al contrario è poco comprensibile e un po'
pesante per il cervello se scrivo: «un uomo alto, dal petto in-
cavato, di media statura, con la barbetta rossa sedette sull'erba verde, già calpestata dai passanti, sedette senza far rumore, timidamente, guardandosi attorno con timore». Questo
non entra subito nel cervello, mentre la letteratura deve en-
trarvi di colpo, in un baleno. E adesso una cosa ancora: voi
siete per natura un lirico, il timbro della vostra anima è tenero. Se foste un compositore rifuggireste dallo scrivere delle
marce. Dire insolenze, far fracasso, pungere, accusare rabbio-
samente, non s'adatta al vostro talento. Dal che capirete perché vi consiglio di non aver pietà nelle bozze dei «figlio di cane», «cagnaccio», ecc., che guizzano qua e là nelle pagine della *Vita*.

Debbo aspettarvi per la fine di settembre? Perché cosí tardi? Quest'anno l'inverno comincerà presto, l'autunno sarà
breve, bisogna affrettarsi.

Suvvia, state sano, vivo e vegeto.

Vostro

                                              A. Čechov

Al Teatro d'Arte gli spettacoli cominceranno il 30 settembre. Lo *Zio Vanja* andrà in scena il 14 ottobre.

Il vostro miglior racconto è *Nella steppa*.

A OL'GA L. KNIPPER

                                        Jalta, 29 settembre 1899

Ho ricevuto la vostra assennata lettera, col bacio sulla tem-
pia destra, e l'altra con la fotografia. Vi ringrazio, cara attrice,
vi ringrazio enormemente. Oggi da voi cominciano gli spettacoli ed ecco, per ringraziamento delle lettere, del pensiero, vi
mando i miei rallegramenti per l'inizio della stagione, vi faccio un milione d'auguri. Avrei voluto mandare un telegramma
ai direttori e congratularmi con tutti, ma siccome non mi scrivono, siccome – a quanto pare – m'han dimenticato e non

m'hanno neppure inviato il resoconto[1] (che, a giudicare dai giornali, è venuto alla luce non molto tempo fa) e siccome nel *Gabbiano* seguita a recitare la Roksanova, cosí ho ritenuto miglior cosa far finta d'essere offeso – e perciò mi congratulo con voi sola.

Qui ha piovuto, ora c'è un tempo limpido, fresco. Questa notte c'è stato un incendio; mi sono alzato, ho guardato il fuoco dalla terrazza, e mi son sentito terribilmente solo.

Adesso abitiamo in casa, pranziamo in trattoria; c'è un pianoforte.

Soldi niente, assolutamente niente, la mia unica occupazione consiste nel nascondermi ai miei creditori. E cosí sarà fino alla metà di dicembre, quando Marks spedirà.

Vorrei scrivervi ancora qualcosa d'assennato, ma non riesco proprio a escogitarlo. Il fatto è che la mia stagione teatrale non è ancor cominciata, non ho niente di nuovo e d'interessante, è tutto come sempre. E niente m'aspetto, tranne il cattivo tempo, che è già alle porte.

Al Teatro Alessandrino dànno *Ivanov* e *Zio Vanja*.

Be', state sana, cara attrice, magnifica donna, e che Dio vi protegga. Vi bacio le due mani e m'inchino ai vostri piedi. Non dimenticate il vostro

                                                            A. Čechov

A OL'GA L. KNIPPER

                                                Jalta, 30 settembre 1899

Secondo i vostri ordini, m'affretto a rispondere alla lettera in cui mi domandate dell'ultima scena di Astrov con Elena. Scrivete che in questa scena Astrov si rivolge ad Elena come il piú ardente innamorato, «egli s'afferra al suo sentimento come chi annega a un fuscello». Ma questo è sbagliato, completamente sbagliato! Elena piace ad Astrov, essa lo conquista con la sua bellezza, ma nell'ultimo atto lui sa già che non c'è niente da fare, che Elena gli sfugge per sempre – e in questa scena egli le parla con lo stesso tono con cui in Africa parlerebbe del caldo, e la bacia semplicemente cosí, per passare il tempo. Se Astrov condurrà questa scena tempestosamente,

---

[1] Il resoconto annuale sull'attività del teatro.

svanirà tutta l'atmosfera del quarto atto – placida e indolente.

Tramite il principe ho mandato ad Aleksandr Leonidovič un manuale sul massaggio giapponese. Che mostri questa roba al suo svedese.

A Jalta all'improvviso s'è messo a far freddo, soffia da Mosca. Ah, che voglia ho di venire a Mosca, cara attrice! Del resto v'han fatto girare la testa, siete intossicata, inebriata – non avreste tempo d'occuparvi di me. Adesso potete scrivermi: «Folleggiamo, fratello, folleggiamo!»

Vi scrivo, e intanto guardo dalla vetrata: c'è una vista amplissima, una vista da non poter descrivere. Non manderò la mia fotografia finché non avrò ricevuto la vostra, o serpente! Io non v'ho affatto chiamato «serpentello», come scrivete. Siete un serpente voi, e non un serpentello, un enorme serpente. Non vi lusinga forse?

Be', egregia signora, vi stringo la mano, m'inchino profondamente, batto la fronte sul pavimento.

Presto vi manderò un altro regalo.

Vostro   A. Čechov

A GRIGORIJ I. ROSSOLIMO

Jalta, 11 ottobre 1899

Caro Grigorij Ivanovič, ho spedito oggi al dottor Ralcevič 8 rubli e 50 copeche per la fotografia, e 5 r. per la quota annuale. Mando la mia fotografia – piuttosto mediocre (è stata presa mentre la mia *enteritis* si scatenava) – in plico raccomandato al vostro indirizzo. L'autobiografia? Io ho una malattia: l'autobiografofobia. Leggere di se stessi qualsiasi particolare – e ancor piú scriverne per la stampa – è per me un autentico martirio. Su un foglietto a parte mando alcuni dati, del tutto scarni, di piú non posso. Se volete, aggiungete che, consegnando al rettore la domanda per entrare all'università, scrissi: «per la facoltà di medicina».

Mi chiedete quando ci vedremo. Probabilmente non prima della primavera. Io sono a Jalta, al confino, bellissimo forse, ma pur sempre un confino. La vita trascorre nella noia. La mia salute è tollerabile, non tutti i giorni sto bene. A parte ogni altra cosa, ho dei noduli emorroidali, il catarro *recti*, capitano dei giorni che sono semplicemente sfinito dai continui premiti. Bisogna fare l'operazione.

Mi spiace molto non essere stato al pranzo, non esser riuscito a vedere i compagni. La società di mutua assistenza fra studenti è una buona cosa, ma piú pratica e piú facilmente realizzabile sarebbe una cassa di mutuo soccorso sul tipo della nostra cassa dei letterati. Riscuoterebbe la famiglia d'ogni membro che muore, e nuovi versamenti si farebbero solo ogni volta dopo la morte d'uno dei membri.

Non verrete in Crimea nell'estate o in autunno? È piacevole riposare qui. A dir la verità, la costa meridionale è diventata il posto preferito dei medici condotti del Governatorato di Mosca. Ci si sono sistemati bene e a buon mercato, e ogni volta ne partono incantati.

Se succede qualcosa d'interessante, scrivetemi, per favore. Davvero, io qui m'annoio, e senza lettere ci si può impiccare, imparare a bere il cattivo vino di Crimea, intendersela con una donna brutta e stupida.

State sano, vi stringo forte la mano e invio i piú cordiali saluti a voi e alla vostra famiglia.

Vostro

A. Čechov

Io, A. P. Čechov, sono nato il 17 gennaio 1860, a Taganrog. Ho studiato dapprima nella scuola greca aggregata alla chiesa dello zar Costantino, poi al liceo di Taganrog. Nel 1879 sono entrato all'università di Mosca nella facoltà di medicina. In generale avevo allora delle facoltà un concetto vago, e scelsi quella di medicina non ricordo per quali considerazioni, ma non ebbi a pentirmi della scelta. Già nel primo anno cominciai a pubblicare su riviste settimanali e su giornali, e al principio degli anni '80 tali occupazioni letterarie prendevano ormai un carattere continuativo, professionale. Nel 1888 m'hanno assegnato il premio Puškin. Nel 1890 andai nell'Isola di Sachalin, onde scrivere poi un libro sulle nostre colonie penali e sull'ergastolo. Non contando le cronache giudiziarie, le recensioni, gli articoli d'appendice, i trafiletti, tutto ciò che ho scritto giorno per giorno per i giornali e che mi sarebbe difficile adesso cercare e raccogliere, in venti anni d'attività letteraria ho scritto e pubblicato piú di cinquemila pagine stampate di novelle e racconti. Ho scritto anche dei lavori teatrali.

Non dubito che la pratica delle scienze mediche abbia avuto un profondo influsso sulla mia attività letteraria; essa ha notevolmente allargato il campo delle mie osservazioni, mi ha arricchito di cognizioni il cui vero pregio, per me in quanto scrittore, può comprendere solo chi è medico lui stesso; essa ha avuto anche un'influenza orientativa e, probabilmente grazie all'intimità con la medicina, son riuscito ad evitare molti errori. La conoscenza delle scienze naturali, del metodo scientifico, m'ha sempre tenuto all'erta, e dov'è stato possibile io mi sono sforzato di conformarmi ai dati scientifici; dove ciò non è stato possibile, ho preferito non scrivere affatto. Osserverò a tal proposito che in arte le convenzioni non permettono sempre una piena adesione ai dati scientifici; non si può rappresentare sulla scena una morte per veleno cosí com'essa avviene effettivamente. Ma l'adesione ai dati scientifici deve farsi sentire anche in tali circostanze, cioè bisogna che al lettore o allo spettatore sia chiaro che si tratta solo d'una convenzione e che egli ha a che fare con uno scrittore esperto. Io non appartengo ai letterati che hanno verso la scienza un atteggiamento negativo, né vorrei far parte di coloro che vengono a capo di tutto con l'unico ausilio della loro testa.

Quanto all'esercizio della professione medica, ancora studente ho lavorato nell'ospedale provinciale di Voskresensk (vicino a Nuova Gerusalemme), alle dipendenze del rinomato medico provinciale P. A. Archangel'skij; poi sono stato per breve tempo medico all'ospedale di Zvenigorod. Negli anni del colera ('92-93) ho diretto il settore di Melichovo, nel distretto di Serpuchov.

A OL'GA L. KNIPPER

Jalta, 30 ottobre 1899

Cara attrice, personcina bella. Chiedete se sarò agitato. Ma vedete, che lo *Zio Vanja* andava in scena il 26 l'ho saputo come si conviene solo dalla vostra lettera, ricevuta il 27. I telegrammi cominciarono ad arrivare il 27 sera, mentre ero già a letto. Me li trasmettono per telefono. Ogni volta mi svegliavo e correvo al telefono al buio, a piedi nudi, tutto intirizzito; poi, appena mi riaddormentavo, daccapo e daccapo il campanello. È il primo caso in cui la gloria non m'ha lasciato dormire. Il giorno dopo, coricandomi, ho messo vicino al letto e pantofole e vestaglia, ma ormai telegrammi non ce n'erano piú.

Nei telegrammi non si parlava che delle chiamate alla ribalta e del brillante successo, ma si sentiva in essi qualcosa di sottile, d'appena afferrabile, dal quale ho potuto concludere che in tutti voi l'umore non era poi cosí buono. I giornali ricevuti oggi hanno confermato questa mia congettura. Sí, attrice, per voi tutti attori del Teatro d'Arte un normale, medio successo è ormai troppo poco. Vi ci vogliono scoppi, fucileria, dinamite. Siete completamente viziati, rintronati dai continui discorsi sui successi, sugli incassi completi o incompleti, siete già intossicati da questa droga – e fra due o tre anni sarete tutti dei buoni a nulla. Ecco, prendete su!

Come state, come vi sentite? Io sto sempre qui e sono sempre lo stesso; lavoro, pianto alberi.

Ma sono arrivate delle visite, impossibile scrivere. Stanno qui da piú d'un'ora, han chiesto il tè. Sono andati a metter su il samovar. Ohi, che noia!

Non dimenticatevi di me, che la vostra amicizia non si spenga, cosí che in estate si possa andare ancora in qualche posto insieme. Arrivederci! Probabilmente non ci vedremo prima d'aprile. Se in primavera veniste tutti a Jalta, recitereste e vi riposereste. Sarebbe estremamente artistico.

Un visitatore prenderà questa lettera e l'imbucherà.

Vi stringo forte la mano. Salutatemi Anna Ivanovna e vostro zio militare.

Vostro

A. Čechov

Attrice, scrivete, per amore di tutto quello che c'è di santo, altrimenti intristisco. Sono come in prigione e m'arrovello, m'arrovello.

AD ALEKSANDR L. VIŠNEVSKIJ

Jalta, 3 novembre 1899

Caro Aleksandr Leonidovič, amico della mia infanzia, mille grazie per la lettera e il cartellone. Sí, il cartellone è originale, avete ragione, ma non è abbastanza serio, e andrebbe piuttosto per uno spettacolo di beneficenza in casa di qualche baronessa emancipata. Comunque, va tutto benissimo, e ringrazio il cielo che, vogando per il mare della vita, io sia finalmente capitato su un'isola meravigliosa, quale il Teatro d'Arte.

Quando avrò dei figli li costringerò a pregare Dio in eterno per tutti voi.

V'ha sbalordito la gravidanza della nostra cuoca Maša, e nella lettera mi chiedete di chi è la colpa. Di uomini, chi piú di frequente veniva a trovarci siete voi e un giovane soldato, ma chi sia il colpevole non so, né è affar mio giudicare il prossimo. Se non siete stato voi, non toccherà certo a voi spendere per il bambino.

Ho una preghiera da farvi: venite in primavera a recitare nel sud, supplicate Vladimir Ivanovič e Konstantin Sergeevič. Reciterete e insieme vi riposerete tutti. A Jalta farete cinque esauriti, altrettanto a Sebastopoli, a Odessa poi v'accoglieranno come dei re, poiché amano già il vostro teatro senz'averlo veduto, per sentito dire.

Scrivetemi, per favore. Senza lettere m'annoio.

Presentate i miei omaggi e saluti cordiali a Glikerija Nikolaevna, ad entrambi i vostri direttori e a tutta la compagnia. Aspetterò con impazienza le fotografie – la vostra e di tutti i partecipanti allo *Zio Vanja*.

Vi stringo la mano.

Vostro   A. Čechov

A MARIJA P. ČECHOVA

Jalta, 11 novembre 1899

Cara Maša, da noi c'è crisi ministeriale. Mustafà se n'è andato e al suo posto è stato ingaggiato Arsenij, un russo in giacchetta, che sa leggere e scrivere, che faceva il cameriere al giardino Nikitskij. Lo lodano. È giovane.

Adesso rispondo alla tua ultima lettera. Il bambino di Maša deve mantenerlo non Ašešov, ma Višnevskij. E a Maša deve dare almeno tre rubli al mese. Ancor meglio poi se prendesse con sé Melan'ja e la tenesse in casa insieme al bambino. M'ha già scritto che il padre del bambino è lui, e nient'affatto il soldato Aleksandr.

Mi pare che non si dovrebbe protestare la cambiale. Non è nel mio stile.

Sui monti c'è la neve. Spira aria fredda. Vivere in Crimea adesso significa essere un gran cretino. Tu mi scrivi di teatro, di circoli e d'ogni sorta d'allettamenti, quasi volessi stuzzicarmi, quasi non sapessi che noia, che giogo è coricarsi alle nove di sera, coricarsi furioso, con la consapevolezza che non c'è un posto dove andare, nessuno con cui parlare, e che si lavora non si sa per cosa, dato che in ogni modo i tuoi lavori non ti riesce né di vederli, né di sentirli. Il pianoforte ed io, ecco dentro casa due oggetti che conducono un'esistenza senza suono, perplessi sul perché ci abbiano messi qui, visto che nessuno ci suona.

La mamma sta perfettamente bene. Mar'juska pure. Marfuša fa del suo meglio. Per ora non posso scriverti nulla di preciso del podere in riva al mare, vicino a Gurzuf. Aspetta. Allego un biglietto per Junker, e uno *chèque*. E questo è tutto. Non ho altro da scrivere. Salutami Ol'ga Leonardovna, il principe Šachovskij, Maša col bambino. A proposito, in uno dei telegrammi c'era la firma della Lepëškina. Com'è: bella, interessante, o così così?

Saluti a M. N. Klimentova e M. I. Machorina. Si chiaman tutte Mašečka. Adesso in arte è un continuo Mašečka (non parlo dei presenti).

Quando andrai da O. L. Knipper, salutami sua madre.

Saluta anche Vladimir Ivanovič. L'invidio, giacché ora non ho piú dubbi che ha successo presso una certa persona.

Be', sta' sana. Scrivi.

Dov'è e cosa fa Ivan?

Tuo   *Antoine*

Ho datato il biglietto a Junker 17 novembre. Dunque vacci dopo il 20.

A VLADIMIR I. NEMIROVIČ-DANCENKO

Jalta, 24 novembre 1899

Caro Vladimir Ivanovič, ti prego, non offenderti per il mio silenzio. C'è ristagno in tutta la mia corrispondenza. In primo luogo perché scrivo letteratura; secondo, perché leggo le bozze di Marks; terzo, ho un gran da fare per i malati forestieri i quali, non so perché, si rivolgono tutti a me. Le bozze per Marks poi, sono una galera; ho appena finito il secondo volume, e se avessi saputo prima che non era cosí semplice, mi sarei fatto dare non settantacinque, ma centosettantacinquemi-

la rubli. I malati forestieri sono per la maggior parte dei pove-
racci, si rivolgono a me pregandomi di sistemarli, per cui devo
parlare e scrivere molto.

Certo, io qui m'annoio disperatamente. Di giorno lavoro,
ma la sera comincio a chiedermi che fare, dove andare, e mentre da voi a teatro è in scena il secondo atto, io son già steso a
letto. Mi alzo che fa ancora buio, puoi immaginarti – buio, il
vento mugghia, la pioggia batte.

Sbagli supponendo che mi «scrivano da tutte le parti». I
miei amici e conoscenti non mi scrivono affatto. In tutto questo tempo ho ricevuto solo due lettere da Višnevskij, e una
non conta perché Aleksandr Leonidovič vi fa la critica di certe recensioni che io non avevo letto. Anche da Goslavskij
ho ricevuto una lettera, ma neppure quella conta, perché è
d'affari; d'affari nel senso che non sai proprio cosa rispon-
dergli.

Commedie non ne scrivo. Un soggetto l'avrei, *Le tre sorelle*; ma finché non avrò terminato quel racconto che già da un
pezzo ho sulla coscienza, alla *pièce* non mi ci metto. La prossima stagione passerà senza un mio lavoro – è già deciso.

La mia villetta di Jalta è riuscita molto comoda: accogliente, tiepida, e con una bella vista. Il giardino sarà straordinario. Pianto io stesso, con le mie mani. Di sole rose ne ho pian-
tate cento – e tutte delle varietà piú nobili, piú raffinate.
Cinquanta acacie piramidali, molte camelie, gigli, tuberose,
ecc. ecc.

Nella tua lettera risuona, appena percettibile, una certa nota tremula, come in una vecchia campana – è là dove scrivi
del teatro, di come t'hanno stancato le minuzie della vita teatrale. Oh, non abbatterti, non intiepidirti! Il Teatro d'Arte –
ecco le piú belle pagine del libro che mai verrà scritto sul teatro russo contemporaneo. Questo teatro è il tuo orgoglio, ed
è un teatro unico, che io amo pur non essendovi ancora mai
stato una sola volta. Se vivessi a Mosca cercherei d'entrar da
voi nell'amministrazione, magari in qualità di guardiano, per
aiutarvi almeno un pochino e, se possibile, per impedire che
tu t'intiepidisca verso questa cara istituzione.

Vien giú una pioggia torrenziale, nella stanza è buio. Sta'
sano, allegro, felice.

Ti stringo forte la mano. Salutami Ekaterina Nikolaevna e
tutti in teatro, ma piú d'ogni altro Ol'ga Leonardovna.

Tuo

                                          A. Čechov

AD ALEKSEJ M. PEŠKOV (M. GOR'KIJ)

Jalta, 25 novembre 1899

Salute, caro Aleksej Maksimovič, mille grazie per il libro.
Alcuni racconti li avevo già letti, altri invece non ancora – ecco una cosa piacevole nella mia noiosa vita di provincia. E il
Foma Gordeev quando esce? Io l'ho letto solo a pezzi, e vorrei
leggerlo per intero, in due o tre tirate.

Ebbene, sto scrivendo una novella per «Vita», fascicolo di
gennaio. Ho ricevuto una lettera da Dorovatovskij con preghiera di mandare un ritratto per il libro. Altre novità letterarie non ho.

Bella l'edizione del vostro libro!

V'ho aspettato tutto il tempo, poi, non vedendovi, ho lasciato correre. A Jalta c'è neve, umido, soffiano i venti. Ma i
vecchi abitatori del luogo assicurano che verranno ancora delle belle giornate.

Sono sopraffatto dai tisici poveri. Se fossi governatore li
manderei via d'ufficio, tanto essi turbano la mia sazia e calda
tranquillità!

Vedere i loro visi, quando chiedono, e veder le loro misere
coperte, quando muoiono, è una cosa penosa. Noi abbiamo
deciso di costruire un sanatorio, io ho preparato un appello;
l'ho fatto perché non trovo altro mezzo. Se potete, propagan-
date quest'appello per mezzo dei giornali di Nižnij Novgorod
e di Samara, dove avete conoscenti e legami. Forse manderanno qualcosa. Due giorni fa è morto qui, nell'ospizio dei croni-
ci, in solitudine, nell'abbandono, il poeta de *Lo svago*, Epifa-
nov, che due giorni prima di morire chiedeva una focaccetta
di mele, e quando gliel'ho portata, di colpo s'è rianimato e
con la sua gola malata ha sibilato gioiosamente: «È proprio
questa! È lei!» quasi avesse visto una compaesana.

È da un pezzo ormai che non m'avete scritto niente. Che
vuol dire? Non mi piace che viviate a lungo a Pietroburgo – è
facile ammalarvisi.

Suvvia, state sano e allegro, e che Dio vi protegga. Vi stringo forte la mano.

Vostro   A. Čechov

A MICHAIL O. MEN′ŠIKOV

Jalta, 28 gennaio 1900

Caro Michail Osipovič, non riesco a capire che malattia ha Tolstoj. Čerinov non m'ha risposto nulla, e da quel che ho letto sui giornali e da ciò che mi scrivete voi stesso, non si può concludere niente. Ulcere allo stomaco o all'intestino si sarebbero manifestate diversamente; esse non ci sono state: tutt'al piú c'è stata qualche scalfittura sanguinante prodotta da calcoli biliari, che passando hanno ferito le pareti. Cancro neppure, si sarebbe riflesso innanzi tutto sull'appetito, sullo stato generale e, cosa principale, il viso l'avrebbe palesato. Il piú probabile è che Lev Nikolaevič stia bene (a parte i calcoli), e che vivrà ancora vent'anni. La sua malattia m'ha spaventato e tenuto in ansia. La morte di Tolstoj mi fa paura. Se morisse, rimarrebbe nella mia vita un gran vuoto. Anzitutto, non ho mai amato nessuno quanto lui; io non sono un credente, ma di ogni fede, la sua fede la considero come la piú vicina a me, la piú adatta a me. Secondariamente, quando in letteratura c'è un Tolstoj, essere uno scrittore è semplice e bello; persino il riconoscere che non hai fatto e non fai niente non è cosí terribile, poiché Tolstoj basta per tutti. La sua opera serve di giustificazione a quelle speranze e aspettative che vengon riposte nella letteratura. Terzo, Tolstoj è una forza, la sua autorità è enorme, e finché è vivo lui il cattivo gusto in letteratura, ogni trivialità, maliziosa o meschina che sia, ogni amor proprio puntiglioso e astioso resterà lontano, sprofondato nelle tenebre. Solo la sua autorità morale è capace di tenere a una certa altezza i cosiddetti umori e le correnti letterarie. Senza di lui sarebbero un gregge senza pastore, o una molle poltiglia in cui difficile sarebbe orientarsi.

Per finire con Tolstoj, dirò ancora di *Resurrezione*, che ho letto non saltuariamente, non a pezzi, ma tutto in una volta, d'un fiato. È una insigne opera d'arte. Il meno interessante –

quel che si dice dei rapporti fra Nechljudov e Katjuša; il piú interessante – i principi, i generali, le zie, i contadini, i carcerati, i sorveglianti. La scena dal generale spiritista, comandante della fortezza Pietro e Paolo, l'ho letta trattenendo il fiato, tanto è bella! E *Mme* Korčagina nella poltrona, e il contadino, marito di Fedosja! Quel contadino definisce sua moglie «abile». Ecco, in Tolstoj la penna è appunto abile. Il romanzo non ha finale, ovvero quello che c'è non può chiamarsi finale. Scrivere, scrivere, e poi prendere e rovesciar tutto su un testo del Vangelo, è un po' troppo alla teologa. Risolver tutto con un versetto del Vangelo, è altrettanto arbitrario quanto dividere i carcerati in cinque categorie. Perché cinque, e non dieci? Perché un versetto del Vangelo, e non del Corano? Bisogna innanzi tutto mettere in condizione di credere nel Vangelo, nel fatto che lí appunto sta la verità, e soltanto dopo decidere tutto col Vangelo alla mano.

V'ho annoiato? Quando verrete in Crimea v'intervisterò e poi pubblicherò su «Le novità del giorno». Di Tolstoj scrivono – come le vecchiette parlando degli invasati religiosi – ogni untuosa cretinaggine; a torto egli se la dice con questi [...]

Sono stato poco bene per due settimane. Ho lottato contro la malattia. Adesso sto con un cerotto sotto la clavicola sinistra e mi sento abbastanza bene. Sto non col cerotto, ma con la macchia rossa che resta dopo.

Vi manderò senz'altro la fotografia. Del titolo d'accademico son contento, poiché è piacevole sapere che adesso Sigma m'invidia. Ma ancor piú sarò contento quando perderò questo titolo, dopo qualche litigata. E la litigata ci sarà senz'altro, giacché gli accademici eruditi hanno una gran paura d'essere scandalizzati da noi. Tolstoj l'hanno eletto a malincuore. Secondo quelli là è un nichilista. Cosí almeno l'ha definito una dama, moglie d'un consigliere segreto effettivo, del che mi congratulo con lui dal profondo dell'anima.

Non ricevo «La settimana». Perché? In direzione si trova un manoscritto di S. Voskresenskij, inviato da me: *Le stupidaggini di Ivan Ivanovič*. Se non va, mandatelo indietro. State sano, vi stringo forte la mano. Saluti a Jaša e a Lidija Ivanovna.

Vostro

A. Čechov

Scrivete!

A LIDIJA S. MIZINOVA

Jalta, 29 gennaio 1900

Cara Lika, m'hanno scritto che siete molto ingrassata e che siete diventata importante, ed io non mi sarei mai aspettato che vi sareste ricordata di me e m'avreste scritto. Ma voi vi siete ricordata – e molte grazie per questo, rondinella mia. Non mi scrivete niente della vostra salute; evidentemente è buona, ed io ne sono contento. Spero che anche la vostra mamma stia bene e che tutto proceda felicemente. Io sto discretamente: mi capita di star male, ma di rado – e solo perché sono ormai vecchio, qui i bacilli non c'entrano. Adesso, quando vedo una bella donna, sorrido senilmente, sporgendo il labbro inferiore – e basta.

Avete fatto conoscenza con la scrittrice? Immagino che pose avrete preso dinanzi a lei, per nascondere che avete un'anca storta. A proposito, in primavera sarà a Jalta, potreste venire anche voi con lei, visto che avete già convenuto di viaggiare insieme. In Crimea di primavera si sta benissimo.

Non mi piace che abitiate all'«Helsingfors». Esisteranno bene delle stanze mobiliate anche piú pulite. Dopotutto potreste anche affittare un appartamento. Vivere all'«Helsingfors» è una brutta abitudine, che a voi non par brutta finché ci vivete, ma vi basterà abitare una settimana o due in un altro posto, che l'«Helsingfors» vi diventerà odioso come a me.

Dov'è Varja? Cosa fa?

Vi manderò la mia fotografia quando il fotografo locale l'avrà preparata. Qui mi ritraggono sovente, ma copie non me ne dànno.

Scrivete che ve n'andate a Berdičëv. Scappate forse con qualcuno della direzione del «Corriere»? Con Konovicer? Sí?

Lika, qui a Jalta m'annoio molto. La mia vita non passa, non scorre, ma si trascina. Non dimenticatevi di me, scrivetemi, sia pure di rado. Nelle lettere, come nella vita, siete una donna molto interessante. Vi stringo forte la mano.

Vostro

A. Čechov

Se vi vedete con Gol′cev e Konovicer, salutatemeli. Salutatemi immancabilmente anche Ol′ga Petrovna.

A MICHAIL P. ČECHOV

Jalta, 29 gennaio 1900

Caro *Michel*, rispondo alla tua lettera.

1. A Toržok non sono stato mai in vita mia, né mai ho mandato da Toržok nessun telegramma a nessuno. Partii da Pietroburgo il giorno dopo la rappresentazione del *Gabbiano*, m'accompagnarono alla stazione il cameriere di Suvorin e Potapenko.

2. Del fatto che io stavo vendendo le mie opere a Marks, e a quali condizioni, Suvorin era informato in dettaglio. Alla domanda diretta se desiderava comperar lui, rispose che non aveva soldi, che i figli non gli permettevano di comprare le mie opere e che piú di quanto dava Marks nessuno poteva dare.

3. Un anticipo di ventimila rubli significava comperare le opere per tale cifra, giacché io non avrei mai potuto pagare il debito.

4. Quando tutto fu definito con Marks, A. S. mi scrisse che era contentissimo dell'avvenuto, poiché la coscienza lo rimordeva sempre d'avermi pubblicato male.

5. A Nizza non ci fu questione dell'orientamento di «Tempo Nuovo».

6. I «rapporti» dei quali ti scrissi (di questo, naturalmente, non bisognava aprirsi con i Suvorin) han cominciato a mutare specialmente quando A. S. in persona mi scrisse che non v'era piú ragione di tenerci in corrispondenza.

7. La raccolta completa delle mie opere avevan cominciato a stamparla in tipografia, ma non proseguirono, perché non facevano che perdere i miei manoscritti, non rispondevano alle mie lettere e con questi rapporti trascurati mi mettevano in una situazione disperata; io avevo la tubercolosi, e dovevo pensare a non scaricare sugli eredi le mie opere in una massa disordinata e svalutata.

8. Certo, non dovrei scriverti queste cose, poiché tutto questo è troppo personale e noioso, ma visto che t'hanno incantato e presentato la faccenda sotto altra luce, niente da fare – prendi questi otto punti, leggili e tienteli bene a mente. Di qualsivoglia rappacificazione non è neanche da parlare, poiché io e Suvorin non abbiamo mai litigato e ci scriviamo di nuovo, come se niente fosse stato. Anna Ivanovna è una cara

donna, ma molto astuta. Credo nella sua simpatia, ma quando parlo con lei non dimentico neanche per un minuto che lei è astuta e che A. S. è un uomo buono, tanto buono, ma che pubblica «Tempo Nuovo». Questo lo scrivo esclusivamente per te solo.

Da noi tutto procede bene. La mamma è stata un poco malata, ma adesso non c'è male. Hai veduto Maša a Mosca?

Ricevo «La regione del Nord». Bisognerebbe arricchire la cronaca. Le corrispondenze dalla provincia sono buone, specialmente da Vologda.

Come va Ženja? Be', sta' sano, salutami Ol'ga Germanovna. Auguro a tutti e due salute e ogni bene.

Tuo   A. Čechov

A OL'GA L. KNIPPER

Jalta, 26 marzo 1900

Dalla vostra lettera, cara attrice, spira nera melanconia; siete cupa, terribilmente infelice, ma c'è da pensare che non sarà per molto, perché presto, molto presto sarete seduta in un vagone e farete uno spuntino con un grande appetito. È una gran bella cosa che veniate prima di tutti, con Maša; cosí almeno riusciremo a parlare un poco, a passeggiare, ad andare in qualche posto, a bere e a mangiare bocconcini. Solo, vi prego, non prendete con voi Višnevskij, altrimenti vi starà alle calcagna e non ci lascerà dire una parola; e non ci lascerà vivere, perché non farà che declamare brani dello *Zio Vanja*.

Drammi nuovi non ne ho, i giornali mentono. In genere i giornali non hanno mai scritto la verità su di me. Se avessi cominciato un lavoro l'avrei certo, per prima cosa, comunicato a voi.

Qui c'è vento, la primavera non è ancora cominciata sul serio, ma noi andiamo lo stesso senza galosce e in feltro. Presto, a giorni, i tulipani fioriranno. Il giardino è bello, ma è tutto un po' trasandato, sciatto, è un giardino dilettante.

C'è qui Gor'kij. Elogia molto voi e il vostro teatro. Ve lo farò conoscere.

Oibò! Qualcuno è arrivato. È entrata una visita. Arrivederci, attrice!

Vostro   A. Čechov

AD ALEKSANDR L. VIŠNEVSKIJ

Jalta, 5 agosto 1900

Mio caro compaesano Aleksandr Leonidovič, moltissime grazie per la vostra lettera e in genere per la vostra bontà. Presto, probabilmente, ci vedremo, poiché non faccio che pensare a Mosca, a come andarmene. Sento una nostalgia terribile, disperata. Il dramma lo sto scrivendo, anzi ne ho già scritto un bel po', ma finché non sarò a Mosca non posso giudicarlo. Forse, mi verrà fuori non un dramma, ma una noiosa scemenzuola da Crimea. È intitolato *Le tre sorelle* (come già sapete); per voi preparo una parte di vicepreside di ginnasio, marito d'una delle sorelle. Sarete in uniforme e con una decorazione al collo.

Se il lavoro non vi fa comodo per questa stagione teatrale, lo rielaborerò nella prossima.

V'invidio di andare spesso là dove non sono stato da sei anni ormai, cioè ai bagni turchi. Adesso son tutto coperto di squame di pesce, di peli, vado senza vesti e grido con voce selvaggia; di me le signorine hanno paura.

Dicono che vi sposerete con la R. È vero? Se è vero, mi congratulo con voi dal profondo dell'anima. È una brava attrice.

Quando sarò a Mosca, invitatemi. Mia sorella scrive che avete un bellissimo appartamento, e se veramente ne siete soddisfatto e vi ci trovate bene, io ne son molto contento e vi invidio. State sano, allegro e arzillo, caro paesano, lavorate bene, con soddisfazione, e non dimenticate il vostro

A. Čechov

A OL'GA L. KNIPPER

Jalta, 9 agosto 1900

Olja mia cara, gioia mia, salute! Oggi ho ricevuto una lettera tua, la prima dopo la tua partenza; l'ho letta, poi l'ho riletta una volta ancora, ed ecco ti scrivo, mia attrice. Dopo averti accompagnata sono andato all'albergo Kist, dove ho pernottato; il giorno dopo, dalla noia e per non aver niente da fare, me ne sono andato a Balaklava. Là non ho fatto che nascon-

dermi alle signore, che avendomi riconosciuto desideravano
farmi un'ovazione; ho dormito lí e al mattino sono partito per
Jalta sul *Tavel*. Rullava diabolicamente. Adesso sto a Jalta,
m'annoio, m'infurio, mi tormento. Ieri è venuto da me Alekseev. Abbiamo parlato della *pièce*, gli ho dato la mia parola che
l'avrei finita entro settembre. Vedi, come sono giudizioso.

Mi par sempre che la porta stia per aprirsi, e che entri tu.
Ma tu non entri, tu sei adesso alle prove o al Vicolo Merzlja-
kovskij, lontano da Jalta e da me.

Addio, che le forze celesti e gli angeli custodi ti proteggano. Addio, bambina cara.

Il tuo   *Antonio*

A OL'GA L. KNIPPER

Jalta, 14 agosto 1900

Amore mio, non so quando partirò per Mosca, non lo so
perché – te lo puoi immaginare – scrivo attualmente la *pièce*.
Anzi non una *pièce*, ma un qualche pasticcio. Molti personaggi – può essere che perda il filo e pianti là di scrivere.

Le scarpe gialle delle quali chiedi, non sono state lucidate
dal giorno che t'ho accompagnato alla stazione, e anche me,
nessuno mi pulisce. Vado tutto pieno di polvere, piume e
penne.

Sonja e Volodja sono ancora da noi. Il tempo è brutto, arido, il vento non smette. Non sono allegro, perché m'annoio.

Sta' sana, cara tedeschina, non prendertela con me, non
tradirmi. Ti bacio forte.

Tuo   *Antonio*

A OL'GA L. KNIPPER

Jalta, 18 agosto 1900

Amore mio, rispondo alle domande che sprizzano dalla tua
lettera. Non lavoro a Gurzuf, ma a Jalta, e mi disturbano
atrocemente, mi disturbano in modo perfido e infame. Il
dramma mi sta nella testa, già formato, levigato, e chiede
d'esser messo sulla carta, ma faccio appena in tempo a pren-

dere un foglio che s'apre la porta e s'insinua qualche grugno.
Non so cosa verrà fuori, ma l'inizio non è male, scorre liscio,
mi pare.

Ci vedremo? Sí, vediamoci. Quando? Ai primi di settembre, con tutta probabilità. Io m'annoio e m'infurio. I soldi
sfumano in maniera diabolica, vado in rovina, fallisco. Oggi
c'è un vento violentissimo, tempesta, gli alberi si disseccano.

Una gru se n'è volata via.

Sí, mia cara attriciuzza, con quale assoluto entusiasmo da
vitello correrei adesso in un campo, vicino al bosco, vicino al
ruscello, vicino alla mandria. Vedi, è ridicolo dirlo, ma son già
due anni che non vedo erba. Dolcezza mia, m'annoio!

Maša parte domani.

Be', sta' sana. Non vedo gli Alekseev e *Mme* Nemirovič.
Il tuo

Antonio

Višnevskij non mi scrive. Dev'essere arrabbiato. Per punir-
lo scriverò per lui una parte brutta.

A OL'GA L. KNIPPER

Jalta, 5 settembre 1900

Tesoro mio, angelo mio, io non ti scrivo, ma tu non prendertela, sii indulgente verso le umane debolezze. Ho dedicato
tutto il tempo alla *pièce*, a pensare piú che a scrivere, e tuttavia mi sembrava d'essere occupato in faccende e di non aver
tempo per la corrispondenza. Scrivo il lavoro ma non m'affretto, ed è assai probabile che partirò per Mosca cosí, senza
averlo finito; ci son molti personaggi, s'accalcano, temo che
verrà una cosa confusa o slavata, e perciò sarebbe meglio, secondo me, rimandarlo alla prossima stagione teatrale. A proposito, io ho messo in scena, subito dopo averlo scritto, solo
Ivanov, da Korš; gli altri lavori invece son rimasti a lungo nel
mio cassetto, in attesa di Vladimir Ivanovič, e cosí ho avuto
tempo d'apportarvi varie correzioni.

Ho visite: la direttrice del ginnasio con due ragazze. Scrivo
a sbalzi. Oggi ho accompagnato al vapore due signorine conoscenti e – ohimè – ho visto Ekaterina Nikolaevna che partiva
per Mosca. Con me è stata fredda come una pietra tombale in
un giorno d'autunno! E anch'io, con tutta probabilità, non
sono stato particolarmente caloroso.

Naturalmente manderò un telegramma, tu vieni assolutamente alla stazione, assolutamente! Arriverò col rapido del mattino. Arriverò, e il giorno stesso mi metterò al lavoro. Ma dove mi fermerò? Alla Piccola Dmitrovka non c'è né un tavolo né un letto, toccherà andare in albergo. Mi fermerò per poco.

Qui niente pioggia. Gli alberi inaridiscono, l'erba è secca da un pezzo; il vento soffia quotidianamente. Fa freddo.

Scrivimi più spesso, le tue lettere mi riempiono ogni volta di gioia e mi rialzano l'umore, che è quasi ogni giorno arido e petrigno, come la terra di Crimea. Non prendertela con me, tesoruccio mio.

Le visite se ne vanno, vado ad accompagnarle.

Il tuo   *Antoine*

A OL'GA L. KNIPPER

Jalta, 27 settembre 1900

Amore mio, Olja, mia cara piccola attrice, perché quel tono, quell'umore acre e lamentoso? Ho poi davvero tanta colpa? Suvvia, perdona, mia cara, mia buona, non prendertela, non sono cosí colpevole come ti suggerisce la tua diffidenza. Non mi sono ancora deciso a venire a Mosca perché sono stato poco bene, altre ragioni non ci sono, t'assicuro, cara, parola d'onore. Parola d'onore! Non credi?

Fino al 10 ottobre resterò ancora a Jalta, a lavorare, poi partirò per Mosca o, a seconda della salute, per l'estero. In ogni caso ti scriverò.

Niente lettere, né da mio fratello Ivan, né da mia sorella Maša. Evidentemente ce l'hanno con me, e perché poi – non si sa.

Ieri sono stato da Sredin, ho trovato da lui molte visite, tutta gente sconosciuta. Sua figlia è malata di clorosi, ma va al ginnasio. Lui stesso soffre di reumatismi.

E tu bada di scrivermi in dettaglio com'è andato *Fior di neve*[1], e in genere come son cominciati gli spettacoli, qual è l'umore di tutti voi, com'era il pubblico, ecc. ecc. Per te non è mica come per me; ne hai tu di materia per le lettere, a biz-

---

[1] Commedia di A. N. Ostrovskij.

zeffe; io invece niente, tranne forse una cosa: oggi ho acchiappato due topi.

Intanto a Jalta seguita a non piovere. Qui sí che è arido, e come! I poveri alberi, specialmente quelli che sono sui monti dalla parte di qua, non han ricevuto tutta l'estate una sola goccia d'acqua, e adesso stan lí ingialliti; cosí capita anche agli uomini, di non ricevere tutta la vita una sola goccia di felicità. Si vede che cosí dev'essere.

Mi scrivi: «Eppure tu hai un cuore affettuoso, tenero, perché lo indurisci?» E quando mai io l'ho indurito? In cosa propriamente ho manifestato questa mia durezza? Il mio cuore t'ha sempre amato ed è stato tenero verso di te, né io l'ho mai nascosto, mai, mai, e tu m'accusi di durezza solo cosí, tanto per dire.

A giudicare dalla tua lettera, si direbbe che tu vuoi e aspetti una qualche spiegazione, un qualche lungo discorso – con visi seri, con serie conseguenze; e io non so che dirti, se non quel che t'ho già detto diecimila volte e ti dirò probabilmente per lungo tempo ancora, cioè che t'amo – e niente altro. Se ora non stiamo insieme, non ne abbiamo colpa né io né tu, ma il diavolo, che ha messo in me dei bacilli, e in te l'amore per l'arte.

Addio, addio, vecchina mia cara, che gli angeli santi ti proteggano. Non prendertela con me, colombella, non essere di cattivo umore, sii giudiziosa.

Che c'è di nuovo in teatro? Scrivi, per favore.

Tuo

Antoine

A OL'GA L. KNIPPER

Jalta, 28 settembre 1900

Olja mia cara, oggi t'ho mandato un telegramma, nel quale ho scritto che arriverò a Mosca, probabilmente, in ottobre. Se vengo, sarà il 10 ottobre o verso il 10, non prima; starò a Mosca cinque giorni all'incirca, poi andrò all'estero. In ogni caso t'informerò con un telegramma del giorno dell'arrivo. Non so se dopo il 4 ottobre i treni rapidi marceranno, informati tu, per non venire inutilmente alla stazione.

Oggi ho letto le prime recensioni di *Fior di neve*; come un passatempo, essa piace solamente al principio, poi annoia. Io

son d'opinione che il vostro teatro deve mettere in scena soltanto lavori attuali, soltanto! Voi dovete interpretare unicamente la vita contemporanea, quella stessa che l'*intelligencija*
vive e che non è rappresentata negli altri teatri per la loro
completa mancanza di cultura e in parte per inettitudine.

Non ricevo lettere da nessuno. Nemirovič si direbbe arrabbiato, tutto questo tempo non ha mai mandato una sola riga.
Anche i parenti non mi scrivono. Com'è andato *Gente solitaria*? Certo meglio di *Fior di neve*.

Be', sta' sana e contenta. Ah, che parte ho per te ne *Le tre
sorelle*! Che parte! Se mi regali dieci rubli te la do, altrimenti
la darò a un'altra attrice. Non consegnerò *Le tre sorelle* questa
stagione, che il lavoro aspetti un poco, che lieviti o – come
dicono del pasticcio le mercantesse, portandolo in tavola – lasciate che riprenda fiato.

Novità, nessuna.

Tutto tuo   *Antoine*

A VERA F. KOMISSARŽEVSKAJA

                                        Mosca, 13 novembre 1900

Cara Vera Fëdorovna, intendevo dare alla vostra lettera
una risposta a voce, giacché contavo fermamente di recarmi a
Pietroburgo, ma alcune circostanze non m'han lasciato venire, ed eccomi a scrivervi. *Le tre sorelle* sono già pronte, ma il
loro futuro – quanto meno il prossimo – è coperto per me dalle tenebre dell'ignoto. È venuto fuori un dramma noioso, lento, arduo; arduo perché vi sono, ad esempio, quattro protagoniste, e un'atmosfera, come si dice, piú nera della notte.

Se lo mandassi al Teatro Alessandrino, ai vostri attori non
piacerebbe proprio per niente. Tuttavia ve lo manderò. Leggerete e deciderete se val la pena di fargli fare una *tournée*
estiva. Adesso lo stanno leggendo al Teatro d'Arte (non ho
che un esemplare), poi lo ritirerò per riscriverlo di nuovo in
bella copia, e solo dopo ne batteremo qualche esemplare, uno
dei quali m'affretterò a mandarvi.

Ma come sarebbe stato bello se mi fosse riuscito di fare una
scappata a Pietroburgo, magari per un giorno solo. Qui son
come ai lavori forzati: di giorno, dal mattino alla sera, giro la
ruota, cioè corro a far visite, e la notte dormo come un sasso.

Sono arrivato a Mosca perfettamente sano, e ora di nuovo tossisco e m'infurio, e mi dicono che son diventato giallo. Mi rattrista molto sapervi malata e di cattivo umore. Ho visto Marija Il'inišna, ma probabilmente sarà già arrivata e vi sentirete meglio, o forse del tutto bene, ciò che v'auguro e sempre v'augurerò di vero cuore. E cosí, il mio lavoro lo stanno leggendo al Teatro d'Arte, poi io lo ricopio, poi lo faccio battere a macchina e ve lo mando, e cercherò che ciò avvenga prima di dicembre. Il dramma è complesso come un romanzo, e l'atmosfera, dicono, massacrante.

Bacio forte le vostre mani – l'una e l'altra, e vi riverisco profondamente. Che gli angeli del cielo vi proteggano.

Con tutta l'anima vostro

A. Čechov

A OL'GA L. KNIPPER

Nizza, 2 gennaio 1901

Sei di cattivo umore o allegra adesso, anima mia? Non essere di malumore, tesoro, vivi, lavora e scrivi piú sovente al tuo eremita Anton. È già da un po' che manco di tue lettere, a parte quella del 12 dicembre, ricevuta oggi, nella quale mi descrivi come hai pianto quand'io son partito. A proposito, che lettera meravigliosa! Non tu l'hai scritta, ma forse qualcun altro, per tua preghiera. Una lettera sorprendente.

Nemirovič non viene a trovarmi. L'altro ieri gli ho mandato un telegramma pregandolo di venire da me *seul* – sarà questa la ragione o, come dicono i seminaristi, la parabola[1]. E intanto io ho bisogno di vederlo, di parlargli di certe lettere, che ho ricevuto da Alekseev. Oggi sto a casa tutto il giorno, come ieri. Non uscirò. Ragione: invitato a pranzo da una persona altolocata, mi son detto malato. Mi manca il *frac*, mi manca l'umore. Oggi è venuto da me il moscovita Maklakov. Cosa ancora? Nient'altro.

Descrivimi almeno una prova de *Le tre sorelle*. Non è forse necessario aggiungere qualcosa, o toglierla? Tu reciti bene, anima mia? Ohè, bada! Non fare in nessun atto il viso rattristato. Stizzito sí, ma non rattristato. La gente che da tempo porta in sé una pena, e vi si è abituata, fischietta soltanto, o rimane soprappensiero. Cosí anche tu, resta di frequente soprappensiero sulla scena, mentre si discorre. Capisci?

Certo che capisci, perché sei intelligente. Ti ho fatto gli auguri di buon anno nelle lettere? Davvero no? Ti bacio le due mani, tutte e dieci le dita, la fronte, e t'auguro felicità, e quiete, e piú amore, che si prolunghi di piú, quindici anni almeno.

[1] Gioco di parole intraducibile, tra *pričina* (causa, motivo) e *pritča* (parabola).

Cosa pensi, può esistere un simile amore? In me può, ma in te
no. T'abbraccio, comunque...
Tuo   *Toto*

Ogni tanto mandami qualche giornale (tranne «Il messaggero russo»), appiccicando un francobollo da 2 cop.
Ho ricevuto un telegramma d'auguri di Solovcov, da Kiev.

A OL'GA L. KNIPPER

Nizza, 20 gennaio 1901

Cara attriciuzza, sfruttatrice dell'anima mia, perché mi hai
mandato un telegramma? Meglio se mi avessi telegrafato di
te, invece che per sí vuota ragione. E come vanno *Le tre sorelle*? A giudicar dalle lettere, dite tutti un mucchio d'assurde
sciocchezze. Nel terzo atto c'è rumore... Perché rumore? Il
rumore è solo lontano, dietro le quinte, un rumore sordo, confuso, mentre di qua, sulla scena, tutti sono stanchi, dormono
quasi... Se guastate il terzo atto, il lavoro è rovinato, cominceranno a fischiarmi ora, che son vecchio. Nelle sue lettere
Alekseev t'elogia molto, e cosí Višnevskij. E anch'io, pur non
vedendoti, t'elogio. Veršinin pronunzia «tram-tram-tram»
come una domanda, tu invece come una risposta, e questo ti
sembra uno scherzo cosí originale che pronunzi quel «tram-
tram» con un sorrisetto... Pronunzi «tram-tram» e ridi, ma
non forte, cosí, appena appena. Non bisogna fare una faccia
come nello *Zio Vanja*, ma piú giovanile e vivace. Ricorda che
sei ironica e piuttosto scontrosa. Be', io spero in te, anima
mia, tu sei una brava attrice.
Io però dissi, allora, che non era opportuno far passare sulla scena il cadavere di Tuzenbach, ma Alekseev s'è fissato
che non si può assolutamente farne a meno. Io gli ho scritto che non lo facciano passare, ma non so se ha ricevuto la
mia lettera o no.
Se il lavoro fa fiasco, vado a Montecarlo e mi gioco anche
la camicia.
Sento già il desiderio di venir via da Nizza, ho voglia d'andarmene. Ma dove? In Africa per ora è impossibile, perché il
mare è tempestoso; di Jalta non ho voglia. Comunque in febbraio sarò già a Jalta, e in aprile – a Mosca, dal mio cane. E
poi da Mosca andremo insieme in qualche posto.

Qui niente di nuovo, decisamente niente. Sta' sana, anima mia, attrice matricolata, non dimenticarti di me e voglimi bene almeno un pochino, per un centesimo almeno.

Ti bacio e t'abbraccio. T'auguro fortuna. E tuttavia quattrocento rubli son pochini, ti meriti assai di piú.

Suvvia, sta' sana.

Il tuo eremita   Antonij

A OL'GA L. KNIPPER

Nizza, 21 gennaio 1901

Amore mio, la confessione di Maša nel terzo atto non è affatto una confessione, ma solo un discorso schietto. Eseguilo nervosamente, ma senza disperazione, non gridare, sorridi, sia pur di rado, e soprattutto esegui in modo che si senta la stanchezza della notte. E che si senta che tu sei piú intelligente delle tue sorelle, o per lo meno che ti stimi piú intelligente. Quanto al «tram-tram-tram», fa' come credi. Sei la mia giudiziosa, tu.

Ieri t'ho mandato un telegramma. L'hai ricevuto?

Io scrivo, certo, ma senza nessuna voglia. Mi pare che *Le tre sorelle* m'abbiano spossato, o semplicemente m'è venuto a noia adoperare la penna, sono invecchiato. Non so. Avrei bisogno di non scrivere per cinque anni, viaggiare per cinque anni, e poi tornare a mettermici di buon animo. E cosí, *Le tre sorelle* non andranno in scena a Mosca durante questa stagione teatrale? Le metterete su per la prima volta a Pietroburgo?

A proposito, tieni a mente che laggiú non avrete alcun successo. Per fortuna, perché cosí dopo Pietroburgo smetterete almeno di viaggiare, e vi pianterete a Mosca. Andare in *tournée* non è affar vostro. A Pietroburgo avrete incassi, ma di successo – neanche un briciolo, scusami, ti prego.

Sta' sana, mogliettina cara. Resto il tuo innamorato

Accademico *Toto*

A OL'GA L. KNIPPER

Roma, 2 febbraio 1901

Ragazzina mia cara, sono adesso a Roma. Oggi ho ricevuto qui una tua lettera; una, dopo un'intera settimana. Penso che sia colpa della mia *pièce*, la quale avrà fatto fiasco. Non ne ho saputo piú niente – è chiaro che non ha avuto fortuna.

Ah, che paese meraviglioso questa Italia! Straordinario paese! Non v'è angolo, non v'è pollice di terreno che non insegni qualcosa.

E cosí, sto a Roma. Da qui andrò a Napoli, dove mi fermerò cinque giorni (una tua lettera mi troverà dunque lí, se la spedisci), poi a Brindisi e da Brindisi, via mare, a Jalta – toccando l'isola di Corfú, naturalmente. Vedi, tesoro, come so viaggiare, io! Cosicché andare da un posto all'altro a rimirare ogni cosa è assai piú piacevole che starsene a casa a scrivere, sia pure per il teatro. Noi, cioè io e te, ce ne andremo insieme in Svezia e in Norvegia. Vuoi? Faremo raccolta di ricordi per la vecchiaia.

Sono ora in ottima salute, ottima mia cara. Non stare in pensiero, e sta' sana anche te.

Ho saputo adesso che a Nervi c'è Miroljubov (Mirov), l'editore de «La rivista per tutti»; gli ho scritto. Se va a Corfú, mi ci fermo magari anch'io per una settimana.

Viaggiano con me due persone: Maksim Kovalevskij e il prof. Korotnev.

Ti bacio forte, tesoro. Scusa se scrivo poco. In compenso amo molto il mio cane. Sei mai stata in Italia? mi pare di sí. Comprendi dunque il mio stato d'animo. A proposito, è la quarta volta che vengo in Italia.

Mangio tanto da far spavento. Ho ricevuto una lettera di Nemirovič: ti loda.

Il tuo   Antonij, eremita

A OL'GA L. KNIPPER

Jalta, 1° marzo 1901

Mia cara, non leggere i giornali, non leggerli affatto, altrimenti ci rimetti la salute. Per l'innanzi ti sia d'insegnamento:

da' retta al vecchio ieromonaco. L'avevo pur detto, assicurato, che a Pietroburgo sarebbe andata male – bisognava darmi retta. Comunque sia, a Piter il vostro teatro non ci andrà mai piú – grazie a Dio.

Personalmente, io abbandono il teatro; mai piú scriverò per le scene. Per le scene si può scrivere in Germania, in Svezia, perfino in Spagna, ma non in Russia, dove non rispettano gli autori teatrali, li tempestano di calci coi loro zoccoli equini, e non perdonano loro né il successo né l'insuccesso. Te, ti maltrattano ora per la prima volta nella vita, per questo sei cosí sensibile, ma col tempo ti passerà, t'abituerai. Invece mi figuro quanto divinamente, meravigliosamente si sentirà Bunin! Certo si porta in tasca tutte le recensioni, alza alte alte le sopracciglia...

Qui c'è un tempo splendido, caldo, sole, albicocchi e mandorli in fiore. T'aspetto per la settimana santa, mia povera attricina vilipesa, t'aspetto e t'aspetto, tienilo presente.

Dal 20 al 28 febbraio t'ho mandato cinque lettere e tre telegrammi; t'ho pregato di telegrafarmi – ma non una parola di risposta.

Ho ricevuto un telegramma dalla Javorskaja, riguardo allo *Zio Vanja*.

Scrivi fino a che giorno voi tutti resterete a Piter. Scrivi, piccola attrice.

Io sto bene – parola d'onore.

T'abbraccio.

Il tuo   ieromonaco

A OL'GA L. KNIPPER

Jalta, 7 marzo 1901

Ho ricevuto una lettera anonima, come che tu, a Piter, ti sei innamorata di qualcuno, ti saresti presa una cotta – cosa che io stesso sospettavo già da un pezzo; sei una giudeuccia tu, una spilorcia. Probabilmente non mi vuoi piú bene perché io, persona non economica, t'ho rovinato chiedendoti un telegramma o due... Ma pazienza! Comunque, io seguito ad amarti, per antica consuetudine, e vedi su che carta ti scrivo.

Avaraccia, perché non m'hai scritto che rimanevi a Pietroburgo durante la quarta settimana di quaresima, e che non saresti andata a Mosca? Intanto io ho aspettato tutto il tempo, e non ti scrivevo pensando che stavi per tornare a casa.

Io son vivo e – a quanto pare – sano, pur tossendo sempre freneticamente. Lavoro in giardino, dove gli alberi sono già in fiore; il tempo è splendido, splendido come le tue lettere, che mi giungono soltanto ora dall'estero. Le ultime arrivano da Napoli. Ah, come sei brava, come sei intelligente, tesoro! Leggo ogni lettera tre volte, come *minimum*. Sicché, lavoro in giardino, nello studio si lavora male; non ho voglia di far niente, leggo bozze e son contento che mi facciano passare il tempo. Vado di rado a Jalta, non m'attrae; in compenso i suoi abitanti mi fanno delle visite cosí lunghe che ogni volta mi cascano le braccia e comincio a giurare a me stesso che me ne andrò, o che mi sposerò affinché mia moglie le cacci via, quelle visite. Appena ottenuto il divorzio da Ekaterinoslàvl', mi sposo di nuovo. Permettetemi di farvi una proposta di matrimonio.

T'ho portato dall'estero del profumo, molto buono. Vieni a prenderlo durante la settimana santa. Vieni senz'altro, mia cara, buona, brava; se invece non verrai, m'offenderai profondamente, m'avvelenerai l'esistenza. Io ho già cominciato ad aspettarti, conto i giorni e le ore. Non importa che tu sia innamorata d'un altro e m'abbia già tradito, io ti perdono, vieni, per favore. M'ascolti, cane? Il fatto è che t'amo, sappilo, vivere senza di te m'è ormai difficile. Se poi avete la felice idea di provare anche di Pasqua, allora di' a Nemirovič che questa è un'infamia e una porcheria.

Sono sceso ora dabbasso, ho preso il tè con le ciambelle. Ho ricevuto da Pietroburgo una lettera dell'accademico Kondakov. È stato alle *Tre sorelle* – entusiasmo indescrivibile. Tu non mi hai scritto niente dei pranzi che v'hanno offerto, scrivimene almeno adesso, se non altro in nome della nostra amicizia. Io son tuo amico, grande amico, razza di cane che sei.

Ho ricevuto oggi un lungo telegramma di Solovcov sul fatto che a Kiev han dato *Le tre sorelle*, successo enorme, straordinario, ecc. Il prossimo lavoro che scriverò sarà immancabilmente comico, molto comico, l'intenzione almeno è quella.

Be', vecchietta mia, sta' sana, sta' allegra, non immalinconirti, non affliggerti. Anch'io sono stato onorato dalla Javorskaja: ho ricevuto un telegramma riguardo allo *Zio Vanja*! Lei era venuta da voi a teatro con la sensazione d'essere nientemeno che una Sarah Bernard, non per altro, col sincero desiderio di render felice tutta la sua compagnia con le sue attenzioni. E tu per poco non hai attaccato lite!

Ti bacio ottanta volte e t'abbraccio forte. Ricorda dunque,
io t'aspetto. Ricorda!

Il tuo   ieromonaco Antonij

A OL'GA L. KNIPPER

Jalta, 22 aprile 1901

Cara, brava *Knipchits* mia, non ti ho trattenuto perché Jalta
mi ripugna e perché avevo l'idea che egualmente ci saremmo
presto veduti in libertà. Comunque, t'arrabbi a torto, anima
mia. Non c'è in me alcun pensiero segreto, io ti dico tutto
quel che penso.

Al principio di maggio, i primi giorni, verrò a Mosca; se sarà possibile ci sposeremo e ce ne andremo sul Volga, oppure
prima ce ne andremo sul Volga e poi ci sposeremo – come ti
fa piú comodo. C'imbarcheremo a Jaroslavl' oppure a Ry-
binsk e faremo rotta per Astrachan, di lí a Baku, da Baku a
Batum. O forse non vuoi cosí? Si può anche: lungo la Dvina
settentrionale raggiungere Archangel'sk, e andare alle Isole
Soloveckij. Dove sceglierai, andremo. Dopo di che, tutto o la
maggior parte dell'inverno lo passerò a Mosca, in un appartamento con te. Purché io non sia di malumore, che stia bene.
La tosse mi toglie ogni energia, penso al futuro fiaccamente,
e scrivo senza nessuna voglia. Pensa tu al futuro, sii la mia pa-
droncina di casa, come dici io farò, altrimenti noi non vivremo, ma inghiottiremo la vita un cucchiaio ogni ora.

Dunque, non hai adesso alcuna parte. Questo è molto comodo. Oggi m'hanno mandato una recensione de *Le tre sorelle* dalla «Revue blanche». Han mandato la risposta di Tolstoj
alla deliberazione del sinodo. M'hanno mandato l'almanacco
«I fiori del Nord» col mio racconto. Ho ricevuto un telegramma dalla compagnia «Olimpia» di Pietroburgo – chiedono il
permesso di mettere in scena *Le tre sorelle*.

Oggi piove, c'è un vento furioso, ma fa caldo, fuori si sta
bene. La cagnetta Kaštanka, che nella lettera tu chiami Ros-
sina, ha ricevuto un colpo di zoccolo nella zampa, adesso mi
tocca trafficare, metter bende, e son tutto olezzante di iodoformio.

Hai dimenticato sul mio tavolo un rublo. La signorina Vasil'eva, che hai veduto, seguita ad essere d'umor nero e non
mangia niente.

Non ho scritto lettere meste a Višnevskij, io.

Cosa troverò da voi a teatro? Che prove? Prove di che? Del *Michael Kramer*[1]? De *L'anatra selvatica*[2]? Certi momenti provo un fortissimo desiderio di scrivere per il Teatro d'Arte un *vaudeville* o una commedia in quattro atti. E la scriverò, se niente me l'impedisce, però la darei al teatro non prima della fine del 1903.

Ti telegraferò, tu non dir niente a nessuno e vieni alla stazione sola. Capito? Be', arrivederci tesoro, ragazzetta mia cara. Non essere di malumore e non immaginare Dio sa cosa; parola d'onore, non ho nulla di cui tenga il segreto con te, fosse pure per un minuto. Sii buonina, non impermalirti.

Ti bacio forte, cane.

Il tuo   *Antoine*

A OL'GA L. KNIPPER

Jalta, 26 aprile 1901

Cane Oljenka! Io arriverò i primi giorni di maggio. Non appena ricevi il telegramma, va' subito all'albergo «Dresden» e informati se è libera la stanza n. 45, cioè, in altre parole, fissa una qualsiasi stanzuccia a buon mercato.

Mi vedo spesso con Nemirovič, è molto caro, non si dà arie d'importanza; non ho ancora visto sua moglie. Vengo a Mosca principalmente per far baldoria e rimpinzarmi. Andremo a Petrovsko-Razumovskoe, a Zvenigorod, dappertutto andremo, purché sia bel tempo. Se sei d'accordo di venire con me sul Volga, mangeremo gli sterleti.

Kuprin, a quanto pare, è innamorato, ammaliato. S'è innamorato d'un enorme, robusto donnone, che tu conosci e che m'hai consigliato di sposare.

Se mi dài parola che non ci sarà a Mosca anima viva che sappia del nostro matrimonio, finché non avrà avuto luogo, allora ti sposo il giorno stesso del mio arrivo. Non so perché, ho una paura terribile degli sposalizi, delle congratulazioni, dello *champagne* che bisogna tenere in mano e nello stesso tempo sorridere con aria vaga. Dalla chiesa vorrei andare non a casa, ma partire direttamente per Zvenigorod. Oppure spo-

---

[1] Dramma di Hauptmann.
[2] Dramma di Ibsen.

sarci a Zvenigorod. Pensaci, pensaci, tesoro! Sei una donna
giudiziosa tu, dicono.

A Jalta il tempo è piuttosto lurido. Vento furioso. Le rose
fioriscono, ma poco; ma piú in là avranno una ricca fioritura.
I giaggioli sono splendidi.

Ho tutto in ordine, tutto, all'infuori d'una sciocchezzuola:
la salute.

Gor'kij non è stato deportato, ma imprigionato; lo tengono
a Nižnij. Anche Posse è stato arrestato.

T'abbraccio, Oljenka.

Il tuo

Antoine

A OL'GA L. KNIPPER

Jalta, 2 maggio 1901

Tesoro mio caro, ho pernottato a Foros solo una notte, e
mi sono annoiato e ammalato. Oggi poi, neanche a farlo apposta, è freddo, nuvoloso. Me ne sto tappato nello studio e, non
avendo altre occupazioni, non faccio che pensare e tossire.
Non prendertela con me, tesoro, per questo mio comportamento, non punirmi con pensieri poco allegri. Presto, presto
ci vedremo. Partirò da Jalta il 5 maggio o, al piú tardi, il 10, a
seconda del tempo. Poi andremo sul Volga. Insomma faremo
tutto quel che desideri. Io sono in tuo potere.

Se una volta o l'altra sposerai Višnevskij, non sarà per amore, ma per calcolo. Stimerai che è un ragazzo passabile, e te lo
sposerai. Evidentemente lui conta sul fatto che presto resterai
vedova; ma digli che io, per dispetto, lascerò un testamento
nel quale ti proibirò di sposarti.

Tesoro mio bravo, Olja, in ogni modo presto ci vedremo,
parleremo di tutto. È sera adesso, e mi sento meglio di quanto
mi sia sentito al mattino e durante il giorno. Arriverò a Mosca, con tutta probabilità, nella mattinata, poiché dal 4 maggio comincia a funzionare il rapido. Manderò un telegramma.

Comportati bene. Se il maggio sarà freddo, allora andremo
sul Volga ai primi di giugno. Da Jaroslavl'? E perché non da
Nižnij? I battelli buoni cominciano ad andare solo da Nižnij
– cosí mi pare. Be', decideremo tutto quando ci vedremo.

Arrivederci, cane!

Il tuo

Ant.

Kuprin, del quale mi chiedi, dorme a casa sua, ma vive da noi. La Vasil'evna parte domani, Arsenij spazzola le giacche ogni giorno. Kaštanka s'è rimessa, io mangio con appetito, oggi però senza appetito – ecco le risposte alle tue domande. Quanto alla granduchessa, comunicale che non posso andare da lei e che non mi vedrà mai; se poi succedesse qualche scandalo, ad esempio con la carta d'identità, manderò te da lei.

A EVGENIJA JA. ČECHOVA

Mosca, 25 maggio 1901

Cara mamma, datemi la vostra benedizione, mi sposo. Tutto resterà come prima. Parto per la cura del *kumys*[1]. Indirizzo: Aksenovo, strada ferrata Samaro-Zlatoustovskaja. La salute va meglio.

Anton

A MARIJA P. ČECHOVA

Aksenovo, 2 giugno 1901

Salute, cara Maša! Mi propongo sempre di scriverti, senza mai riuscirci, ho un mucchio di faccende varie e, naturalmente, spicciole. Che mi sono sposato, lo sai già. Penso che questo mio passo non cambierà affatto la mia vita e le condizioni nelle quali son vissuto finora. Certo la mamma dirà già Dio sa cosa, ma dille che non ci sarà il minimo cambiamento, tutto resterà come prima. Vivrò come ho vissuto finora, e la mamma pure; ed anche i miei rapporti con te resteranno inalterabilmente affettuosi e buoni, come sono stati fino a oggi.

Qui, nel governatorato di Ufa, è noioso, senza interesse; bevo il *kumys* che, a quanto pare, sopporto bene. È questa una bevanda acida, simile al *kvas*. Il pubblico è grigio, scocciante; in esso Anna Ivanovna, la moglie di Čechov, sembra un'aristocratica. È qui con suo figlio, uno zuccone terribilmente viziato, a quanto pare.

---

[1] Bevanda fatta con latte di cavalla fermentato.

Se da voi stanno per finire i soldi, mandami un assegno, che troverai sul tavolo. Le ricevute della Banca di Stato le ho messe insieme aggiungendone ancora una di 2700 rubli e, fattone un plico, vi ho scritto sopra «a M. P. Čechova». Esso, cioè il plico, si trova presso la Knipper, che te lo consegnerà. Conservalo tu, per favore, altrimenti lo perderò.

La mia salute è discreta, qualche momento persino buona; la tosse è diminuita, quasi non ne ho. Per la fine di luglio sarò a Jalta, dove resterò fino a ottobre, e poi a Mosca – lí fino a dicembre, poi di nuovo a Jalta. Dunque mi tocca vivere separato da mia moglie – del resto ci son già abituato.

Che tempo fa a Jalta? Ha piovuto almeno una volta, da che sei lí? È arrivato Ivan? Malato non è, si sente male perché s'è stancato. Ha bisogno di riposare.

Presto ti scriverò ancora, intanto sta' sana. Omaggi alla mamma. Il tuo telegramma me l'hanno rimandato per posta da Mosca. Saluti anche a Mar'juška, a Maša, a Marfuša e ad Arsenij.

Qui non c'è dove bagnarsi. Andrei a pescare, ma è lontano. Be', Cristo sia con te.

Il tuo
                                                          Antoine

A MARIJA P. ČECHOVA[1]

                                                          Jalta, 3 agosto 1901

Per Marija Pavlovna Čechova.

Cara Maša, ti lascio in proprietà, vita natural durante, la mia villa a Jalta, i soldi e i proventi delle opere drammatiche; invece a mia moglie Ol'ga Leonardovna la villa a Gurzuf e cinquemila rubli. La proprietà immobiliare, se lo desideri, puoi venderla. Da' a mio fratello Aleksandr tremila rubli, a Ivan cinquemila e a Michail tremila. Mille ad Aleksej Dolženko, e ad Elena Čechova (Lëlja), se si sposa, mille rubli. Dopo la tua morte e la morte della mamma, tutto quello che si trova – a parte il reddito dei lavori teatrali – venga messo a disposizione dell'amministrazione comunale di Taganrog per le ne-

---

[1] Questa lettera fu consegnata a M. P. Čechova da O. L. Knipper-Čechova, alla morte del marito.

cessità dell'educazione popolare; i proventi delle opere di teatro invece andranno a mio fratello Ivan, e dopo la morte di lui Ivan, all'amministrazione comunale di Taganrog, sempre per le necessità dell'educazione popolare. Ho promesso ai contadini del paese di Melichovo cento rubli per il pagamento della strada; ho promesso anche a Gavril Alekseevič Charčenko (Char'kov, Moskalevka, casa propria) di pagare il ginnasio alla sua figlia maggiore, finché non la esenteranno dalle tasse scolastiche. Aiuta i poveri. Abbi cura della mamma. Vivete nella concordia.

Anton Čechov

A OL'GA L. KNIPPER

Jalta, 27 agosto 1901

Cane mio, io sto bene ma, come prima, non faccio niente, giacché essendo ora la stagione autunnale, viene molta gente di passaggio. Ieri c'è stato due volte il tuo conoscente Karabčevskij. Oggi è venuto Orlënev, ecc. ecc.

Da me in camera ci sono molti grossi ragni. Da dove son venuti, il diavolo lo sa. Corrono velocissimi.

In salotto demoliscono la stufa. Oggi mi laverò la testa, altrimenti i capelli seguiteranno a cadere.

Adesso mi preparo per andare in città per affari. È arrivato il dott. Witte, malato, c'è da andare alla posta, da *Mme* Bonnier (la tua rivale) e cosí via. Domani parte la signora Konovicer. Vedi, tesoro, ti scrivo tutto nei particolari, e taccio o scrivo molto brevemente d'una cosa sola, e precisamente di quanto t'amo, di come m'annoio senza di te, gioia mia, mia tedeschina, bambina. La tua seconda lettera è già piú corta, ed io temo che tu t'intiepidisca verso tuo marito o, per lo meno, che ti abitui a non avermi vicino.

Be', non starò a entrare in codesti particolari. Arrivederci, tesoro mio. Bacio, abbraccio [...] Saluta la tua mamma, lo zio Karl, lo zio Saša e tuo fratello.

Tuo   Anton

Scrivi piú dettagliatamente!!

A OL′GA L. KNIPPER

Jalta, 3 settembre 1901

Oljenka, cara, salute! Ieri non t'ho scritto perché, primo, c'erano molte visite, e, secondo, non ho avuto tempo: quando le visite sono uscite, mi son seduto a scrivere un racconto.

Grazie, gioia mia, la mamma s'è molto rallegrata della tua lettera; l'ha letta e poi me l'ha data perché gliela leggessi ad alta voce, e a lungo ha cantato le tue lodi. Quel che scrivi della tua gelosia può anche darsi che sia fondato, ma tu sei cosí giudiziosa, hai un cuore cosí buono, che tutto quello che scrivi della tua pretesa gelosia in certo modo non corrisponde alla tua personalità. Scrivi che Maša non s'abituerà mai a te, ecc. ecc. Quante sciocchezze! Tu esageri tutto, pensi a delle stupidaggini e temo, Dio non voglia, che litigherai con lei. Ecco quel ch'io ti dico: sopporta e taci solo un anno, un anno solo, e poi tutto ti sarà chiaro. Qualunque cosa ti dicano, qualunque cosa ti sembri, tu taci e taci. Per chi si sposa e prende marito, tutta l'arte del vivere è racchiusa in questa non resistenza dei primi tempi. Dammi ascolto, anima mia, sii giudiziosa!

Io verrò quando me lo scriverai, in ogni caso non dopo il 15 settembre. Di' quel che vuoi, ma non ho intenzione di pazientare oltre. A Mosca resterò fino a dicembre, finché non mi scaccerai.

Tedeschina, mandami il lavoro di Nemirovič! Lo riporterò intatto. Lo leggerò molto attentamente.

Porterò con me pochissimi vestiti, gli altri li comprerò a Mosca. Comprerò della biancheria pesante, comprerò un cappotto; prenderò il *plaid* e le galosce (arriverò col cappotto vecchio). In breve, cercherò di viaggiare senza aver bagagli.

Per i vestiti sto sistemando un armadio colossale – per me e per mia moglie. Mia moglie è molto bisbetica, bisogna organizzarle una vita piú comoda.

Ieri mi sono lavato la testa con lo spirito.

Bacio e abbraccio la mia vecchietta. Che Dio ti protegga. Ancora un pochino, e ci vedremo. Scrivi, scrivi, tesoro, scrivi! Ormai, all'infuori di te, non amerò piú nessuno, non una sola donna.

Sta′ sana e allegra!

Tuo marito   Anton

AD ALEKSEJ M. PEŠKOV (M. GOR´KIJ)

Mosca, 22 ottobre 1901

Caro Aleksej Maksimovič, son cinque giorni che ho letto il vostro lavoro[1], e non v'ho scritto finora per la ragione che non ho mai potuto procurarmi il quarto atto; aspetta aspetta, non arriva mai. E cosí, ho letto solo tre atti, ma penso sia sufficiente per giudicare del lavoro. Come m'aspettavo, è molto bello, scritto alla Gor´kij, originale, molto interessante, e se debbo cominciare col parlar dei difetti, ne ho notato finora solo uno, un difetto irrimediabile – come i capelli rossi in un uomo dalla capigliatura rossa – e cioè il tradizionalismo della forma. Voi costringete uomini nuovi, originali, a cantare nuove canzoni su uno spartito consunto; ci sono quattro atti, personaggi che fanno paternali, lungaggini da sgomentare, ecc. ecc. Ma tutto questo non è importante; tutto ciò resta – come dire? – affogato nei pregi del lavoro. Perčichin, sembra vivo! Sua figlia è incantevole, Tat´jana e Pëtr anche, la loro madre è una splendida vecchia. La figura centrale, Nil, è resa con vigore, estremamente interessante! Insomma, il lavoro rapisce fin dal primo atto. Solo, Dio ve ne guardi, non permettete di recitare Perčichin a nessuno che non sia Artëm, e Nil dev'essere interpretato assolutamente da Alekseev-Stanislavskij. Questi due son proprio quel che ci vuole. Pëtr-Mejerchol'd. Però bisognerà che la parte di Nil, parte meravigliosa, sia due o tre volte piú lunga, con lei deve finire il lavoro, dev'essere lei la piú importante. Solo, non contrapponetelo a Pëtr e a Tat´jana; che stia per suo conto, e anch'essi restino per conto loro; è tutta gente stupenda, perfetta, indipendentemente l'una dall'altra. Quando Nil si sforza di mostrarsi superiore a Pëtr e Tat´jana, e dice d'essere un uomo in gamba, si perde quell'elemento cosí tipico dei nostri onesti lavoratori, la modestia. Egli si vanta, discute, ma vedete, non c'è bisogno di questo per afferrarne il tipo. Sia allegro o scherzoso per tutti e quattro gli atti, mangi molto dopo il lavoro – sarà sufficiente per conquistare il pubblico. Pëtr, ripeto, è buono. Probabilmente voi non sospettate neppure quanto sia buono. Anche Tat´jana è un personaggio compiuto, solo bisogna 1) che sia effettivamente una maestra, che insegni ai bam-

---

[1] *Piccolo-borghesi.*

7

bini, che torni da scuola, che sia indaffarata tra manuali e quaderni, e 2) bisogna che sin dal primo o dal secondo atto si dica che ha già tentato d'avvelenarsi; allora, con quest'allusione, l'avvelenamento al terzo atto non parrà un imprevisto e verrà a proposito. Teterev parla troppo, gente simile bisogna mostrarla a piccole dosi, a tratti, perché comunque la si giri questi sono pur sempre personaggi episodici, ovunque, nella vita come sulla scena. Fate che Elena, nel primo atto, pranzi con tutti, che si trattenga a scherzare – altrimenti la si vede troppo poco, e non è chiara. La sua spiegazione con Pëtr è un po' brusca, sulla scena risulterà troppo in rilievo. Fatene una donna passionale; se non proprio innamorata, almeno di temperamento infiammabile.

C'è ancora molto tempo prima che il vostro lavoro vada in scena, e avrete agio di correggerlo una decina di volte ancora. Che peccato ch'io parta! Assisterei alle prove e vi scriverei tutto quel che occorre.

Venerdí parto per Jalta. State sano e che Dio vi protegga. Omaggi e saluti a Ekaterina Pavlovna e ai ragazzi. Vi stringo forte la mano e v'abbraccio.

Vostro   A. Čechov

A OL'GA L. KNIPPER

Jalta, 29 ottobre 1901

Cara, brava, buona, intelligente moglie mia, cuoricino mio, salute! Sono a Jalta, sto nella mia stanza e mi pare cosí strano! Oggi son venuti gli Sredin, c'è stato il ginnasio femminile[1], ed eccomi già riaffondato fino al collo nella mia solita vita, vuota e noiosa. Be', sono arrivato felicemente, sebbene a Sebastopoli avrei potuto fare a meno di noleggiare la carrozza, poiché il vapore è arrivato fino a Jalta.

Del resto ho viaggiato bene, rapido, benché facesse freddo... Qui ho trovato non freddo, ma gelo; anche col cappotto ero intirizzito.

Sta per arrivare Tatarinov, per affari, e scrivo in fretta. La mamma sta bene, dice che avrei potuto restare ancora a Mosca. Anche Sredin sta bene, o per lo meno ha buona cera; ha sparlato tutto il tempo di sua nuora.

[1] Cioè V. K. Charčeevič, direttrice del ginnasio femminile di Jalta.

Anima mia, angelo, cane mio, colombella, ti supplico, credi che io t'amo, t'amo profondamente; non dimenticarmi dunque, scrivi e pensa a me piú sovente. Qualunque cosa succedesse, anche se d'improvviso tu ti tramutassi in una vecchietta, io t'amerei sempre – per la tua anima, per il carattere. Scrivimi, cagnolino mio! Abbi riguardo della tua salute. Se, Dio non voglia, t'ammali, abbandona tutto e vieni a Jalta, qui io t'assisterò. Non stancarti troppo, bambina.

Ho ricevuto da Char'kov molte fotografie mie. Nell'estate venne il fotografo, che mi riprese da tutte le parti.

Oggi m'hanno servito un pranzo raffinato – di sicuro grazie alla tua lettera. Cotolette di pollo e frittelline. La lingua che comprammo da Belov, durante il viaggio s'è guastata, o per lo meno sembra si sia guastata: manda odore.

Che Dio ti benedica. Non dimenticarmi, sono ben tuo marito. Ti bacio forte, forte, t'abbraccio e di nuovo ti bacio [...] Scrivi!!
Il tuo
Antoine

Non dimenticare che sei mia moglie, scrivimi ogni giorno. Salutami Maša. Mangio ancora adesso le caramelle che m'ha dato la tua mamma. Salutami anche lei.

A OL'GA L. KNIPPER

Jalta, 21 novembre 1901

Cara *Knipchits*, tesoro mio, non prendertela se non ti scrivo ogni giorno. Cosí vogliono le circostanze. Ogni giorno qualcosa m'impedisce di vivere e scrivere; oggi, ad esempio, s'è presentato fin dal mattino Lazarevskij (scrittore in uniforme di marina); sta lí seduto, sta lí, sta lí penosamente, e non si sa quando il diavolo se lo porterà via.

Vuoi venire a Natale? È un'idea magnifica, mio intelligente tesoruccio, solo chiedi a Nemirovič di poter stare a Jalta non meno di tre giorni. Non meno! Parti da Mosca il 20 dic., sarai a Jalta il 22, il 25 riparti da Jalta, il 27 sarai a Mosca. Diletta mia, colombella, ascolta, carpisci ai tuoi despoti questi tre giorni! Dal 22 e 23 dic. fino al 26 non ci sono spettacoli, e il 20, il 21 e il 26 possono dare *L'anatra selvatica, Stockman,*

Fëdor Ioannovič, Quando da morti ci risveglieremo[1]. Per le feste hanno un repertorio enorme. Dammi ascolto, *Knipchits*, sii una moglie assennata.

Ho letto la lettera della bambinaia Paša e l'approvo in pieno. Mi pare che tu l'ameresti molto, un piccolo mezzotedeschino, l'ameresti magari piú d'ogni cosa al mondo, ed è appunto quel che ci vuole.

Gor'kij è lo stesso di prima, altrettanto buono, e perfino un po' di piú, si direbbe. È un grande ingenuo. A Jalta abitava, ora s'è trasferito a Oleiz, dove ha preso in affitto una villa per tutto l'inverno.

Io sto in buona salute, tutto procede bene. Si dà la caccia ai topi. Adesso sognerò come verrai a Jalta per Natale.

Ma alt, la macchina! È arrivato Rozanov.

Rozanov è andato via. Ma Lazarevskij è sempre qui, ha riempito di fumo tutto il salotto. Adesso sta pranzando da basso.

È partita o sta per partire per Mosca *Mme* Bonnier, verrà certamente da voi.

Ti bacio forte e t'abbraccio piú forte ancora. Scrivi, non far la pigra, ne sarai ricompensata.

Salutami Maša.

Il tuo   *Antonio*

A OL'GA L. KNIPPER

Jalta, 4 dicembre 1901

Salute, mogliettina mia, tesoro! Le mie lettere non ti piacciono, lo so, e apprezzo il tuo buon gusto. Ma che fare, cara, se tutti questi giorni sono stato di cattivo umore! Scusami dunque, non prendertela col tuo assurdo marito.

Ieri ero di cattivo umore per la tua lettera: hai scritto che non vieni a Jalta per Natale. Io non so cosa fare. Alcuni medici dicono che posso andare a Mosca, altri dicono che è assolutamente impossibile, ma io non posso restare qui. Non posso, non posso!

E dunque prendete in affitto il teatro Aumont? Restare nel vecchio non potete assolutamente, ché presto o tardi andreste

---

[1] Dramma di Ibsen.

a fuoco, e poi non è un posto centrale. Ho sempre paura che da voi s'incendi, durante il quarto atto de *Le tre sorelle* – con quel terribile parapiglia e quella confusione sulla scena.

Non far cerimonie, cane, scrivimi tutto quel che ti passa per la mente, inezie, sciocchezze; non puoi immaginare come le tue lettere sono preziose per me, come mi placano. Io t'amo, lo sai, non dimenticarlo.

Oggi andrò a Oleiz da Gor'kij. Forse passerò anche da Tolstoj.

Ieri è venuto un ricco tartaro, a chiedermi del denaro a interesse. Quando gli ho detto che io non do denaro a interesse e che reputo ciò un peccato, lui s'è meravigliato e non ci ha creduto. Un buon conoscente ha preso in prestito da me seicento rubli «fino a venerdí». Sempre mi chiedono fino a venerdí.

Bacio e abbraccio la mia bella moglie. Non prendertela, bambina, se ti capita di non ricevere mie lettere. Son colpevole, ma merito indulgenza.

Tuo marito   *Ant.*

Non avete mica lavori nuovi? Ho ricevuto una lettera da Fëdorov, l'autore di *Alberi schiantati*, scrive che vuol mandare un dramma a Nemirovič.

A OL'GA L. KNIPPER

Jalta, 7 dicembre 1901

Attriciuzza, perché non dài ascolto a tuo marito? Perché non hai detto a Nemirovič di mandarmi l'ultimo atto di *Piccolo-borghesi*? Diglielo, tesoro! Ah che peccato, che sproposito non venire a Jalta per le feste. Mi par quasi che ci rivedremo fra molti anni, quando saremo vecchi ormai.

Ho parlato proprio adesso per telefono con L. Tolstoj. Ho letto il finale de *I tre*, il romanzo di Gor'kij. Qualcosa di veramente bislacco. Se non l'avesse scritto Gor'kij, nessuno starebbe a leggerlo. Per lo meno, cosí pare a me.

Io, invece, questi ultimi giorni non sono stato bene, tesoruccio mio. Ho preso l'olio di ricino, ho la sensazione d'esser dimagrito, tossisco, non faccio niente. Adesso va meglio, tanto che domani, probabilmente, mi metterò al lavoro. È evi-

dente che la solitudine influisce in modo nocivo sullo stomaco. Senza scherzi, caruccia, quand'è che staremo di nuovo insieme? Quando ti vedrò? Se tu venissi qui per le feste, anche
per un giorno solo, sarebbe infinitamente bello. Del resto, sia
come vuoi tu.

Scrivo questa lettera il 7 sera, ma la spedirò domani, l'8.
Non fai che prender parte a pranzi e giubilei – ed io ne sono
lieto, tesoro, e ti lodo. Sei cosí giudiziosa tu, cosí cara.

Be', che Dio sia con te. Ti bacio senza fine.

Il tuo   *Ant.*

Non spendete troppo per il dramma, o non avrà successo.
Milleduecento rubli in vestiti – diavolo! Ho letto Leonid Andreev quand'ero ancora a Mosca, poi l'ho letto andando a Jalta. Sí, è un buon scrittore; se scrivesse piú di frequente avrebbe maggior successo. V'è in lui poca sincerità, poca semplicità, e perciò è difficile abituarsi. E tuttavia, presto o tardi, il
pubblico ci farà l'abitudine, e sarà un gran nome.

A VIKTOR A. GOL'CEV

Jalta, 11 dicembre 1901

Caro amico Viktor Aleksandrovič, in questo momento sto
a letto e sono occupato a sputar sangue. E non mangio niente,
non faccio niente, solo leggo i giornali. Dunque non tenermi
il broncio, mio caro. Quando andrà meglio, comincerò di
nuovo a scrivere.

Non dire a nessuno della mia malattia, che non capiti sui
giornali. A mia moglie ho scritto.

Ti stringo forte la mano e ti bacio, mio caro. Buone cose!

Tuo
                                                              A. Čechov

A OL'GA L. KNIPPER

Jalta, 11 dicembre 1901

Mia cara, mia bella, tesoro, attriciuzza, non arrabbiarti!
Oggi sto molto meglio. Ho avuto uno sbocco di sangue solo al
mattino, appena appena, però devo stare a letto, non mangio

nulla e m'infurio, perché non posso lavorare. Se Dio vuole, tutto passerà.

Il numero di «Russia» che mi prometti nella lettera, non l'ho ricevuto.

Non t'aspetto per le feste, e non devi venire qui, tesoruccio mio. Occupati del tuo lavoro, ci riuscirà ancora di vivere insieme. Ti benedico, bambina mia.

Sta' tranquilla, sta' sana. Domani ti scriverò di nuovo. Ti bacio forte.

Il tuo

Ant.

A OL'GA L. KNIPPER

Jalta, 13 dicembre 1901

Attriciuzza, salute! Mi sono ormai ristabilito, sangue non se ne vede, è rimasta solo la debolezza – da un pezzo non mangio come si conviene. Penso che fra due o tre giorni sarò completamente guarito. Prendo pillole, gocce, polverine...

Scrivi che la sera dell'8 ti sei sbronzata. Ah, tesoro, come t'invidio, sapessi! Invidio la tua baldanza, la freschezza, la tua salute, l'umore, invidio che nessun timore d'emottisi t'impedisca di bere, e cosí via. Prima, potevo bere forte, come si dice.

Ho letto l'ultimo atto di *Piccoli borghesi*. Ho letto e non ho capito. Due volte ho riso, perché era comico. Il finale m'è piaciuto, però non è un finale da ultimo atto, ma da primo o da secondo. Per l'ultimo invece bisognerebbe escogitare qualcosa d'altro.

La tua parte nell'ultimo atto è insignificante.

Ti penso sovente, molto sovente, come appunto s'addice a un marito. Nel tempo che siamo stati insieme tu m'hai viziato, ed ora, senza di te, mi sento colpito da interdizione. Intorno a me c'è il vuoto, i pasti sono miseri, persino al telefono nessuno chiama [...]

T'abbraccio forte, attriciuzza mia [...] Che Dio ti protegga. Non dimenticarmi e non abbandonarmi. Ti bacio mille volte.

Il tuo

Anton

A OL'GA L. KNIPPER

Jalta, 29 dicembre 1901

Che sciocca sei, tesoro mio. Non una volta, in tutto il tempo che siamo sposati, t'ho rimproverato il teatro; anzi, al contrario, mi rallegravo che tu fossi al lavoro, che tu avessi uno scopo nella vita, che non ciondolassi a vuoto, come tuo marito. Non ti scrivo della mia malattia, perché ormai sto bene. La temperatura è normale, mangio cinque uova al giorno, bevo latte, senza parlare poi dei pasti che, da quando Maša è qui, son diventati saporiti. Lavora, anima mia, e non angustiarti, e principalmente, non essere d'umor nero.

Non abbonarmi al «Mondo dell'arte», è una rivista che riceverò. Da noi a Jalta fa caldo, tutto è in boccio, e se dura ancora una settimana un tempo cosí, tutto fiorirà.

Maša è arrabbiata che non le scrivi niente.

Ti mando una fotografia, con effigiati due boeri[1].

Verrà presto a Mosca Al'tšuller, il dottore, al quale ho consigliato di pranzare da te. Arriverà mercoledí, per un congresso. Avvisa Maša (la cuoca) perché in tua assenza gli dica quand'è che sarai a casa.

Metterete in scena *Piccolo-borghesi*? Quando? In questa stagione o nella prossima?

Be', addio tapinella, sta' sana! Non osare d'esser di malumore e di lamentarti come Lazzaro. Ridi. Io t'abbraccio e, purtroppo, nient'altro.

Ieri non ho avuto la tua lettera. Che pigrona sei diventata! Ah, cane, cane!

Suvvia, tesoro mio, moglie cara e brava, ti bacio e t'abbraccio forte una volta ancora. Penso a te molto, molto spesso, pensa anche tu a me.

Il tuo   *Ant.*

---

[1] Čechov e un suo conoscente, i cui visi erano molto scuri.

A OL'GA L. KNIPPER

Jalta, 3 gennaio 1902

Oggi sono arrivate d'un colpo due lettere, tesoruccio mio. Grazie! Anche la mamma ha ricevuto una tua lettera. Ma hai torto di lagnarti; non vivi mica a Mosca per tuo volere, ma perché tutti e due lo vogliamo. E la mamma non è affatto stizzita con te e non ti tiene il broncio.

Oggi mi son tagliato i capelli! Sono stato in città per la prima volta dopo la malattia, sono andato malgrado gelasse (– 2°), e mi son fatto tagliare barba e capelli – questo per il caso d'un tuo arrivo. Tu sei severa, bisogna avere un aspetto decente, decoroso.

Maša ha assunto una cuoca. Io, si può dire, non scrivo nulla, esattamente nulla! Ma non amareggiarti, a tutto si fa in tempo. Ho scritto già undici volumi, uno scherzo da nulla! A quarantacinque anni ne avrò scritti altri venti. Non prendertela, tesoro, moglie mia! Io non scrivo, però leggo tanto, che presto diventerò intelligente, [...]

Adesso è gennaio, comincia da noi il tempo disgustoso, con vento, fango, freddo, e poi febbraio con le nuvole. La condizione dell'uomo sposato, che non ha moglie, è in questi mesi particolarmente degna di compassione. Se tu venissi, come hai promesso, alla fine di gennaio!

Gor'kij è d'umore cupo, evidentemente non sta bene. Stanotte dormirà qui.

Lo senti, cane, che ti amo? O per te è indifferente? Ma io amo crudelmente, sappilo. Suvvia, moglie mia brava, tedeschina, attriciuzza, sta' sana, che Dio ti protegga, sii serena, instancabile, allegra. Ti bacio e abbraccio.

Tuo marito   Anton

A OL'GA L. KNIPPER

Jalta, 13 gennaio 1902

Tesoro mio caro, per quanto è possibile capire dalle tue ultime lettere, tu a Jalta adesso non ci verrai. Rappresentate *Sogni*, provate *Piccolo-borghesi*. Io capisco, tesoro, e non pretendo nulla. Se non è possibile, vuol dire che non è possibile.

Maša è partita ieri; oggi è nuvolo, freddo. Io sto proprio bene, mangio molto, pur non vedendo in questo nulla di buono. Oggi Elpat'evskij mi ha parlato per telefono; quando gli ho comunicato che t'eri impensierita e agitata per il pranzo, lui s'è stupito e ha detto che non aveva affatto promesso di venire a pranzo da te. A Pietroburgo s'è dato da fare per il figlio – e con successo, ciò di cui sono molto contento perché, a parte tutto il resto, suo figlio è un ottimo ragazzo.

Tu non smetti di chiamarmi a Mosca. Mia cara, io sarei già partito da un pezzo, ma non mi lasciano. Al'tšuller non mi permette neppure di uscire col tempo nuvoloso, sebbene oggi sia uscito, perché in camera m'ero annoiato fino alla nausea.

Oggi ho ricevuto due lettere d'un colpo, ieri invece neanche una.

Be', Dio sia con te, sta' sana e allegra. Salutami i tuoi. Non dimenticarmi.

Il tuo   *Ant.*

A KONSTANTIN S. ALEKSEEV (STANISLAVSKIJ)

Jalta, 20 gennaio 1902

Caro Konstantin Sergeevič, per quel ch'io so (dalle lettere) nella biblioteca di Taganrog le fotografie degli scrittori sono appese tutte in fila, in una stessa grande cornice. Probabilmente nella medesima grande cornice vogliono mettere anche voi, e perciò mi pare che meglio di tutto sia di mandare, senza tante storie, una normale fotografia formato gabinetto, non incorniciata. Se poi in seguito risultasse che la cornice è necessaria, si potrà mandarla dopo.

Quando lessi *Piccolo-borghesi* m'era sembrato che la parte centrale fosse quella di Nil. Non è un contadino, né un artigiano, ma un uomo nuovo, un operaio intellettualizzato. La sua figura è incompiuta, mi pare; rifinirla non sarebbe né difficile né lungo, ed è un peccato, un gran peccato che Gor'kij sia privato della possibilità d'assistere alle prove[1].

A proposito, il quarto atto è fatto male (tranne il finale) ed essendo l'autore nell'impossibilità d'assistere alle prove, il malfatto è irreparabile.

Vi stringo forte la mano e mando un cordiale saluto a voi e a Marija Petrovna.

Vostro   A. Čechov

A OL'GA L. KNIPPER

Jalta, 20 gennaio 1902

Che sciocca sei, tesoro mio, che stupidella! Sei di malumore, perché? Scrivi che tutto è esagerato e che tu sei una nullità completa, che le tue lettere mi hanno annoiato, che senti con terrore come la tua vita si fa limitata, eccetera eccetera. Stupida! Io non t'ho scritto della mia prossima commedia non perché non ho fede in te, come scrivi, ma perché non ho ancora fede nella commedia. Essa è appena baluginata nel mio cervello, come un primo albore, e io stesso non capisco ancora com'è, cosa ne verrà fuori, e cambia ogni giorno. Se ci vedessimo, te la racconterei, ma scrivere non si può, perché non mi riuscirebbe, farei solo un sacco di chiacchiere, e poi m'intiepidirei verso il soggetto. Nella tua lettera minacci di non chiedermi piú nulla, di non immischiarti mai piú nelle mie cose; ma perché queste storie, tesoro mio? No, tu sei buona, tu cambierai l'ira in clemenza, quando vedrai di nuovo come t'amo, come mi sei vicina, come non posso vivere senza di te, senza la mia stupidina. Smetti quell'umor nero, smetti! Ridi! A me è permesso il malumore, poiché vivo nel deserto, non ho un'occupazione, non vedo gente, son malato quasi tutte le settimane, ma tu? La tua vita, in un modo o nell'altro, è piena.

Ho ricevuto una lettera da Konstantin Sergeevič. Una lunga e cara lettera. Accenna al fatto che forse il dramma di Gor'kij non andrà in scena in questa stagione teatrale. Scrive dell'Aumont, di «*mesdames, ne vous décolletez pas trop*».

A proposito, Gor'kij si prepara a scrivere una nuova com-

[1] Era costretto a vivere in Crimea, in domicilio coatto.

media, una commedia sulla vita dei vagabondi dei dormitori pubblici, sebbene io gli consigli d'aspettare un annetto o due, di non aver fretta. Uno scrittore deve scrivere molto, ma non deve affrettarsi, non è forse vero, moglie mia?

Il 17 gennaio, giorno del mio compleanno, ero d'un umore detestabile, perché non stavo bene e perché il telefono non smetteva di squillare, trasmettendomi i telegrammi augurali. Nemmeno tu e Maša m'avete risparmiato, m'avete telegrafato!

A proposito, quand'è il tuo *Geburtstag*?

Mi scrivi: non essere triste, presto ci vedremo. Che significa? Ci vedremo la settimana santa? O prima? Non mettermi in agitazione, gioia mia. In dicembre hai scritto che venivi in gennaio, m'hai sconvolto, agitato; poi hai cominciato a scrivere che saresti venuta per la settimana santa – ed io ho comandato alla mia anima di calmarsi, mi sono raggomitolato in me stesso – e adesso di nuovo, all'improvviso, sollevi una tempesta sul Mar Nero. Perché?

La morte di Solovcov, al quale avevo dedicato il mio *Orso*, è stato uno sgradevolissimo avvenimento nella mia vita di provincia. Lo conoscevo molto bene. Ho letto sui giornali che egli avrebbe apportato delle rettifiche all'*Ivanov*, e che io, come drammaturgo, avrei seguito i suoi consigli, ma questa è una menzogna.

E cosí, moglie mia, mia brava, buona, d'oro, che Dio ti protegga, sta' sana, allegra, ricordati di tuo marito almeno la sera, quando ti metti a dormire. Soprattutto, non immalinconirti. Non hai mica un consorte ubriacone, o dissipatore, o attaccabrighe, per il mio comportamento sono un marito assolutamente tedesco; porto persino le mutande di lana...

T'abbraccio centouna volta, bacio senza fine la mia moglie.
Il tuo
                                                            Ant.

Scrivi: «dovunque mi caccio, non vedo che muri». Ma dove ti sei cacciata?

A OL'GA L. KNIPPER

Jalta, 6 febbraio 1902

Tesoruccio mio, cane, Oljuša mia, salve! Della salute di Tolstoj t'ho già scritto, e non una volta sola. È stato molto male, ma adesso si può dire con sicurezza che la fine è stata ricacciata ben al fondo, il malato sta meglio e quel che avverrà non si sa. Se morisse, ti telegraferei cosí: il vecchio non c'è piú.

E cosí, hai deciso di venire. Ti sei impietosita. Vladimir Ivanovič telegrafa che partirai il 22, ma che il 2 devi già essere a Pietroburgo. Evidentemente, per fare in tempo a vederti non debbo perdere un attimo, non riuscirò neppure a darti un bacio, a qualcosa d'altro poi, non oso neppure pensare.

Ieri t'ho scritto a proposito delle stuoie. Di' a Maša che non s'affanni; in maggio, quando verrò a Mosca, le comprerò io stesso.

A Jalta fa molto caldo, tutto sboccia. Il cotogno è in fiore, il mandorlo è in fiore, e tutti hanno paura: verrà ancora il gelo e rovinerà ogni cosa, immancabilmente. Ieri e oggi ho potato le rose e – ohimè – dopo ogni arbusto mi toccava riposare; evidentemente quest'inverno la mia salute è assai peggiorata.

Per il mio onomastico ricevetti un'azalea, adesso fiorisce. Leggo le bozze del *Sachalin*.

Be', donna, sta' sana. T'abbraccio. Ieri tutto il giorno ho avuto visite, tutto il giorno ho avuto un gran mal di testa. Oggi va bene.

E tuttavia non riesco a credere che verrai. Ah, perché non t'ho picchiata, quando vivevo a Mosca! Ecco, devo rimpiangerlo ora.

Che il Signore ti protegga, moglie mia. Ti bacio.

Il tuo   *Ant.*

A VLADIMIR G. KOROLENKO

Jalta, 19 aprile 1902

Caro Vladimir Galaktionovič, mia moglie è arrivata da Pietroburgo con 39° di febbre, debolissima, con forti dolori; non può camminare, dal piroscafo l'hanno trasportata a braccia... Adesso pare vada un pochino meglio...

Non starò a trasmettere la dichiarazione a Tolstoj. Quando gli parlai di Gor'kij e dell'accademia, egli proruppe: «io non mi considero accademico» – e si sprofondò nella lettura. Ho consegnato a Gor'kij una copia, gli ho letto la vostra lettera. Non so perché, mi sembra che non ci sarà seduta all'accade-

mia il 25 maggio, giacché al principio del mese tutti gli accademici sono già in giro. Mi pare anche che Gor'kij non sarà
eletto una seconda volta, gli daranno voto contrario. Ho una
voglia terribile d'incontrarmi con voi, di parlarvi. Non verrete a Jalta? Io sarò qui fino al 15 maggio. Verrei da voi a Poltava, ma ecco che mia moglie s'è ammalata e probabilmente resterà a letto ancora tre settimane all'incirca. O ci vedremo dopo il 15 maggio, a Mosca, sul Volga, all'estero? Scrivete.

Vi stringo forte la mano e v'auguro ogni bene. State sano.
Vostro

A. Čechov

Mia moglie vi saluta.

A MARIJA P. ČECHOVA

Mosca, 2 giugno 1902

Cara Maša, è successa un'altra disgrazia. Ieri, vigilia di
Pentecoste, alle dieci di sera, Ol'ga ha sentito forti dolori di
ventre (piú forti di quelli avuti a Jalta), son cominciati gemiti,
grida, pianti; i medici eran tutti fuori, nelle loro case di campagna (era la vigilia di Pentecoste), i conoscenti anche loro
erano tutti fuori... Fortuna che a mezzanotte è comparso Višnevskij, ed ha cominciato a correre alla ricerca d'un medico...
Tutta la notte ha sofferto, Ol'ga; questa mattina è venuto un
dottore; s'è deciso di ricoverarla nella clinica di Strauch. In
una sola notte s'è fatta scarna ed emaciata.

Ieri è venuto a trovarmi il sacerdote Petrov, famoso pietroburghese. Ho visto Skitalec, quello che è stato a cena da noi a
Jalta, con gli occhiali a molla. A Mosca fa molto caldo.

Vanja è partito per Unža.

Che farò adesso, dove andrò e quando verrò via da Mosca
– non si sa.

Non so perché, Anna Ivanovna[1] ha un'espressione come
fosse colpa sua. Tutta la notte è andata in cerca di medici.

Scriverò. Tu intanto sta' sana. Ossequi a mammina.
Tuo

Antoine

Ol'ga ha sempre la medesima malattia, che probabilmente
si trascina da due anni.

---

[1] La moglie di Suvorin.

A KONSTANTIN S. ALEKSEEV (STANISLAVSKIJ)

Mosca, 12 giugno 1902

Caro Konstantin Sergeevič, tutti questi giorni, a cominciare dalla vigilia di Pentecoste, Ol'ga ha avuto vomito – ora piú frequente, ora meno; ieri poi il vomito s'è intensificato, son comparsi dolori violenti. Strauch m'ha chiesto di chiamare uno specialista per le malattie interne, ed ecco, oggi, un consulto (Strauch e Taube) ha finalmente stabilito la malattia. Ol'ga ha un'infiammazione intestinale, una peritonite. Situazione grave, ma non pericolosa (*prognosis bona*, prognosi fausta). S'era deciso di trasportarla oggi stesso nella clinica di Strauch, e Višnevskij già si dava d'attorno, s'indaffarava per trovare un mezzo di trasporto, quando d'un tratto Ol'ga s'è sentita meglio, il vomito è cessato, s'è fatta di buon umore, ha avuto voglia di dormire, e cosí è toccato rimandare o addirittura (questo si vedrà domani) revocare del tutto il trasferimento da Strauch. Dall'altro ieri le è stato proibito di mangiare *qualunque cosa*, all'infuori del latte, e io penso che questo digiuno le abbia molto giovato.

Se Ol'ga si sentirà meglio, allora, col vostro permesso, mi trasferirò da voi in villa, e dieci o quindici giorni dopo vi trascinerò anche Ol'ga, se appena i dottori lo permettano, naturalmente. Nella vostra villa di campagna si sta molto bene, io ci sono stato. Se comincerò il dramma, non porterò Ol'ga con me, vivrò da anacoreta.

Vi scriverò ogni settimana della salute di mia moglie, o anche piú spesso, secondo le circostanze. A Franzensbad lei non andrà, è deciso. Molto probabilmente sarà necessaria un'operazione.

V'auguro ogni bene, vi stringo forte la mano. Ossequi e saluti a Marija Petrovna e ai ragazzi.

Vostro   A. Čechov

AD ALEKSEJ M. PEŠKOV (M. GOR'KIJ)

Ljubimovka, 29 luglio 1902

Caro Aleksej Maksimovič, ho letto il vostro lavoro[1]. È nuovo e indubbiamente bello. Il secondo atto è molto bello, il

---

[1] *Nei bassifondi.*

migliore, il piú forte, e nel leggerlo, specialmente il finale, per poco non saltavo dal piacere. L'atmosfera è cupa, greve; il pubblico, non abituato, abbandonerà la sala; in ogni caso potrete dire addio alla reputazione d'ottimista. Mia moglie reciterà Vasilisa, la donna dissoluta e malvagia, Višnevskij gira per casa recitando il tartaro – è sicuro che quella è la sua parte. La parte di Luka – ohimè – non si potrà darla ad Artëm, che si ripeterebbe, perderebbe di vigore; in compenso farebbe benissimo il poliziotto, la sua parte è quella; l'amante la farà la Samarova. L'attore, che v'è riuscito molto bene, è una parte splendida, bisogna darla a un artista provetto, magari a Stanislavskij. Il barone sarà interpretato da Kačalov.

Voi avete tolto dal quarto atto i personaggi piú interessanti (tranne l'attore), attento a non doverne risentire. Quest'atto può apparire noioso e inutile, tanto piú se, con l'uscita degli attori piú importanti e interessanti, resteranno solo i mediocri. La morte dell'attore è terribile; è come se di punto in bianco e senza preavviso voi deste allo spettatore un solenne scapaccione. Perché il barone è capitato nel dormitorio pubblico, e perché è barone – anche questo non è abbastanza chiaro.

Verso il 10 agosto partirò per Jalta (mia moglie resterà a Mosca), poi, sempre in agosto, tornerò a Mosca dove, se non succede niente di speciale, mi fermerò fino a dicembre. Vedrò *Piccolo-borghesi*, e andrò alle prove di questo nuovo lavoro. Non riuscirà anche a voi di strapparvi da Arzamas e venire a Mosca almeno una settimana? Ho inteso che a Mosca vi permetteranno di venire, c'è chi s'adopera per voi. Laggiú stanno trasformando il Teatro Lianozovskij in Teatro d'Arte; il lavoro ferve, han promesso di finire per il 15 ottobre, ma gli spettacoli non potranno cominciare prima della fine di novembre, o addirittura di dicembre. Mi pare che la costruzione sia ostacolata dalle piogge, piogge furiose.

Sto a Ljubimovka, nella villa di Alekseev, e pesco all'amo dalla mattina alla sera. Il fiume qui è bellissimo, profondo, c'è molto pesce. E mi sono cosí impigrito da ripugnare a me stesso.

La salute di Ol'ga migliora, a quel che pare. Essa vi ricorda e manda cordiali saluti. Presentate i miei ossequi a Ekaterina Pavlovna, a Massimino e alla figlioletta.

Il pensiero di L. Andreev è qualcosa di pretenzioso, di difficile comprensione e, apparentemente, inutile, ma eseguito con bravura. Andreev manca di semplicità, e la sua bravura ricorda il canto d'un usignolo artificiale. Skitalec invece è un passero, ma in compenso un passero vivo, autentico.

Alla fine d'agosto ci vedremo, in un modo o nell'altro.

State sano e prospero, non v'annoiate. È venuto da me Aleksin; ha parlato bene di voi.

Vostro

A. Čechov

Scrivetemi una riga per dirmi che avete riavuto indietro il dramma. Il mio indirizzo è: Passaggio Neglinnyj, casa Goneckaja.

Per il titolo non v'affrettate, avrete tempo d'escogitarne uno.

A OL'GA L. KNIPPER

Jalta, 17 agosto 1902

Finalmente sono a casa, anima mia. Il viaggio è stato buono, tranquillo, anche se molto polveroso. Sul battello molti conoscenti, mare calmo. A casa m'hanno fatto grandi feste, m'han chiesto di te, m'hanno sgridato perché non sei venuta; ma quando ho dato a Maša la tua lettera e lei l'ha letta, s'è fatto un gran silenzio, la mamma è diventata triste... Oggi m'han dato da leggere la tua lettera, l'ho letta e ho provato non poco turbamento. Perché hai rimproverato Maša? Ti giuro, parola d'onore, che se mia madre e Maša m'hanno invitato a venire a casa a Jalta, non mi invitavano da solo, ma insieme con te. La tua lettera è molto, molto ingiusta, ma ciò che è scritto non si cancella, e lasciamo correre. Di nuovo ripeto: parola d'onore, giuro che mia madre e Maša hanno invitato sia te che me, e non una volta me solo; che verso di te si sono comportate sempre affettuosamente e cordialmente.

Io tornerò presto a Mosca, qui non mi fermerò, benché il tempo sia molto bello. La *pièce* non la scriverò.

Ieri sera, arrivando tutto impolverato, mi sono lavato a lungo, come m'hai ordinato, mi sono lavato anche la nuca, e le orecchie, e il petto. Ho indossato la maglietta di rete, il panciotto bianco. Adesso me ne sto seduto a leggere i giornali; ce n'è moltissimi, sufficienti per tre giorni.

La mamma mi supplica di comperare un pezzetto di terra nei dintorni di Mosca. Ma io non le dico niente, oggi sono di pessimo umore, aspetterò fino a domani.

Ti bacio e t'abbraccio, sta' sana, abbi cura di te. Salutami Elizaveta Vasil'evna. Scrivi piú spesso.

Il tuo   A.

A VLADIMIR G. KOROLENKO

Jalta, 25 agosto 1902

Caro Vladimir Galaktionovič, dove siete? A casa? Comunque, indirizzo questa lettera a Poltava. Ecco quel che ho scritto all'Accademia.

«Altezza Imperiale! Nel dicembre dello scorso anno mi venne comunicata l'elezione di A. M. Peškov ad accademico onorario; ed io non tardai a incontrarmi con A. M. Peškov, che si trovava allora in Crimea, per primo dandogli notizia dell'elezione e per primo congratulandomi con lui. Però, qualche tempo dopo, i giornali stamparono che, tenuto conto che Peškov, in base all'art. 1035, era stato sottoposto a un'inchiesta, le elezioni erano state annullate; inoltre era precisato che l'annunzio proveniva dall'Accademia delle scienze, e poiché io appartengo agli accademici onorari, tale annunzio proveniva in parte anche da me. Dunque io mi congratulavo cordialmente e io dichiaravo l'elezione non valida – simile controsenso non trova posto nel mio intimo, non potevo conciliarlo con la mia coscienza. La lettura dell'art. 1035 non mi ha spiegato nulla. Dopo aver lungamente meditato sono potuto giungere a una sola decisione, estremamente grave e incresciosa per me, e cioè di pregare umilmente Vostra Altezza di depormi dalla carica di accademico onorario».

Ecco, ho scritto a lungo, con un tempo caldissimo, meglio non ho potuto né probabilmente potrei scrivere.

Venire mi è stato impossibile, volevo fare con mia moglie un giro sul Volga e sul Don, ma a Mosca lei, cioè mia moglie, s'è di nuovo ammalata gravemente, e noi abbiamo tanto sofferto, che non era il momento di pensare ai viaggi. Ma pazienza, speriamo d'essere ancora vivi l'anno prossimo, e allora passerò per Gelendžik, a proposito del quale ho letto in questi giorni un articolo sul «Giornale storico».

V'auguro ogni bene, vi stringo forte la mano. State sano e allegro.

Vostro   A. Čechov

A OL'GA L. KNIPPER

Jalta, 29 agosto 1902

Mia cara moglie, attriciuzza, cane mio, salute! Chiedi risposta alle domande che poni nella tua ultima lettera. Volentieri! Sí, sono già sopraffatto dalle visite. Ieri, ad esempio, son venuti dalla mattina alla sera, tanto per affari quanto cosí, semplicemente. Tu scrivi che questo ricever visite mi piace, che civetto quando dico che m'irrita. Non so se civetto o no, so che m'è impossibile lavorare, e le conversazioni, specialmente con estranei, mi stancano molto. Scrivi: «son molto contenta che Jalta ti piaccia tanto e che ti ci trovi cosí bene». Chi t'ha scritto che ci sto cosí bene? Poi chiedi cosa m'ha detto Al'tšuller. Questo dottore viene spesso a trovarmi. Voleva auscultarmi, ha insistito, ma io ho rifiutato. L'umore. Ottimo. Come mi sento? Ieri male, ho preso l'Huniady, ma oggi discretamente. Come al solito, tossisco piú spesso che al nord. Ho sopportato il viaggio molto bene; solo, era molto caldo e polveroso. Ti vengono i capelli bianchi e invecchi? Dipende dal tuo cattivo carattere, dal fatto che non apprezzi ed ami abbastanza tuo marito. Io dormo come al solito, cioè molto bene, non potrei meglio. Ieri è stato da me Jarcev, ha chiacchierato allegramente, ha cantato le lodi del terreno che ha comprato in Crimea (vicino a Kokoz); a quanto pare anche al Comitato di beneficenza le cose procedono bene per lui, giacché tutto è venuto in chiaro e la direzione ha visto che era stata ingannata dai delatori.

C'è caldo, vento, io tracanno furiosamente *narzan*. Oggi ho ricevuto da Nemirovič una lettera, da Najdënov un dramma. Non l'ho ancora letto. Nemirovič esige una commedia, ma quest'anno non la scriverò, pur avendo un soggetto magnifico, a dire il vero.

Maša ha ricevuto oggi da Alupka una lettera della Čaleeva. Scrive che s'annoia, che è malata e che non ha niente da leggere. Una missiva poco allegra.

Maša arriverà a Mosca il 6 settembre, porterà del vino. Tesoro mio caro, informati se il colonnello Stachovič può dare una lettera (sua o di qualcuno) al ministro dell'Istruzione Zenger, affinché ammettano un ebreo al ginnasio di Jalta. Questo ebreo son già quattr'anni che sostiene gli esami, prende solo dei dieci, e tuttavia non l'accettano, pur essendo figlio d'un proprietario di case di Jalta [...] Informati, tesoro, e scrivimi subito.

Scrivimi almeno due parole della tua salute, cara vecchietta. Vai a pesca? Brava.

Non so se ti bastano i soldi per pagare a Egor i pasti. Non è meglio che te ne mandi? Cosa ne pensi? Cane, scrivimi piú in dettaglio, siimi moglie. Da noi i pasti son peggiori che a Ljubimovka, solo lo storione è buono. Mangio molto meno, ma bevo latte; bevo anche fior di latte, abbastanza decente.

Niente pioggia, in Crimea tutto è disseccato, è una disperazione. Ieri è stato da me Doroševič. Abbiamo parlato molto e a lungo di mille cose. È entusiasta del Teatro d'Arte, di te. T'ha visto solo in *Sogni*.

Prendo il mio cane per la coda, gliela scuoto piú volte, poi lo liscio e l'accarezzo. Sta' sana, bambina, che il Creatore ti protegga. Se alle prove vedi Gor'kij, salutalo e digli – ma a lui solo – che ormai non sono piú accademico, che ho mandato la dichiarazione all'Accademia. Ma a lui solo, e a nessun altro. Abbraccio il mio tesoro.

Il tuo marito e protettore

A OL'GA L. KNIPPER

Jalta, 1° settembre 1902

Tesoro mio, diletta, di nuovo ricevo da te una strana lettera. Di nuovo rovesci sulla mia testa un mucchio di storie. Chi t'ha detto che non voglio tornare a Mosca, che son partito per sempre e che quest'autunno non tornerò? Io t'ho ben scritto invece, scritto chiaro, in lingua russa, che verrò senz'altro in settembre e resterò insieme a te fino a dicembre. Non l'ho scritto forse? M'accusi di mancanza di sincerità, e frattanto dimentichi tutto quel che ti dico o ti scrivo. Semplicemente non riesco a capire come comportarmi con mia moglie, come scriverle. Dici che ti vengono i brividi nel leggere le mie lettere, che è ora per noi di separarci, che c'è qualcosa che non capisci... Anima mia, a me pare che di tutto questo pasticcio la colpa non è mia né tua, ma di qualcun altro, con cui tu hai parlato. T'hanno ispirato sfiducia nelle mie parole, nelle mie mosse, tutto ti sembra sospetto – ed io non posso proprio farci nulla, non posso e non posso. Non starò a disingannarti né a farti ricredere, giacché sarebbe inutile. Scrivi che son capace di viverti accanto e di star sempre zitto, che mi sei necessaria solo come donna piacevole, e che tu come creatura umana vivi estranea a me e solitaria... Tesoro mio caro e bello, tu sei mia moglie, cerca di capirlo, una buona volta! Sei la persona a me piú vicina e piú cara, io t'ho amato e t'amo sconfinatamente, e tu ti definisci donna «piacevole», estranea a me e solitaria... Suvvia, lasciamo andare, sia come vuoi.

La mia salute migliora, ma tossisco furiosamente. Pioggia niente, afa. Maša parte il 4, sarà a Mosca il 6. Tu scrivi che io mostrerò a Maša la tua lettera; grazie per la fiducia. Del resto Maša non ha proprio nessuna colpa, presto o tardi te ne convincerai.

Ho cominciato a leggere il lavoro di Najdënov. Non mi piace. Non ho voglia di leggerlo fino in fondo. Quando andrai a Mosca, telegrafami. M'ha stufato scrivere a indirizzi estranei. Non dimenticare la mia lenza, avvolgi l'amo nella carta. Sta' allegra, non immalinconirti, o per lo meno fa' finta d'essere allegra. C'è stata da me S. P. Sredina, ha raccontato molte cose, ma senza interesse, sapeva già come t'eri ammalata, chi era vicino a te, e chi non c'era. La vecchia Sredina è già a Mosca.

Se vuoi bere del vino, scrivimelo, te lo porterò. Scrivi se hai soldi, o se puoi cavartela fino al mio arrivo. La Čaleeva vive ad Alupka; i suoi affari vanno molto male.

Acchiappiamo topi.

Scrivi quello che fai, che parti ripeti, quali ne studi nuove. Non diventi mica pigra, come tuo marito?

Anima mia, siimi moglie, siimi amica, scrivi buone lettere, non farmi venire la malinconia, non tormentarmi. Sii quella buona, brava moglie che in realtà sei. Io t'amo piú forte di prima e, come marito, di nulla son colpevole dinanzi a te, cerca dunque di capirlo infine, gioia mia, capretta mia.

Arrivederci, sta' sana e allegra. Scrivimi senz'altro ogni giorno. Ti bacio e t'abbraccio.

Il tuo   A.

A OL'GA L. KNIPPER

Jalta, 20 settembre 1902

Olja, musetto mio caro, salute! nelle tue ultime lettere ti sei votata completamente alla malinconia e, forse, sei già diventata monaca; ed io che ho tanta voglia di vederti! Ma presto, presto arriverò e, ripeto, resterò fino a quando mi caccerai, magari fino a gennaio. Mia madre parte da Jalta il 3 ottobre – per lo meno cosí ha detto ieri. Andrà dapprima a Pietroburgo e poi, sul ritorno, si fermerà a Mosca, da Ivan. Cosí le consiglio io.

Perché le mie azioni presso Morozov ti preoccupano tanto? Grande importanza hanno! Quando verrò a Mosca parlerò con lui, intanto non occupartene, tesoro.

E cosí, verrò a Mosca senza sputacchiera; ohibò, è cosí scomodo in vagone. Tu non spedirla, se no magari m'incrocio col pacco. Per il giorno del mio arrivo, ordina a Maša di cuocere una cotoletta di vitella, di quelle che costano trenta copeche. E che la birra sia «Export», di Strickij. A proposito, io adesso mangio molto, e tuttavia ho poche forze e poca energia, e di nuovo ho cominciato a tossire, di nuovo ho cominciato a bere Ems. L'umore però è discreto, non m'accorgo come passa la giornata. Ma via, tutte queste sono sciocchezze.

Tu scrivi che se noi vivessimo sempre insieme, mi verresti a noia, giacché m'abituerei a te come al tavolo, alla sedia. «Io e te siamo entrambi, in un certo senso, incompleti». Non so, tesoro, se io sono completo o no, soltanto son convinto che quanto piú vivessi insieme a te, tanto piú il mio amore diverrebbe vasto e profondo. Sappilo, attriciuzza. E se non fosse la mia malattia, sarebbe difficile trovare un uomo piú casalingo di me.

Due notti fa ha piovigginato, anche ieri ha piovuto un poco nella giornata, poi non una goccia. Il sole brucia come prima, tutto è secco. Per l'intestino, dovresti parlare con Taube. È tornato dall'estero? Ti sei informata? È risaputo che un intestino malandato rende malinconici, tienilo presente. In vecchiaia, grazie a questa malattia, bastonerai marito e figli. Li bastonerai e insieme singhiozzerai.

Domani arriva Al'tšuller, mi ausculterà – è la prima volta in tutto l'autunno. Io mi son sempre rifiutato, ma adesso sarebbe imbarazzante. Lui mi spaventava minacciando sempre di scriverti. (Qui a Jalta, non so perché, tutti pensano che sei severa, che mi domini).

Cosa c'è d'altro? Be', che bacio la mia cimicetta. Scrivimi della tua salute piú in dettaglio; ripeto, va' da Taube e scrivimi di nuovo. Dunque, ti bacio e ti liscio la schiena, poi t'abbraccio. Arrivederci!!

Il tuo   A.

La birra di Strickij si chiama «Export». Se farai venire dal deposito venti bottiglie, ordina così: dieci bottiglie di «Martovskaja» e dieci bottiglie «Export». Prima di partire telegraferò.

A KONSTANTIN S. ALEKSEEV (STANISLAVSKIJ)

Jalta, 1° ottobre 1902

Cosa succede, caro Konstantin Sergeevič?! che Dio ci salvi! Io mi sarei allontanato da voi, disamorato del Teatro d'Arte? Non mi son mai sognato niente di simile, non potrei pensarlo nemmeno per scherzo! Non so cosa precisamente v'abbia suggerito l'idea del presunto cambiamento che sarebbe avvenuto in me. La mia lettera a Savva Timofeevič? Ma quella lettera riguardava solamente il mio debito, del quale non potevo tacere, giacché nelle mie faccende finanziarie s'è prodotto effettivamente un piccolo malinteso. Il fatto è che io, iscrivendomi tra gli azionisti, avevo promesso di pagare la mia quota (5000 r.) alla fine di quest'anno; ma, come risulta adesso, non potrò pagare, perché non avrò i soldi: contavo sul rimborso d'un prestito, e non l'ho avuto. Ed essere azionista, diciamo così, a credito, mi mette a disagio. Questo è tutto, di questo ho scritto a Savva Timofeevič; ricordo d'avergli scritto così: che non c'è neppure da pensare né da parlare d'un qualsiasi cambiamento nei rapporti col teatro e in genere con una impresa che io amo dal giorno che è nata, si può dire.

Sarò a Mosca verso il 15 ottobre, e allora userò di tutta l'eloquenza di cui son capace per dissipare questa sciocchezza che non può neppure esser chiamata malinteso... il 15 ottobre sarò a Mosca e vi spiegherò perché fino ad ora il mio dramma non è ancora pronto. Il soggetto c'è, ma per adesso non ce la faccio.

A Ljubimovka sono stato molto bene, meglio non avrei potuto. Arrivato a Jalta, mi sono ammalato, ho cominciato a tossire furiosamente, non mangiavo niente – e così per un mese; adesso però mi sento benissimo. Il dottore m'ha auscultato e ha detto che s'è prodotto un notevole cambiamento in meglio (al contrario di quel ch'era avvenuto nell'inverno e in primavera). Dunque, il clima di Ljubimovka e la pesca (dal mattino alla sera), si sono dimostrati per me salutari, nonostante le piogge che abbiamo avuto tutta l'estate. Ed anche Ol'ga s'è ristabilita. Il dottor Strauch è stato da me l'altro ieri e ha detto che non è rimasta in lei alcuna conseguenza del processo morboso.

Invio un cordiale saluto a Marija Petrovna e alla vostra mamma. State sano e prospero.

Vostro   A. Čechov

Da Mosca me ne andrò all'estero, probabilmente a Nervi. Mi fermerò a Mosca sino alla fine di novembre o al principio di dicembre, cioè fino alla tosse.

A OL'GA L. KNIPPER

Jalta, 15 dicembre 1902

Donna mia amata, oggi ho ricevuto la tua lettera su due foglietti. Ecco le risposte alle tue domande. Bevo puntualmente l'olio di fegato e il creosoto, poiché questa è la quasi unica mia occupazione. La vestaglia non ce l'ho; quella che avevo prima l'ho regalata a qualcuno, non ricordo a chi, ma a me non serve, perché di notte non mi sveglio. In tutto questo tempo la mia giacca è stata spazzolata una volta sola. Adesso, perché tu non t'inquieti, prenderò delle misure. La testa me la son lavata di recente. La camicia l'ho cambiata oggi. Le calze le cambio subito, in questo momento. Gli asciugamani nuovi mi pare che non servano a niente. Appena li prendi in mano diventano zuppi; probabilmente sono di quelli a buon mercato. A me servono asciugamani piú corti, piú grezzi, piú spessi e ruvidi.

Questa notte è caduta la neve. La natura è notevolmente lurida.

Tesoruccio, se mi sei moglie, da' ordine che mi cuciano, per quando verrò a Mosca, una pelliccia fatta d'una qualche pelle calda, ma leggera e bella, per esempio di moffetta. La pelliccia di Mosca per poco non m'ha ammazzato! Pesa tre *pud*! Senza una pelliccia leggera io mi sento uno straccione. Cerca di farlo, moglie! Non riesco a capire perché, in quest'ultima mia venuta, non mi sia fatto una pelliccia.

Durante le feste ti scriverò ogni giorno, sta' tranquilla. Fa bene anche a me, scriverti. Sei pure la mia straordinaria, brava, degna, intelligente, rara moglie, non c'è in te alcun difetto – almeno dal punto di vista mio.

Uno però ne hai: sei irascibile; e quando sei di cattivo umore è pericoloso passarti vicino. Ma sono sciocchezze, col tempo passerà. Io e te abbiamo un solo difetto comune: che ci siamo sposati tardi.

L'anno scorso e anche prima, al mattino, svegliandomi ero d'umore cattivo, mi sentivo braccia e gambe rotte, quest'anno invece niente di simile, quasi fossi ringiovanito.

Ho ricevuto una lettera da Višnevskij, digli che gli risponderò durante le feste.

Abbraccio il mio tesoro, lo bacio e benedico.

Scrivimi piú dettagliatamente, non essere pigra. Adesso le giornate han già cominciato ad allungarsi, ci avviamo verso la primavera, dunque presto ci rivedremo. Be', che il Signore sia con te.

Il tuo   A.

AD ALEKSEJ S. SUVORIN

Jalta, 22 dicembre 1902

Sto poco bene, in genere qui i malati si sentono piuttosto male; il tempo è troppo brutto a Jalta, è semplicemente un guaio! O pioggia, o vento fortissimo, da quando sono qui c'è stato solo un giorno di sole. Oggi è arrivata notizia che il lavoro di Gor'kij *Nei bassifondi* ha avuto un enorme successo, l'hanno recitato stupendamente. Io vado di rado al Teatro d'Arte, ma mi pare che voi esageriate troppo il ruolo di Stanislavskij come regista. È il piú normale dei teatri, e le cose si fanno lí molto normalmente, come dovunque; solo, gli attori sono colti, gente molto a posto; veramente non brillano per talento, ma sono diligenti, amano il lavoro e studiano le parti. Se poi molte cose non hanno successo, è perché la *pièce* non va, oppure perché gli attori non ce l'han fatta. Davvero Stanislavskij non c'entra. Voi scrivete ch'egli caccia dalla scena tutti i migliori, eppure in tutti questi cinque anni, da quando esiste il teatro, non è andata via una sola persona, che appena, appena avesse un'ombra d'ingegno.

Che Miša voglia pubblicare la «Biblioteca europea» l'ho saputo da una sua lettera; gli ho scritto come ho potuto, che questa edizione è una stupidaggine, che «La bibl. eur.» è un titolo rubato, che i romanzi tradotti non servono a nessuno, che il loro prezzo è di quattro soldi e non di cinque rubli, ecc. ecc. Quale sorte sia capitata a questa mia lettera, non so.

Mi scrivete: «Voi che siete una cara persona, perché siete adesso andato a cacciarvi nell'ambiente degli attori e dei nuovi letterati?» Io mi sono cacciato a Jalta, in questa cittaduzza di provincia, e qui sta tutta la mia disgrazia. Purtroppo, l'ambiente dei nuovi letterati mi considera estraneo, vecchio, i loro rapporti con me sono cordiali, ma pressoché ufficiali; quanto all'ambiente degli artisti, consiste unicamente nelle lettere di mia moglie, attrice, e nient'altro.

Non so se vi ho scritto che ho ricevuto «Tutta la Russia» nonché il primo e il secondo volume di Puškin. Molte grazie. Nel vostro almanacco c'è un mucchio d'errori, ad esempio nella rubrica dei giornali; io gli ho dato retta e ho mandato cinque rubli per la «Nuova rivista di letteratura straniera», e dieci rubli per «Il mondo dell'arte», ed è risultato che in entrambi i casi mi sono sbagliato. Ma egualmente il vostro almanacco è ottimo. E «Tutta la Russia» lo si sfoglia con interesse.

Vi faccio gli auguri per Natale e per il prossimo anno nuovo, v'auguro salute. Ad Anna Ivanovna, a Nastja e Borja i piú profondi ossequi e saluti. Mille grazie a voi per la lettera, che è molto interessante.

Vostro   A. Čechov

Non vedo «Liberazione»; non so perché, non la ricevo.

A OL′GA L. KNIPPER

Jalta, 24 dicembre 1902

Mia cara vecchietta, il tuo nonnino non sta troppo bene. Questa notte ho dormito molto male, irrequieto; dolori reumatici e calore in tutto il corpo. Non ho voglia di mangiare, mentre oggi c'è il pasticcio ripieno. Ma via, non importa.

Ho ricevuto una bellissima lettera da Kurkin riguardo al lavoro di Gor′kij, è cosí bella che penso di mandarne copia a A. M. Di tutto quel che ho letto sul suo dramma, è il meglio. Entusiasmo totale, naturalmente, e molte osservazioni curiose.

Te, t'han lodato sui giornali, vuol dire che non hai ecceduto, che hai recitato bene. Se fossi stato a Mosca, senz'altro, a qualunque costo, sarei venuto all'«Ermitage», dopo lo spettacolo, e ci sarei rimasto fino al mattino, e mi sarei azzuffato con Baranov.

Ieri ho scritto a Nemirovič. Il mio *Giardino dei ciliegi* sarà in tre atti. Cosí mi sembra, ma del resto non ho ancora deciso definitivamente. Lascia che mi rimetta e comincerò di nuovo a pensarci, adesso ho piantato tutto. Il tempo è perfido, ieri tutto il giorno ha piovuto a dirotto, e oggi è coperto, fangoso. Vivo come un deportato.

Dici che le mie ultime due lettere son belle e ti piacciono molto, io invece scrivendo temo sempre di dire cose senza interesse, noiose, come per dovere. Vecchietta mia cara, cane, cagnetto mio! Ti bacio, ti benedico, t'abbraccio. Per l'anno nuovo manderò al vostro teatro un telegramma. Mi sforzerò di scriverti lettere piú lunghe e divertenti. La mamma ha ricevuto la tua letterina ed è molto contenta.

Sta' sana. Recita quanto vuoi, ma riposati, non stancarti troppo. Abbraccio il mio tesoruccio.

Il tuo   A.

A OL'GA L. KNIPPER

Jalta, 25 dicembre 1902

La tua lettera alla mamma è arrivata giusto in tempo, cioè ieri. La mia salute va cosí cosí, però meglio di ieri; dunque mi sto rimettendo.

Se sapessi, anima mia, come sei intelligente! Si vede dalle tue lettere, tra l'altro. Mi pare che se potessi starmene steso – fosse pure soltanto mezza nottata – col naso ficcato nella tua spalla, mi sentirei meglio, e smetterei d'esser di cattivo umore. Di' quel che vuoi, ma senza di te non posso stare.

Ho visto oggi le vostre sembianze su «Le novità del giorno» nel dramma di Gor'kij, e mi sono intenerito. Moskvin, Stanislavskij e te siete meravigliosi. Višnevskij è molto brutto, insulsamente brutto. Mi sono addirittura commosso, dalla contentezza! Bravi!

Ho finalmente spedito la pelliccia a Nizza, e non mi sento piú un furfante.

Caro cane, perché non sto con te? Perché non hai a Mosca un appartamento con una camera per me, dove io possa lavorare, nascondendomi agli amici? Per l'estate, affitta una villa in cui si possa scrivere; allora m'alzerò presto; ma che si stia io e te soli, se non ogni giorno, almeno tre volte alla settimana, o giú di lí.

Tedeschina, descrivimi dunque come sarà il matrimonio. Probabilmente tutto sarà cerimonioso e solenne.

Cosa ha fatto Baranov all'«Ermitage»? Di che si tratta? In che consiste lo scandalo? Descrivimi tutto, tesoro.

Abbraccio il mio airone, lo bacio.

Il tuo   A.

A OL'GA L. KNIPPER

Jalta, 13 gennaio 1903

Olja, mia cara, l'11 mattina, quando Maša è partita, mi sono sentito poco bene; mi doleva il petto, avevo nausea, 38°. Anche ieri lo stesso. Ho dormito bene, seppure disturbato dai dolori. È venuto Al'tšuller, m'è toccato nuovamente mettermi addosso un impacco caldo (ne ho uno enorme). Questa mattina avevo già 37°, mi sento debole, ora mi metterò un vescicante, ma egualmente avevo diritto di telegrafarti oggi che tutto procede a meraviglia. Adesso tutto va bene, mi sto rimettendo, domani sarò di nuovo perfettamente in salute. Non ti nascondo niente, cerca di capirlo, e non disturbarti a far telegrammi. Se succedesse qualcosa non dico grave, ma con una parvenza di gravità, la prima persona alla quale lo comunicherei, saresti tu.

Non sei di buon umore? Lascia correre, tesoro. Non disperarti, tutto s'accomoderà.

Oggi la terra è coperta di neve, è nuvolo, poco allegro. Mi rattrista di aver lasciato passare tanto tempo senza lavorare, evidentemente non sono piú un lavoratore. Stare in poltrona con un impacco, a irrancidire, non è certo molto allegro. Non m'ami piú, tesoruccio? Nella lettera di ieri hai scritto che sei diventata brutta. Come se non fosse lo stesso! Quand'anche ti fosse spuntato un naso da gru, io t'amerei egualmente.

Abbraccio il mio caro, il mio bel bassotto, lo bacio e di nuovo l'abbraccio. Scrivi!!

Il tuo   A.

A OL'GA L. KNIPPER

Jalta, 18 marzo 1903

Tesorino mio straordinario, finalmente hai mandato il tuo indirizzo e tutto è tornato di nuovo nella norma. Grazie, colombella. La tua lettera lacrimosa, nella quale te la prendi con te stessa prima di partire per l'eremo di Černigov, l'ho ricevuta stamane, l'ho letta – niente indirizzo! Ero ormai pronto a presentare domanda di divorzio, quando a mezzogiorno ho ricevuto il telegramma.

Dunque, sarò a Mosca la settimana dopo Pasqua, arriverò prima del tuo ritorno da Pietroburgo, ti vengo incontro, non alla stazione, ma a casa, dopo essere stato ai bagni, dopo aver scritto un po' della commedia. La quale commedia, a dire il vero, non m'è riuscita del tutto. Un personaggio importante non è ancora abbastanza elaborato e m'infastidisce. Ma penso che a Pasqua esso sarà ormai chiaro e io mi sarò liberato dalle difficoltà.

Se Maša non è ancora partita, dille che porti un po' di salame cotto. Hai inteso? Tutto il resto lo prenderemo da Cuba. La fotografia della quale scrivi te la manderò a Pietroburgo, probabilmente tramite V. K. Charkeevič. Se ci sono dei palchi che costano non piú di trenta, be', quaranta rubli, allora fissane uno per V. K. (*Nei bassifondi* e *Zio Vanja*), se invece non ce n'è di cosí a buon mercato e in genere non ci sono palchi, allora – tesoro mio, non prendertela col tuo sciocco marito – fissale due poltrone da tre rubli per questi lavori. T'adoro, animuccia mia, t'amo.

Domani ti scriverò di nuovo. Non dire stupidaggini, non è affatto colpa tua se non vivi con me d'inverno. Al contrario, noi due siamo dei coniugi molto ammodo, visto che non ci disturbiamo a vicenda. Lo ami il teatro, tu? Se non lo amassi, allora sarebbe un altro affare. Be', Cristo sia con te. Presto, presto ci vedremo, io t'abbraccerò, e ti bacerò quarantacinque volte. Sta' sana, bambina.

Il tuo   A.

A MARIJA P. ALEKSEEVA (LILINA)

Jalta, 15 settembre 1903

Cara Marija Petrovna, non credete a nessuno, il mio lavoro non l'ha ancora letto anima viva; per voi ho composto non una «bigotta», ma una carissima ragazza della quale, come spero, resterete soddisfatta. Avevo quasi finito la *pièce* quando otto o dieci giorni fa mi sono ammalato, ho cominciato a tossire, mi sono indebolito, in una parola, è cominciata la storia dell'anno passato. Adesso, cioè oggi, è venuto il caldo, e la salute sembra andar meglio, ma egualmente non posso scrivere, perché mi duole la testa. Ol'ga non porterà il lavoro, manderò io tutti e quattro gli atti, appena avrò la possibilità di mettermici di nuovo per una giornata intera. M'è venuto fuori non un dramma, ma una commedia, in certi punti una farsa addirittura, e temo di prendermi una sgridata da Vladimir Ivanovič. Konstantin Sergeevič ha una grossa parte. In genere però di parti ce n'è poche.

Io non posso venire per l'apertura della stagione, resterò a Jalta fino a novembre. Ol'ga, che nell'estate s'è ingrassata e irrobustita, arriverà a Mosca domenica, con tutta probabilità. Io resterò solo e, naturalmente, non mancherò d'approfittarne. Come scrittore, mi è indispensabile osservare quante piú donne è possibile, m'è indispensabile studiarle, e quindi non posso purtroppo essere un marito fedele. Poiché io osservo le donne principalmente per i miei drammi, il Teatro d'Arte dovrebbe, secondo me, aumentare lo stipendio a mia moglie, oppure fissarle una pensione.

Nella vostra lettera non m'avete comunicato l'indirizzo, spedisco questa al Vicolo Kamergerskij. Voi andate certo alle prove e quindi la riceverete presto. Vi sono infinitamente grato d'esservi ricordata di me, d'avermi scritto. I miei ossequi a Igor' e a Kira, che ringrazio per il buon ricordo. A torto però Kira si rallegra del San Bernardo, che è un cane buono, ma scomodo e del tutto inutile. Ben altro è il mio amico Zygan. Questi giorni mi sono anch'io procurato un cane bastardo, straordinariamente stupido.

Quando vedete Višnevskij, ditegli che cerchi di dimagrire – è necessario per la mia commedia. Dopo di che, state sana, felice, allegra, che tutto vi riesca bene. Auguratevi ch'io guarisca presto e mi metta al lavoro. Omaggi a Konstantin Sergeevič e a tutti i vostri compagni e compagne.

Vostro   A. Čechov

Vi bacio la mano.

A OL'GA L. KNIPPER

Jalta, 25 settembre 1903

Cane mio scodato, questa lettera ti giungerà probabilmente dopo che avrai ricevuto il telegramma che ho finito la commedia. Il quarto atto mi viene facile, armonico si direbbe; e se non l'ho finito presto, è perché sono sempre mezzo malato. Oggi mi sento meglio di ieri, veramente, ma verso le undici ho cominciato ad aver male alle gambe, alla schiena, è cominciata la tosse. Penso tuttavia che adesso andrà sempre meglio. L'altro ieri è comparso da me il tuo, come lo chiami, «nemico» Al'tšuller; io non mi son lasciato auscultare, ma gli ho detto delle abluzioni mattutine. Lui ha alzato le mani al cielo e m'ha proibito le spugnature. E adesso mi lavo come prima, cioè ogni tre o quattro giorni avrò di nuovo il collo grigio. Son due mattine che non faccio abluzioni, ma il mio stato di salute è pur sempre lo stesso, solo direi che mi sento piú arzillo.

Ieri, finalmente, è venuto Kostja. È comparso tutto allegro, eccitato, pallido e smunto, in pantaloni scuri di mussola. Gli abbiamo dato da pranzare. È uscito e alla sera è tornato di nuovo, con un occhio intasato. Mi son messo ad operarlo, a quanto pare l'operazione non è riuscita, ma l'occhio va meglio. Stamattina presto è venuto per la biancheria. Domani finisce il lavoro piú difficile. Con Michajlovskij va d'accordo.

Nastja mi cambia accuratamente i vestiti. Debbo riconoscere che dal punto di vista domestico, va proprio tutto bene. In genere è da rimpiangere ch'io mi sia sposato con te cosí tardi. Quando ti manderò il lavoro, cerca di fare in modo che al momento della lettura (nel *foyer*) non ci sia Stachovič.

Mi pare che nella mia commedia, per quanto noiosa, c'è qualcosa di nuovo. A proposito, in tutto il lavoro non c'è neppure uno sparo. La parte di Kačalov è buona. Cerca a chi far recitare la diciassettenne, e scrivimi.

Ieri non t'ho scritto e in genere ho scritto pochissimo, perché non mi sentivo tanto bene.

Ti bacio, gioia mia, t'abbraccio stretto. Salutami Višnevskij, Nemirovič, Alekseev e tutti i cristiani ortodossi. Ho tardato con la commedia, di' che mi scuso tanto tanto.

Domani ti scriverò ancora, tu adesso riposati, chiacchiera,
disfa con impazienza.

Suvvia, cocca, non dimenticarmi, ricordami.

Il tuo

A.

A OL'GA L. KNIPPER

Jalta, 12 ottobre 1903

E dunque, cavalluccia, evviva la mia e la vostra pazienza!
La commedia è ormai terminata, definitivamente terminata,
e domani sera, o al piú tardi il 14 mattina, sarà spedita a Mosca. Contemporaneamente ti mando alcune annotazioni. Se
occorreranno delle modifiche saranno, mi sembra, minime. Il
piú brutto nel lavoro è che l'ho scritto non d'un sol tratto, ma
a lungo, molto a lungo, tanto che deve sentirsi qualche lentezza. Be', staremo a vedere.

La mia salute si rimette, non tossisco piú molto, ormai, e
non corro piú. Con la partenza di Maša i pasti, naturalmente,
han cominciato a peggiorare; oggi, ad esempio, m'hanno dato
a pranzo del montone, che adesso non posso mangiare, e cosí
m'è toccato stare senza arrosto. Mangio dell'ottimo *kisel'*. Il
prosciutto salato mi resta pesante. Mangio uova.

Tesoro, come mi è stato difficile scrivere la commedia!

Di' a Višnevskij che mi trovi un lavoro ai monopoli. Ho
scritto una parte per lui; ho solo paura che dopo Antonio questa parte, fatta da un Anton, gli sembri poco elegante, sgrazia-
ta. Del resto, lui interpreterà l'aristocratico. La tua parte
è fatta solo nel terzo e nel primo atto, negli altri è appena abbozzata. Ma di nuovo non importa, io non mi scorag-
gio. Quanto a Stanislavskij, dovrebbe vergognarsi d'aver paura. E dire che ha cominciato cosí coraggiosamente, ha recitato
Trigorin a pennello, adesso è avvilito perché Efros non lo
elogia.

Be', tortorella, non brontolare con me, che il Signore t'ac-
compagni. Io t'amo e t'amerò. Anche picchiarti posso. T'abbraccio e ti bacio.

Il tuo

A.

A OL'GA L. KNIPPER

Jalta, 14 ottobre 1903

Ma perché brontoli sempre, vecchietta! Al'tšuller l'ho chiamato io, perché non mi sentivo troppo bene, ero stanco di correre. M'ha ordinato di ingoiare otto uova al giorno e di mangiare del prosciutto tritato. Maša non c'entra proprio per niente. Senza di te son come senza mani, come fossi in un'isola deserta.

E cosí, il lavoro è spedito, lo riceverai probabilmente insieme a questa lettera. Aggiungo una bustina, la leggerai quando avrai fatto conoscenza con la commedia. Dopo averla letta, telegrafa immediatamente. La darai a Nemirovič, gli dirai che anche lui mi mandi un telegramma, ch'io sappia come e cosa. Pregalo di tenere il lavoro segreto, affinché non cada nelle mani di Efros e degli altri prima della messa in scena. Non amo io le chiacchiere inutili.

Le tue lettere non sono allegre, sei di cattivo umore. Non sta bene, tesoruccio mio. Oggi poi non mi hai scritto affatto. Seppure in teatro qualcosa non va, sai bene che gli insuccessi sono naturali, e passeranno immancabilmente due o tre anni, in cui il teatro non avrà che insuccessi. Bisogna tener duro. Gli anni passati Stanislavskij era caldo, ma adesso hanno scombussolato anche lui, e s'è afflosciato.

La mia salute è buona. Due sere fa aveva cominciato a dolermi la pancia, tutta la giornata di ieri m'ha fatto male, ma oggi tutto va bene. Per oggi ho soppresso le uova, d'ora innanzi ne mangerò la metà. Ieri è venuto Al'tšuller, m'ha auscultato, mi ha autorizzato ad andare in città. Non t'annoio con i miei discorsi medicali? Davvero no?

Ho letto che il telegrafo è rotto tra Mosca e Char'kov, il mio telegramma ritarderà molto. Domani mi metterò a scrivere un racconto, senza affrettarmi. Non mi par vero di non scrivere piú la commedia. Ci crederai? due volte l'ho copiata in pulito. S'è fatto vecchio tuo marito, e se prenderai uno spasimante, non ho il diritto d'avanzare pretese.

Se han deciso di metter su qualcosa di nuovo, scrivimelo, animuccia. Scrivimi tutto.

Sta' sana, cavallina. Leggi il lavoro, leggilo attentamente. Anche nella mia commedia c'è un cavallo. Ti benedico e t'abbraccio tante volte. Dio sia con te.

Il tuo   A.

1. Ljubov' Andreevna la reciterai tu, giacché nessun'altra lo potrebbe. È vestita senza sfarzo, ma con gran gusto. È intelligente, molto buona, svagata; fa moine con tutti, ha sempre il sorriso sulle labbra.
2. Anja deve recitarla senz'altro un'attrice giovincella.
3. Varja – questa parte la prenderà forse Marija Petrovna.
4. Gaev – è per Višnevskij. Pregalo di fare attenzione a come giocano a biliardo, e annoti quanti piú termini può. Io non ci gioco, ovvero ci giocavo una volta, ma adesso ho dimenticato tutto, e nel mio lavoro ho messo tutto a casaccio. Poi prenderò accordi con Višnevskij, e inserirò tutto quel che occorre.
5. Lopachin – Stanislavskij
6. Lo studente Trofimov – Kačalov.
7. Simeonov-Piščik – Gribunin.
8. Carlotta – punto interrogativo. Nel quarto atto debbo ancora inserire le sue repliche: ieri, mentre lo copiavo, mi doleva la pancia, e non ho potuto mettere niente di nuovo. Nel quarto atto Carlotta eseguirà un gioco di prestigio con le galosce di Trofimov. La Raevskaja non può recitarla. Qui ci vorrebbe un'attrice dotata d'umorismo.
9. Epichodov – forse Lužskij non rifiuterà d'interpretarlo.
10. Firs – Artëm.
11. Jaša – Moskvin.

Se il lavoro va, di' che farò tutte le modifiche che l'osservanza della scena richiede. Tempo ne ho, sebbene, lo confesso, questa commedia m'abbia terribilmente annoiato. Se c'è qualcosa di poco chiaro, scrivi.

La casa è vecchia, signorile: un tempo ci vivevano assai riccamente, e questo si deve sentire dall'arredamento. Ricco e accogliente.

Varja è piuttosto rude e stupida, ma molto buona.

A OL'GA L. KNIPPER

Jalta, 21 ottobre 1903

Mia cara cavallina, forse t'ho già scritto del mio insuccesso: la polvere di Brocard non lava, cioè non fa schiuma. Facciamo come è scritto sull'involucro; la prima volta abbiam creduto che c'era tropp'acqua, ma la seconda non sapevamo piú cosa pensare. Insegnaci come si fa.

Morozov è un brav'uomo, ma non occorre metterlo addentro alle segrete cose. Della recitazione, dei lavori, degli attori, egli può giudicare come pubblico, non come padrone o regista.

Oggi ho ricevuto da Alekseev un telegramma nel quale definisce la mia commedia geniale; questo significa lodare sperticatamente il lavoro e togliergli una buona metà del successo che, in fortunate condizioni, potrebbe avere. Nemirovič non m'ha ancora spedito l'elenco degli artisti che prendono parte alla commedia, ma io seguito a temere. M'ha già telegrafato che Anja rassomiglia a Irina; è chiaro che vuol dare la parte di Anja a Marija Fëdorovna. Anja però somiglia a Irina come io a Burdžalov. Prima di tutto Anja è una bambina, allegra all'estremo, che non conosce la vita e non piange neppure una volta, salvo nel secondo atto, dove ha solo le lacrime agli occhi. Il fatto è che M. F. renderà lagnosa tutta la parte, e per giunta è vecchia. Chi recita Carlotta?

Io mi sento piuttosto bene, anche se la tosse non smette; tossico piú dell'anno scorso di questi tempi.

Arriverò ai primi di novembre; la mamma verrà alla metà o alla fine di novembre, qui s'annoia molto.

Aleksandr Pleščeev stamperà a Pietroburgo una rivista teatrale sul tipo di «Teatro ed arte». Sarà un colpo per Kugel'. A gennaio gli manderò un *vaudeville*, che lo pubblichi. È da un pezzo che ho voglia di scrivere un *vaudeville* dei piú stupidi.

Quando cominceranno le prove del mio lavoro? Scrivimi, tesoruccio, non farmi soffrire. Il tuo telegramma era molto breve, cerca almeno adesso di scrivere piú dettagliatamente. Sai bene che qui sto come al confino.

Non so perché, mi torna ogni giorno in mente la vita dalla Jakunčikova. Una vita cosí scandalosamente oziosa, assurda, insulsa, come in quella casa bianca, è difficile incontrarla ancora. Gente che vive esclusivamente per il piacere di vedere in casa propria il generale Gadon, o di andare a spasso con l'amico del ministro principe Obolenskij. E come fa Višnevskij a non capirlo, lui che guarda a questa gente dal basso in alto, come a degli dèi. Ci son là due sole persone degne di rispetto: Natal'ja Jakovlevna e Maksim. Gli altri... ma del resto, lasciamo andare.

Natal'ja Jakovlevna però, ha dimenticato la promessa di farmi la *maquette* d'una città.

Si prepara a venire a Mosca *Mme* Bonnier, s'è già ordinata un vestito bianco espressamente per il Teatro d'Arte.

Quando arriverà infine la tua lettera? Ho voglia di leggere della mia commedia, impazienza che capiresti se abitassi, come me, in questa calda Siberia. Del resto, comincio ormai ad abituarmi a Jalta; chi sa che non impari a lavorare, qui.

Be', cavalluccio mio, mio buon ungherese, t'abbraccio e ti bacio forte. Non dimenticare che son tuo marito, e ho diritto di picchiarti, bastonarti.

Il tuo   A.

A KONSTANTIN S. ALEKSEEV (STANISLAVSKIJ)

Jalta, 30 ottobre 1903

Caro Konstantin Sergeevič, mille grazie a voi per la lettera, come pure per il telegramma[1]. Le lettere sono adesso per me una cosa molto preziosa perché, in primo luogo, sto qui solo soletto, e, in secondo luogo, ho spedito la commedia tre settimane fa, mentre ho ricevuto la vostra lettera soltanto ieri; non fosse stata mia moglie, non avrei saputo assolutamente nulla, e avrei potuto supporre qualunque cosa mi fosse saltata in testa. Mentre scrivevo Lopachin, mi sembrava che fosse la parte per voi. Se per qualche ragione non vi sorride, allora prendete Gaev. Lopachin è un mercante, è vero, ma una degna persona sotto ogni riguardo; egli deve comportarsi con tutta correttezza, da persona istruita, senza meschinità, senza stramberie, e mi sembrava proprio che questa parte, centrale nella commedia, vi sarebbe riuscita in modo brillante. Se prendete Gaev, date allora Lopachin a Višnevskij. Non sarà un Lopachin artistico, ma neppure meschino. Lužskij sarebbe in questa parte un freddo straniero. Leonidov ne farebbe un piccolo accaparratore. Nello scegliere l'attore che l'interpreterà, bisogna tener presente che Lopachin era amato da Varja, ragazza seria e religiosa; essa non si sarebbe innamorata d'un piccolo accaparratore.

Ho una gran voglia di venire a Mosca, ma non so proprio

---

[1] «S'è svolta la lettura del lavoro alla compagnia. Splendido, eccezionale successo. Ascoltatori rapiti fin dal primo atto. Apprezzata ogni finezza. All'ultimo atto piangevano. Mia moglie in visibilio, come tutti. Non un solo lavoro è stato accolto con tale unanime entusiasmo. Alekseev».

come strapparmi di qui. S'è messo a far freddo, e io non esco quasi, ho perso l'abitudine all'aria, tossisco. Non di Mosca ho paura, non del viaggio, ma che mi toccherebbe fermarmi a Sebastopoli dalle due alle otto, e per di piú in noiosissima compagnia.

Scrivetemi che parte prenderete. Mia moglie m'ha scritto che Moskvin vuole interpretare Epichodov. Ma benissimo, il lavoro non potrà che guadagnarne.

Omaggi e saluti a Marija Petrovna, auguri d'ogni bene a lei e a voi. State sano e allegro.

Pensate dunque che non ho ancora veduto *Nei bassifondi*, *Le colonne* e *Giulio Cesare*. Ho una gran voglia di vederli.

Il vostro

A. Čechov

Non so dove abitate adesso, perciò scrivo a teatro.

A OL′GA L. KNIPPER

Jalta, 8 novembre 1903

Tesoro mio, scarafaggetto, ho appena ricevuto la lettera nella quale mi dài del superuomo e ti lagni di non aver talento. Ringrazio umilmente.

Ieri ho ricevuto la lettera d'una certa signora Janina Berson, la quale scrive che a Ginevra gli studenti «non hanno da mangiare, lavoro non ce n'è, non conoscendo la lingua crepano di fame». È una conoscente di Gor′kij. Chiede una copia del *Giardino dei ciliegi*, per rappresentarlo a Ginevra a scopo di beneficenza. Lo reciterebbero gli studenti, dice. Poiché afferma che si vedrà con te a teatro, ti prego di comunicarle ch'io non posso dare *Il giardino dei ciliegi* prima che venga messo in scena al Teatro d'Arte, giacché il lavoro non è ancor pronto, occorre cambiare qualcosa, che lo riceverà in dicembre o in gennaio, e che intanto a Ginevra gli studenti mettano su qualcosa d'altro, per esempio *L'ebreo* di Čirikov, lavoro adattissimo e assai decoroso sotto ogni punto di vista. Capito? Tu dille cosí. Io non le rispondo, perché non conosco il suo patronimico. A quanto pare, è diabolicamente villana.

Da noi piove. Dieci gradi sopra zero. Quest'oggi mi laverò la testa. Mezzo reame per un bagno! Oggi pranza da me

K. L., perciò preparano cavolfiori e un'anitra. Ma le anitre di qui sono scarne e dure come uccelli da preda.

Sui giornali di stamane c'è la notizia che la strada ferrata della Crimea la costruirà non Michajlovskij, ma qualcun altro. Probabilmente sono pettegolezzi di Sof'ia Pavlovna.

Ol'ga Michajlovna m'ha portato le ostriche e le aringhe. Quelli di casa si sono tanto spaventati delle ostriche, le guardavano con tale orripilata e schifata superstizione che m'è toccato non mangiarle. Le aringhe erano buone. In genere è chiaro ch'io non posso assolutamente vivere senza Ol'ga Michajlovna. Presto verrà a Mosca Sof'ja Pavlovna, s'è ordinata appositamente a Odessa una pelliccia e diversi vestiti.

Il mio giubileo – sono fandonie. Nei giornali non hanno ancora mai scritto la verità su di me. Il giubileo sarà, probabilmente, non prima del 1906. E questi discorsi e preparativi giubilari non fanno che irritarmi.

Appena mi scriverai di partire, fisserò immediatamente il biglietto. Quanto prima, tanto meglio.

Tu non studiare troppo la tua parte, devi ancora consigliarti con me; e non ordinare i vestiti prima del mio arrivo.

A starci insieme, la Muratova è comica; dille che sia comica in Carlotta, è importante. Invece è poco probabile che alla Lilina riesca Anja – sarà una ragazza all'antica, dalla voce stridula, e niente piú.

Quando, finalmente, ci vedremo? Quando ti bastonerò? T'abbraccio, cavallina.

Il tuo superuomo, che corre sovente al supergabinetto.

A.

A OL'GA L. KNIPPER

Jalta, 21 novembre 1903

Cara cavallina, tutto questo tempo non ho fatto che mostrare il mio cattivo carattere, perdonami. Sono un marito, e i mariti – come si dice – hanno un caratteraccio. M'hanno chiamato or ora al telefono: parlava Lazarevskij, da Sebastopoli; m'ha comunicato che verrà da me questa sera, resterà magari a dormire, e di nuovo m'arrabbierò.

Presto, chiamami presto da te a Mosca; qui è limpido, caldo, ma io son pervertito ormai, non posso apprezzare queste delizie come meritano, io ho bisogno della fanghiglia e del maltempo moscoviti; non posso piú fare a meno del teatro e della letteratura. E convieni che sono un uomo sposato, ho pur voglia di vedere mia moglie.

Kostja è partito finalmente. È un magnifico ragazzo, star con lui è piacevole. Ieri è venuto Michajlovskij, han deciso che durante la costruzione Kostja starà a Jalta.

Oggi nessuna lettera tua. Ieri t'ho telegrafato riguardo alla pelliccia. Ti pregavo d'attendere la lettera. Temo che tu sia arrabbiata. Be', non importa, faremo la pace. Abbiamo ancora molto tempo davanti.

Il tempo è assolutamente estivo. Novità, nessuna. Non scrivo niente, non faccio che aspettare che tu mi dia il permesso di far fagotto, di partire per Mosca. A Mosca, a Mosca! Questo lo dicono non già le *Tre sorelle*, ma *Un marito*.

Abbraccio la mia piccola tacchina.

Il tuo   A.

A OL'GA L. KNIPPER

Jalta, 27 novembre 1903

Tesoruccio, nel primo atto c'è bisogno d'una cagnetta pelosa, piccola, sfiatata, dagli occhi arcigni, e Šnap non va.

È chiaro che mi si permetterà di venire a Mosca in agosto, non prima. Mia cara capessa, moglie mia severa, mi nutrirò di sole lenticchie, ogni volta che Nemirovič e Višnevskij entreranno mi alzerò rispettosamente in piedi, solo permettimi di venire. È una cosa indegna vivere a Jalta e a causa dell'acqua e dell'aria meravigliosa dover correre continuamente al W.C. È ora che voi, gente istruita, comprendiate che a Jalta io mi sento incomparabilmente peggio che a Mosca. Il mare, che era calmo, tranquillo, adesso è invece in burrasca, onde alte si levano fino al cielo, e voi lascerete che il tempo si guasti al punto che non si possa piú partire né arrivare.

Giungerò in vagone letto; non portarti dietro la pelliccia fino al vagone, sarà fredda; la indosserò dentro la stazione.

Come sei diventata tirchia! Presto appiccicherai alle lettere francobolli già usati. Perché non telegrafi niente? Ho una gran paura che l'ordine di venire a Mosca lo manderai per posta, e non per telegrafo. Ti darò dieci rubli, solo non fare la spilorcia, telegrafami, non lesinare.

Di' a tua madre che il vetro degli occhiali è stato smarrito da Varvara Konstantinovna, la quale, tra l'altro, ha promesso di venire da me prima della mia partenza.

S'è fatto freddo. Aspetterò un poco e poi, se non mi scrivi o telegrafi di venire, me ne vado a Nizza o in qualche posto un po' piú allegro.

T'abbraccio, cavallina, Dio sia con te, gioia mia. E cosí, io aspetto e aspetto.

Il tuo   A.

A OL'GA L. KNIPPER

                                                        Jalta, 29 novembre 1903

Ormai, cavallina, non so piú che fare e che pensare; ti ostini a non chiamarmi a Mosca, è chiaro che non mi vuoi chiamare. Se mi avessi scritto sinceramente il perché, quale ne è la ragione, io non avrei perduto tempo, sarei andato all'estero. Sapessi com'è uggiosa la pioggia sul tetto, che voglia ho di rimirare mia moglie. Ma ho una moglie io? E dov'è?

Non starò piú a scrivere, sia come volete. Non ho nulla da scrivervi, non c'è scopo.

Se oggi ricevo il telegramma, ti porto del vino dolce. Se non lo ricevo, allora marameo.

Šnap, ripeto, non è adatto. Ci vuole quel cagnolino spelacchiato che hai veduto, o qualcosa del genere. Si può anche fare a meno del cane.

Be', t'abbraccio.

Il tuo   A.

A FËDOR D. BATJUŠKOV

Mosca, 19 gennaio 1904

Caro Fëdor Dmitrievič, v'assicuro che il mio giubileo (se vogliamo parlare dei venticinque anni) non è ancora spuntato, né sarà presto. Io venni a Mosca, per entrare all'università, nella seconda metà del 1879; la prima bagatella, di dieci o quindici righe, fu pubblicata nel marzo o nell'aprile 1880, su «La libellula»; a voler essere molto indulgenti, e calcolare il principio appunto da quell'inezia, anche cosí bisognerebbe festeggiare il mio giubileo non prima del 1905.

Comunque, il 17 gennaio, alla prima rappresentazione del *Giardino dei ciliegi*, m'hanno reso onori cosí grandi, cosí affettuosi e in fondo cosí inattesi, che non riesco ancora a riavermi.

Se verrete per carnevale, sarà una bella cosa. Solo, non credo che prima di quell'epoca i nostri attori si riprenderanno e reciteranno *Il giardino dei ciliegi* in maniera non cosí confusa e poco chiara come fanno adesso.

Vi porgo il mio piú profondo ringraziamento per il vostro messaggio, un ringraziamento che vien dritto dal cuore. Moltissime, infinite grazie.

Mia moglie ringrazia e manda i suoi ossequi. Adesso lavora molto ed è *visibilmente* stanca.

Vi stringo forte la mano e vi mando i miei ossequi, state sano e prospero.

Vostro   A. Čechov

A LIDIJA A. AVILOVA

Mosca, 14 febbraio 1904

Egregia Lidija Alekseevna,

parto domani per Jalta. Se vi venisse l'idea di scrivermi, ve ne sarei molto grato.

Se non pubblicate la raccolta, se avete deciso cosí, sarò molto contento. La redazione e la pubblicazione di raccolte è cosa che toglie la tranquillità, che stanca, mentre il guadagno è di solito insignificante, spesso si resta in perdita. Secondo me, meglio di tutto sarebbe pubblicare in una rivista il vostro racconto e poi offrire il compenso a favore della Croce Rossa.

Scusate, son congelato, sono appena tornato da Caricyn (sono andato in carrozza, ché i treni non vanno, è saltato qualcosa delle rotaie), le mani scrivono male, e poi debbo fare le valige. Auguri d'ogni bene, piú che tutto siate allegra, non guardate alla vita in modo cosí complicato; in realtà essa è forse assai piú semplice. E poi merita essa, questa vita della quale non sappiamo niente, tutte le tormentose meditazioni nelle quali si logorano le nostre menti russe? Resta da vedere.

Vi stringo forte la mano e vi mando il mio grazie di cuore per la lettera. State sana e prospera.

Il vostro devoto

A. Čechov

A OL'GA L. KNIPPER

Jalta, 18 febbraio 1904

Tesoruccio mio caro, buono e bravo, ti voglio tanto bene. Come te la passi a Mosca? Sono a Jalta da un giorno solo, ma mi son già sprofondato nella locale vita di stazione climatica: è venuta da me la direttrice, è arrivato mio fratello Aleksandr con la famiglia... Il tempo è abbastanza buono, dell'umore non so niente; è arrivato il tavolo nuovo, ci sto trafficando attorno, ci dispongo sopra la roba.

Domani arriverà una tua lettera, l'aspetto e l'aspetterò con impazienza. Visite, visite, visite senza fine, non mi lasciano scrivere, mi guastan l'umore, e c'è un ometto che sta tutto il giorno seduto nel mio studio. Ti bacio forte, tesoro. Šnap si

sente a casa; non s'annoia, gioca con i cani; in genere non mi
pare eccessivamente intelligente, mi sembra anzi un po' stupi-
dello.

Mio fratello si fermerà a Jalta piú d'un mese. E anche la
sua famiglia. Il tavolo è risultato buono, della stessa grandezza del precedente.

Aleksandr abita qui vicino, nella villa di Chorošević.

Cavallino mio buono, domani ti scriverò di nuovo.

Il tuo   A.

A OL'GA L. KNIPPER

Jalta, 6 marzo 1904

Come non ti vergogni di scrivere con un inchiostro cosí orribile, capodoglietto mio, tesoro! Tu non crederai ma, parola
d'onore, m'è toccato spiccicare la busta dalla lettera, come se
tutto fosse stato incollato apposta. Anche Maša ha mandato
una stessa lettera appiccicaticcia. È una vera porcheria. Lettere appiccicose, e dentro mi fai paura con i tuoi presentimen-
ti – «pende sulla nostra testa qualcosa di terribile» – e cosí
via. Qui ci si annoia anche per questo tempaccio freddo. Neve sui monti, brina sui tetti, un'aria piú fredda che a Mosca.

Ebbene, prendi l'appartamento sul vicolo Leont'evskij, là
è bello, si ha tutto vicino. Io arriverò due, tre giorni prima del
tuo ritorno da Pietroburgo. Hai capito? Ho ricevuto una lettera da Vyšnevskij, scrive dei meravigliosi incassi di Pietroburgo, elogia l'appartamento al Leont'evskij, ecc. È venuto a
trovarmi Michajlovskj, parte per l'Estremo Oriente e dice che
tuo fratello Kostja si prepara anche lui ad andarci, naturalmente con uno stipendio grandioso. Effettivamente quando
una donna parla di continuo delle ovaie, dei reni, della vesci-
ca, e non parla che di questo, la si può gettare dalla finestra.
Leva guarirà, naturalmente se non ci saranno imprevisti.

Che sogno orribile ho fatto! Mi pareva che dormivo in letto non con te, ma con una signora molto antipatica, una brunetta fanfarona, e il sogno è durato piú di un'ora. Ma guarda
un po'!

Ho voglia d'incontrarmi con te, tesoruccio mio. Ho voglia
di parlare con mia moglie, con la donna unica. Novità non ce
ne sono, tutti non fanno che parlare dei giapponesi.

Be', Dio sia con te, non esser triste, non stancarti, sta' allegra. Come t'è saltato in mente che mi sono raffreddato nel viaggio da Caricyn a Mosca? Che sciocchezza, scusate l'espressione! La gente si raffredda solo a Jalta. Ho un raffreddore tremendo.

Abbraccio il mio scarafaggetto e lo bacio un milione di volte.

A.

A OL'GA L. KNIPPER

Jalta, 18 marzo 1904

Cagnolino mio liscetto, comunicami immediatamente quando, cioè che giorno parti per Pietroburgo, e anche dove debbo scriverti lí, i primi giorni dopo la tua partenza. Ma tu il telegramma non me lo manderai. Spedisci telegrammi a tutti i parenti, ma per il tuo legittimo marito ti spiace spendere anche due soldi. Poco t'ho picchiato.

Ostrovskij non è mio parente, ma figlio del mio professore di matematica al ginnasio. Una volta mi chiese in prestito quindici rubli e, naturalmente, non li restituí; da allora mi compare innanzi dappertutto, perfino a Perm' è venuto, ma io non l'ho ricevuto; si spaccia per attore.

Ho veduto Orlënev ne *Gli spettri* di Ibsen. Lavoro scadente, recitazione mediocre, da filibustiere. Oggi ho ricevuto da Ivan una lettera riguardante Caricyn, gli piace.

Da voi fa caldo, da noi invece fa freddo, c'è un vento feroce. I letti non li comprare, aspetta, li compreremo insieme quando verrò.

Del tuo Lulú non so piú niente. Di' a Nemirovič che il suono nel secondo e nel quarto atto del *Giardino dei ciliegi* dev'essere breve, molto piú breve, e deve sentirsi proprio da lontano. Quante piccinerie, non possono mai mettersi d'accordo su delle inezie come un suono, sebbene nella commedia se ne parli cosí chiaramente.

Che notizie dello zio Saša? Il suo indirizzo è: «Esercito manciuriano», oppure «Nell'Esercito manciuriano», poi il nome del reggimento e il grado? Si può spedire senza francobollo?

Ma via, cane, non senti nostalgia di me? È una vera porcheria. Be' ti benedico, ti bacio e t'abbraccio. Cristo sia con te.

Il tuo

A.

Gli stivaletti sono belli, solo, non so perché, il sinistro è un
po' piú stretto, e camminando ambedue tacchettano, tanto
che portandoli non ti senti una persona intelligente; però fanno bella figura.

A teatro sono andato in giacchetta.

A OL'GA L. KNIPPER

Jalta, 29 marzo 1904

Cagnetto mio caro, t'ho già fatto gli auguri per le feste,
adesso ti mando solo un saluto e un mucchio di baci. Ieri è
arrivato Konst. Leon. con la moglie, in questo momento è da
basso a bere il tè. Tutti e due stanno bene, di ottimo umore, del ragazzo dicono che sta discretamente. Adesso è chiaro che Lulú andrà in estate a Evpatorija, l'inverno lo passerà a Jalta. Del resto Jalta le piace, e molto, anche. A Evpatorija mi pare che non starà male, solo non bisogna chiamare sempre nuovi dottori. Domani K. L. e Lulú partono per
Sebastopoli.

È venuto a trovarmi Martynov; persona vivace, ma evidentemente pittore non dotato. È andato a Caricyn per quindici
anni, ma solo d'inverno; dice che il villino è asciutto, che nebbia di solito non ce n'è, che lí si sta bene.

Mi scrivi che sono in collera con te. Perché, diletta mia? Tu
sí, devi avercela con me, non io con te. Dio ti perdoni, tesoro.

Lulú e K. L. sono stati al *Giardino dei ciliegi* in marzo; tutti
e due dicono che nel quarto atto Stanislavskij recita in modo
orrendo, che tira tormentosamente in lungo. Che cosa terribile! Un atto che deve prolungarsi *maximum* dodici minuti, dura da voi quaranta minuti. Una cosa sola posso dire: Stanislav-
kij m'ha rovinato il lavoro. Ma via, che Dio lo perdoni.

Da noi tutto il giorno visite, perfino il maestro di Gurzuf è
qui. Ho ricevuto la fotografia, grazie, tesoruccio mio amore-
vole. Se a Pietroburgo te la passi allegramente, se te la godi, io
ne sono contento e felice; se invece sei melanconica, è una
porcheria. Divertiti, non curarti delle recensioni, se sono appena appena poco tenere, e pensa all'estate.

Sof'ja Petrovna dice che Ekat. Pavl. ha degli sbocchi di
sangue, ecc., in una parola, tubercolosi.

Ieri è stato da me Michajlovskij, ha detto che partirà pre-

stissimo per l'Estremo Oriente. Era vestito come uno zerbi
notto; è stato molto caro.

Da noi è autentica primavera, e tuttavia fa freddino.

Scrivimi, zanzarina mia, sai bene che senza di te m'annoio
lo sai benissimo.

Ti bacio e t'abbraccio forte.

Il tuo   A

Ho ricevuto una lunga lettera da Kazan', da un certo stu
dente; chiede qualcosa con insistenza, giura che a Kazan' *Il
giardino dei ciliegi* è andato meravigliosamente – e ringrazia

A BORIS A. LAZAREVSKIJ

Jalta, 13 aprile 190

Caro Boris Aleksandrovič, la vostra lunga e triste lettera
m'è giunta ieri, l'ho letta e v'ho compianto di tutto cuore. Ma
penso che adesso non abbiate piú bisogno di compassione
giacché è primavera, fa caldo, e la famosa baia è libera dai
ghiacci. Quando sono stato a Vladivostok, il tempo era mera
viglioso, caldo, malgrado fosse ottobre; passava per la baia
un'autentica balena che dibatteva la grossa coda, insomma ne
ebbi un'impressione meravigliosa – forse perché tornavo a
natio loco. Finita la guerra (e finirà presto), comincerete a
viaggiare per i dintorni; andrete a Chabarovsk, sull'Amur, a
Sachalin, sul litorale, vedrete un mucchio di cose nuove, sco
nosciute, che poi ricorderete sino alla fine dei vostri giorni
abbiate pazienza e ve la godrete, e non v'accorgerete come
passeranno rapidi questi terribili tre anni. A Vladivostok –
per lo meno, in tempo di pace – non ci si annoia, si vive alla
europea, e mi pare che vostra moglie non farebbe uno sbaglio
se dopo la guerra vi raggiungesse. Se siete cacciatore, quanti
discorsi allora di caccia e di tigri! E che pesci saporiti! Su tutta
la costa le ostriche son grosse, gustose. In luglio o in agosto, se
la salute me lo permette, andrò a fare il medico in Estremo
Oriente. Chi sa che non capiti anche a Vladivostok. Presto
andrò a Mosca, ma voi seguitate egualmente a scrivere a Jalta
di qui mi rispediscono puntualmente le lettere, dovunque io
mi trovi.

Vi stringo forte la mano e v'auguro salute e ottimo umore

crivete che a Vladivostok non c'è niente da leggere. E le bi-
lioteche? E le riviste?

Se capita un bombardamento o qualcosa del genere, descri-
vetelo e mandatelo subito, per un giornale o per «Il pensiero
russo», a seconda della lunghezza.

Vostro   A. Čechov

A BORIS A. SADOVSKIJ

Mosca, 28 maggio 1904

Egregio Boris Aleksandrovič,

vi restituisco il vostro poema. A me personalmente sembra
ottimo per la forma ma, vedete, io nei versi non sono versato:
ne capisco poco.

Quanto al contenuto, non è persuasivo. Ad esempio, il vostro Lebbroso dice:

Me ne sto in una veste ricercata,
senza osare guardar dalla finestra.

Non si capisce perché un lebbroso abbia bisogno d'un abito ricercato; e perché non osa guardare?

In genere il comportamento del vostro eroe manca sovente
di logica, mentre nell'arte, come nella vita, non accade nulla
per caso.

Vi auguro ogni bene.   A. Čechov

A MARIJA P. ČECHOVA

Berlino, 6 giugno 1904

Cara Maša, ti scrivo da Berlino, dove sono già da venti-
quattro ore. A Mosca, dopo la tua partenza, è venuto un gran
freddo, è caduta la neve, e probabilmente per questo mi son
raffredato, ho cominciato a sentirmi le gambe e le braccia rotte; di notte non dormivo, sono molto dimagrito; ho fatto inie-
zioni di morfina, ho preso migliaia di medicinali, ma ricordo
con gratitudine soltanto l'eroina, ordinatami una volta da
Al'tšuller. Tuttavia per la partenza ho cominciato a radunare
le forze, l'appetito è tornato, ho cominciato a farmi delle inie-

zioni di arsenico, ecc. ecc. e finalmente giovedí son partiti
per l'estero, magro, con le gambe stecchite e scarne. Il viaggio
è stato buono, piacevole. A Berlino abbiamo fissato una stanza accogliente, nel miglior albergo. Ci sto con gran piacere:
era da un pezzo che non mangiavo cosí bene, con tanto appetito, come qui. Il pane è meraviglioso, me ne rimpinzo, il caffè
è eccellente, dei pranzi poi non ti parlo neppure. Chi non è
stato all'estero non sa cosa vuol dire del buon pane. Qui manca del tè decente (noi abbiamo il nostro), non ci sono antipa-
sti, in compenso tutto il resto è formidabile, pur essendo meno caro che da noi. Io mi son già rimpolpato ed oggi sono andato perfino in carrozza, lontano nel Tiergarten, sebbene facesse freddo. E dunque di' alla mamma e a tutti coloro ai quali interessa che io mi sto rimettendo, anzi che mi son già
rimesso, le gambe non mi fanno piú male, non ho diarrea, comincio a ingrassare e sto già tutto il giorno in piedi, non resto
coricato. Domani verrà da me una celebrità locale – il prof.
Ewald – specialista delle malattie intestinali; a lui ha scritto
di me il dott. Taube.

Ieri ho bevuto della birra meravigliosa.

Vanja è a Jalta? Venne da me a Mosca due giorni avanti la
mia partenza e poi sparí, non lo vidi piú. E confesso che per
tutto il viaggio mi sono agitato pensando a lui, a dove si trovava e perché era sparito all'improvviso. Scrivimi di che si tratta, per favore.

Dopodomani partiamo per Badenweiler. Manderò l'indirizzo. Scrivimi se avete soldi, quand'è che debbo mandare lo
chèque. Berlino mi piace molto, sebbene oggi faccia freddo.
Leggo i giornali tedeschi. Le voci che i quotidiani locali biasi-
mino molto i russi, sono esagerate.

Be', sta' sana e allegra, che gli angeli del cielo ti proteggano. Salutami la mamma, dille che adesso tutto procede ottimamente. In agosto tornerò a Jalta. Saluti anche alla nonnetta, ad Arsenij e Nastja. Ed anche a Varvara Konstantinovna.
Ti bacio.

Il tuo

                                                        A. Čechov

Abbiamo dimenticato di prendere la vestaglia.

A MARIJA P. ČECHOVA

Berlino, 8 giugno 1904

Cara Maša, oggi partiamo da Berlino per un lungo soggiorno sulla frontiera svizzera, dove, probabilmente, sarà molto noioso e caldissimo. Il mio indirizzo è:

Germania, *Badenweiler*
Herrn Anton Tschechow

Cosí stampano qui il mio cognome sui libri, e dunque cosí bisogna scriverlo. A Berlino fa un po' freddo, ma si sta bene. La cosa peggiore, che salta subito agli occhi, sono gli abiti delle signore del luogo. Un orribile cattivo gusto, in nessun posto si vestono cosí abominevolmente, con cosí completa mancanza di gusto. Non ne ho veduta una carina, non una che non avesse indosso qualche assurdo nastrino. Adesso capisco perché è cosí difficile inoculare del buon gusto ai tedeschi di Mosca. In compenso, qui, a Berlino, vivono con ogni comodità, mangiano saporitamente, per ogni cosa si fanno pagare poco, i cavalli sono ben nutriti, i cani – che qui attaccano alle carriole – sono pure ben pasciuti, per le strade c'è pulizia, ordine.

È di passaggio a Berlino Ekaterina Pavlovna; i suoi bambini si sono ammalati di morbillo, lei è disperata. Ieri ci siamo incontrati.

Le gambe non mi dolgono piú, mangio ottimamente, dormo bene, scarrozzo per Berlino; unico guaio: l'affanno. Oggi mi son comperato un vestito estivo, delle maglie Jäger, ecc. ecc. Molto piú a buon mercato che a Mosca.

Il mio indirizzo adesso ce l'hai, scrivimi dunque, e rispediscimi le lettere; varie lettere dentro una sola busta, mandarle raccomandate. Spedisci solo quelle che non ti paiono insignificanti.

Saluti a mamma e Vanja. Statevi bene e non siate tristi, se possibile.

Ti stringo forte la mano e ti bacio.

Tuo   A.

A MARIJA P. ČECHOVA

Badenweiler, 12 giugno 1904

Cara Maša, è ormai il terzo giorno che sto nel luogo desti-
natomi; ecco, se lo desideri, un indirizzo piú preciso:

Germania, *Badenweiler*
Herrn Anton Tschechow
Villa Friederike

Questa *Villa Friederike*, come tutte le case e ville di qui, è
isolata, in un lussureggiante giardinetto, al sole, che brilla e
scalda fino alle sette di sera (dopo entro in camera). Noi stiamo qui a pensione. Per 14 o 16 marchi al giorno, in due, ci
dànno una camera, inondata di sole, con lavandini, con letti,
ecc. ecc., con uno scrittoio e – cosa importante – con un'acqua meravigliosa, che rassomiglia all'acqua di seltz. Guardando attorno vedi: un gran giardino, oltre il giardino le montagne, coperte di boschi; poca gente, poco movimento per le
strade, il giardino e i fiori sono curati splendidamente. Oggi
però all'improvviso s'è messo a piovere, io sto tappato in camera, e ho già la sensazione che fra tre giorni comincerò a
pensare a come tagliar la corda.

Continuo a mangiare burro in gran quantità – e senza alcuna conseguenza. Il latte non lo sopporto. Il dottore di qui,
Schwöhrer (sposato ad una moscovita Živago), s'è dimostrato
competente e onesto.

Da qui a Jalta verremo forse via mare, attraverso Trieste o
qualche altro porto. La salute torna non ad once, ma a *pud*.
Per lo meno qui ho imparato come nutrirmi. Il caffè mi è assolutamente proibito, dicono che è lassativo. Comincio già a
prendere qualche uovo. Ah, come si vestono male le tedesche!

Abito al pianterreno. Sapessi che sole c'è qui! Non brucia,
accarezza. Ho una poltrona a sdraio, sulla quale sto disteso o
siedo.

Comprerò senz'altro l'orologio, non ho dimenticato. Come
va la salute della mamma? E l'umore? Scrivimi. Salutamela.
Ol'ga va qui da un dentista, molto buono.

Be', sta' sana e allegra. A giorni ti scriverò ancora una lettera.

A Berlino ho comprata moltissima di questa carta, ed anche le buste. Ti bacio, ti stringo la mano.

Il tuo   A.

Saluti ad Arsenij, alla nonnetta e a Nastja. A proposito, salutami anche Sinani.

E Vanja dov'è? È arrivato a Jalta? Se è lí, salutami anche lui.

A MARIJA P. ČECHOVA

Badenweiler, 28 giugno 1904

Cara Maša, qui è venuto un caldo feroce, che m'ha colto alla sprovvista, e giacché ho preso con me tutti i vestiti invernali, soffoco e sogno d'andarmene via. Ma dove? Avrei voluto andare in Italia sul lago di Como, ma di là tutti sono scappati via per il caldo. Dappertutto nel sud Europa fa caldo. Vorrei viaggiare da Trieste a Odessa in battello, ma non so quanto sia possibile adesso, in giugno-luglio. Potrebbe *George* informarsi che navi ci sono? Se sono comode? Se le fermate si protraggono a lungo, se la tavola è buona, ecc. ecc.? Sarebbe per me un gran piacere se *a mie spese* me lo telegrafasse. Il telegramma dev'essere cosí: «*Badenweiler Tschechow. Bien. 16. Vendredi*». Questo vuol dire: *bien* = il battello è buono, 16 = giorni di viaggio, *Vendredi* = giorno della partenza del battello da Trieste. Naturalmente questa che vi do è una formula di telegramma, e se il battello parte di giovedí, allora non bisogna mettere *Vendredi*.

Se farà un po' caldo, non sarà un gran guaio; avrò un abito di flanella. Confesso che invece avrei un po' paura a viaggiare in treno. Nel vagone adesso si soffoca, specialmente col mio affanno, che aumenta per la minima sciocchezza. Inoltre da Vienna fin giú a Odessa non c'è vagone letto, non sarebbe comodo. E poi col treno arriverei a casa piú presto di quanto occorre, mentre io non sono ancora andato abbastanza in giro.

Fa molto caldo, da spogliarsi nudi. Non so proprio che fare. Ol'ga è andata a Friburgo a ordinarmi un vestito di flanella, qui a Badenweiler non ci sono né sarti né calzolai. Come campione ha preso il mio abito cucito da Duchard.

Mangio con appetito, ma non molto, ho dei continui disturbi di stomaco. Il burro di qui non posso mangiarlo. È evidente che il mio stomaco è irrimediabilmente rovinato, è poco probabile che riesca a rimetterlo in sesto, se non col digiuno, cioè non mangiar niente, e basta. Per l'affanno poi c'è un'unica medicina – non muoversi.

Non una sola tedesca ben vestita, un cattivo gusto sconfortante.

Be', sta' sana e allegra, saluti alla mamma, a Vanja, a *George*, alla nonnetta e a tutti gli altri. Scrivi. Ti bacio, ti stringo la mano.

Tuo

A.

Elenco dei destinatari

Alekseev, Konstantin Sergeevič (Stanislavskij) (1863-1938)

Famoso regista e attore, conobbe Č. nel 1888, ma divennero amici stretti solo dopo la creazione del Teatro d'Arte di Mosca, nel 1898.

Alekseeva, Marija Petrovna (Lilina) (1866-1943)

Attrice del Teatro d'Arte, moglie di Stanislavskij, interpretò vari personaggi delle commedie di Č.

Avilova, Lidija Alekseevna (1865-1943)

Scrittrice. Con l'aiuto di Č. collaborò a parecchie riviste letterarie.

Bilibin, Viktor Viktorovič (1859-1908)

Pubblicista, umorista, autore di numerose commedie e farse. Redattore capo di «Schegge», ne assunse la direzione dopo la morte di Lejkin. Il suo pseudonimo è I. Grek.

Čechov, Aleksandr Pavlovič (1855-1913)

Il maggiore dei sei fratelli Čechov. Frequentò a Taganrog le scuole elementari e il ginnasio, nel 1875 s'iscrisse all'università di Mosca, dove nel 1882 si laureò in scienze naturali e matematica. Da studente cominciò a collaborare a varie riviste umoristiche moscovite. Per provvedere ai bisogni della famiglia (dal 1881 conviveva con Anna I. Kruščëva-Sokol'nikova e da questa unione illegale erano nati due figli) s'impiegò nelle dogane. Nel 1886, col valido aiuto del fratello Anton, entrò a far parte della redazione di «Tempo Nuovo» e collaborò a molti altri periodici sotto diversi pseudonimi.

Čechov, Georgij Mitrofanovič (1870-1943)

Cugino di Č., impiegato presso una ditta di trasporti marittimi di Taganrog.

Čechov, Ivan Pavlovič (1861-1922)

Fratello minore di Č., insegnò nelle scuole elementari di Voskresensk, si trasferí quindi a Mosca e fu nominato direttore di una scuola professionale.

Čechov, Michail Pavlovič (1865-1936)

Il minore dei sei fratelli Čechov, pubblicista. Laureato in legge all'università di Mosca, fu per qualche anno ispettore delle imposte e impiegato alla tesoreria di Jaroslavl, poi lavorò presso la libreria di Suvorin. Direttore della rivista «L'infanzia dorata», autore di numerosi articoli, racconti, novelle, bozzetti e commediole.

Čechov, Nikolaj Pavlovič (1858-1889)

Il secondo dei fratelli Čechov, pittore e musicista. Frequentò senza terminarla l'Accademia di Belle Arti di Mosca, collaborò come disegnatore e caricaturista a parecchi giornali umoristici e illustrò molti racconti e *feuilletons* di Č.

Čechova, Evgenija Jakovlevna (1835-1919)

Madre di Č., figlia del mercante Morozov di Taganrog.

Čechova, Marija Pavlovna (1863-1957)

Sorella di Č. Frequentò a Mosca la scuola superiore femminile Ger'e, insegnò storia e geografia in un ginnasio privato. Fece da segretaria al fratello, l'aiutò a organizzare il viaggio a Sachalin, diresse la sua casa a Mosca, Melichovo, Jalta. Dopo la morte di Č., che la nominò sua esecutrice testamentaria, ne riordinò gli scritti e preparò un'edizione delle lettere in sei volumi. Fu curatrice della casa di Č. a Jalta, eretta a museo nel 1920; creò anche un museo Čechov a Mosca, che costituí il primo nucleo dell'attuale Museo letterario.

Djukovskij, Michail Michajlovič

Amico dei fratelli Č., insegnante all'Accademia militare e da ultimo direttore amministrativo di una scuola professionale.

Ertel', Aleksandr Ivanovič (1855-1908)

Letterato.

Grigorovič, Dmitrij Vasil'evič (1822-1899)

Scrittore, molto celebre ai suoi tempi, autore di bozzetti, racconti, novelle, romanzi in cui tratteggia la vita dei «semplici» (contadini, pescatori, artigiani, ecc.).

Knipper-Čechova, Ol'ga Leonardovna (1868-1959)

Attrice del Teatro d'Arte di Mosca. Conobbe Č. alle prove del *Gabbiano*, nel 1898. Divenne sua moglie nel 1901.

Kommissarževskaja, Vera Fëdorovna (1864-1910)

Attrice drammatica. Creò un suo teatro a Pietroburgo.

Koni, Anatolij Fëdorovič (1844-1927)

Magistrato, autore di scritti letterari e polemici di tendenza liberale democratica.

Korolenko, Vladimir Galaktionovič (1853-1921)

Scrittore populista, autore di bozzetti e racconti, fra i quali i piú noti sono: *Il sogno di Makar, In cattiva compagnia, Il musicista cieco.*

Lazarevskij, Boris Aleksandrovič (1871-1919)

Letterato, di professione avvocato militare, prestò servizio nella marina da guerra, fu a Sebastopoli, Novorossijsk, in Estremo Oriente.

Lejkin, Nikolaj Aleksandrovič (1841-1906)

Scrittore, collaborò a parecchie riviste umoristiche e anche alla «Gazzetta di Pietroburgo». Dal 1882 diresse «Schegge».

Leont'ev, Ivan Leont'evič (Ščeglov) (1856-1911)

Ex ufficiale d'artiglieria, narratore e drammaturgo.

Men'šikov, Michail Osipovič (1859-1919)

Ufficiale di marina, poi pubblicista. Di idee liberali all'inizio, aderí poi alla tendenza conservatrice e retriva di «Tempo Nuovo» di cui fu uno dei piú autorevoli collaboratori.

Mizinova, Lidija Stachievna (1870-1937)

Amica di Č. Abbandonato l'insegnamento, essa ottenne un impiego al municipio di Mosca e frequentò i corsi di dizione della Fedotova; in seguito studiò canto e fu mandata all'estero a perfezionarsi. Nel 1902, sposò A. Sanin, regista e attore del Teatro d'Arte.

Nemirovič-Dancenko, Vladimir Ivanovič (1858-1943)
Letterato drammaturgo, regista, uno dei fondatori e direttori del Teatro d'Arte. Curò la regia de *Il gabbiano*, *Lo zio Vanja*, *Le tre sorelle* e *Il giardino dei ciliegi*.

Peškov, Aleksej Maksimovič (Gor'kij) (1868-1936)
Lo scrittore Massimo Gor'kij.

Pleščeev, Aleksej Nikolaevič (1825-1893)
Poeta molto noto ai suoi tempi. Membro del gruppo Petraševskij, insieme con Dostoevskij fu condannato a morte nel 1849, poi graziato e mandato al confino. Diresse per molti anni la rubrica letteraria del «Messaggero del Nord». Nel 1890 una grossa eredità gli permise di ritirarsi a vita privata e di trascorrere all'estero molti mesi dell'anno. Morí a Parigi.

Rossolimo, Grigorij Ivanovič (1860-1928)
Professore all'università di Mosca, neuropatologo. Compagno di corso di Č. alla facoltà di medicina.

Šavrova, Elena Michajlovna (1874-1937)
Scrittrice, amica di Č., il quale corresse e rimaneggiò parecchi suoi racconti e si adoperò per farli pubblicare.

Suvorin, Aleksej Sergeevič (1834-1912)
Pubblicista, editore, noto anche come narratore e drammaturgo. Nel 1876 acquistò il quotidiano «Tempo Nuovo» che dal 1868 usciva a Pietroburgo. Di tendenza liberaleggiante all'inizio, il giornale divenne presto uno dei piú diffusi e autorevoli organi dei circoli conservatori e reazionari.

Suvorina, Anna Ivanovna
Seconda moglie di Suvorin.

Tolstaja, Tat'jana L'vovna
Figlia maggiore di Tolstoj.

Trefolev, Leonid Nikolaevič (1839-1905)
Poeta e pubblicista.

Visňevskij, Aleksandr Leonidovič (1863-1943)
Attore del Teatro d'Arte, nativo di Taganrog, compagno di ginnasio di Č.

Žirkevič, Aleksandr Vladimirovič
Scrittore.

*Stampato per conto della Casa editrice Einaudi
presso la Estroprint, Belvedere di Tezze sul Brenta (Vicenza)*

C.L. 11582

Ristampa

1   2   3   4   5   6

Anno

2005   2006   2007   2008